道家文化研究

第十一輯

陳鼓應主編

文史哲出版社印行

國家圖書館出版品預行編目資料

道家文化研究 / 陳鼓應主編. -- 校訂一版. -- 臺
北市: 文史哲, 民 89
　面　；　公分
　ISBN 957-549-300-1 (一套：精裝) ISBN 957-549-
301-x (第一輯)ISBN 957-549-302-8 (第二輯)ISBN
957-549-303-6(第三輯)ISBN 957-549-304-4 (第四
輯)ISBN 957-549-305-2 (第五輯) ISBN 957-549-
306-0 (第六輯) ISBN 957-549-307-9 (第七輯) ISBN
957-549-308-7 (第八輯) ISBN 957-549-309-5 (第九
輯) ISBN 957-549-310-9 (第十輯) ISBN 957-549-
311-7 (第十一輯) ISBN 957-549-312-5 (第十二輯)

1.道家 - 論文-講詞等　2. 道教 - 論文-講詞等
121.307　　　　　　　　　　　　　　89011271

道家文化研究 第十一輯

主 編 者：陳　　鼓　　應
出 版 者：文 史 哲 出 版 社
登記證字號：行政院新聞局版臺業字五三三七號
發 行 人：彭　　正　　雄
發 行 所：文 史 哲 出 版 社
印 刷 者：文 史 哲 出 版 社
臺北市羅斯福路一段七十二巷四號
郵政劃撥帳號：一六一八〇一七五
電話 886-2-23511028・傳眞 886-2-23965656

精裝全十二冊售價新台幣　　　　　元

中華民國八十九年八月校訂一版

《道家文化研究》在臺重版序言

　　八十年代以來，在中國大陸陸續創辦了一些學術性的刊物，如《管子學刊》、《孔子研究》等，對推動儒家、管子思想及稷下學的研究，起了積極的作用。在此之前，1979年創刊的《中國哲學》，它是以書代刊的形式出版，給我留下深刻的印象，為此我和一些研究道家的學者曾多次商議想辦一個專門討論道家思想的專刊，這想法終於得到香港道教學院院長侯寶垣先生和副院長羅智光先生的大力支持。於是，《道家文化研究》第一輯很快就於 1992 年面世了。

　　時光荏苒，轉眼之間，《道家文化研究》已經出版了十八輯，辦刊的過程是艱辛的，但每一輯的出版也都帶來收穫的愉快。特別是它能夠穫得海內外學術界的廣泛關注與好評。

　　眾所周知，《道家文化研究》一直是在大陸印行的。這對於臺灣感興趣的讀者帶來諸多不便。兩年多前，我剛回臺大的時候，就感到了這個問題，也就有了在臺灣重新印行它的念頭。當然，我也知道，這並不是很容易做到的。因為，任何一個出版公司若要出版它，大半是要賠錢的。所以，我非常感謝我的老朋友——文史哲出版社的彭正雄社長，願意幫忙印行《道家文化研究》一到十二輯，目前僅印三百部提供專業學者研究之需。同時，我也要借此機會，向上海古籍出版社和北京三聯書店表示感謝，由於他們的慷慨，得以使本刊在臺重印。

陳　鼓　應

1999 年 8 月

《道家文化研究》臺灣版出版閒言

　　《道家文化研究》是道家及道教研究的專業研究性刊物，在知名道家專家陳鼓應教授多年努力耕耘下，今天它已經是國際同行不可或缺的學術園地。世界學人只要想用中文發表有關這個領域的研究成果，莫不努力爭取在這個學術園地刊出。試看《道家文化研究》出版至今共十餘輯，作者群就已經遍佈世界各地了，除了海峽兩岸外，更包括韓國、日本、新加坡、澳洲、加拿大、美國及歐洲等地。而且其中更包括張岱年、柳存仁、王叔岷、湯一介、李學勤、朱伯崑、金谷治、余敦康、許抗生、蒙培元、李豐楙、劉笑敢、陳鼓應等等知名學者。

　　可惜，從前受限於現實情況，海峽兩岸資訊交流不易，臺灣地區的學者專家，並不容易取得這一份刊物的。而且《道家文化研究》從創刊號到今天，已經出版了十八本了，好些早已銷售一空；特別是期數較早的，更是一冊難求。有鑒於此，本社認為需要重印整套《道家文化研究》，以饗讀者。

　　也許關心我們的讀者會替本社擔心成本效益問題，但我們的老客戶都知道本社成立近三十年，始終沒有只以營利為唯一的宗旨。雖然我們還不至於像莊子所說的「舉世而譽之而不加勸，舉世而非之而不加沮」，但是，正如同許多讀者一般，我們欣賞這樣高水準的學術雜誌，我們更希望能讓更多人分享到這許許多多知名學人的學術成就。當然學術性專業期刊的銷路，本身就很有限，所以本社也將限量發售，只印三百套，供有興趣的專家學人們選購，當然更希望學校機關及圖書館能夠購備，以便更多讀者可以讀到這份雜誌。這樣，我們的辛勞就不會白費。

　　最後，我們得感謝陳鼓應教授的信賴，更感謝上海古籍出版社及北京三聯書店的慷慨，使得我們的重印計畫得以實現。

彭　正　雄

文史哲出版社發行人

2000 年 7 月 15 日

《道家文化研究》合刊總目

《道家文化研究》第一輯目錄

《道家文化研究》第二輯　　目錄

《道家文化研究》第三輯　　　目錄

《道家文化研究》第四輯　　目錄

《道家文化研究》第五輯　　　目錄

《道家文化研究》第六輯　目錄

《道家文化研究》第七輯　　目錄

《道家文化研究》第八輯　　目錄

《道家文化研究》第九輯　　目錄

《道家文化研究》第十輯　　目錄

《道家文化研究》第十一輯　　目錄

《道家文化研究》第十二輯　　目錄

《道家文化研究》編委會

RUDOLPH G. WAGNER 瓦格納(德國)

KRISTOFER M. SCHIPPER 施舟人(荷蘭)

BARBARA HENDRISCHKE 芭芭拉(澳)　　鄺國強(香港)

鄧立光(香港)

支　　持　香港道教學院

編輯部地址：　100080　北京海淀芙蓉里5-115

聯　絡　人　陳鼓應

目　錄

編　者　寄　言

　　道教作為一門宗教，是相當古老的；而道教研究作為一門
學術，則仍然年輕。古老的宗教要更新其文化生命，必有待於
學術的開展；年輕的學術要走出霧裏看花式的印象，也必然有
許多問題需要提出來討論。道教易學無疑是需要討論的問題之
一。

　　道教易學之課題，首先出現在易學史研究中。因為宋代的圖
書易學有一些難解之謎，謎底似乎都與道教有關，所以道教易學
也就被視為一個重要的歷史環節，越來越受到它應該受到的關
注。

　　於易學史角度提出來的問題，却需要從道教史的角度尋找答
案。這種不同學術領域的交叉、對話，不僅拓寬了研究者的視
野，也更接近於歷史文化之原貌。學者們在研究中發現，道教易
學有它自身的理旨、風格以及歷史流系，從一個角度映現了道教
思想的歷史發展。正如它有助於解開某些易學史之謎一樣，道教
易學也是深入理解道教思想的必然途徑。理解是一個漸進的過
程，在這個過程中，我們也許將會擺脫往日對於道教的觀感式印
象，領悟“道教之真精神”，並對其歷史文化價值作出應有的評
估。

　　本刊特闢道教易學專輯，旨在順應並且推動對於這個課題的
研究。就這個課題的目前狀況而言，重要的也許不是得出某種一

致的結論,而是繼續保持探索的態勢。我們願以此專輯作為繼續探索的鋪墊。

《道家文化研究》從本輯(總第十一輯)起,由生活·讀書·新知三聯書店出版。

道家文化研究編輯部

1996 年 6 月 9 日

道教易學論略

盧國龍

內容提要 易學的運思理路是天道與人事的雙向互動,即一方面由天道推明人事,另一方面又由人事尋繹天道。本文即站在這個角度理解所謂"道教易學",認為道教易學與儒家易學既有天道觀方面的相同,又有人事方面的差異,從而形成一種伴生關係,並且相互影響。就道教易學本身而言,可以劃分為兩個層次,其一是學術或理論性的,其二是信仰及文化傳媒方面的。學術層面的道教易學有兩個特點,即以《易》《老》相發明和應用於性命修持。其歷史發展則可劃分為兩個大的階段,第一個階段是唐五代北宋時期,旨趣在於闡釋《參同契》之丹道,敷釋甚繁蕪;第二個階段是南宋金元時期,多吸收理學以闡揚其性命之道,趨於簡約。文中最後就道教中的八卦信仰問題,討論道教對於易文化的傳媒作用及其意義。

一

《易》之所以為經,在於"推天道以明人事"。推是推理、推測,由此及彼,從已知推求未知。天道即所謂"《易》以道陰陽",也就是陰陽對待而運動的自然之理。人事指人的生存活動方式,是對生活的一種統括。人都在生活中,生活使人成其為人,而與鳥獸異。以此言之,人事亦即文化。

從運思理路上講,所謂"推天道以明人事"是雙向的。天道既是推斷人事吉凶休否,從而決定趨避取捨的準則,又是由對於自然的認識以及不斷總結、提煉人事經驗而得出的理念。這種雙向性,是天道與人事之間的一種互動機制,使二者保持着發展的張力——一方面,天道的内涵因應人事經驗的積澱和智性的成長而豐富、發展;另一方面,人事又因應天道内涵的發展而超越於經驗的層面之上,得以調整乃至重塑。

這種運思理路,蘊藉在天道與人事、卦象與事理相互推索的思維活動中。雖然易學家實際上在按照某種方法進行思維,但對思維方法却不作概念化的闡釋,亦即没有作為方法論的邏輯學,這使其運思理路一旦脱離了《易》之學術便很難理解——正如脱離了工藝實踐就很難掌握工藝藝術一樣,《易》學的運思理路從某種意義上說就是藝術性的,得意在方寸之間,難以描摹。

針對這個問題,我們不妨將《易》之運思理路與西方亞里士多德以來的邏輯思維作一簡單比較,這樣也許有助於我們的鑒别和理解。在許多細節方面,二者似乎是不可比的,或者說差異很大而可比性很小,諸如西方邏輯着眼於事物的存在狀態,概念思維建立在探討思維規律的基礎上;而易學則着眼於事物的存在性質,概念思維通過卦爻象的象徵性和類比性反映出來,在探討思維規律之前已經預設框架,等等。但基於人類思維的共性,二者在大的方面又是可以相互比較並且相互借鑒的。

西方邏輯思維有兩個大的方面,即綜合判斷和演繹推理。前者從關於事物類别的概括到關於存在的理論抽象,與易學的從人事到天道,在思維方式上有相類似的性質。易學根據"近取諸身,遠取諸物"的原則設卦觀象,即按照卦象的類别對事物的性質進行

歸納,舉凡人所能知見的事物,其性質皆可歸納到六十四卦之中,
進一步則依據卦象結構歸納為八純卦,並按照同樣的思路抽象為
陰陽兩爻以至一太極。這方面的運思理路,在易學中即所謂"卦象
說",它雖然帶着易學的概念特徵,但從思維方式上去理解,未嘗不
可看作是從人事到天道的綜合判斷。西方邏輯的演繹推理,以綜
合判斷作為前提,這與易學的由天道推明人事,在思維方式上也有
相類似的性質,即從一般推論個別。

　　綜合與演繹作為兩種基本的思維方式,在西方邏輯思維中與
在易學運思理路中,性質是相類似的。但當我們將西方邏輯與易
學運思作為兩種思想體系時,就會發現綜合與演繹在兩種思想體
系中的關係是不相同的。在西方邏輯思維中,從綜合到演繹是一
維的,先有綜合然後纔能進行合理的演繹,再綜合然後能再演繹,
這種思維方式表現出一維推進的階段性。而在易學的運思理路
中,綜合與演繹是雙向的,可以相對地同時進行。這種差別,從一
個方面影響了兩種思想體系的歷史發展,各有成就。就易學而言,
雙向互動的運思理路,使天道與人事、理念與生活處於二元對待的
關係之中,互為因果。換言之也可以說,人事是天道的真實內涵,
天道是人事的合理形式。這種既二元又對待的關係,不但使它具
有一種內在的發展機制和張力,同時也具有一種不證自明的天人
整體觀。

　　總之,《易》之運思理路以統合天人為旨趣,其所謂道,因此而
具開放的理論特質,消融於文化發展之中、百姓日用之間。此其所
以為羣經之首,所以為中國文化之一大傳統。

二

　　歷史地看易學與中國文化之整體的關係,前者因為獨特的

符號系統和運思理路,能够對後者進行體系化的理論概括,使紛繁複雜的文化現象昇華為理念,此即《易》之所謂易知、簡能,《繫辭》說:"易簡而天下之理得矣。"反過來看,中國文化之整體又是易學理念昇華的基礎,《繫辭》說:"夫《易》開物成務,冒天下之道,如斯而已者也。""《易》之為書也不可遠,為道也屢遷。"易道應因文化整體的歷史發展而發展,這站在易學本身的立場上來說,就是"唯變所適",毋封毋固,是一種開放的精神態度。而站在思想邏輯的角度去看,則《易》之所謂天道,本與人事處於二元對待的關係之中。人事是社會性的,以此為中介,注定了易道必然應因社會人事亦即文化的發展而發展。

如果我們站在假設的角度進行解析,那麼可以說,《易》以卦爻象系統作為符號表徵的天道,祇是一種體系化的形式或邏輯框架,脫離了人事之內涵,形式或框架是空洞的。單純的形式變換,充其量也祇是一種智力遊戲,談不上發展與否,因為其中沒有實義,沒有內涵規定,則無論卦象或卦序以哪種形式出現,都是無可無不可的。

這樣的假設,可以深化我們對天道與人事之內在聯繫的認識,但在易學史上似乎不可能找到例證。歷史上的易學家,因為認識人事的角度、抽象概括或邏輯思維能力等方面有差異,其所闡發的易道也有理論上的高下之分,但沒有脫離人事認識之基礎而能憑空構造的所謂易道。無論易道以哪種卦象卦序的符號表徵出現,其中都蘊涵着社會文化、人事認識之內容,這是易學史上的一條通則。

由此看來,易學的歷史發展取決於內外兩方面因素。就內的方面講,獨特的符號系統和運思理路代表了易學的主體性,非如此不足為"易學",而可能是"詩學""書學"或其他的學術形式。反過來說,祇要運用其符號系統和運思理路進行思維活動或文化探討,即屬於易學範圍。就外的方面講，人事的社會性又決定了易學的歷史發展不是某種封閉體系的自我運動，而必然是在吸收社會文化的基礎上推陳出新，非如此易學沒有生命力，也就不可能形成易學史。反過來說，任何一種形式的文化，都有可能被易學所吸收。吸收的方式或許有各種不同，在境界上也有圓融或者附會等差別，但吸收本身卻不但是可能的，而且是合理的。

易學歷史發展的內外兩方面因素，也就是我們討論道教易學的基本着眼點。道教自《周易參同契》發軔，其內外丹理論的建立，主要即以《周易》經傳的符號系統和運思理路作為依據。按照易學的主體性標準去衡量，我們說道教中有易學。雖然這種易學不是經學史意義上的，其宗旨不在於"代聖人立言"，但又作為一種社會文化，對經學史意義上的易學產生反作用。這是我們考察道教易學問題的應有視角。

三

討論道教易學，我們也許應該對這個議題有一種總體性的概觀或界說，以略見其整體面貌。但由於其中涉及到道教史與易學史相交叉的許多具體問題，有關的資料相當蕪雜，旨趣上也有頗大的差異，所以很難對它作出一個準確無誤的界定，更難以一言蔽之。我們只能着眼於道教易學的宏觀歷史和主要特點，梗概言之。

大體上說，道教易學是援引《周易》義理以闡發其教理、信仰及修持方法的一種學術形式，可以劃分為兩個層面，其一是學術或理論性的，其二是信仰或文化傳媒方面的。按照現代的學術眼光去看，二者的差別似乎很大。第一個層面是學術史或思想史的研究對象，第二個層面則屬於民間信仰和風俗，可以作為宗教或民俗學的研究對象，但它本身並不具備學術形式。而在道教中，這兩個層面却有着基本觀念上的深刻聯繫。其信仰或文化傳媒的一面,是以齋醮科儀及各種象徵物或圖案,將《易》之思想觀念以信仰的方式傳介到民間。此雖為百姓日用而不知,没有建設性的學理闡釋,但對於學術或理論性的探討,却又是不可缺少的現實社會和文化背景。所以,以今之學術眼光來看,兩個層面的差異不管有多大,就道教易學本身而言,都是重要的組成部份,兩者共同構成道教易學之整體。

在學術或理論的層面上,道教易學與儒家易學是站在不同的領域闡揚同一個經典傳統,既同源而異流,表現為兩個文化系統,又顯現出某種伴生關係,而且相互影響。

東漢魏伯陽作《周易參同契》,標誌着道教易學的産生。而《參同契》對於易理的運用,援引自孟喜、京房一系的納甲法、卦氣說等,是將漢易象數學轉用於煉丹。由此可見道教易學淵源於儒家易學,或者說由儒家易學流變而出。所謂變,不是說易理或天道觀出現了根本性的轉化,而是說與天道相對的人事轉換到了另一個領域。孟喜、京房之象數易學,主要特點是"入於機祥",即以一套卦象爻數體系,推斷自然災異和社會人事的吉凶禍福。而《參同契》則為象數派易學開闢了一個新的應用領域,即對漢初以來的煉丹術進行系統的理論闡釋和論證。唐五代時,《參同契》成為道教中的一門顯學,它在同時的儒家易學相對沉寂的環境下,與道教的信仰體系相依輔,經受住佛教的衝擊,成為漢易象數學的主要載體,將漢代的元氣生成等思想理論承傳轉載下來,啟導了宋儒之圖書易學。南宋金元時,道教中研述易理的風氣再次興盛。此一時期之道教易學,主要有兩種類型。其一是繼續闡釋《參同契》,多言修丹火候及坎離藥物;其二是闡發周敦頤《太極圖》及邵雍先天學,多言内丹之心性說,並提出所謂"心易"。

宏觀地看待道教易學之歷史;實與作為主流的儒家易學有着

極深刻的聯繫。因為儒家、道教在文化上同源，天道觀又是相一致的，並且同樣地將《周易》奉為神聖的經典，二者發生這種聯繫，是自然的，也是必然的。但由於儒家、道教所關注的人事領域不同，也就形成了兩種相對並且可以相比較而彰顯的易學風格或特色。儒家所關注的，或者說儒家通過闡發易道而力圖解決的問題，主要在政治和倫理領域。而道教所關注的，主要在探索自然之理和完成其生命意識等方面，所謂道教易學，也就相應地顯現出兩種特色，其一是以《易》《老》相發明，其二是應用於修持。

四

以《易》《老》相發明，可謂是貫穿道教易學之始終的一種特色。雖然在不同作家的著述中，這種特色的反映程度和形式有所不同，有些簡略而能把握要旨，有些繁冗却又於義理上頗覺疏闊，情形各異，境界不一，但從總體上看，道教談《易》理而以《老子》為訓，講《老子》又援引《周易》為證，是一種極為普遍的現象。從《參同契》參合《易》《老》而言丹道，到宋元之際的李道純講內丹修持而以《易》《老》為羣經之祖，歷代道教學者都在這個方面有所創獲。

從《參同契》和《太平經》看，早在道教形成之初期，其教理教義及修持方法的締構，便流露出以《易》《老》相發明的風氣。如《太平經》屢稱"自然法"、"自然常法"，既以《老子》自然之說為標幟，而具體的闡釋則援用《易》卦辭例，藉以陳述陰陽消息之自然而有序，世事失序之根源，恢復有序以致世太平之方訣等。《參同契》自叙其題旨，更明確地以參合《易》《老》作為煉丹的理論依據，說云："大《易》情性，各如其度；黃老用究，較而可御；爐火之事，真有所據。三道由一，俱出徑路。"這對於後世道教教理體系和修持方法的發展，起到了開風氣、定基調的作用。

也許正因為在援《易》入道之濫觴時，道教理解和運用《易》義的角度就與《老子》有關，此後不但保持這一基調，相沿弗遞，而且隨著《老子》在道教中的地位日高，其易學也就具有一種"老學"化的傾向。由此更鞏固了道教易學的一種旨趣，即探尋自然之理，而不落於章句訓詁。這不但使道教易學在形式上相當自由而靈活，不受《易經》的固有體例和辭句之拘制——《道藏》中甚至沒有完整的六十四卦卦象和卦爻辭，而且使道教易學在理論上具有比儒家易學更為抽象的特質。所以從其旨趣上看，所謂道教易學其實不是對於《易》義的詮釋，而是援引《易》之大義轉而詮釋自然之理。

探尋自然之理和《易》《老》相發明的聯繫，在道教中是自然而然、不證自明的。前者是一種理旨，後者表現為學術。學術圍繞理旨而展開，理旨則在學術中得到體現，二者相輔相成，相因而彰顯。至於二者之間何以發生這種聯繫，以《易》《老》相發明又具有什麼樣的文化意義，似未見學者作為問題提出來並進行討論。這使其易學風格，具有"集體無意識"的性質，對風格的內在文化意義，缺乏明確的辨析和自我闡釋。

衆所周知，王弼的玄學易，也以《易》《老》互訓為特色。因為《老子》的介入，使王弼易學具有高度抽象的理論特質。其說主義理而不主象數，即發揮乾剛坤柔的卦德說，批評乾馬坤牛的取象說，以此通解卦爻象和卦爻辭的聯繫。對於一卦的理解，則按照"一以統衆"的原則，即由卦中的某一爻決定該卦的意義。這些解《易》新方法，都與《老子》的介入有關，其易學也因此走出取象說的類比思維之窠臼，昇華到抽象的邏輯思維層面。

道教中沒有王弼這樣的易學大家，也沒有人試圖對卦爻象和卦爻辭作出全面的通解。王弼掃落象數，開創義理派易學之新風氣，道教易學則由象數派流變而出。在這些方面，道教易學與王弼易學都有重要的差別。但由於同樣具有以《易》《老》相發明的特點,在理解《易》義的思路上也就同樣地較為靈活,標領大義,不受章句之困。比較而言,道教易與王弼易,是在經學時代結束之後,由《易》《老》相發明所激活的兩種新思路。道教易之新,在於跳脫六十卦卦爻象和卦爻辭的固有體系結構及本旨,如截取乾坤坎離四正卦構成宇宙圖式,又以十二辟卦表徵化生次序等。這種根據其新思想體系之需要而取捨的方法,或可姑謂之"截取法"。它經過唐五代內外丹理論的發展,對宋以後的圖書易學深具影響。王弼易之新,則在於提出各種主義理的新說,諸如適時、爻變、辨位等,對卦爻象和卦爻辭作出通解。這種方法,或可相對於道教之截取而謂之"通解法"。它在唐代也經過了孔穎達等人的疏釋,並被作為科舉考試的範本,對宋代歐陽修、程頤等人的義理派易學也深具影響。

就道教本身而言,以《易》《老》相發明,意味着將兩種旨趣結合起來,既闡揚自然化生之理,又在這個理論基礎上進行修持。《易》《老》二經的運思理路有所同,皆推天道以明人事,復因人事以鑒天道。但《老子》重言天道之自然,《周易》重言天道之有序。以此同異詳略互顯,使《易》《老》之間構成一種優勢互補的關係。

《老子》對於《易經》的補充,主要在於使其有序性思想上昇到自然之理的高度。

《易經》本來祇是卜筮之書,蓍草的單雙重合及結構變化,在巫術意識中被信奉為推斷人事吉凶的可靠參照。就參照物被賦予的先驗意義而言,最初可能祇代表某種神秘的啟示,反映出人類試圖掌握生活而又處於萌芽狀態的主體意識,在這點上,筮法與龜卜並沒有根本的區別。但筮法祇有單雙兩種基本要素,即後來定名的陰陽兩爻,其重合及結構變化具有一定的數理規律可循,無數次卜筮的結果,又都不出乎六十四種符號表徵,即六十四卦。筮法的這個特點,使人們對卜筮結果進行系統性的資料整理成為可能。經過整理的卦象、卦序及卦爻辭,就不再是單獨的參照物,而是參照系。就此參照系被賦予的先驗意義而言,它象徵着某種高出於個體經驗之上的理念世界的存在。但從《易經》本身看,這個理念世界的内涵是模糊不清的,其核心觀念,依然是以神秘啟示作為推斷的有效性或合理性依據——所以推斷祇在卜筮占算時進行,離開了這種巫術的特殊情景,推斷是無效的。換言之,在巫術意識之外,《易經》没有提供其他的理由説明某一卦爻象必然預示了某種結果。而推斷作為一種思維活動,本質上又祇是生活經驗或常識的擬配和類比,並非根據某種共性原理對個性案例作出判斷。這些都説明《易經》的有序性思想,尚處於巫術意識的混沌狀態中,没有上昇到表徵自然之理的高度。

由《易經》發展為《易傳》,從根本上説,就是使其有序性思想從巫術意識的混沌狀態昇華為表徵自然之理。所以在《易傳》中,脱離了巫術的特殊情景,卦爻象和卦爻辭也能够作為思想資料,其所象徵的理念世界,不再祇有卜筮者在卜筮之時纔能够認識或意識到,一切思想旨在思想之時也同樣能够認識或意識到,這使《易經》的有序性思想從内涵模糊的神道發展為天道與人道。《繫辭》説:"《易》與天地準,故能彌綸天地之道。"這是將卦爻體系與天地自然看作兩個同理或等值的系統,載述卦爻象及卦爻辭的《易經》,也就被奉為闡揚天地自然之理的最高經典。另一方面,《易經》對於卦爻象之内在聯繫的理解,也具有更加抽象的思維特點。《繫辭》説"方以類聚,物以羣分","八卦而小成,引而伸之,觸類而長之,天下之能事畢矣",又説"一陰一陽之謂道"。這是由抽象思維所抽繹出的共性原理。

《易傳》對於《易經》的兩方面發展,都無疑曾受到《老子》的影響。《老子》是中國歷史上站在天地宇宙之高度標領自然之義的第一部著作。而《易傳》對於共性原理的抽繹,一方面固然離不開《易

經》卜筮的特質,即有限的卦象形式,却可以用來推斷人事的無窮
內容,由這種對應關係可能引發的思維發展,是將卦象的系統性和
整體觀與萬事萬物的系統性和整理觀對應起來,將舉凡人所能知
見的事物皆依類歸於六十四卦,進一步又歸於八純卦甚至陰陽兩
爻。這種歸類,是帶有易學特徵的抽象思維過程,是將《易經》中隱
而未顯的可能性彰顯出來。可能性之所以在戰國末期得以彰顯,
也無疑曾受到《老子》抽象思維方式的影響。

由《易傳》,我們可以看出援《老》入《易》或以《老》補《易》的文
化意義。這種文化意義在道教易學中同樣也有所體現。道教援引
《易》義,其根旨正在於探索自然之理,而不在於尋找某種神秘的啟
示。《太平經》引《易》立說而以"自然法"為冠首,可以說明這一點。
又如唐陶植《還金術序》說:"古之人所以假《易》象而為經者,謂至
道與天地配,如太上始分一氣為二儀,二儀判然後有三才,俾乾坤
運而品匯貞,坎離用而金水併,此道之樞也。"類似的例子,還可以
舉出許多,其要旨,大率在於以《老子》自然之義為統貫,由《易》義
觸類而長之。

以《老》補《易》固然重要,反過來看,以《易》補《老》也同樣重
要。就《老子》本身而言,其哲學特質在於"明體",而在切入現實的
"達用"方面,則存在自身難以克服的薄弱環節。《老子》說"道法自
然","萬物負陰而抱陽,沖氣以為和",對於萬物自然之理,《老子》
能予以高度抽象的概括。而對於自然之理的內涵,《老子》多舉證
陰陽、高下、前後、生返等,言其相對性。這依然高掛在形上層面,
缺乏可操作性,難以應用。《老子》的這種哲學特質,注定了它在流
傳中要與各種入於世用的學說相結合。以《老子》理論的抽象性,
百家學說皆可入,但由於《易經》的運思理路與《老子》相髣髴,其有
序性思想及其可操作性又正可補《老子》之缺失,所以二者的結合
最稱完美。

　　在道教中,《老子》不但是一部“明體”的哲學經典,藉之闡揚教
理,而且也是一部“達用”的可應用性經典,依之進行修持。道教修
持有兩個方面,即修道和修仙。由《老子》本旨而清虚静篤、處慈守
柔,是修道的一面。對於修仙,《老子》則不能提供具體的操作方
法,缺乏可操作性。葛洪説:“五千文雖出於老子,然皆泛論較略
耳。其中了不肯首尾全舉其事,有可承按者也。”應用方面有所不
足,所以需要補充。而最能為《老子》作這方面補充的,首推《易
經》。邵雍説:“老氏得《易》之體”,理體上的相通,是互補的基礎。
《参同契》將《易》《老》與丹術参合起來,以《易》卦爻之有序充實《老
子》自然造化之理,所以説“黄老用究,較而可御”。

　　從《参同契》開始,道教易學便具有這種應用於修持的特點,
《参同契》流系的丹道著作,援引《易》義之目的在於説明修煉外丹
或者内丹的操作法度,具有這個特點自不必説;《参同契》流系之外
的道教著述,援引《易》義也同樣有這個特點。唐司馬承禎《服氣精
義論序》説:“夫氣者,道之幾微也。幾而動之,微而用之,乃生一
焉,故混元全乎太易。夫一者,道之沖凝也。沖而化之,凝而造之,
乃生二焉,故天地分乎太極。是以形體立焉,萬物與之同稟;精神
著焉,萬物與之齊受。在物之形,唯人為正;在象之精,唯人為靈。
併乾坤,居三才之位;合陰陽,為五行之秀,故能通玄降聖,煉質登
仙。”司馬承禎承傳上清派之内修法,講服氣凝神,不講煉丹還丹,
但他與《参同契》流系的丹家一樣,以《易》《老》為經典依據,將人的
生命意識提昇到天地造化的高度。談性命修持,思想背景是天地
造化之理體;談理體,又直接關注着性命修持。北宋時,有道士作
《准易繫辭》,模仿《繫辭》的形式,專講内丹之性命修養,可以看作
是有意識地突出道教易學應用於修持的特點。至於以詩詞歌訣的
形式援伸《易》義而言丹道,則自中唐以降演衍甚盛,如果搜尋起
來,將是一部很大的集子,其中當然包括很著名的《悟真篇》。

　　道教以《易》《老》相發明而言諸個人性命之修持,這在儒者看來,不免其體也大,其用也小。依儒者之見,這樣的天地造化之理體,當用於陶鑄天下,建構人倫。相對而互顯二家孰得孰失,姑存而不議。但從差別中,我們可以辨識相對而互顯的兩種易學特色。

五

　　道教易學有其整體性的風格和特色,而在不同的歷史時期,相對集中的議題又有所變化,反映了歷史發展的階段性。

　　就相對集中的議題進行劃分,道教易學有兩個大的發展階段。其一是唐五代北宋時期,其二是南宋金元時期。貫穿這兩個時期的"經"都是《參同契》,但前期凸現修丹之理和操作法度,敷釋頗繁蕪;後期凸現"心易"之法,清通而簡要。明清時代,道教中的易學著述也很不少,但學理上的創發不多,是所謂"多抽前緒"者也,略而不論。

　　《參同契》產生於漢末,但隋唐之前,道教中未見其反響。魏晉南北朝時的丹家,重視丹方及其具體的煉丹技術,不談《參同契》之丹道理論。同時的道教之經教,主要吸收《易緯》的一些思想,用以構造其神學思想體系,並以信仰的形式傳播易文化,但學術性的探討極少見。《參同契》之所以在唐代成為道教中的一門"顯學",一個重要的原因,可能是金丹神仙的長期無驗,需要對其原理進行探討。唐五代北宋時,研述丹道理論的著作極多,且大都以《參同契》為依據。其中較著名的人物,有元陽子、青霞子、劉知古、張玄德、陶植、彭曉等,北宋時託名鍾離權、呂洞賓的所謂鍾呂金丹派,也衍述甚多。著述除單傳本外,兩宋之際的曾慥所編《道樞》,收集頗豐。理論內容則主要包括三個方面,第一是鼎器法象天地,以鼎中還丹羣擬天地造化;第二是辨識鉛汞坎離之藥物蘊涵元精元氣,煉

丹被理解為去其凡質,凝煉或還返其陰陽精氣之本元;第三講火候
法度同於陰陽消息之時序,即所謂“修丹與天地造化同途”,並提出
“五行返生”或“五行顛倒”説,用以闡釋還丹之義。在這三個方面,
外丹和內丹都有流派之別,如外丹有主鉛派、鉛汞派等,內丹有煉
精之陰丹派、煉氣之陽丹派等,但對於丹法的義理敷釋或者説所遵
循的丹道原理,卻是基本相同的。

以《參同契》為載體,漢代的元氣生成論思想對唐以後道教的
發展深具影響,並促發了兩方面的轉化。

從道教史上看,南北朝隋唐時期道教思想的主流是“重玄之
道”,即通過闡發老莊哲學,建構道教的理論體系。在南北朝至唐
初期,“重玄之道”多吸收佛教思想,尤其是中觀三《論》,以之疏解
《老》《莊》,談“非有非無”之本體論。盛唐前後,《參同契》流傳開
來,“重玄之道”的旨趣也發生大的轉折,以中觀思想入説《老》《莊》
的學風日漸褪色,以《易》與《老》《莊》相發明的學風漸興,思想主體
也轉向“亦有亦無”之本體論。當時的道教學者吳筠等人,還對佛
教空觀之不能性命雙修,提出嚴屬的批評。自此以後,《老》《莊》
《易》成為道教思想在經典方面的主流傳統。宋以後道教談三教合
一,於佛教方面主要取禪宗心性之説,對中觀派的思辯哲學則很少
涉獵。這種轉化,與《參同契》的流傳,有其思想旨趣或觀念上的內
在聯繫,其關鍵,實在於元氣生成論及蘊涵其中的生機觀念,由《參
同契》的轉載而得以復甦。

中晚唐時,外丹理論受到廣泛的討論,內丹理論也漸趨成熟。
關於內丹理論,其淵源也許要追溯到戰國時代的精氣養生説,但形
成系統的理論並且被作為修證神仙的方法,卻是受外丹影響的結
果,形成於中晚唐。晉南北朝時,精氣內修也被作為重要的養生方
法,但目的在於益壽,證驗神仙則必須金丹大藥,精氣內修祇被作
為輔助性方法,不是修煉神仙的直接途徑。在唐五代,這種情況發

生了變化。唐五代的丹道著作有一個重要特點，即混言內外丹，其中的很多篇章，現在很難分清楚究竟屬於外丹還是內丹。造成這種現象的原因，是義理敷釋的成份重於操作方法的成份。正是在這樣的義理敷釋中，內丹藉外丹以建立其理論體系。由此產生的結果，第一是內修術發展為具有系統理論的內丹道，第二是內丹修持被作為證驗神仙的直接途徑，不假外求。在這個歷史基礎上，宋以後的內丹道呈現出兩種發展趨勢，其一是心性修持受到更突出的強調，其二是因為理論趨於成熟，著述也就能去其繁蕪，存其簡要。

　　總之，唐代道教的兩方面思想轉化，都與《參同契》的流傳和易學的興起有密切關係。

　　南宋金元是道教易學發展的又一個重要階段，尤其是在宋末元初，相繼出現幾位著名的道教學者，如李道純、雷思齊、牧常晁、俞琰、陳致虛等，皆通過闡釋《易》義以建構其思想體系。

　　綜觀這個階段的道教易學，除繼續解注《參同契》之外，突出的特點是求其本理，不泥於卦爻象數，並將周敦頤的《太極圖》、邵雍的先天學轉用於丹道，倡言性命雙修。

　　內丹易學日趨簡括，既不拘於《周易》經傳的固有體系，又不拘於《參同契》以卦爻象數所舖陳的各種隱喻和義理敷釋，是內丹之丹道理論日趨成熟的表現。歷史地看，簡括的趨勢在唐五代北宋時便有所反映。這一點，從丹道著述多採用詩詞和圖象的形式便可以看得出來。詩詞吟詠其對於丹道的經驗體悟，如《悟真篇》等，不必因循《參同契》“朝屯暮蒙”之六十卦火候。用圖式描摹丹道，更加直觀而簡捷，如《大還丹契秘圖》、彭曉《明鏡圖》等，都試圖將《參同契》丹道繪畫於目前。周敦頤的《太極圖》，如果站在丹道的立場上去看，可以說是各種圖式中概括最為精當的一種，所以宋元之際的李道純、陳致虛等人多據之闡明丹道。

　　俞琰《易外別傳》說:"丹家之說雖出於《易》,不過依彷而託之者,初非《易》之本義也。"類似的説法,早在葛洪《神仙傳》中即已見之:"伯陽作《參同契》、《五行相類》,丹三卷。其説似《周易》,其實假借爻象,以論作丹之意。"此二説均在於強調丹道易學的特殊宗旨,即非為解釋《周易》本身。也正因為這個緣故,丹道易學可以脱離《周易》所固有的體系化形式,取捨自由。所謂"依彷"、"假借",不能理解為衹是簡單地取用卦爻符號而無涉於《易》道。牧常晁《玄宗直指萬法同歸》載:"問:伯陽《參同契》、《龍虎古經》,準《易》而作,文古意密,莫究歸旨,外此別(有)簡易之道否? 答云:神仙恐世人得之容易,失之亦易,故借《易》象以明之。謂人肖天地為形,《易》準天地之道,能明彼《易》,則天地之道在吾心矣。"這是説,《周易》載明天地之道,通過學《易》,悟證其道,可以在修丹時掌握由心。類似的説法,在李道純《清菴瑩蟾子語録》等著作中也可頻繁見之。其旨意,在於説明學《易》可以悟道,悟道則可忘象。李道純《中和集》卷四説:"海瓊真人云:上品丹法無卦爻。諸丹書皆用卦爻者何也? 此聖人設教而顯道也。"其《全真集玄秘要》則説:"修真志士讀《參同契》,不在乎泥象執文。修真高士讀《參同契》者,當咀味求玄,必得之也。執文泥象,奚益者哉?"這也是一種得意忘象的易學方法,於中頗可見丹道易學日趨簡括之所以然。

　　簡括的易學方法,在這一階段被稱作"活法"或者"心易"。南宋時,有《麻衣道者正易心法》流傳,題陳摶受並消息。此書雖未必出於麻衣道者、陳摶,但旨趣屬於道教易流脈則無疑。其説重"自然之理",有所謂"卦脈為運動流行自然之理"云云,又強調解《易》之"活法",如説:"《易》之為書,本於陰陽。萬物負陰而抱陽,何適而非陰陽也? 是以在人惟其所入耳。文王周公以庶類入,宣父以八物入,斯其上也。其後或以律度入,或以曆數入,或以仙道入,以此知《易》道無往而不可也。苟惟束於辭訓,則是犯法也,良由未得悟耳。果得悟焉,則辭外見意,而縱橫妙用,唯吾所欲,是為活法也。故曰:學《易》者當於羲皇心地中馳騁,無於周孔言語下拘攣。"此説雖不免跳脱太過,但就其不受形式縛累,務求《易》所載明的"自然之理"而言,亦自有其旨。

通過學《易》而求其自然本理,第一意味着自然本理的存在,第二意味着《易》的價值在於載述之。這些思想,在李道純所提出的新"三易"説中,得到很好的表述。《中和集·畫前密意》説:"三易者,一曰天易,二曰聖易,三曰心易。天易者,易之理也;聖易者,易之象也;心易者,易之道也。觀聖易貴在明象,象明則入聖;觀天易貴在窮理,理窮則知天;觀心易貴在行道,道行則盡心。不讀聖易則不明天易,不明天易則不知心易,不知心易則不足以通變。""以心易會聖易,以聖易擬天易,以天易參心易。一以貫之,是名至士。"這些思想,為元末明初的王道淵所繼承,作《大道心易圖》,稱心易為"大道之源"。此所謂"心易",既是人心對於天地造化本理的證悟,也是造化無窮的天地之心。

轉用周敦頤的《太極圖》、邵雍的先天學而闡述丹道理論,在宋元時期也是一種普遍的現象。如陳致虛《上陽子金丹大要圖》中的《太極順逆圖》、李道純所作《太極圖解》、俞琰《易外別傳》中的《先天圖》等等。俞琰自謂其《易外別傳》"為之圖,為之説,披闡《先天圖》環中之極玄,證以《參同契》《陰符》諸書,參以伊川、橫渠諸儒之至論,所以發朱子之所未發,以推廣邵子言外之意"。李道純的所謂"畫前密意",即卦象之前的"天易",也同樣由邵雍先天學嬗變而來。吸收理學家之陳説而言諸丹道,在宋元時是丹道易學的一條捷徑,因為信奉的自然本理相同,取用或者吸收也就順理成章。

究論這一階段道教易學之宗旨,大要不出性命二字。性命雙修,建立在證悟天地造化之理和天地造化之心的基礎上,修性是陶冶文化生命,修命是培護自然生命。至此,道教易學的發展,昇華到一個新境界。

六

對於《易》，道教還在信仰和文化傳媒方面發揮了極為重要的作用。我們舉八卦信仰為例說明這個問題。

《易緯·乾鑿度》有"太一取其數，以行九宮"的說法，鄭玄注云："太一者，北辰之神名也。居其所曰太乙，常行於八卦日辰之間曰天一，或曰太一。出入所遊，息於紫宮之内外，其星因以為名焉。故《星經》曰：'天一太乙，主氣之神。'行猶待也。四正四維，以八卦神所居，故亦名之曰宮。天一下行，猶天子出巡狩、省方嶽之事，每率（謹張惠言曰當為卒）則復，太一下行八卦之宮，每四乃還於中央。中央者，北神（謹按張惠言曰當為辰）之所居，故因謂之九宮。"（清黃奭輯《易緯》，上海古籍出版社 1993 年版）

毫無疑問，鄭玄的注釋，絶非杜撰，而是對舊有説法和信仰的綜合性轉述，其中如太一居中央紫宮、下行八卦之宮等，都可以找到更早的文獻依據。這段注釋所反映的，是流行於兩漢的太一、八卦之具象信仰。歷史上曾有過這種信仰，學界大概不會有人否認。但自從玄學易興起後，這種信仰是否依然流傳，却是一個不太受學者注意的問題。個別學者對信仰的流傳持否定態度，許是因為玄學思潮使易學主流發生了根本性的變化，信仰的内容不見於此後經史子集之載述。實際上，如果我們留意一下道教的經書，留意一下這些經書所反映的民間文化，就會發現不但具象的信仰依然在流傳，而且八卦圖、太一行九宮圖等，也在流傳。

鄭玄注文化中提到八卦神，可知漢代已將八卦神化，並由八卦與九宮的對應關係產生聯想，以為四正四維的宮是八卦神居住的地方。同樣的八卦神化，在道經中有更明確的叙述。道教有《老子中經》,約成書於魏晉或更早。其中說:"太一君有八使者,八卦神也。太一在中央,至總閱諸神,案比定錄,不得逋亡。八使者,以八節之日上對太一。""八卦天神下遊於人間,宿衛太一,為八方使者,主八節日上計校定吉凶。"又有《自然真一五稱符》,是古靈寶經之一種,其中也談到八卦神,如談"靈寶在東方,為香林館,其真人一人(名)精進,字敬首,治震卦,其神字建剛"等等。這些關於八卦神的說法,在現代學者看來或許很荒誕,但在歷史上,卻是由易學流傳到民間所形成的一種信仰,以為上下八方皆有神靈居住,八方的神靈即是八卦。

八卦神的信仰在民間流傳,衍為風俗。據載八精是道下之八神,都知曉天命,人若服靈寶五符,則八卦之精(八皮、八精)常在人堂樞前護衛,並稱:"靈寶常致止八史當於家,為八方十二辰。辰上及門外左右,各種通神芝草,凡十四株。取春,書八卦,作玄洞通靈符於八方。"(見同上)又載述春分時五寅日取蘭艾作湯浴等祛邪法。(見同上)這是將靈寶經教、八卦神信仰、民俗結合在一起。南朝宋齊時釋玄光作《辯惑論》貶斥道教,謂之"虓凶邪佞,符章競作。懸門貼戶,以誑愚俗",用來懸門貼戶的,大概就是符書八卦之類,而取蘭艾作湯沐浴的風俗,直到現在的江南民間依然保持着。

八卦信仰還體現在道教的齋醮科儀中。晉南北朝時,道教齋醮科儀的主流——靈寶齋法形成,其齋壇建置,外壇用長短纂圍成八門,分別開在四正和四維的方向,門上懸八卦榜。位於四維的巽坤乾艮四宮,通用黃書黑榜,四正位的震離兌坎四宮,則題宮隨五方色,底色取五行相克,如木克土,則東方震宮用青書黃榜,餘此類推。八卦榜各題六字,如東方為"震宮洞青之炁"等。這種建置,在唐宋時依然是通行的定制。宋以後,醮祭逐漸代替齋法,壇場也因而以設立神位為主,八卦榜的建置遂少見。

同樣與八卦信仰有關,道教的重要法器鏡和劍,也鑄有八卦卦象,並有銘文以釋其義。作為法器的鏡和劍,大概早期道教即有之。北周甄鸞《笑道論》説:"又按三張之術,《畏鬼科》曰:'左佩太極章,右佩昆吾鐵,指日則停空,擬鬼千里血'。"太極章當即太極帝君寶章,是用朱砂在白絹上書畫符圖,佩戴左腋下,(參見陶弘景《登真隱訣》。)昆吾鐵即劍是道士行法的常用法器。作為法器的劍,有其特殊的宗教意義,並且通過八卦符號表現出來。唐司馬承禎曾鑄景震劍贈玄宗,劍的兩面為景和震,景的一面代表陽,刻有乾卦卦象,有銘文曰:"乾降精,坤應靈,日月象,嶽瀆形。"震的一面代表陰,亦有銘文。將景震兩面合起來,即所謂"劍面合陰陽,刻象法天進。"同時上進唐玄宗的,還有含象鑑,亦刻八卦之象,有銘文曰:"天地合象,日月貞明,寫規萬物,洞鑒百靈。"

　　八卦信仰,在道教中幾乎無所不在。除前述外,作齋醮時的踏罡步斗,也是將八卦九宮與北斗形象結合起來,直到現代依然是其基本法式。明清以來流行的陰陽魚圖像,也既是道教的象徵,又是易學的象徵。但是,這種種現象,除表明道教與《易》的關聯外,究竟有什麼意義呢?

　　在教外的現代學者看來,道教中八卦信仰之種種,也許都祇是迷信。齋壇八卦,製造出神秘氣氛;景震劍、含象鑑等,充其量也祇能説是吉祥物;至於踏罡步斗,則是巫術舞蹈,即所謂"禹步"。對於道教來説,這些形式或許能起到"神道設教"的作用,而對於易學史的發展,則不可能具有建設性的意義。

　　誠然,如果我們首先確認《周易》是一本哲學經典,易學史是一部純粹的認識史,那麼,斷定道教承傳八卦信仰及由之演衍出的各種宗教形式全無價值,大抵是合乎邏輯的。然而,這種確認很難説不是帶有現代學術偏見的假設,因為它祇強調易學之學理的一面,而忽視共信仰的一面。

　　信仰是易學中所固有的,而且與《周易》本身的特質有關。淵源於遠古的卜筮之術,以著草單雙重合的神秘啟示作為占驗之前提,隨着卦爻象的體系化,卜筮又被理解為"推天道以明人事",這本身就是一種不言而喻的信仰。後來卜筮之術發生了各種變化,卦象圖式也發生了各種變化,但對於《易》之天道的信仰却始終不渝。這種信仰,即所謂君子以為人道,百姓以為神道。同樣的信仰,百姓日用而不知,士君子則將信仰從百姓日用之間抽繹出來,予以學理性的闡揚。也正因為這種信仰不證自明地堅信卦象形式蘊涵着天道,所以纔可能有由卜筮之術發展而成的易學這樣一門學術,且貫穿中國歷史兩千多年,不斷有士君子繼起述作。士君子闡揚《易》之學理,後人謂之易學家。易學家個人信仰的形成,既有學術傳承方面的原因,又必然離不開社會文化的普遍觀念。後者作為一種大的背景,在易學家的個人傳記中通常得不到反映,不需被作為學案記錄下來,但這並不説明它不重要,而祇説明因普遍存在以至不必特殊強調。離開了社會文化的普遍觀念,任何學術都將成為偶然的個案,至少不可能綿延成經久不衰的學術史。從這個角度看,易學史之成其為易學史,不祇是由若干易學家之學術所構成的内在邏輯運動,還離不開社會普遍觀念和信仰的人文背景。

如果説易學的人文背景包括對於卦象蘊涵天道的信仰,那麼道教的傳媒作用無疑是極其重要的。如果進一步深入到道教内部,不停留於神秘的表面印象,那麼道教的八卦信仰中實有其對於《易》道的理解,傳播信仰的同時也就傳播了《易》道。我們可以就齋醮科儀方面,援引幾段文字為證。

《太上洞神太元河圖三元仰謝儀》説:

> 諸天之氣,凝為星辰,結為山嶽。天星通應,以掌人倫。故河圖龍文,演之以示於世。世人知而修之,可以解災致福耳。

《太上黄籙齋儀》卷二十七説:

　　普告諸天,降福延恩,濟生度死,和平冤咎,消解災殃,五
行無妨克之凶,三景息照臨之會。上解宿曜天文十二躔次之
厄,下解山川九宮八卦分野之災。

《太上助國救民總真秘要》卷八說:

　　夫禹步者,法乎造化之象,日月運度之行也。

　　這些說法,用的是一套宗教語言,如果用現代人崇尚科學的文
化意識去衡量,則其說不免荒誕。但宗教與科學不同,它是人類生
活的另一方面需要。如果我們不以辭害意,透過宗教語言去理解
它的文化意義,那麼,所謂九宮八卦、陰陽五行云云,在道教中被理
解為天道的一種表徵。齋本醮活動的目的,就在於按照這種表徵
去契合天道,解災度厄,和順天人。現代人大概很難相信這種奇怪
的效驗,但效驗是一回事,傳介《易》之天道觀又是另外一回事。以
現代人的眼目看,前者都是虛假的,後者是真實的,而以古人的眼
目看,前者后者都是真實的。司馬承禎這樣解釋其含象鑑的形象
設計:

　　此鑑所以外圓內方,取象天地也;中列爻卦,備著陰陽也。
太陽之精離為日也,太陽之精坎為月也,星緯五行通七曜也,
雷電在卯震為雷也,天淵在酉兌為澤也;雲分八卦,節運四時
也;此表天之文矣。其方周流,為水以瀉四溟;內置連山,以旌
五嶽;山澤通氣,品物存焉;此立地之文也。詞銘四句,理應三
才,類而長之,可以意得,此寄言以明人之文也。故曰含象鑑,
蓋總其義焉。

含象鑑用八卦表徵天文、地文、人文,同時也就表徵出司馬承禎對
於《易》道的理解。也正因為含象鑑具有這樣的《易》道內涵,所以
唐玄宗信其效驗,即如其答批所說:"得所進明照寶劍等,含兩曜之
輝,稟八卦之象,足使光延仁壽,影滅鄭城。"八卦信仰與《易》道之
內涵分不開,同樣,道教既傳播八卦信仰,同時也就傳播了《易》道

之内涵。

　　進而言之,道教以其宗教形式作為易文化的傳媒,還對易學史具有意義。我們以劉牧的《河圖》為例。

　　北宋圖書易學有三種形式,劉牧的《河圖》《洛書》是其中之一。其《河圖》,是用黑白圓圈表示從一至九的九位自然數,分別置於相應的後天八卦方位,即戴九履一,坎卦位一而離卦位九等等。這個圖式,淵源於漢易以八卦配九宮數。但是,自漢至宋曆八九百年,這種圖式是如何傳衍下來的呢? 許多學者進行了考證,幾乎一致的結論是唐末已不傳。

　　其實,自漢之後、唐以前,《河圖》祗是不被易學家所傳,但卻普遍流傳在道教的齋醮科儀中。唐道士朱法滿編《要修科儀戒律鈔》,卷十一有所謂“解八卦元辰大厄章”,並稱:“道士未受三五赤籙及元辰、《河圖》等法,皆不得醮及上元辰等大章。”所謂元辰大厄,是算命術的說法,即以八卦五行推算生辰吉凶。而所謂《河圖》法,即本醮祭上章科儀,《道藏》收有這類經書數部,如《洞玄靈寶河圖仰謝三十六天齋儀》、杜光庭編《太上洞神太元河圖三元仰謝儀》等。通曉此《河圖》法,在唐代是道士為人舉行醮祭的基本資格。這也是道教中通行的一種教階制度,即依據道士所受經籙和戒律,定其品階,並根據品階的不同主持不同的齋醮活動。據唐初道書《三洞奉道科戒》,在洞真法師所受的經書中,有《太玄河圖九皇寶籙》、《上清步罡券》等。

　　道士醮祭的《河圖》法,在唐代也被用於朝廷祭儀。自唐玄宗、肅宗至武宗時,皆在供奉太上老君的太清宮太廟上置九宮貴神壇,即東南招搖、正南天一等。《舊唐書·禮儀志四》載其事,並以九宮貴神與遁甲之八卦九宮數相擬配,又有“飛位”,即依時節改易九宮神位。這套祭儀,在道書《黃帝太乙八門入式訣》中皆有圖式。此書據劉師培《讀道藏記》說出於唐宋間,而以之與《唐志》互證,當出於唐。其中不但有推九宮當值的飛位圖八幅,還有《皇太一八門道順生死圖》一幅。後圖以九宮數配八卦八節。這種圖式,在唐代道教中即承漢儒舊説之《河圖》。劉牧的《河圖》用黑白圓圈表示九宮數,形式上略有變化,但意思與道教所傳者實同。如其《易數勾隱圖》卷下説:"今《河圖》相傳於前代,其數目一至九,包四象八卦之義,而兼五行之數。"顯而易見,傳衍有源流是肯定的。至於傳衍源流在道教中而不在唐代經學之易學中,也正説明道教對於易文化的傳媒作用,在易學史上亦自有其意義。這種意義,不但體現在傳衍《易》圖本身,還體現在社會觀念、信仰之人文背景與學術探索的關係中。如果説道教傳衍《河圖》是信仰,是日用而不知的人文背景,那麼劉牧的河洛之學,就是在這個人文背景下所進行的學理性探討或抽繹。

作者簡介　盧國龍,1959 年出生於湖北黃梅,現為中國社科院世界宗教研究所副研究員。

以科學的觀點看象數學

——兼論道家與易學

董光璧

内容提要 本文以科學的觀點考察易學象數傳統。首先討論易學研究傳統的形成和演變,其次討論象數學的興衰與科學互動的關係,最後討論象數和數術在科學史研究中的價值。在這種討論中,象數學在易學中的地位和道家文化的作用被評價。

最初的古《易》可能祇是符號系統。在配以占筮記錄以後則成了占筮書,並有所謂夏代的《連山》、殷代的《歸藏》和周代的《周易》的演變。唯《周易》傳世,而《連山》和《歸藏》均已失傳,但據文獻記述兩者符號系統的基本結構與《周易》同為八經卦和六十四重卦。春秋戰國時期以來《易傳》的形成才使《周易》成為具有哲理意義的典籍,並在儒學獨尊之後列為儒家五經之首。《周易》包括由卦爻畫符號組成的形式系統和由卦爻辭及其釋文組成的概念系統,但兩者之間的邏輯聯繫至今也未能得以圓滿解決。解決這一問題的困難是易學象數派和義理派分裂的主要根源。

一　易學研究傳統的形成和演變

已有的易學研究功夫多在其具體理論方面,忽視或淡化了諸多具體理論背後的研究傳統，以致對它的面貌依然模糊不清。研究傳統是任何一門思想性學科的更一般的理論，易學研究傳統的特徵是什麼？它的結構是什麼樣的？它是如何隨歷史而演化的？不瞭解這些，就不可能真正理解易學史，因而也不可能徹底弄清易學義理與象數的關係，也不能正確地認識易學同其他學科之間的相互作用，也不可能合理地判斷易學對未來會有什麼樣的意義和可能的作用。

1. 易學研究傳統的核心

易學研究傳統的核心無疑是"天人合一"觀，問題在於如何理解它。諸多著作對其所作的種種解釋都是基於整體論作"天人一體"理解，因而逃脫不了"整體悖論"。它不是人們幾乎普遍誤解了的"天人一體"，而是"天人同構"。"同構"是數學術語，指兩個表面似不相同的代數系統，實際在結構上是相同的。在哲學的意義上使用這一概念，因為結構和形式屬於同一系列的概念，而轉變為不同質的事物之間的形式上的類同。在易學中，無論是象數還是義理，都是建立在這種哲學意義的"同構"概念基礎之上的，它是"推天道以明人事"的邏輯起點。各種象數系統是形式化的模型，而義理的概念體系則是其邏輯式的模型。當然，無論是象數的形式化的模型，還是義理的邏輯式的模型，都是人為建構的"理想模型"。"陰陽"説和"五行"説以及干支計時系統與易卦配合而形成的種種天人同構模型，都既被看作可靠的模擬，又被視為理想的目標。但這樣的模型不具備引導性理論的功能，而祇能是一種解釋性的理論。

易學作為一種解釋性理論，其體系的結構包含卦、象、義三個層次。"卦"指卦爻畫系統，常用的是八卦和六十四卦，本質上是數學性的模型。"象"為卦爻的物象，最基本的物象是八卦所對應的天、地、水、火、風、雷、山、澤,其本質是用於解釋經驗的模擬規則。"義"即卦爻辭,分別綴於卦和爻作為占斷參照,其形式是意義性的陳述。易學中的義理派和象數派對這樣的一個原始的《易》理論體系的解釋,採取了不同的進路。義理派的着重點在發展意義的概念邏輯體系,以提高其對事物共性的理解力。而象數派則是側重符號和象徵系統的完善化,以增強其對具體現象的解釋力。但無論是義理派還是象數派,都把《易》的三層結構形式視為一個以不變應萬變的固定框架。

以科學的觀點看,易學本質上是以分類為基礎的的解釋性理論。雖然它的卦、象、義分別類似於科學理論體系中的數學公式、對應規則和命題系統,但由於它被視為解釋經驗的唯一形式而與科學理論有原則性的不同。但這種天人同構模型,在"仰觀俯察"和"觀物取象"的指導思想下賦予卦爻系統以經驗內容,原則上也可以並藉助它的邏輯關系推論現實事物之間的相互關係,以獲得其運動變化的規律性認識。

2. 易學研究傳統的演變

這樣的易學傳統肇始於《易傳》。它是巫史文化的理性改造的結果。作為古人探索和掌握現實世界的不切實際的追求之巫術,英國弗雷澤(James George Frazer, 1854—1941)在其《金枝》(1890)中,將其分為交感巫術和模彷巫術,它們分別採用象徵原理(principle of symbolism)和感應原理(principle of sympathy)。在德國哲學家雅斯貝(Karl Jaspers, 1883—1969)的著作《歷史的起源與目的》(1949)中所指稱的人類第一次歷史性突破的樞軸時代,作為中國巫史文化的《周易》由於解釋它的《易傳》的出現而完成了向理性的轉變。其後的易學史可以說是以傳解經的傳統,因而《易傳》可視為開啟易學研究傳統的標誌。

　　就象數與義理説，《易傳》包含了兩者，總的精神更偏重於象數。不僅它所認定的易之四道，即言、變、象、占，象數不少其半，而且《易傳》中的《繫辭》、《彖》、《象》乃至《説卦》和《序卦》等文獻亦無不闡述象數。所以，可以説"卦"是《周易》的基礎，象數是它表達思想的基本方式，義理是不可脱離象數的。在《易傳》之後，易學研究走的是義理和象數兩條路線並進、交替主次的發展道路。漢儒創立的象數易學由於突顯"天人感應"而在漢末走向衰落，義理取而代之。由於道教學者的傳承，象數易學得以在宋代以圖書學的新面貌復興而與義理並駕齊驅。清代易學家的歷史反思使易學走向義理與象數會通之路。清代易學家、數學家焦循（1763—1870）對易學體系的理解頗為深刻，他不把卦爻辭字面上的意義陳述認作經驗事實或真理，而視為不過是與卦爻象不同的另一種表義的抽象符號，以圖求得易學體系的邏輯上的完滿。他的工作雖未成功，但探索方向是正確的。如何科學地解決易學史上一直沒能完成的卦爻系統與概念體系之間的邏輯關係，是歷史留給當代易學的一個課題，實施這一課題有待於發展象數學，儘管義理派反對象數派解易的形式化傾向，然象數學的重具體和重形式畢竟更接近科學。

3. 易學不能歸屬一家

　　易學源遠流長。他同《詩》、《書》、《禮》、《樂》、《春秋》一起，構成中國最古的一批文化遺産。春秋戰國時期的諸子百家都受益於它，也都對它的發展和完善作出了貢獻。祗是在漢武帝獨尊儒術以後，通行本《易傳》方被視為儒家傳本。隨着陳鼓應力倡之中國哲學道家主幹説的發展，已形成儒、道兩家爭奪《易傳》的新局面。羅熾在其《易文化傳統與民族思維方式》（武漢出版社，1994 年）中提出儒家易與道家易同祖於《周易》而殊途同歸於《易傳》。王德有發表《易道儒三家主旨辨》(《國際易學研究》第 1 輯, 1995 年 1 月),在分析帛書《易傳·繫辭》的基礎上提出易學是一個獨立的學派,認為易主陰陽、道主自然、儒主仁義。的確,在儒學獨尊之前,通過綜合各家易說已形成了一門獨立的學問,它不屬於哪一家之學,要說也祇能說是易傳家。

《周易》的巫術原則在《易傳》的理性框架內被保留下來,然其"天人同構"觀念以及作為天人相互作用機制的"感應"論,無疑還帶有巫術象徵原理和感應原理的遺風。《易傳》對《周易》的理性改造集中體現在"一陰一陽之謂道"的命題中。雖然這一命題幾近《老子》中的"萬物負陰而抱陽",但《易傳》中的"道"不具有物質本原的意義,而祇具有作為規律的意義。這種意義上的"道"可與儒家的道論相通,因而在道家屈就儒家的情況下,兼容了儒、道兩家的道論。因而在宇宙生成問題上也就不能取"道生",而取"太極生",所以"太極"(或"大恆")不是"道",而是"一"。"太極生"不同於"道生"。老子的"道生一,一生二,二生三,三生萬物"在數學上是等差增長序列,即 $F = 1 + 2 + 3 + \cdots\cdots + n$。而《易傳》的"太極生兩儀,兩儀生四象,四象生八卦"則為等比增長序列,即 $F = 1 + 2 + 4 + 8 + \cdots\cdots + 2^n$。我們不能說《易傳》是儒家的作品,關鍵在於作為易學研究傳統核心的"天人合一",它不是儒家所偏重的"以天合人",而是道家所偏重的"以人合天"。考慮到老子的史官經歷,"推天道以明人事"的史官的第一思維方式必定注入了道家易學。不祇一人主張將先秦各家分為兩類,古代道家本與方技相通,陰陽家和道家是數術方技之學的延續,而黃老又是二家的新體系。道家之學出於史官,始於陰陽而歸於道,再轉入於《易傳》。從易學研究傳統的核心看問題,《易傳》的道家影響是主要的。

但《易傳》的特徵在於"會通":"聖人有以見天下之動而觀其會通"。朱熹在其《周易本義》中註釋說:"會,謂理之所聚而不可遺處。通,謂理之可行而無所礙處。"之所以"易道廣大,無所不包。
旁及天文、地理、樂律、兵法、韻學、算術,以建方外之爐火,皆可援
易以為說,而好易者又援以入易,易說至繁"(《四庫全書總目提要》),是
因為其會通精神。因此,在中國傳統科學發展的三次高峯期,魏晉
南北朝時期、宋元時期和晚明時期,促成傳統科學高峯出現的諸多
因素中包含有易學的影響。以易學為骨架的宋明理學的形成以當
時的數理科學為其基礎,而理學家將《大學》的"格物致知"架接在
《易傳》的"窮理盡性"上而提出的"格物窮理"的認識論和推理方法
論,在宋、明、清三代不斷演進,對科學理性精神的影響也越來越
大。在中西兩方文化接觸以後,"會通"又成為處理中西學關係的
一種指導思想。民國以降,在清代乾嘉學派工作的基礎上,在以現
代科學為指導整理中國古代科學遺產所取得的成就影響下,有少
數科學家產生了探索易學科學思想的熱情。早期的代表性的作品
為沈仲濤的《易卦與科學》(1934 年)、薛學潛的《易與物質波動力
學》(1937 年)。這一時期的科學易所論,於易卦符號的數學特徵
之外,在概念方面多有牽强比附。在 80 年代以來的易學科學熱
中,對易學的科學底蘊多有所得,如易卦符號排列體系蘊涵着的量
子代數思想,易卦的分維數學結構,易圖中的組合數學原理和羣結
構,易圖的編碼結構,方圓相嵌圖直徑系列的等比級數結構,筮法
的同餘結構,河洛理數研究中的圖像語言意義,這些都是現代的科
學與古代易學"視域交融"的成果,有助於理解和發展易學。但總
體說來,易學與科學的研究仍處於困境之中,嚴肅的研究者與非份
之徒魚龍混雜。

二　象數易學的傳承與興衰

　　興於漢代的易學象數學的歷史發展,是沿着三條路線並行發

展的。一條路線是與天文、曆法相聯繫的卦氣說,另一條路線是與煉丹術相聯繫的太極圖說,再一條路線是與數學發展密切相關的河洛理數說。由這三條路線組成的易學象數學經歷了漢、宋、清三起三落,每次都伴隨着易學與科學的互動。漢代象數派的形成之與天文學,宋代象數派的興起之與數學,清代象數學的復興之與西學東漸,近年科學易的興起之與對後現代科學的期望,無一不與科學相關。而且,道教學者在象數傳承的過程中起了極為重要的作用。

1. 卦氣說傳統

雖然在春秋時期已有象數和義理之分,但易學象數派的形成始於漢代。啟於西漢孟喜而成於京房(公元前 77 年—前 37 年)的卦氣說是象數易形成的第一標誌。孟喜發揮《易傳·繫辭》中"大衍之數五十(有五),其用四十有九。分而為二以象兩,掛一以象三,揲之以四以象四時,歸奇於扐以象閏……"之筮法說和《易傳·說卦》中"萬物出乎震,震東方也;齊乎巽,巽東南也;……"這八卦方位說的思想,準顓頊曆將易卦與 24 節氣和一年 365 $\frac{1}{4}$ 日聯繫起來。他以坎、震、離、兌四正卦分主由二分二至開始的 6 個節氣,其餘 60 卦分為公、辟、候、大夫、卿 5 類,每類各 12 卦,候又分內外兩小卦,以對應 72 候,365 $\frac{1}{4}$ 日,合每卦主 6 $\frac{7}{80}$,稱 6 日 7 分。京房感到這種兩套對應不便,他將四正卦乾、震、離、兌,分別與其前的四卿卦坎、晉、井、大畜合併,兩卦共主 6 日 7 分,於是孟喜的兩套對應調整為一套。據天文學史家薄樹人考計,自東漢劉洪採用卦氣說作為曆法表示系統開始,至明末朱載堉《聖壽萬年曆》和《黃鐘曆》,共 30 部曆法,大體以北魏李業興的《興和曆》為界,其前遵京房而後則襲孟喜。天文學家一行(公元 683 年—727 年)的《大衍曆》依孟喜卦氣,並成為其後曆法之型範。

　　西漢末年,揚雄(公元前 53 年—前 18 年)準太初曆,推廣孟、京卦氣説作《太玄》,以八十一首表示曆法。他把每首分為九贊,八十一首計七百二十九贊,每二贊代表一日,一贊為晝,一贊為夜,共三百六十日半,更加"踦贏"二贊,表示一年的日數。天文學家張衡(78 年—139 年)對《太玄》極為推崇,認為二百年後必興。按理説《太玄》卦氣説比之孟、京卦氣説更合適於曆法,大概由於他的另辟蹊徑的離經叛道性而於實際的曆法活動無甚影響。

　　邵雍(1011—1077 年)的《皇極經世》所提供的卦氣説擴展到宇宙紀年,設想的宇宙基本週期稱之為"元",一元包含十二會,一會包含三十運,一運包含十二世,一世包含三十年。所以,作為宇宙基本週期的"元"含 129600 年。這個宇宙變化的基本週期祇相當宇宙大化之"一年",再大的週期為 1555200 年,55982000 年……。邵雍用六十四卦表示其元會運世宇宙演變歷程,將六十四卦劃分為八宮,分別配以元會運世歲月日時。乾一為元,兑二為會,離三為運,震四為世,巽五為歲,坎六為月,艮七為日,坤八為時。每宮中的八卦再配以元會運世歲月日時,這樣六十四卦演示週期為 1216192320 年。這是"一個"宇宙終始過程,然後重演化,並且無限地重複這樣的過程。邵雍還利用十二消卦的陰陽消息之象表示一元的宇宙歷程,具體描述我們生活於其中的這個世界。這個世界之十二會,以子丑寅卯辰巳午未申酉戌亥標誌。天開於子會,地闢於丑會,人和萬物形成於寅會,至第六會巳會人類發展到了鼎盛時,此後開始走下坡路,到第十一會我們這個世界萬物滅絕。但我們這個世界祇是六十四卦圓圖中之一小段。此一世界毀滅後,另一世界又開始生,如此循環不已。

　　明代黄道周(1585 年—1646 年)著《易象正》,以易論天文。他以十八層方圓相嵌與六十四卦圓圖配合,試圖對氣朔盈虧、日月交會沖食等天象作出定量的完備描述。清代王夫之(1619年—1692年)不讚成象數易學,但却肯定"易可衍曆"。

2. 太極圖傳統

　　孟、京卦氣說被魏伯陽(100—170年)用於煉丹以後,發展出一支道教象數易學。魏伯陽著《周易參同契》分上、中、下三篇,外有《五相類》和《鼎器歌》,計約六千言,是世界上最古的煉丹書。儘管《周易參同契》作者申明"不得其理,難以妄言"(《周易參同契·中篇》),對於是否有煉丹理論頗有爭論,不過多數研究者,特別是一些資深學者肯定了它的理論體系及其對後世的範式作用。煉丹理論的基本構架由《周易》陰陽原理、道教神仙幻想和煉丹操作程序三部分組成。作為外丹術,《周易參同契》把參加化學反應的藥物作為陰陽兩種力量,以龍虎爭鬥、男女情愛、飲食呼吸等比喻相互制約、相互調和之類的相互作用。魏伯陽的《周易參同契》中有三張圖,水火匡郭圖、三五至精圖和月體納甲圖。《周易參同契》的易學是服務於煉丹術的。它的歷史作用在於,創建了道教易學系統。

　　隋唐五代是道家科技活動的鼎盛時期。據祝亞平統計,隋唐之際執掌天文的太史令幾乎全由道家學者擔任。由於有魏伯陽的《周易參同契》作為煉丹理論,唐代的外丹術日趨鼎盛,分為三大流派:金沙派、鉛汞派和硫汞派。在唐代的煉丹活動中產生了明顯的現代實驗科學的萌芽,唐代道士張果在一本內丹書《修真曆驗鈔圖》中記載了三棱鏡色散實驗。各種各樣的煉丹圖,如《真元妙道修丹曆驗鈔》中的還丹五行功論圖,已接近後來周敦頤(1017—1073年)的《太極圖》。

　　漢代象數傳統發展到宋代,形成以華山道士陳摶為先導的圖書派。陳摶的易學包括象和數兩方面的內容。"陳摶讀易,以數學授穆修,以象學授種放。"這裏的"數學"是指易學講奇偶之數的學問,而"象學"則是指卦爻象的學問。陳摶傳下三類圖式:一類為先天太極圖,另一類為龍圖,再一類為無極圖。龍圖導致河圖、洛書的創造,而無極圖導致太極圖的創造。

周敦頤將道教的"無極圖"改造為"太極圖"附《太極圖説》,後又作《通書》充實其説。周氏的太極圖是一個五位生化圖式。第一位太極祇是一個圓圈,表示無極而太極的本體。第二位是由中央的一個小圓圈和其外左右黑白對稱的二圈組成,表示陽動陰静的圖像。第三位是五行,木火水金在四維,土居中央,曲線連結成環網。第四位也祇是一個圓圈,註"乾道成男,坤道成女"以象後天八卦。第五位又是一個圓圈,註"肆物生化"而象萬物。這太極圖生化模式,由太極而有陽動陰静,繼而生水火木金土。木屬陽配春,火屬陽盛配夏,金屬陰配秋,水屬陰盛配冬,土為中氣而兼行四氣。這樣水火木金土五行順佈,而有四時運行。陰陽五行氣化交合而生萬物,人亦為造化產物,與天地同體而獨秀。這是一個依太極自然之理、本然之妙而不假安排的生化圖式。周敦頤以極其簡短的《太極圖説》作出他的解釋:

> 無極而太極,太極動而生陽,動極而静,静而生陰,静極復動,一動一静,互為其根。分陰分陽,兩儀立焉。陽變陰合而生水、火、木、金、土。五氣順佈,四時行焉。五行一陰陽也,陰陽一太極也,太極本無極也。五行之生也,各宜其性。無極之真,二五之精,妙合而凝。乾道成男,坤道成女。二氣交感,化生萬物,萬物生生而變化無窮焉。惟人也得其秀而為靈。形既生矣,神發知矣,五性感動而善惡分,萬事出矣。聖人定之以中正仁義(聖人之道仁義中正而已)而主静(無欲故静),立人極焉。故聖人與天地合其德、日月合其明、四時合其序、鬼神合其吉凶。君子修之吉,小人悖之凶。故曰立天之道曰陰

與陽,立地之道曰柔與剛,立人之道曰仁與義。又曰:原始反
終,故知死生之說。大哉易也,斯其知矣。

3. 河洛理數傳統

漢代易緯《乾鑿度》以"九宮說"發展卦氣說,經鄭玄(127—200
年)註釋而完成九宮數圖。當鄭玄將《易傳》的天地之數配五行時,
他又創造了天地生成數圖。這兩個圖不僅為宋代象數學家創造黑
白點河圖洛書提供了啟迪,而且推動了數學"縱橫圖"的領先世界
的研究。

漢初成書的《大戴禮記·明堂》首次將相傳的明堂九室配以九
個數字:"明堂者古有之也。二九四,七五三,六一八。"其九數代表
九室方位。西漢哀平之際成書的易緯《乾鑿度》下卷最後部分,將
筮法四營數六、七、八、九用於說明氣的運動變化規律,規定陽氣的
變化流向為一、七、九,陰氣變化的流向為二、六、八。提出,陰陽之
數的變化"四方四維皆合於十五",太一依陰陽之數從一至九地運
行於九宮之中。結合《乾鑿度》的八卦方位說,鄭玄達到了他的九
宮數圖:

巽四	離九	坤二
震三	五	兌七
艮八	坎一	乾六

這圖的縱、橫、斜各行數字的加和皆為十五,它可以認為是世界最
古老的"縱橫圖"。鄭玄的另一項相關的思考是《易傳》的天地數。
所謂"天地"實為"奇偶",即把十個自然數分成奇偶兩組。劉歆
(? —23年)曾把它們區分為生數一、二、三、四、五和成數六、七、
八、九、十,依次與五行水、火、木、金、土相配。鄭玄注《周易》加以

改造並配以方向而達到他的天地生成數圖：

七
南
火
二

八東木三　　　　　五土十　　　　　四金西九

一
水
北
六

　　宋代象數學家受隋唐五代道教學者煉丹圖流行的影響，想像
千年不解的河圖和洛書的形像。《易傳·繫辭》中"河出圖，洛出書，
聖人則之"的簡單記載，引後人不得不對易卦與河洛關係作出許多
猜測。此前的《尚書·顧命》和《論語》的有關記載幫不了什麼忙，同
時代的《竹書紀年》和《帝王世紀》又把它們説成是"龍圖"和"龜書"
並上推到黃帝時代，《禮記·禮運》又出"馬圖"説，揚雄《核靈賦》再
出"龍馬"説。眾説皆渺茫，惟劉歆明確猜定聖人則河圖畫八卦，唐
孔穎達(574—648年)將其載於自己的《周易正義》之卷首，遂產生
廣泛的影響。在煉丹圖流佈的背景下，探求易卦起源問題的思考
集中到河圖洛書上來，於是有陳摶的《龍圖易》始創黑白點圖。他
提出龍圖三變説：一變為天地未合之數，次變為天地已合之數，三
變為龍馬伏圖之形。三變所得之兩黑白點圖分別與鄭玄的天地數
圖和九宮數圖一致，劉牧(北宋中)稱前者為"河圖"而後者為"洛

書"。對於兩者何為河圖何為洛書有過一番爭論,經朱熹載於其
《周易本義》而成定論。

　　關於河圖、洛書的數字起源問題明朱升(1299—1370 年)提出
"內外合為河圖","八宮交為洛書"。實際上他是採取幾何的觀點
探討河洛數圖的結構。對於河圖,他將 10 個自然數依序均勻排列
為圓環,發現其分佈規律:一與六,二與八,三與七,四與九,五與十
皆通過圓心對稱。這五對數字,令五與十居中,其餘四對分為內外
在四個方向排佈,正好構成河圖數字圖,即"內外合為河圖"。對於
洛書,他"平衡取八宮",即運用自然數環排,以橫線連結一和九、二
和八、三和七、四和六,分別相交對位,所謂"八宮交為洛書"。元張
理也從幾何觀念分析過九宮數圖。他提出"奇圓偶方,奇外偶內"
的構圖規則,偶數二四六八在內為方之四角,奇數一三七九在外而
連成圓。清李光地(1642—1718 年)則把來知德(1525—1604 年)
的河圖奇偶合圖和洛書奇多偶少圖結合起來給出河洛未分三角圖
和方圖以及六角圖和冪形圖等。

　　蔡沈(1167—1230 年)堅信世界的規律是通過數字的法則表
達出來的,整個世界都是按數字的規則運動和變化着。所以他通
過對筮法的解釋,發展出一種以河洛圖說明世界的存在和變化的
宇宙模式。他取河十洛九說,並以河圖為《周易》系統,洛書為《洪
範》系統。他認為卦畫出於河圖,九疇出於洛書;河圖講陰陽之象,
洛書則言五行之數;陰陽之象為偶,五行之數為奇;偶為象之始,奇
為數之始。河圖之數有奇偶,但奇偶之排列為陰陽相配伍,即一
六、二七、三八、四九相配,顯其用偶。洛書之數也有奇偶,但奇數
一、三、五、七、九或居四正位,或居中位,體現五行相生和相克的順
序,顯其用為奇。河圖之數用偶,天地萬物皆按陰陽之象相互對
立;洛書之數用奇,天地萬物按五行順序相互流轉。陰陽對待屬
靜,五行流轉屬動;靜基於偶,動出於奇。

　　從科學的觀點看河圖洛書更關心它的數學意義。這裏我們可以提出"九宮算法"和"縱橫圖"。東漢數學家徐岳所著《數術記遺》(一說為北周甄鸞託偽)記載的數學方法,有積算、太一算、兩儀算、三才算、五行算、八卦算、九宮算、運籌算、了知算、成數算、把頭算、龜算、珠算、心算等,"九宮算"和"太一算"被列入其中。關於"九宮算"說:"陽動而進,變七之九,象其氣之息也;陰動而退,變八之六,象其消也。故太乙取其九數,以行九宮,四正四維,皆十五。"南宋楊輝著《續古摘奇算法》(1275年),亦將河圖、洛書作為數學對象加以研究,發展河洛數圖,構造了20個縱橫圖,包括三行、四行、五行、六行、九行、十行的縱橫圖。並且,還提出數學地構造洛書數圖的十六字口訣"九子斜排,上下對易,左右相更,四維挺出",以及其他數圖的排法,如四行縱橫圖的"換易術"。其後,明王文素的《古今算學鑑》(1524年)和程大位(1533—1593年)的《算法統宗》(1592年)等數學書也記載了不少縱橫圖。關於中國縱橫圖數學史,李儼(1892—1963年)曾發表過專題論文,集圖70多幅。直到17世紀,在幻方研究方面無出楊輝其右者。在現代組合學中,除正則幻方外,素數幻方、級數幻方、重積幻方、高維幻方等各種廣義幻方正日益受到重視,楊輝以來中算家所繪製的各種變形幻方圖,是這類研究的先驅。

三　象數和數術在科學史研究中的價值

　　經學正統一直是揚義理抑象數的,對當今的象數學科學易的興起,許多持經學正統觀點的易學家甚為憂心,科學界的朋友中也不乏視其為"迷信"者。象數學研究的合理性有待正名,象數學的科學貢獻有待重新認識。無疑歷史上的象數學中的許多理論是錯誤的,但按科學哲學"可證偽性"的劃界標準,被證偽的錯誤理論也具有科學理論的資格。真正的迷信是"崇拜現時的權威",而象數學家們多是不拘於祖述經典,並總是企圖通過與科學結合改造和完善易卦形式體系,以求更具體合理地説明諸多現象。他們的創造性的功績在於發展和完善了易卦形式系統,作為對現象説明的模型。儘管象數學的許多具體理論是錯誤的,仍具有科學史研究的價值。

1. 在數學史研究方面的價值

首先是易卦符號系統的數學特徵所體現的科學内涵具有科學史研究價值。有關易卦符號系統和河洛理數以及筮法的機巧設計的研究,不僅展示了它的原始的組合數學的面貌,而且還發現其包含有近現代數學的某些先驅思想和啟迪未來的素材。

歷代易學家發展的符號系統主要有兩種:一為《周易》系統(包括漢焦贛在其《易林》中提出的由六十四卦相重而得的四千零九十六卦系統),另一為《太玄》系統(包括九天玄女卦)。前者是二元符號系統,後者是三元符號系統。除此之外,尚有漢代道教的四元系統《靈棋經》,北宋司馬光(1019—1086年)的十元系統《潛虛》,南宋蔡沈(1167—1230年)的九元系統《洪範皇極》。以數學語言講,它們都是有限重集排列。三元系統的《太玄》是一個完美的四位三進制數表。而二元符號系統到北宋也發展數學上完備的邵雍(1011—1077年)先天圖,二元素有限重集排列完整到排列數 n 可為任意自然數,達到排列數 $N = 2^n$ 的結果。在易學發展史上,京房(公元前 77—前 37 年)的"飛伏"説、孔穎達(574—648年)的"覆變"説、來知德(1525—1604)的"錯綜"説實為不同的符號分類原理;各種卦變説,如荀爽(128—190)、虞翻、李之才(?—1048)、朱熹(1130—1200年)、俞琰(1258—1314)等人的"卦變"説,可視為不同的符號生成法則;而有關卦序的種種研究,如"八宮"説、"重卦”説、“先天”説和“後天”説等,都提出了各自的符號排序規則。九宮數圖開河洛理數研究之先河,它已作為最古老的組合數學文獻載入史册。丁易東(13 世紀)、朱明生(1299—1370 年)、來知德(1525—1604 年)、李光地(1642—1718 年)、江永(1681—1762 年)等人對河洛理數的研究涉及幾何學和代數學知識。在易圖對稱性種種研究方面,清代陳夢雷的方圖内外圖,在本世紀 30 年代,被薛學潛合理地解釋為一種矩陣。這些都表明當時易卦符號學研究所達到的科學水平。

在中國,“數學”作為一個科學學科的名稱也是從易學中借用而來。在古代中國長期名為“算術”或“算學”的學科,由於宋代邵雍先天易學的興起,這種被時人稱為“數學”的學問由秦九韶(1202—1261 年)借用以取代“算學”。徐光啟(1562—1633 年)把象數學視為數理科學,認為“象數之學,大者為曆法,為律吕,至其他有形有質之物,有度有數之事,無不賴以為用,用之無不盡巧極妙者”(《泰西水法·序》)。他還倡導“度數旁通十事”,將天文和氣象、測量和水文、音樂、軍工、會計、建築、製造、測地、醫學和計時都納入數量化的軌道,以圖“由數達理”(《條議曆法修正歲差疏》)。中國古代著名數學家都對易與數學的關係發表過精僻的論述。劉徽總結自己的數學研究理路為“觀陰陽之割裂,總算術之根源”,秦九韶强調“數與道非二本”,都體現了易學對他們的世界觀的影響。秦九韶讀易領悟“聖有大衍,微寓於《易》”,發現了《周易》筮法的同餘結構並創一次同餘式解法“大衍求一術”而領先世界數百年,是易學啟迪數學發現的最著名的一例。易學對數學發展的真正有據可循的貢獻,主要在觀念和思維方式方面。在觀念方面,《周易》的陰陽概念經數的奇偶而轉化為幾何之圓方,通過趙爽和劉徽的工作開闢了中國數學研究的圓方論的獨特方向。《周髀算經》提出“數之法出於方圓”,趙爽注《九章算術》以“圓徑一而周三,方徑一而匝四”解釋之,揭示陰陽與數之奇偶和形之方圓的聯繫。劉徽依陰陽和方圓原理首創的"割圓術"，不僅導致魏晉南北朝時期圓周率計算遙遙領先於世界成就，而且其影響中經沈括(1031--1095 年)的"會圓術"、李冶(1129—1279 年)《測圓海鏡》(1248 年)、梅文鼎(1633—1721 年)的《方圓冪積説》(1710 年)，一直延拓到清代李善蘭(1811—1882 年)著《方圓幽秘》(1845 年)而創立中國式的微積分"尖錐術"。中國傳統數學的其他方面，如方程論是否受方圓論的影響有待研究。數學在其發展中受易學中一些方法論原理的重要影響，表現在數學家的思想以及他們的成果之中。劉徽著名的"析理以辭，解體用圖"的數學方法論，就是依易學的象數原理而發展出來的由"理"和"象"(圖)研究數學的方法。《易傳》"類族辨物"的方法論原理，經《黃帝內經》將其發展為"比類"的若干種具體方法，而在《九章算術註》中劉徽又將類推發展為等式推理以建立數學概念體系，至宋代理學家再給"類推"增置以"格物窮理"的前題，"比類"方法廣為宋元數學家們採用。沈括首創堆積術(即高級等差級數求和)是比類方法之典型應用。比類方法在數學中的應用獲得重多創造性的成果，諸多的成功更促成它的推廣應用，因而出現若干題名包含"比類"的數學著作，諸如楊輝(13 世紀)的《田畝比類乘除捷法》(1275 年)、吳敬(15 世紀)的《九章算法比類大全》(1450 年)。

2. 在物理學史研究方面的價值

物理學，按現代理解的物理學在中國古代是没有的。錢臨照先生曾説過，中國古代没有物理學，祇有物理學知識。但作為追述歷史，在與亞里士多德的《物理學》對比的意義上，我們還是可以討論的。現在作為物理科學分支的天文學、聲學、光學等，在古希臘是歸為數學的，現代意義的物理學是在 18 世紀末和 19 世紀出才定型的。亞里士多德的《物理學》作為研究變化的存在的第二哲學,祇關心運動和時空問題。中國早在《莊子》和《淮南子》中就出現了"物理"這個詞匯,泛指萬物之理。從晉楊泉的《物理論》到明方以智(1611—1671年)的《物理小識》(1665年)都大體沿襲這一思想。從邵雍的"老子五千言,大抵皆明物理"(《觀物篇》)和方孔炤的"聖人觀天地,俯萬物,推曆律,定制度,興禮樂,以前民用,化至感若,皆物理也"(方以智《物理小識·總論》引其父語),我們可以領略到這種大物理觀。在中國歷史上第一次出現"物理之學"一詞是在邵雍的《觀物篇》中。他的這部書是對他的易學著作《皇極經世》的注本。清王植將其評論為"此篇皆格物窮理之精義也"(《皇極經世直解》)。邵雍所謂的"物理之學"乃有關天地萬物運動變化之理的學問,是關於一切事物秩序的學問。在他看來"學不際天人,不可謂之學"。他書中所論物理的範圍,確從天地的起源直到人文歷史。就自然現像説,他以陰陽剛柔和感應為綱,論述了天地的產生,日月星辰運動,水火土石之化成,雨風露雷之成因,走飛草木性情之變化……。這種大物理觀到方以智方有一個大的變化。他在《通雅》(1666年)把學問劃分為物理、宰理和至理,大體相應於今日的自然科學、社會科學和哲學。用他的話説"考測天地之家,象數、律曆、音聲、醫藥之説皆質之通也,皆物理也"。

　　在中國古代的大物理觀中,萬物生化的核心機制是"感應"。《易傳》感應原理自漢代起與象數論結合,逐漸發展出一種精緻的數理感應論。邵雍之子邵伯温為其父《觀物篇》所作《繫述》中淋灕盡致地表述了他數理感應觀。中國人重感通,而聲與光是人與人和人與自然溝通最重要的媒介,所以中國聲光科技的早發繁美勢所必然;律曆合篇為《律曆志》,音律通天的觀念也彰顯中國自然與人文溝通的整體特色;候風地動儀也是在地動天搖而人可象之的觀念指導下製造出來的,待人以其候天風之地動;共鳴的運用與詮釋成為中國聲學的特色;電磁現象的發現與詮釋甚至與其有關的避雷針和指南磁針的發明,都與"感應"觀念密切相關。臺灣劉君燦認為,中國傳統科學是"以類比為方法,以感應為主要觀念"的。邵雍依據《易傳》"窮理盡性,以至於命"所闡發的理、性、命統一於"道"的物理學思想,以及以"理"或"道"觀"物"的所謂"反觀"物理學方法,對其後的物理學研究有一定的影響。沈括(1031—1095年)《夢溪筆談》"數術"類記有人工磁化和地磁偏角實驗,有附紙人於琴絃的聲共振實驗,有以"礙"的概念對光學所進行的理性分析。李時珍把歷來醫學中的陰陽五行理論引入本草學,以"比類取象"方法把動、植諸類歸屬五行,完成本草理論體系的五行化。朱載堉(1536—1611年)自幼"即悟先天學",後著有《先天圖正誤》,首創十二平均律。宋應星的《天工開物》書名取義於《易》反映了他的精神世界的易學形象,而《論氣》完全以易學氣學派的觀點指導探索自然,則表明他的這種精神落實於理論研究之境況。

3. 在起源意義上易學與科學的關係問題

人們尚不可能對"科學源於易"還是"易源於科學"作出明確判斷,有如"雞生蛋還是蛋生雞"的問題。在起源問題上的相互影響,古人有關科學源於易學的斷言。如《易傳·繫辭下》第二章有一大段話,把中華民族的早期重大發明, 如農具、衣裳、舟輯、車乘、杵臼、弧矢、宮室、棺椁、書契等,都說成是依卦象的啟示而發明的, 當不可信。而且, 無論是劉徽的"九九之數以合六爻之變"(《九章算術注·序》)說,還是秦九韶的數"爰自河圖洛書"(《數書九章·序》)說,也一直沒有人去深究。近年來却出現了諸多《易》的科學起源說,與《易》的筮法起源說大相竟庭。我們僅舉一例,它是來自一位天文學史家的八卦源於曆法說。

陳久金的《陰陽五行八卦起源新說》(《自然科學史研究》,1986年第5期)使八卦起源回到《易傳·繫辭》所稱的伏羲時代。他的立論根據是彝族十月太陽曆。該曆一年十個月分為土、鉛、水、木、火五季，每季分為公母。據此他認為早期的五行說不是"五材"，而是氣之"五節"，《洪範》五行必屬九疇大法之一的"曆法"；並且《易傳·繫辭》中所說天地數是對十月太陽曆基本結構的說明，所謂"伏羲受河洛圖、禹受洛書"是說天授予他們治國大法，其中包括象徵王權的曆法。

涉及易卦起源的問題的一個最新文獻，是馬王堆漢墓出土的帛書《易之義》。它的釋文（陳松長和廖明春釋）已刊載於陳鼓應主編的《道家文化研究》第3輯（馬王堆帛書專號，1993年上海古籍出版社）。其中有："子曰：易之用也，段（殷）之無道，周之盛德也。恐以守功，敬以承事，知（智）以辟（避）患，□□□□□□□□文王之危知，史說（?）之數書，誰能辯焉?"這裏的"史說之數書"似可以理解為卦畫源於數學。我們還可以用同一墓出土的帛書《要》來印證。同在《道家文化研究》第3輯上發表的陳松長和廖明春的帛書《要》釋文其中有："子曰：易，我復其祝卜矣；我觀其德行之耳。幽贊而達乎數，明數而達乎德；又（?）仁□者而義行之耳。贊而不達於數，則其為之巫；數而不達於德，則其為之史。史巫之筮，鄉之末也，好之而非也。後世之世疑丘者，或以易乎！吾求其德而已，吾與史巫同途而殊歸者也。君子德行焉求福，故祭祀而寡也；仁義焉求吉，故卜筮而稀也。祝巫卜筮其後乎!"如果這裏提出的"幽贊而達乎數，明數而達乎德"的《易》發展次序以及"贊而不達其數，則其為之巫；數而不達其德，則其為之史"的區分符合歷史事實，那麼"史說之數書"當在巫術與哲學之間，用現代的話說即"數學"。此兩文即使是漢代人偽託孔子之言，也至少反映當時人對卦畫起源問題的看法。與"數甲說"結合考慮，《易》源於數學也是可以立為假說，等待考古學證據的。

再一個是術數在科學史研究中的意義問題。術數無疑實為易之支脈,邵雍說數不及理就流為術數。在易學研究中常說的"易學在學不在術"意在把它排除在外。但以科學的觀點看易學,就不能持"在學不在術"的觀點了。因為,今日視為同科學有關的東西,過去多被分類在術數裏,甚至可以說,那時的術數即意味着科學。而且,到了宋代纔發生羣"學"的爆發,同自然有關的如"數學"、"物理學"、"聲學"、"醫學"等,而同社會有關的如"儒學"、"道學"、"易學"等。此前是"術"當道的時代,諸如"儒術"、"道術"、"仁術"等。術數當時被認為是能使人與自然產生聯繫,並能預測自然界的行為的某種技藝,比如預測雨、雪和冰雹等等,甚至也許能利用它們。在中國的宋代,太乙、遁甲、六壬所謂三式,幾乎被認作廣大無邊的法術,連沈括都在其《夢溪筆談》中記載了許多例子。以現代的知識背景看,這些法術即使不被認為是偽科學,也被歸於魔術的範疇,因此它們一直被現代學者所忽略。但是,在過去的人們的觀念中,這些法術是關於自然的知識,且也是利用自然的方法。作為科學史是理應受到人們的注意的。澳大利亞籍華裔學者、李約瑟(Joseph Needham, 1900—1995 年)研究所所長何丙郁,在李約瑟追悼會上的悼辭《東亞科學史研究的前景》(《自然辯證法通訊》1995, 17(5):38)中說:《中國科學技術史》的純實證的研究計劃可能改變,一直被中國學者和西方漢學家忽視的術數應提到日程上來。實際上,在術數活動中也卻有不少重要發明,而且術數活動還有一套推理模式,其數學結構也是值得認真加以研究的。

作者簡介　董光璧,1935 年生,河北豐潤人。中國科學院自然科學史研究所研究員兼東方國際易學研究院副院長、中國管理科學研究院高技術與新文化研究所所長。發表論文百餘篇,出版有《易圖的數學結構》、《易學科學史綱》、《當代新道家》等十幾部著作。

《周易參同契》的易學特徵

蕭漢明

內容提要 《契》非說《易》之作,但於《易》有獨得心會之處,以往說《易》者多因囿於經學易而對《契》中之易學多所忽略。本文探討了《契》中易學的主要特徵,並就其在漢代易學中之地位,對道教易的形成及對後世經學易之影響進行了闡叙。

一

魏伯陽所著《周易參同契》(以下簡稱《契》),漢末至魏晉時期,常有儒者如虞翻等人為之作注。"儒者不知神仙之事,反作陰陽注之"(葛洪《神仙傳·魏伯陽》),雖無補於丹術,或於《易》有所得矣,惜乎其具已亡佚。自嗣以後,《契》主要在道教內部流行,起初以外丹術為時所重。唐末開始,其內丹術又逐漸受到推崇。《契》的主旨雖在丹術,但其假借《周易》爻象之舉在易學史上却不可低估。

《契》不僅以其內外丹術被後世尊為丹經之祖,而且還因其利用《周易》卦爻之象建構的眾多模型,為道教易學奠定了基本格局,在易學史上理應享有重要地位。有宋一代,圖書之學興起,道教易學中流行的象數圖案逐漸被發掘出來。朱震《漢上易傳表》云:"漢上陳搏以先天圖傳種放,放傳穆修,修傳李之才,之才傳邵雍;放以河圖、洛書傳李溉，溉傳許堅，堅傳范諤昌，諤昌傳劉牧；修以太極圖傳周敦頤，敦頤傳程頤、程灝。"這個傳授譜系儘管頗為後人所疑，但宋代傳圖書之學的儒者並不迴避這些圖書來自華山道士陳摶，倒是一件值得回味的事情。以周敦頤《太極圖》為例，朱震以為遠承陳摶、近得穆修之傳，潘興嗣、朱熹皆以為周子自作，黃宗炎、毛奇齡則以朱震之說為是，且分別引《道藏》或《契》以證之。宋代圖書之學肯定與包括《契》在內的道教易學有淵源，但不是簡單照搬，而是別有心會，別有發明創造。周子《太極圖》如是，邵雍的先天河洛學亦如是。

　　至南宋，朱熹治《易》，推崇周子《太極圖》和邵雍的先天河洛學，更著《周易參同契考異》，開儒者注《契》之門。朱熹認為《契》"雖非為明《易》而設，然《易》中無所不有，苟其言自成一家，可推而通，則亦無害於《易》"(見朱熹《周易參同契考異》附言)。朱熹在該書跋末自署空洞道士鄒訢，雖與當時自身之處境有關，不願以其真名混蹟於道書之情，也是顯而易見的。又其書名曰"考異"，實則雖正同異，考訂舛誤不過寥寥數處，其餘皆隨文詮釋，完全屬於箋注之體。朱熹注《契》作如此迂回曲折之舉，其意或在於減少壓力，因此並不妨礙人們看到他那種敢於突破經學界限的可貴之處。後世儒者注《契》說《契》雖間或有之，但經學對《契》的排斥始終是一個巨大的陰影，阻礙了人們對《契》中易學的正常研究。

　　明清之際開始興起的反理學思潮，在易學領域的矛頭所向，首先以宋代的圖書之學為目標。黃宗羲、黃宗炎、胡謂、毛奇齡諸公對先天河洛學的清算，大抵以《易傳》為衡量尺度；合於《易傳》者取，不合於《易傳》者捨。明清之際的反理學思潮無疑具有啟蒙的意義，但由於他們基本上採用的是復古主義手法，這使他們對先天河洛學的清算多多少少染上了一些清理門戶的色彩。乾嘉樸學對待宋明理學雖未張起"伸斧鉞於定論"(王船山語)的旗幟，但卻頗有"大辯不言"（莊子語）的風範。他們孜孜於考據之學和文字訓詁，雖有其不得已的時代背景，但顯然還有恢復經學本來面貌的目的包容其中。即此一舉，理學中的各種非儒學成份便會喪失藏身之所，因而可以坐收不戰而屈人之兵的戰果。難怪《四庫全書總目提要·易類》在評説 道教易學時説，方外之爐火與天文、地理、樂律、兵法、韻學、算術等各種學科都"援《易》以為説，而好異者又援以入《易》"，致使説《易》之作愈演愈繁。若以經世致用而言，"《易》説愈繁"有何不好？相反，恪守經學門户則必然堵塞經學的繁榮。

經學對《契》中易學的排斥，其陰影至今尚存。近幾年出版的涉及漢代象數易學的著作，大多祇在經學範圍内周旋，對《契》中的易學特徵極少有人問津。就研究條件而言，漢代經學家們的釋《易》注《易》之作大多散佚，所賴者惟唐代李鼎祚的《周易集解》和後世（特別是清代）學者所輯的遺書，且無一家能窺其全；而《契》則因在道教中流傳，雖章節在傳抄過程中有錯亂，文字也有一些訛誤，但畢竟完整地保存至今。何以捨《契》於不顧？蓋因其非經學之故也。愚意以為，今日研究易學史應當跳出經學的羈絆，以《易》所影響到的全部文化為研究對象，從中找出易學發展的一般性規律來。當然其中必然存在着必要的取捨，但取捨的原則不是視其是否屬於經學範圍，而是服從於易學自身發展邏輯環節的需要。

在漢代易學中，《契》對西漢及東漢早期的象數易無疑有一定的承繼，但更具特色的是它的獨創性。杭辛齋先生嘗云："《參同契》猶後天並用，特未立此先天後天之名目耳。"（《易楔》卷二）杭氏已然注意到宋代河洛之學中的先天後天之説是遠有端緒的，而《參同契》正是這一學説發展進程中的一個重要環節。惜乎杭氏未能就此説展開議論，有些見解也尚待商榷，本文意在補杭氏未逮之一二，若偶有與同道相左之議，亦出於不得已。

二

《契》中易學的第一個特徵,是以乾坤坎離四卦建構的天地結構模型。這個模型採用漢代天文學盛行的渾天説,認為所謂"天地設位",是一種"乾剛坤柔,配含相包"(《契》中篇)的狀態,從而修訂了《易・繫辭》以蓋天説為依據提出的"天尊地卑,乾坤定矣,卑高以陳,貴賤位矣"的説法。以乾坤相包取代乾上坤下,雖對漢代天體結構理論談不上有什麼貢獻,但適時地通過《易》卦建構一種新的天地結構模型,以適應天體結構理論的發展,則是魏伯陽的一大創舉。

乾坤相包祇是一個靜態描叙。為此《契》又進一步援引坎離兩卦,描叙這個模型的運動狀況。《契》云:"乾坤者,《易》之門户,衆卦之父母。坎離匡郭,運轂正軸,牝牡四卦,以為橐籥。"這樣,坎離便成為這個模型中行乎天地之中的動態因素。《契》云:"天地設位,而易行乎其中矣。"這裏所説的"易",在《契》中有兩層含義:其一,指日月相推。《契》云:"日月為易,剛柔相當。"離象日,坎象月,日月在天地間往來相推,如運輪週,故行乎天地之間者,日月在其中矣。其二,指陰陽交錯變易。《説文》:"秘書説,日月為易,象陰陽也。"許慎與魏伯陽大致同時,許氏既説"日月為易"出自秘書,《契》大約亦援秘書而有此説,故取象陰陽自在意中。《契》云:"天地者,乾坤之象;設位者,列陰陽配合之位,《易》謂坎離。"一陽入坤為坎,一陰入乾為離,坎離皆陰陽交錯而成,故取此二卦以象天地之間陰陽二氣的升降沉浮和交錯變易。《契》以乾坤坎離四卦建構的這個宇宙模型,繼承和改造了《道德經》的宇宙風箱模型。《道德經》所謂"天地之間其尤猶橐籥乎",祇講天地之間氣的鼓動、吹吸、流行,無助於瞭解和把握天體運行的規律。《契》將日月相推之意納入模型,黃道與白道的軌迹有數可期,從而使風箱模型具有了觀象製曆的實際意義。

在這個模型中,乾 坤為天地之體,坎離為乾坤之用。《契》云:"坎離者,乾坤二用。二用無爻位,周流行六虛;往來既不定,上下亦無常。幽潛論匿,變化於中,包裹萬物,為道紀綱。"乾卦用九、坤卦用六,二用在乾坤卦體中無固定之爻位,而乾卦六位之爻皆九,坤卦六位之爻皆六。六虛,在卦為六位,六位之爻莫非九六;在宇宙為六合,上下東西南北莫非陰陽。陰陽二氣流行六虛,往來不定,上下無常,而一切幽隱潛在的變化盡含藏其中,萬物的發生發展如之,人體的形成和發育也不例外。

在人體,離為心火,坎為腎水。坎離匡郭,水火既濟,人體生理狀況方為正常;否則便需要運用一定的功法加以調理。在丹爐,投入的藥物亦有坎離之別,如汞為坎鉛為離,模型中坎在東離在西,以二十八宿中東西之二象喻之,故有"龍吞虎髓,虎吸龍精"之説,以譬坎離相合,煉丹有成。

從八經卦中,抽出乾坤坎離四卦建構模型,在《契》以前的先秦兩漢易學中尚無先例,但這並不等於説與《易傳》毫無關係。《易·繫辭上》云:"天尊地卑,乾坤定矣……鼓之以雷霆,潤之以風雨;日月運行,一寒一暑;乾道成男,坤道成女。"顯然,《契》有取於此説中乾坤定位日月運行之意,至於雷霆風雨成男成女之類都屬陰陽之事,故僅取坎離象之足矣。又《易·説卦》云:"天地定位,山澤通氣,雷風相薄,水火不相射,八卦相錯。"所謂"八卦相錯",指乾坤(天地)、艮兌(山澤)、震巽(雷風)、坎離(水火)四組卦中每一組同位之爻的爻性全都相反。邵康節認為這段話説的是伏羲八卦之方位,即乾南坤北、離東坎西、兌東南艮西北、震東北巽西南。《契》所建構的宇宙模型為乾表坤裏,取其剖面之上半部,四卦的方位為乾南坤北,坎東離西,坎離之方位與邵氏先天方位相反。因此,《契》所

列的乾坤坎離"牝牡四卦"方位結構,不可以說成是先天八卦方位
的先驅。

　　《契》首次將坎離兩卦作為乾坤之二用提出來,與《易·繫辭》
"懸象著明莫大乎日月"之說有關。《契》云:"《易》者象也,懸象著
明,莫大乎日月。"故取"坎離冠首",以示"光耀垂敷","陽往則陰
來,輻輳而輪轉"。坎離兩卦在道教丹術中一直受到極大重視,
《道藏》中著名的"水火匡郭圖"便是據此兩卦繪製而成。宋明理
學開山周敦頤《太極圖》中的第二圖直接採用此圖,由於周氏《太
極圖》後世議論者甚眾,此圖在宋明理學中之重大影響便可想而
知了。明清之際著名思想家王船山說:周敦頤《太極圖》之第二
圖,"東有坎,西有離,頗與玄家'畢月烏,房日兔'、'龍吞虎髓,虎
吸龍精'之說相類,所謂互藏其宅也。世傳周子得之於陳圖南,愚
意陳所傳者此一圖,而上下四圖則周子以其心得者益之,非陳所
及也。"(《思問錄外篇》)王船山並不認為周子此舉有何不妥,反而據此
圖引伸出陰陽動靜的一系列道理,在他出色的辯證動靜觀中佔有
重要地位。此外,坎離水火之說在宋以後對傳統醫學的基礎理論
也產生了深刻的影響。不少醫家論叙心腎二臟功能之關係、腎與
命門以及傷寒溫熱之辨,大都援坎離水火以為說,對促進傳統醫學
的發展,產生過良好的推動作用。

三

　　《契》中易學的第二個特徵,是效法河圖天地全數得到的《契》
數。所謂河圖天地全數,即《易·繫辭》所說的"天一地二、天三地
四、天五地六、天七地八、天九地十。天數五,地數五,五位相得而
各有合。天數二十五,地數三十,凡天地之數五十有五,此所以成
變化而行鬼神也"。由天地全數按"五位相得而各有合"的原則構

成一個圖案,這就是現在通行的所謂河圖。根據先秦及兩漢文獻記載的情況,有關河圖的種類決不吟一種,但可供效法而且至今尚存的河圖大概袛有天地全數一種了。

《繫辭》云:"河出圖,洛出書,聖人則之。"則者,效法也。《易》效法河圖天地之數而得大衍之數,《太玄》效法之而有《玄》數。大衍數與《玄》數皆捨河圖天地全數之中五,這不是某種巧合,而是《玄》彷《易》的必然結果。先秦至兩漢,效法河圖全數的著作還有不少,如鄒衍的五德數、《管子·幼官》、《禮記·月令》的依時寄政說、《素問》的河圖五臟模型、《淮南子》的礦物衍生模型等,取數規模都為中五東八南七西九北六。《契》效法河圖天地全數的規模是捨中十不用,而用從一至九等九個數,這就是所謂《契》數。

《契》數效法河圖,建構的是一個天人模型。《契》以河圖外圈八七九六這四個數象徵天道陰陽,其中八為少陽,七為少陰,九為老陽,六為老陰。所謂"九還七返,八歸六居",描敘的是天道陰陽的升降變化。陽性善動,故謂"九還七返";少陰為陽中之陰,仍有動象,故謂"八歸";陰性好靜,故云"六居"。母體內受孕後與成胎前,或爐火成丹前的陰陽升降狀況,正是天道陰陽"還"、"返"、"歸"、"居"運動狀況的再現。河圖內圈的三二四一五,在《契》中象徵人體內在之陰陽。中央五土為戊己真土,東三卯木,南二午火,西四酉金,北一子水。配以五臟,木三為肝,火二為心,金四為肺,水一為腎,土五為脾。就五臟之氣的運轉的而言,一當右轉而接於四,二乃東旋而至於三,五居中為意主,這是人體氣血運轉的正常秩序。因為一轉四合為一五,二旋三又合為一五,中五自為一五,所以《契》稱人體氣血運轉的正常秩序為"三五與一"。反之,"三五不交,剛柔離分",便是人體氣血運行出現了故障,而修道或煉內丹的目的之一就是恢復"三五與一"的正常生理秩序。《契》云"一九之數,終而復始",說的是河圖內外圈即天人之間的陰陽轉換。一為人道之始，九為天道之終。九一之間，實迺天人相續之際，天有所降，人有所受，人天合節，隨時以御神，如此則人體陰陽調平，病邪無所侵瀆矣。

一轉四為水合於金，二旋三為火就於木，水為金子，木為火母，故一四和二三皆為母子同氣。就內丹言，一四合氣為元精，二三合氣為元氣，中五為元神。因此，"三五與一"的丹術含義是通過一定的功法步驟，達到精氣神的和諧統一。就爐火言，"五行錯王，相據以生，火性銷金，金伐木榮"，講進火之際，木生火，火銷熔鼎器內之鉛，金受克伐，無力制木，故木榮而火更旺。木與火不入鼎器之內，故以數言之，則為"其三遂不入，火二與之俱"。"金化為水，水性周章；火化為土，水不得行"。講退符之際，鉛得火而熔為液，汞入鉛而周章成文。火化為土，為木已燃爐；水不得行，謂鼎器內鉛汞凝而成丹，汞善動之性已為鉛所制。

《契》云："上察河圖文，下序地形流，中稽於人心，參合考三才。"在漢代，各種河圖不勝枚舉，魏公此處所言之"河圖"，注家多訓作"天文"，如彭曉、陰長生、陳顯微、俞琰、陳致虛、袁仁林、董德寧、劉一明、陸西星、蔣一彪等，或云"河漢圖象之天文"（董德寧），或云"天河東西南北眾星之運轉"（劉一明），有的版本甚至徑直改"河圖文"為"天河文"。也有少數注家講此"河圖"為《河圖之數五十有五"（如王文禄、朱元育等）或訓"河圖"為"八卦"（如《道藏》本無名〈乙〉）。根據文意推敲，魏公所云"河圖文"為"河漢圖象之天文"，而非五十有五數之河圖，亦非八卦。既然魏公所云"河圖文"指的是天象，自然與傳說中黃河所出之圖不是一回事。（筆者先前對"河圖文"曾有望文生義之誤，藉此機會聊作更正。）儘管如此，這對認定天地五十有五之全數為一種河圖並不構成障礙。筆者對天地全數為河圖之一種的認定，另有專文論記，此處從略。

《契》云："推演五行數，較約而不繁。"五行數即天地之全數，

《契》捨其中土之成數五,未申叙理由。稍後成書的《黃帝內經》中的七篇大論,創五運六氣之說,探討氣候變化的規律與人體健康的關係。運氣學說採用的河圖數,也是從一至九這九個數,顯然承繼了《契》數的規模,並且明確申叙了其運數的基本原則是:"太過者其數成,不及者其數生,土常以生也。"六氣(寒暑燥濕風火)之運有太過不及之別,太過者以河圖五行相應之成數表示,不及者以相應之生數表示,濕土之氣主生,故衹用生數五,而不用成數十。"土常以生",同樣也是煉丹術模型不用土之成數十的原因,而《契》未之申言,這說明運氣學說對《契》不僅有承繼而且有發展。運氣學說在宋代以後有長足進展,《契》數之影響自然不可抹煞。

四

《契》中易學的第三個特徵,是以乾卦六爻之象模擬月相的死生盈虧,以陽氣盛衰升降之說補納甲法純用陰曆之不足。

納甲之法,據現存文獻考察,始於西漢京房。《京氏易傳》卷下云:"分天地乾坤之象,益之以甲乙、壬癸;震巽之象,配庚辛;坎離之象,配戊己;艮兌之象,配丙丁。"京房氏以八卦的六畫卦配天干,意在以六位陰陽立說,結合卦氣,占驗災異。魏伯陽取八卦的三畫卦配天干,用以模擬一月之內月相的變化。為了模擬之方便,他將一月三十日劃分為六節,每節五天,然後分別取八卦中卦象相應者象之:"三日出為爽,☳震庚受西方。八日☱兌受丁,上弦平如繩。十五☰乾體就,盛滿甲東方。蟾蜍與兔魄,日月氣雙明。蟾蜍視卦節,兔魄吐光生。七八道已訖,屈折低下降。十六轉受統,☴巽辛見平明。☶艮直於西南,下弦二十三。☷坤乙三十日,東北喪其明。節盡相禪與,繼體復生龍。壬癸配甲乙,乾坤括始終。七八數十五,九六亦相應,四者合三十,陽氣索滅藏。"坎離配戊己,為中央土，象日月相推，故不入六節。

以八卦納甲法模擬月相變化，偏重講朔，屬陰曆成份。為了適應陰陽合曆的需要，《契》又以乾卦六爻配震兌乾巽艮坤六經卦，描叙一月內的陰陽消長。《契》雲：

> 起於東北，箕斗之鄉；旋而右轉，嘔輪吐萌。潛潭見象，發散精光；昴異之上，☳震出為徵；陽氣造端，初九潛龍。陽以三立，陰以八通；故三日震動，八日☱兌行；九二見龍，和平有明。三五德就，☰乾體乃成；九三夕惕，虧折神符。盛衰漸革，終還其初；☴巽繼其統，固濟操持；九四或躍，進退道危。☶艮主進止，不得逾時；二十三日，典守弦期；九五飛龍，天位加喜。六五☷坤承，結括終始；蘊養眾子，世為類母；上九亢龍，戰德於野。用九翩翩，為道規矩；陽氣已訖，訖則復起；推情合性，轉而相與。

魏伯陽認為月相的晦朔弦望，與陽氣的盛衰有關。因此，他雖仍以震兌乾巽艮坤六卦模寫月相，而着眼點却在陽氣的盛衰變化。可見他選擇乾卦六爻，每爻納入一卦之月相，然後以每爻象徵的陽氣狀況解說月相，主觀意圖明顯在於使其合於陰陽曆。氣是陽曆成份，一般以物候作為參照。以乾之六爻象徵陽氣由潛而見，由盛而衰，並取月相作為參照，這種框架不見於前人，因而也是魏伯陽的一個創舉。

以乾卦六爻喻一月陽氣的盛衰，用下三爻喻陽氣由潛而見而盛較易，而用上三爻喻陽氣由盛而衰則甚為困難，特別是"九五飛龍在天"，《契》祇好用旁通坤卦六五的辦法解決。而且月相的晦朔弦望並不能作為陽氣盛衰變化的理想參照系，因此《契》的乾卦六爻框架未能受到後人的器重。

十二消息卦由來甚早，至西漢孟喜、京房納入卦氣説後更大為流行，《易緯・乾鑿度》稱為"消息卦"，《易緯・乾元序制記》稱為"辟卦"。《契》援引十二消息卦講爐火,在易學史上祇是一種繼承,談不上有什麼貢獻。但由此我們可以進一步堅信,《契》既然已採用十二消息卦模擬陰陽升降,那麼乾卦六爻結構的運用便完全是為了滿足陰陽合曆的需要了。現存《參同契》不是一次完成的。魏公說:"《參同契》者,敷陳梗概,不能純一,泛濫而說,纖微未備,闊略髣髴。今更撰録,補塞遺脱,潤色幽深,勾援相連。旨意等齊,所趣不悖,故復作此,命《五相類》。"由此是否可以説,納甲法是作《參同契》時採用的,而乾卦六爻結構則是後來為"補塞遺脱"而作的,屬於《五相類》的内容。

後漢末東吳虞翻全盤繼承了《契》中納甲法作為解《易》的基本條例,而且從《契》的乾卦六爻結構中"九五飛龍"以"六五坤承"為訓之例引伸出旁通之象,由此可見《契》對虞翻注《易》體例的重要影響。虞氏是漢末象數易學的總結者和終結者之一,既然他的易學與《契》的影響有着密不可分的關係,《契》在漢代象數易中的地位難道還不足以受到人們的重視?

《契》中納甲法的八卦方位,震西兌南乾東,巽西艮南坤東偏北,坎離居中。八卦的這種方位大體據天干的五行方位而來,與八卦的先後天方位皆無關係。朱熹説:《契》"所云甲乙丙丁庚辛者,乃以月之昏旦出没言之,非以分六卦之方也"(《周易參同契》卷首附)。這個説法是很有道理的。納甲所取之方位,既然不是八卦自身系統的產物,也對八卦自身系統毫無影響,説其"非以分六卦之方"當然能够成立。

乾卦六爻結構祇講陽氣週流,有取於八卦和月相,無取於天干,因此這一結構祇有八卦次序而無方位。按照八卦象徵月相的出没次序,坤為晦乾為望,震為生明,兌為上弦,巽為生魄,艮為下弦。坎離取象月日,於月相出没無次序可言。僅就前六卦之次序而言,可得震兌乾巽艮坤之次。這個次序,若以乾順坤逆之意舖排，則為坤艮巽震兌乾；若再 將坎填入艮巽之間、離填入震兌之間，一幅先天八卦次序圖也就形成了。魏公作《契》是否有此之意未可得知，而乾卦六爻結構引出的八卦次序與先天八卦次序的近似，已將二者之間的關係客觀地呈現出來。朱熹説：“邵子發明先天圖，圖傳自希夷，希夷又自有所傳，蓋方士技術用以修煉，《參同契》所言是也。”(引同上)把先天圖（方圓圖）全部歸結為希夷，且最終落實到《參同契》，其説未免太過。蔡季通認為先天圖與納音相應，因而與《參同契》合，欲證其言，則過於迂回，所得亦非《契》旨。《契》僅在十二消息卦中納入十二律，餘皆無納音之舉，故蔡氏之説不可取。

五

　　乾坤坎離四卦之外的六十卦，《契》中兩次提及，次序皆沿通行本卦序。《契》上篇云：“朔旦屯直事，至暮蒙當受，晝夜各一卦，用之依次序。既未至晦爽，終則復更始，日辰為期度，動靜有早晚。”六十卦值三十日，陽卦三十值晝，陰卦三十值夜。屯蒙值初一，需訟值初二，直至既濟未濟值三十，一月告終。然後周而復始，又起屯蒙。日辰指十二辰，動靜指煉功。至於日辰之期度和動靜之早晚如何把握，此處未作交代。於是魏公在後來“補塞遺脱”之時，再次作出申叙，見於《契》中篇。

　　　發號出令，順陰陽節，藏器待時，勿違卦月。屯以子申，蒙
　　　用寅戌，余六十卦，各自有日，聊陳兩象，未能究悉。立義設
　　　刑，當仁設德，逆之者凶，順之者吉。按曆法令，至誠專密，謹
　　　候日食，審察消息，纖介不正，悔吝為賊。
屯蒙值初一，何以“屯以子申，蒙用寅戌”？初二直至三十，各卦之爻所值時辰又當如何？

　　要回答上述問題,首先應瞭解流行於丹術家中的八卦納支法。根據清人董德寧《周易參同契正義》之解說,《契》的八卦納支情況當為:乾納子(寅辰)午(申戌)、坤納丑(亥酉)未(巳卯);震納與乾同,巽納與坤同;坎納寅(辰午)申(戌子)、離納卯(丑亥)酉(未巳);艮納辰(午申)戌(子寅)、兌納巳(卯丑)亥(酉未)。八卦納支之原則大致為:乾陽卦納陽支,初爻納子,餘五爻隔位納一支,至第四爻納午。坤陰卦納陰支,初爻納丑,然後逆推,至第四爻納未。震巽長子長女用事,故同於乾坤。坎艮陽卦納陽支,坎起乾九二寅,艮起乾九三辰;故坎初納寅,至第四爻納申,艮初納辰,至第四爻納戌。離兌陰卦納陰支,規則為初爻以陰支次序為序,如巽初爻起丑,離初爻則起卯,兌初爻則起巳;而每卦六爻納支又以陰支次序逆推為序,如離至第四爻為酉,兌至第四爻為亥。初至三為内卦,四至上為外卦。爻辰說之所以能作為解卦體例,蓋因六十四卦無外乎八經卦兩兩相重且卦體有内外之分而已。

　　《契》“屯以子申,蒙用寅戌”之說,合於爻辰說的解卦體例。屯内卦為震,初爻納子;外卦為坎,第四爻納申,故云“屯以子申”。蒙内卦為坎,初爻納寅;外卦為艮,第四爻納戌,故云“蒙用寅戌”。以此類推,初二日為需訟當值,需内卦為乾,初爻納子;外卦為坎,第四爻納申。訟内卦為坎,初爻納寅;外卦為乾,第四爻納午。那麼初二日日辰之把握當為:需以子申,訟用寅午。初三至三十,各日當值之兩卦皆依其内外卦納支的具體情況,規定着進火退符的具體時辰。可見,由於卦爻納支法的採用,魏公早期所說的“晝夜各一卦”的當值界線顯然已被打破了。

　　在漢代,八卦納支法甚為流行,其中最具代表性的大致有以下三種:第一種為西漢京房的八卦納支,第二種為煉丹術士所傳的八卦納支,第三種為鄭玄爻辰說的八卦納支。這三種納支規則大致相同,唯坤卦六爻納支次序相異,現將這三種八卦納支法中坤六爻納支次第並列如下，以茲比照：

三種類型的坤卦六爻納支情況之比較

類型	坤卦六爻納支情況（爻位自初至上）					
京房	未	巳	卯	丑	亥	酉
丹術	丑	亥	酉	未	巳	卯
鄭玄	巳	卯	丑	亥	酉	未

由上表可見，京房氏和丹術坤卦六爻納支皆依地支之序隔位逆數，所不同者唯初爻所選定的地支逆數之起點不同；京房與鄭玄初爻地支起點相同，但鄭玄用順數；鄭玄與丹術既有順逆之異，起點亦不相同。到唐代孔穎達主修《周易正義》，將乾坤十二爻依次納子丑寅卯辰巳午未申酉戌亥十二辰，與上述三種納支法完全相異。孔氏之法不能解決六子卦如何納支，與十二消息卦的意義幾近等同。

根據漢代三種八卦六爻納支的一般規則來看，八卦的次序都是按後天八卦次序即乾坤六子長幼之次進行的。至於自《契》以降丹術中流行的八卦六爻納支，若邵雍"置乾於西北，退坤於西南，長子用事而長女代母，坎離得位而兌艮為偶"之說成立，那麼丹術中的八卦納支，還含有後天八卦方位的取義。

六

《契》作為一部煉丹術著作，為何會如此熱衷於"假借爻象以論作丹之意"呢？這種現像不僅與後漢易學流行之盛況有關，而且從《契》中還可找到更深層次的答案。如果僅從漢易流行之盛況解

釋,那麼援《易》入爐火丹術,難免如四庫館臣所云屬"好異者"所
為。但如果從《契》中尋找答案,那麼我們或許由此會得到一些新
的啟示。歸結起來,《契》對假借《周易》爻象之事作過以下幾個方
面的相關性申叙:

其一,準三聖遺言,歌叙大《易》之道。《契》云:"若夫至聖,不
過伏羲,始畫八卦,效法天地。文王帝之宗,結體演爻辭,夫子庶聖
雄,十翼以輔之。三君天所挺,迭興更御時,優劣有步驟,功德不相
殊。"關於《易》之成書,《契》接受《漢志》"人更三聖,世曆三古"之
說,並認為三聖作《易》其歸一揆,故"功德不相殊"矣。伏羲作八
卦,效法天地。文王演爻辭,孔子作十翼;步驟雖精粗優劣有別,而
製作皆有所躔。所躔者,"效法天地"之意也。

所謂"效法天地"者,效法天地媾精而擬其萬物之化生。《契》
認為這是一個具有普遍意義的道理,因而在儒家的其他經典中得
到廣泛遵循。《契》云:"於是仲尼讚乾坤,鴻濛德洞虛,稽古當元
皇,關雎建始初,冠婚氣相紐,元年乃芽滋。"《易》以乾坤為門戶,
《象傳》有"大哉,乾元"、"至哉,坤元"之讚。《詩》首列《關雎》之章,
以"窈窕淑女,君子好逑"建人倫之始初。《書》斷自二《典》,稽古之
堯舜,以定至治之首君。《禮》重成人婚媾,故云"冠婚氣相紐"。
《春秋》紀年以元年為歲序之始,取萬事芽滋之時義。

正是基於上述見解,《契》首創乾坤坎離體用之說,以象宇宙的
動態結構,推而至於人體、鼎爐,以及萬事萬物,莫不如此。結構之
動態因素,在於坎、離二用。坎離之用,象日月相推,象陰陽交接,
象天地綱緼,象男女媾精。因此,坎離二用,"包裹萬物,為道紀
綱"。可見《契》所說的"歌序大《易》,三聖遺言",不是對潮流的盲
目追隨,而是完全出於對《易》道的膺服。至於"察其旨趣,一統共
論",即考察其辭義之旨趣,一統其爻象之義而共論之,反映出魏公
對《易》道各種表現手段全面把握的嫻熟和精湛。

其二，假《周易》爻象，模寫無形之形容。《契》在多處説到，對於那些無以觀察到的運動變化，除了《周易》爻象之外，人們無法找到更好的表叙手段。《契》云："有形易忖量，無兆難慮謀，作事令可法，為世定此書。""此書"者，《契》也。《契》是一部煉丹之書，其所闡叙的内容，無論是天道變化或是内丹和外丹的修煉，具體過程大都無法目睹。要使人們能夠效法和體悟前人的經驗，那就不得不假借《易》象以"定此書"。

以天道言，《契》云："天道甚浩廣，太玄無形容，虛寂不可睹，匡郭以消亡。謬誤失事緒，言還自敗傷，别序斯四象，以曉後生盲。"天道變化浩廣無邊，太玄之氣至虛至寂，毫無形容可睹，修煉丹術者往往難以把握。如晦朔之際，或日月合璧之時，其匡郭隱匿消藏，沉淪洞虛，煉功者若不知凝神聚氣，澄心守默，必然會造成謬誤。而天道變化用言語甚難表達，越説對自己造成的硬傷可能越多，因此不得不用河圖五行數外圈的七八九六表示四象，以"九還，七返，八歸，六居"象徵天道陰陽的升降浮沉。

以丹術言，《契》云："元精眇難睹，推度效符徵，居則觀其象，準擬其形容。立表以為範，占候定吉凶，發號順時令，勿失爻動時。……動則依卦變，静則循彖辭，乾坤用施行，天地然後治。"元精，謂天地之元氣，造化萬物却窈冥難睹，因《易》象則可以現之。借乾坤以象天地，象鼎器，象人體；借坎離以象日月陰陽，象藥物，象腎水心火；借餘六十卦象日、月、時辰，象火候。在以爻象擬火候上，《契》分别使用了八卦納甲、八卦納支、十二消息卦、乾卦六位等卦爻之象，描叙不同煉丹階段的火候抽添情況，並强調"發號順時令，勿失爻動時"，"動則依卦變，静則循辭"。所謂"乾坤用施行"，指坎離的升降交接；"天地然後治"者，非僅指天地也，丹術與造化同途，故亦指煉丹有成。

其三，三道由一，同出異名。在交代書名何以稱之為《參同契》

時，魏公說："大《易》情性，各如其度；黃老用究，較而可御，爐火之
事，真有所據。三道由一，俱出徑路。枝莖華葉，果實垂佈。正在
根株，不識其素，誠心所言，審而不談。""三道"，謂《易》道、黃老之
道和爐火之道，三者是通而為一的。譬如草木之類，春時抽莖發
枝，夏時開花佈葉，秋時果實累累，而究其根本則在於根株。所謂
"正在根株"者，即在於三者通一之道。

大《易》卦爻之情性，"務在順理，宣耀精神，神化流通，四海和
平"。因此，遵循大《易》之情性，可以制曆，可以御政，可以煉丹，即
《契》所謂"表以為曆，萬世可循，序以御政，行之不繁"。"御政"者，
亦可喻煉丹也。

黃老崇尚道法自然，直接與內丹術相通，故云："引內養性，黃
老自然，含德之厚，歸根返元。近在我心，不離己身，抱一無捨，可
以長存。"

至於爐火之事，旨在得到金丹，以服食延年，或得道成仙。爐
火之理，不違陰陽，故《契》云："配以服食，雌雄設陳，挺除武都，八
石棄捐，審用成物，世俗所珍。"入爐之藥合於雌雄陰陽之理，即：
"雌雄錯雜，以類相求"，然後九轉成丹。

《契》認為，天地施化之精皆在於陰陽合和。"物無陰陽，違天
背原，牝雞自卵，其雛不全，夫何故乎？配合未連。"陰陽配合之理，
是大《易》、黃老、爐火三者通一之理，故《契》謂"三道由一，俱出徑
路"，"同出異名，皆由一門"。由此可見，《契》援《易》入爐火，完全
出於《契》自身的需要，是一種自覺的明智選擇。

剔除掉《契》中神仙之學的糟粕，剩下的便是氣功健身和煉丹
中的冶金術和化學。這些古典自然科學本來都是以自然哲學作為
自身的存在形式，因此援《易》入爐火、入數學、入醫術、入天文等都
是合乎歷史進程的文化現象。自然哲學是人類文化發展的必經階
段，無論在西方或在東方都未能避免，祇不過表現形式不同而已。

四庫館臣視《契》為淆亂聖學之罪魁禍首，在説明為何將《周易參同契通真義》列入道家類時説："若預睹陳摶以後牽異學以亂聖經者，是此書本末源流。道家原了了，儒者反憒憒也。今仍列之於道家，庶可知丹經自丹經，易象自易象，不以方士之説淆義、文、周、孔之大訓焉。"四庫館臣當然不能瞭解自然哲學這一文化現象，甚至連《易·繫辭》"《易》有聖人之道四焉"中的"以製器者尚其象"之説也未必理解。以經學阻礙中國文化的發展，這是中國文化的一大悲劇，從《契》的歷史遭遇，或許可以為人們提供一些有益的啟示。

作者簡介　蕭漢明，1940 年生，湖北孝感人。武漢大學哲學系教授。

論《周易參同契》的外丹術

蕭漢明　郭東升

　　内容提要　　在中國科技史上産生過深遠影響的煉丹著作《周易參同契》，化學史界對其展開的研究尚不充分。本文從投入的原料、裝置設備、煉製程序、反應狀況、服食效果及易學表叙方式等諸層面，斷定《契》描叙了三種品位不同的金丹的煉製，爲準確評價《契》在中國化學和冶金史上的地位，提供了可靠的事實依據。

　　唐末以前，《周易參同契》（以下簡稱《契》）主要以外丹術（即爐火金丹）稱名於世。但由於該書大量使用隱言秘語，且章節結構紊亂，讀起來奧雅難通，致使其中的金丹要義很難準確把握。歷代煉丹術士們爲之設計出種種試驗方案，進行過艱苦卓絕的前赴後繼的探索，付出過沉重的代價。他們的努力結果不一定都能與《契》相吻合，但在客觀上大大豐富了煉丹術的品類，推進了我國古代化學和冶金工藝的發展。

　　爲了準確瞭解我國古代化學和冶金工藝的歷史發展進程，有必要切實弄清《契》中外丹術的具體内容。目前學界對此大致持兩種看法：一種認爲《契》中的爐火金丹是靈丹，即水銀與硫磺反應後生成的硫化汞；另一種則認爲是四氧化三鉛與氧化汞或密陀僧與氧化汞之類的混合物。上述兩種見解都能在《契》中找到一些文字

依託,但都無法將《契》投入爐火中的原料包攬無餘,而且對《契》多
處描敘爐火抽添以及丹成之後的不同服食效果未能作出對應的説
明。為此,本文重新就《契》中所論的爐火金丹術進行爬梳清理,發
現《契》描敘了三種丹的煉製情況(從投入的原料、反應過程到服食
效果),從中亦可看出這三種丹在魏伯陽心目中的品位差別。

一　鉛　丹

鉛丹(Pb_3O_4),又稱黄丹,是一種鉛酸鉛鹽(Pb_2pbO_4),其色鮮
艷橘紅,一向被煉丹術士視為珍寶。

《契》製鉛丹的原料為胡粉,煉製過程大致分為兩步:首先提取
真鉛,然後反復炒煉,使之成丹。

《契》云:"胡粉投火中,色壞還為鉛;冰雪得温湯,解釋成太
玄。"胡粉,即碳酸鉛($PbCO_3$),其色白,又稱鉛粉、水粉,古人常用
作化粧品和繪畫顔料。胡粉在火中受熱分解,釋放出二氧化碳,生
成一氧化鉛(即密陀僧,其色黄),反應式為:

$$PbCO_3 + C + O_2 \xrightarrow{\triangle} Pbo + 2CO_2 \uparrow \cdots\cdots(1)$$

繼續加熱,一氧化鉛進一步在該環境中反應,生成鉛,反應式為:

$$2PbO + 2C + O_2 \xrightarrow{\triangle} 2Pb + 2CO_2 \uparrow \cdots\cdots(2)$$

上述二式是將"胡粉投火中"後一次完成的,目的是提取真鉛。"色
壞"指燒煉過程中,胡粉的白色轉為密陀僧的黄色,進而成為銀白
色的真鉛,其化學反應的連續過程為:

$$PbCO_3 \xrightarrow[\triangle]{C \cdot O_2} PbO \xrightarrow[\triangle]{C \cdot O_2} Pb$$
(白色)　　　　(黄色)　　　　(銀白色)

"還為鉛",指胡粉經過燒煉後還原為鉛。此説似乎意味着作者早
已知道胡粉本來便是鉛的化合物,經過燒煉這種途徑,祇不過使其

返本還原而已。

　　胡粉還返燒煉所得之鉛,稱為真鉛,或稱為金華、金精。《契》
云:"白者金精,黑者水基,水者道樞,其數名一。陰陽之始,玄含黃
芽,五金之主,北方河車。故鉛外黑,內懷金華,被褐懷玉,外為狂
夫。"真鉛表層因氧化而常呈黑褐色,而內裏仍為銀白色,故謂其
"被褐懷玉","外黑"而"內懷金華"。"白者金精"言其裏,"黑者水
基"謂其表。按河圖五行數,黑者水,白者金,水居北方,其生數為
一。彭曉曰:"水數一,為天地、陰陽、五行、萬物之始也,水一火二
木三金四土五是也。"(《周易參同契分章通義》卷上)《道德經》謂水"幾於
道",指水之形態特徵與道相近,因此把握水的特徵是掌握道的樞
紐,故謂"水者道樞"。又據二五之真的傳統見解,陰陽始交而生
水,故水為"陰陽之始"。上述諸說都是從河圖五行數的意義上闡
發真鉛外黑內白的重大意蘊。"黃芽",指丹《在此即指鉛丹);
"玄",水之黑色。烊鉛成汁,金生水,"水"中即含此黃丹也,故謂
"玄含黃芽"。鉛外黑內白,為金水同居之象,故為"五金之主","河
車者,五金之精,即鉛之異名"(陰長生《周易參同契註》卷上)。

　　真鉛提煉出來以後,經過搗碎加工成碎粒,然後在炒鍋加熱反
復炒煉,製成黃丹。《契》後所附《大丹賦》云:"先白而後黃兮,赤
黑達表裏。名曰第一鼎兮,食如大黍米。"前兩句說真鉛在炒鍋內
隨氧化程度的深淺而發生的顏色變化,其反應式為:

$$2Pb + O_2 \xrightarrow{\text{300℃}} 2PbO(黃色)\cdots\cdots\cdots\cdots\cdots(3)$$

$$6PbO + O_2 \xrightarrow{\text{400 - 500℃}} 2Pb_3O_4(鮮紅色)\cdots\cdots(4)$$

根據同時代的另一本書《黃帝九鼎神丹經訣》的說法,鉛粒在鍋
內須經過"二宿三日炒"後"令赤乃止"。儘管如此,鉛丹中的
氧化鉛含量仍然不高,"赤黑達表"而難以入裏。據有關測定報

告，其中氧化鉛含量至多也祇在 26.2% 左右。這種不成熟的炒鉛方法一直沿續到唐代。宋明以後改用添加硝石、硫黄等氧化劑同炒，氧化鉛的含量雖有所提高，但反應中生成的硫酸鉛等雜質，又摻雜其中，質量仍然不高。[①] 當時也祇能從色澤變化上進行觀察，不可能作任何現代意義上的化學測試。《契》云："採之類白，造之則朱，煉為表衛，白裏真居。"顯然，術士們曾經將這種鉛丹搗碎，發現裏面的顏色並非像其表層呈赤黑色，而仍然是銀白色。祇是由於他們認為這種朱表白裏的鉛丹是正常的，所以依然對之鍾愛有加。

炒煉鉛丹的第一步屬於採藥，即提純真鉛；第二步為歸爐，即將真鉛炒煉為黄丹。術士們認為黄丹可以服食，有延年益壽的作用。《契》云："巨勝尚延年，還丹可入口。金性不敗朽，故為萬物寶，術士服食之，壽命得長久。"由於"金性不敗朽"，人體服之當能自堅而不致於"敗朽"，這種荒誕的信念，促使術士們把這種"食如大黍米"的鉛丹視作長壽丹。

稱炒煉鉛丹為"第一鼎"，是相對大還丹而言。這一鼎所得的鉛丹，品位較低，功效也僅限於長壽。因此，在大還丹中鉛丹也祇是一味藥，炒煉鉛丹的過程也祇是大還丹的採藥過程。

二　靈　丹

靈丹，是由人工合成並經過反複精煉昇華後的紅色硫化汞（HgS），又稱靈砂、金砂、丹砂。靈丹的品味較鉛丹為高，但它也祇是大還丹的一味藥。

《契》煉製靈丹的方法，是先將水銀（Hg）和硫磺（S）置於密封

---

① 參見朱晟《我國古代關於鉛的化學知識》，《化學通報》1987 年第 7 期。

的鼎器内，然後進行加熱、冷却、再加熱、再冷却的反復精煉。《契》云："河上姹女，靈而最神，得火則飛，不見埃塵。鬼隱龍匿，莫知所存，將欲製之，黄芽為根。"河上姹女，指水銀，易揮發或没入土中。黄芽，指丹(此處即指靈丹)，在常温下水銀與硫磺可以化合成為硫化汞，靈丹不過是硫化汞經過反復精煉提純的産物。其反應式為：

$$Hg + S \rightarrow HgS \cdots\cdots\cdots\cdots\cdots\cdots\cdots\cdots\cdots\cdots (5)$$

這個反應式是可逆的，但它的逆反應需要一定温度(580℃以上)，並且蒸氣壓必須達到一個大氣壓的程度，才能實現 HgS 的分解。其反應式為：

$$HgS \xrightarrow{580℃} Hg + S \cdots\cdots\cdots\cdots\cdots\cdots (6)$$

為了保證反復精煉過程的順利進行，必須有效防止加温後水銀蒸氣的揮發，因此反應器的裝置必須是嚴格密閉的。《契》云："擣治併合之，持入赤色門，固塞其際會，務令致完堅。炎火張於下，晝夜聲正勤，始文使可修，終竟武乃陳。候視加謹慎，密察調寒温，周旋十二節，節盡更須親。氣索命將絶，體死亡魂魄，色轉更為紫，赫然成還丹。"將人工合成的硫化汞擣碎一並置入反應器後，務必將一切交接際會之處密封嚴實。加温時開始用文火，促使 HgS 緩慢分解，到一定程度後用武火確保其充分完全分解，然後抽薪降温，讓其冷却，使分解後的 Hg 和 S 的蒸氣在升煉裝置中重新合成，再度凝結成 HgS。"炎火張於下，晝夜聲正勤"，指硫黄在反應器中受熱後，由於導熱性能差，内外體積膨脹不一致而不停發出破裂之聲。當時尚無玻璃器皿作反應器，鼎内的反應情況完全依賴掌爐術士的聽覺，即由他們根據爐中硫磺破裂聲音的大小、有無決定進火或抽薪。所以要求"候視加謹慎，密察調寒温"。爐内硫磺的破裂聲由小至大、由有至無，大約要反復十二次，即"周旋十二節"。出爐時參加反應的水銀和硫磺都已不復獨立存在，即"氣索命將絕,體死亡魂魄",二者的化合物則"色轉更為紫,赫然成還丹"。這便是靈丹的煉製過程。

　　《契》援十二辟卦,以喻爐火進退,與靈丹煉製過程頗為吻合。其云"朔旦為復☷☳,陽氣始通","播施柔暖,黎蒸得常",謂剛剛點火之時,爐內始得柔暖之溫;"臨☷☱爐施條,開路正光,光耀漸進,日以益長",謂繼續添薪,爐火光耀漸旺;"仰以成泰☷☰,剛柔並隆,陰陽交接,小往大來",謂爐火通泰,爐內剛柔兩性藥物沸騰,硫磺破裂之聲由小至大;"漸歷大壯☳☰,挾列卯門",謂汞與硫磺之蒸氣佈滿通入冷卻器之瓶口(即卯門),而雜質則如"榆莢墮落,還歸本根",最後將從爐底清出;"夬☱☰陰以退,陽升而前,洗濯羽翮,振索宿塵",謂鼎內尚餘之未分解物,經再度升溫(即"陽升而前")後得以蕩滌;"乾☰☰健盛明,廣被四鄰",謂終以武火急煉,使鼎中每一處反應物都得以充份完全地分解。此時爐火極盛,硫磺破裂聲漸息,然後開始抽薪。"姤☰☴始紀叙,履霜最先",謂開始退火,後之遯☰☶、否☰☷、觀☴☷、剝☶☷,謂漸次退火之情形。"剝爛肢體,消滅其形,化氣既竭,亡失至坤",與上述"氣索命將絕,體死亡魂魄"意同。"道窮則反,歸乎坤☷☷元",謂汞與硫磺蒸氣冷卻合成後,又再次進行精煉。十二辟卦配以地支十二辰,非一定取一日十二辰,蓋鼎爐自有十二辰也。

　　古人認為丹砂含黃金之氣,故經過反覆精煉所得之靈丹,便被術士們視作服食的聖品。《契》云:"金砂入五內,霧散若風雨;薰蒸達四肢,顏色悅澤好;髮白皆變黑,齒落生舊所;老翁復丁壯,耆嫗成姹女;改形免世厄,號之曰真人。"靈丹的功用被描叙得如此細微入神,似親有所見親有所受一般,實際上不過 來自傳聞或想像。術士們相信,服用靈丹可以返老還童,成為"真人",但真人還不是神仙,因此尚需繼續攀登,煉製上品的大還丹,以實現成神成仙的最高追求。

三　玄黄(即龍虎大還丹)

《契》云:"天地媾其精,日月相撢持,雄陽播玄施,雌陰化黄包,混沌相交接,權與樹根基。"天地交媾,陽施陰受。天水色玄,地土色黄,玄施黄包,樹立新生之物的根基。《易·坤上六》:"龍戰於野,其血玄黄。"坤陰極盛而與乾陽相爭相斗,實則乃天地媾精,陰陽交接而已。"其血玄黄",即為天地陰陽媾精所凝之精英。丹成而以"玄黄"命名,其取譬大矣哉!

《契》煉製龍虎大還丹似有兩種配料方法:其一為取鉛丹與靈丹合煉,其二為取真鉛與真汞合煉。

取鉛丹與靈丹合煉,則前述兩種煉丹過程皆屬採藥。《契》云:"丹砂木精,得金乃并;金水合處,木火為伍。四者混沌,列為龍虎;龍陽數奇,虎陰數隅。"丹砂為木之精,天三生木,位居東,其象為青龍;鉛丹為金,地四生金,位居西,其象為白虎;故謂"龍陽數奇,虎陰數隅"。金烊為水,故"金水合處"於北,水數一,與金數四並為一五;木發為火,故"木火為伍"於南,火數二,與木數三並為一五。此以河圖五行模型描叙鼎内反應狀況,俞琰對此模型解釋説:"夫所謂金水合處者,以西四白虎之金降入水中也。木火為侣者,以東三青龍之木升入火中也。此所以金不在西而與水合處於北,木不在東而與火為侣於南,白虎變為黑虎,青龍化為赤龍也。蓋金水木火之四者,聚而為一,則渾渾沌沌,如太極之未分,列而為二,則震龍汞出自離鄉,兑虎鉛生在坎方。"(《周易參同契發揮》卷中)俞氏主内丹説,但此處對模型的解説則是合乎《契》旨的,惟將丹砂誤為汞、鉛丹誤為鉛是其美中之不足。

丹砂與鉛丹的反應,《契》喻之為"龍呼於虎,虎吸 龍精,兩相飲食,俱相貪便,遂相銜嚥,咀嚼相吞"。實際上不過是丹砂與鉛丹

在高溫下各自分解然後重新組合的過程,其反應式為:

$$HgS + 3Pb_3O \xrightarrow{\triangle} HgO + 9PbO + SO_2 \uparrow \cdots\cdots\cdots\cdots\cdots(2)$$

SO_2 揮發後,餘下的是 HgO 與 PbO 的混合物,色黃,這便是術士們心目中的一種玄黃。

另一種玄黃,是取真鉛與真汞作原料。為此,必須首先分別提純鉛、汞。上述反應式(2)可提純鉛,反應式(6)可提純汞。至於提純的設備裝置,《契》中未作交代。唐代陳少微《大洞煉真寶經九還金丹砂訣》敘述過竹筒式煉汞的裝置和過程,南宋白玉蟾《金華衝碧丹經秘旨》還附有一種石榴狀煉汞的儀器圖。這些裝置都很簡陋,操作極為簡便,大約是早期丹家們沿用的方法,《契》是否運用這類裝置和操作方法從朱砂中得汞,尚難斷定。宋代吳悞《丹房須知》繪製的未濟爐,是前兩種裝置的發展和完善,雖無文字說明,但屬煉汞裝置無疑,魏公之時應有可能製作出這樣的儀器。既然真汞為大還丹的藥物,那麼提純汞是必不可省的步驟。或許此事在當時做起來並不困難,《契》無須為此作繁瑣交代。此外,《契》用以製汞的原料除朱砂外,似乎還涉及到其他方面。如《契》云"解化為化,馬齒琅玕",諸家解說各異,且大都難以與上下文意貫通。《本草綱目、水銀》:"取草汞法:用細葉馬齒莧乾之,十斤得水銀八兩或十兩。"魏公"馬齒"之說,抑或指此取草汞之法乎?未敢自專,附此一疑備存。

《契》云:"太陽流珠,常欲去人;卒得金華,轉而相應。"太陽流珠謂水銀,金葉指真鉛,在反應器內二者相互吸引,發生感應。在反應器內之佈局,"以金為堤防,水入乃優游;金計有十五,水數亦如之,臨爐定銖兩,五分水有餘",即先將鉛置於鼎內四壁,作為堤防,然後將汞注入鼎內,約佔鼎容量之"五分",即一半,使鼎內鉛汞銖兩相等。木在鼎下之爐中,不入鼎內;燃木生火,則鼎內升溫,故謂"其三遂不入,火二與之俱"。三者,木之數也;二者,火之數也。

由於鉛佈於鼎之四壁,且熔點(328℃)較汞之沸點(357℃)為低,故先得温而熔,此即"金華先倡"。擬之《易》,乾坤為鼎爐,坎離為藥物,汞為陽為坎,鉛為陰為離。在鉛開始熔化以後,汞陽往交於陰,即"陽乃往和"。"下有太陽氣,伏蒸須臾間,先液而後凝,號曰黄轝焉"。此謂進火時間不宜太長,估計鉛已全部熔化即可抽薪,使汞鉛凝而成丹。黄轝,即玄黄金丹,色黄如金。這種金丹的化學成份,今人稱為 $Pb - Hg$ 齊的互化物。《契》認為此丹煉一符即可,久煉則毁性傷丹,即所謂"歲月將欲訖,毁性傷壽年,形體如灰土,狀若明牕塵"。

煉製兩種不同配方的玄黄金丹,使用的鼎爐是同樣的。《契》在描寫這種鼎爐時説:"旁有垣闕,狀似蓬壺,環匝關閉,四通踟蹰。守禦密固,閼絶姦邪,曲閣相通,以戒不虞。"蓬為爐,壺為鼎。鼎外復有樞轄固濟,嚴防鼎内真氣走失。鼎懸於爐中,鼎爐之間可容爐火周旋通達。爐置竈上,竈下築壇,即所謂"旁有垣闕"云耳。

魏公煉製玄黄金丹是否使用八石墊底?《契》五言句似持肯定態度,如説:"子午數合三,戊己數稱五,三五既和諧,八石正綱紀。"而四言句則持否定態度,如説:"配以服食,雌雄設陳,挺除武都,八石棄捐。"武都,據云在涼州西數千里,以盛產雌雄二磺聞名,武都地名因此而成二磺之代稱。八石,本意指八種礦物。《九轉流珠神仙九丹經》謂八石為:巴砂、越砂、雄磺、雌磺、曾青、礐石、慈石、石膽。《孫真人丹經》則謂八石為:曾青、空青、石膽、砒霜、碙砂、白鹽、白礬、馬牙硝。可見八石之説,諸家不一。魏公既已將二磺另行列出,則魏公所説八石大約同於後世《孫真人丹經》之説。術士將八石加入鼎内,往往並非為煉丹之藥物或添加劑,而是僅僅取一種象徵意義,即以八石為孕育神丹的土壤。但由於八石成份複雜,加温後反而干擾了藥物成丹。顯然這需要經歷相當一段時間的實際操作後才會有真切的感受。因此,可否這樣設想:《契》中的五言句為魏公早年所著,吸取前人的内容較多;而四言句則是經過一段時間的親身煉製活動後為"補塞遺脱"而作。故五言句認為"八石"可以"正綱紀",而四言句則主張"挺除"之,"棄捐"之。

　至於服食玄黄金丹的功效,《契》説:"服食三載,輕舉遠遊;跨火不焦,入水不濡;能存能亡,長樂無憂。道成德就,潛伏俟時,太乙乃詔,移居中州,功滿上升,膺籙受圖。"太乙,主司修丹之神;中州,神仙居留之地。由此看來,在鉛丹、靈丹和玄黄金丹三種丹中,玄黄是上品仙丹,服食三載可以成為神仙,而靈丹次之為中品,鉛丹又次之為下品。實際上,魏公煉製的上中下三品丹藥,袛有靈丹可用以配藥内服,[1] 鉛丹可用以外敷殺菌但不能内服,而玄黄金丹既不能外用更不能内服,魏公著《契》之前肯定是没有親自服用過的。

四　結　語

　戰國中後期以降,一批活躍在齊地的方術之士,以尋求天然長生不死之藥,開始了通過"服食"途徑實現成神成仙之類夢想的虔誠追求。這種誘人的追求在封建大一統局面形成以後,很快使上層統治者如醉如痴,夢寐以求。秦皇漢武都多次派出龐大船隊到海上尋訪神人仙藥,結果當然都未能如願。為了滿足封建帝王的私慾,術士們轉向人工煉製丹藥。漢武時有術士李少君"事化丹砂"為"黄金",獻技於朝,武帝好之,於是"天下懷協道藝之士,莫不

---

　[1]　李時珍《本草綱目·丹砂》:"丹砂……其氣不熱而寒,……其味不苦而甘,……是以同遠志、龍骨之類,則養心氣;同當歸、丹參之類,則養心血;同枸杞、地黄之類,則養腎;同厚樸、川椒之類,則養脾;同南星、川烏之類,則祛風。可以明目,可以安胎,可以解毒,可以發汗,隨佐使而見功,無所往而不可。"以上足見丹砂在藥用上的價值,至於返老還童之類的效用,袛在術士中流行,為醫家所不取。

負策抵掌,順風而屆焉"(《後漢書·方技列傳》)。漢室宗族淮南王劉安
也是一位金丹迷,他招養了數千名賓客和術士,從事著書立說和煉
製金丹。《太平御覽》收有劉安賓客所著外書的散佚片斷,清代學
者輯為《淮南萬畢方》,其中有不少金丹術常用的原料(如汞、鉛、丹
砂、雄黄、曾青等)及其性能的記載。《契》亦有"淮南煉秋石"的記
載。漢武時期,是金丹術首次形成的鼎盛期。這次鼎盛期使不少
虔誠的服丹者中毒"仙解",沒有一人能夠因此而幸運地成為神仙,
但煉丹術卻促進了我國古代化學的發展。

　　由於早期的煉丹著作大都散佚,因此東漢中期魏伯陽所著《周
易參同契》,便成為現存最早的一部完整煉丹術著作。《契》中有
"《火記》六百篇,所趣等不殊"、"吾不敢虛說,倣傚聖人文,古記題
龍虎"之語,說明魏公所論金丹術是前有所承的。從《契》用簡潔文
字所建構的嚴密體系看,《契》對前人的繼承有重大取捨,去掉了以
往煉丹中的蕪雜狀況,使煉丹效果與操作過程明朗清晰,這使我們
今天有可能從《契》的描叙中瞭解到三種丹術的化學反應過程、設
備和操作程序,從而較為準確地把握到漢代煉丹術所達到的化學
成就。

　　《契》在我國古代化學和冶金發展史上所達到的成就主要表現
為:一、能夠以有效的方法提純汞、鉛。二、能夠人工生產高純度的
硫化汞化合物和成功地進行硫化汞的分解與化合反應。三、能夠
生產各種成份的鉛的氧化物(如鉛粉、鉛丹之類)。四、能夠製造鉛
汞齊的互化物。此外,在藥物學上,鉛丹與靈丹是世界上最早的化
工藥物。上述這些成就均以對參加反應原料的性質的正確認識為
基礎,與盲目行為的巧合結果,意義完全不同。

　　《契》講到的三種丹術,都以嚴格提純參加反應的原料為前提。
這一前提本身說明中國早期煉丹術,到東漢中後期已經結束了盲
目摸索階段。這以後的煉丹操作程序實際上已具有了近代化學實

驗的意義, 如提純 HgS 的揮發法至今還在應用。只是由於術士們成神成仙的荒誕追求以及時代條件的制約, 中國古代的煉丹術未能孕育出近代化學工業來。

作者簡介　蕭漢明, 見前, 此略。郭東升, 1945 年生, 河北昌黎人, 武漢職工醫學院化學教研室副教授。

論唐五代道教的生機觀

——《參同契》與唐五代道教的外丹理論

盧國龍

内容提要 本文站在思想史的角度,研述唐五代道教的外丹理論及其蘊涵的生機觀。此時期的外丹理論以闡述《參同契》的形式展開,著述繁富,但理論上缺乏體系化的自我闡述,而表現為一種普遍信奉的理論觀念。本文據其內部結構,叙論為三個方面,即"鼎室中自是一天地"的宇宙觀、"元精眇難睹,推度效符證"的陰陽本元論及其運思方法、"修丹與天地造化同途"的火候說及五行返生說。這三個方面,基本上概括了外丹理論的思想內容。因為丹道圍繞《參同契》而展開,與漢代的思想理論具有歷史的聯繫性。但在唐代,這種思想理論受到佛教的衝擊。道教在衝擊中不但堅持之,而且闡揚之,這一方面加強了道教自身的理論建構,另一方面也對儒學具有思想上的啟發意義。

一 生機觀所面臨的時代危機

生機觀是中國固有的思想理論中固有的根深觀念,但在唐代,却因為佛教的衝擊而面臨着嚴重的危機。

唐代儒釋道三教的衝突與融合,拓展了文化的立體空間。融合是隨着衝突的展開而日漸深入的,是在保持各自本位的前提下所實現的吸收和交流，所以其結果不是形成某種統一的宗教，而是達成文化的共識，即所謂天下無二道，聖人無兩心，以此承認三教的根本道理和終極的價值關懷相通。衝突則源於中印文化之不同個性，反映在理論形態上的表現之一就是對於生成本元問題的看法不同。

儒道作為中國文化的兩大流系，在文化個性上也有差異。立言宗旨此詳則彼略，相映而互顯。但由於文化的淵源是同一的，所以個性的差異並不妨礙二者接受同一種原理，即承認宇宙的基本原理是元氣生成。對於這條原理的闡發，秦漢以來主要以《周易》《老子》為經典依據，並由此確立起一種對於自然的信念，即《易·繫辭》所謂"天地之大德曰生"、"生生之謂易"，也即《老子》所謂道生德蓄之"玄德"。將這條原理應用於社會人生，則曰"應天之氣動而不息"、[1] "與萬物沉浮於生長之門"。[2] 從原理、信念到應用，滲透看中國文化的一個根深觀念：宇宙天地間洋溢着生氣，生機流轉，造化無窮。人生宇宙天地間，得其鍾秀之氣而最靈，能夠體悟生機的動躍流轉，從而超越自然之物受大化陶冶的蠢動，因應自然進而駕御自然。

中國文化的自然生機觀念，在佛教中是沒有的，至於其內含的價值原則——因循自然造化而進取，更與佛教的空寂哲學大異其趣。隨着中國學僧對佛學理解的深入，佛教與儒道二家在這個根深觀念上的差異，就不可避免地要引起衝突。

衝突是在對話中展開的。晉南北朝時，與佛教對話的主要是玄學者流，所以對話的議題在於有無本末等。圍繞這些議題，唐代道教重玄學與佛教諸宗的對話在繼續。另一方面，關於元氣生成

---

① 《黃帝內經素問·天元紀大論》。
② 《四氣調神大論》。

這樣一個似乎被玄學的本體論哲學超越了的老話題，又重新回昇到思想界。

唐代，儒學對元氣生成原理的理論性闡發不甚顯達，這大概與唐代儒家《易》學的相對沉寂有關。而道教則因為信仰體系和修持煉養方法都建立在這個原理的基礎上，故一方面受到佛教的嚴峻挑戰，另一方面又在闡發《參同契》丹道理論的歷程中，堅持並且深化了這一原理和信念。

佛教對道教元氣生成論的挑戰，從總體上看是由淺入深，即由批駁其信仰體系的紕繆，進而批判其教理。

北周武帝天和五年(570年)，甄鸞奉敕令比較道釋二教，結果站在佛教的立場上，寫成了關於道教的批判書，即被收入《廣弘明集》的《笑道論》。這篇文章對於道教的方方面面，都採取嘲笑的態度進行批駁，而其中極重要的一個方面，就是道教建立在元氣生成論基礎上的信仰體系。如説："元始天王及太上道君、諸天神人，皆結自然清元之氣，而化為之本，非修戒而成者也。彼本不因持戒而成者，何得令我獨行善法，而望得之乎?"在甄鸞看來，"佛者以因緣為宗，道者以自然為義"，這是道釋二教的根本區別。對於這一區別的認定，意味着講自然結氣的道教祇應該執守無為，沒有理由對世俗進行教化。

約在唐太宗貞觀初年(627年)，沙門法琳因佛道論爭作《辯正論》，駁斥道教。其書卷六《氣為道本篇》，據元氣生成論否定道教之神的存在。如説："《靈寶九天生神章》云'氣清高澄，積陽為天；氣結凝滓，積滯成地。人之生也，皆由三元養育，九氣經形，然後生也。'是知陰陽者人之本也，天地者物之根也。根生是氣，別無道神。"[1]

---

① 《大正藏》第52册，第536頁。

唐高宗顯慶三年(658 年),召佛道二教學者入内殿講論。道士李榮立"道生萬物"義,沙門慧立辯駁説:"向叙道為萬物之母,今度萬物不由道生。何者? 若使道是有知,則惟生於善,何故亦生於惡? 據此善惡昇沉,叢雜總生,則無知矣。……既而混生萬物,不蠲善惡,則道是無知不能生物,何得云天地取法而為萬物皆(此字疑衍)之宗始乎? 據我如來大聖窮理盡性之教也,天地萬物是衆生業力所感。"[①]

中唐時,宗密作《華嚴原人論》,將儒道二家的元氣生成論斥為"迷執"。如其《序》説:"然今之習儒道者,祇知近則乃祖乃父,傳體相續,受得此身;遠則混沌一氣,剖為陰陽之二,二生天地人三,三生萬物,萬物與人,皆氣為本。"《斥迷執第一》又説:"儒道二教,説人畜等類,皆是虛無大道生成養育,謂道法自然,生於元氣。元氣生天地,天地生萬物。故智愚貴賤,貧富苦樂,皆禀於天,由於時命,故死後却歸天地,復其虛無。然外教宗旨,但在乎依身立行,不在究竟身之元由,所説萬物,不論象外,雖指大道為本,而不備明順逆起滅、染净因緣,故習者不知是權,執之為了。"[②] 經過詰難辯論,宗密最終證明教法有權有實,"二教惟權",儒道二家的教理祇是方便設教;"佛兼權實",佛教方為究竟決了,所以諸教法可最終會通於華嚴的一乘顯性教之上。

承上所述, 可以看到從北周到中唐, 佛教與儒道二家所信奉的元氣生成論的衝突, 在隨着佛學自身的理論深化而深化。甄鸞和法琳對道教的非難, 主要都是針對其建立在元氣生成論之基礎上的信仰體系, 而不是針對元氣生成論本身。也許是出於辯論的需要, 他們甚至在形式上利用元氣生成論。慧立與他們不同, 從

---

① 《集古今佛道論衡》卷丁,《大正藏》第 52 册,第 388 頁。
② 石峻等編《中國佛教思想資料選編》第二卷第 2 册,中華書局 1983 年版。

根本上就否定"道生萬物"的命題中所包含的生成觀念，並推出佛教的世界觀以與之對立。佛教認為一切法相都出於衆生的因緣業力所感，本不真實，更無所謂生成造化。宗密更推進一步，對元氣生成論提出綜合性的批評，其《華嚴原人論》在"今略舉而詰之"的名目下，對元氣生成論提出八點詰難，如"道育虎狼，胎桀紂，夭顏冉，禍夷齊，何名尊乎?""皆從元氣而生成者，則欻生之神，未曾習慮，豈得嬰孩便能愛惡驕恣焉?"等等。更進一步分析，宗密的詰難或許可以說是對法琳、慧立等人的綜合，但立論的宗旨却與前人頗有不同，即詰難不以破斥儒道二教為目的，而是要樹立一乘顯性教的佛教教義。

　　儒道二家所信奉的元氣生成論，在唐代受到佛教越來越嚴峻且深刻的挑戰和衝擊，但這個理論和信念，並未被佛教的浪潮所湮没。相反，它不但在唐代受到道教的維護和闡揚，入宋後更成為理學既吸收佛教又衝決佛教思想體系的理論基石。反思唐宋時代由儒釋道三教的衝突與融合所譜寫的思想史，我們對唐代道教在佛教大盛的背景下，維護並且闡揚本來文化的根深理論和信念，實不宜作出價值上的輕視或低估。

　　唐代道教對元氣生成論的闡揚，大致體現在這一時期道教的各種經疏論著中，它表現為滲透在道教的信仰體系和修持煉養方法之中的基本觀念。但就理論闡發的系統性而言，以《參同契》流系的丹道理論最為顯達，所以本文將它作為主要的討論對象。①

―――――――

　　① 有兩點須作說明。第一，唐五代《參同契》流系的丹道理論，應用於技術層面有內外丹之分，因為內丹涉及到其他的複難問題，所以本文祇討論外丹理論。第二，前人從研究化學史的角度，對唐五代《參同契》流系的外丹術進行過深入的研述，但對其中的思想理論問題却不甚重視。這種價值取向是由研究角度所決定的，並不說明其中的思想理論問題没有歷史價值，它之所以被化學史研究所掩蓋，大概是因為思想史界的學者很少關注這類没有可以稱道之命題的資料。本文之所以題曰"生機觀"，正是因為不以命題，而以思想觀念作為研究對象。

二 《參同契》的丹道理論載弘生機觀

因為是站在思想史的角度探討《參同契》流系的丹道理論，所以我們有必要就《參同契》本身在思想史上的價值問題作一些討論。將這個問題分疏開來，可以敘論為兩個方面：第一，《參同契》依傍《周易》經傳而立論，它在《易》學史上的價值如何？第二，《參同契》被道教奉為"萬古丹經王"，它在道教史上的價值如何？

討論《參同契》在《易》學史上的價值，首先會遇到的是《參同契》與《易》學的關係問題。關於這個問題，歷史上有兩種看法，其一如葛洪《神仙傳》説：

> 伯陽作《參同契》、《五相類》，凡二卷。其説如似解釋《周易》，其實假借爻象，以論作丹之意。而儒者不知神仙之事，多作陰陽注之，殊失其奧旨矣。[1]

其二如朱熹説：

> 《參同契》本不為明《易》，姑藉此納甲之法，以寓其行持進退之火候異時。……此雖非為明《易》而設，然《易》中無所不有，苟其言自成一家，可推而通，則亦無害於《易》。[2]

兩種看法，各有各的道理。在葛洪看來，《參同契》運用《周易》的符號系統和概念系統，表面上看起來像是解釋《周易》義旨，其實是講煉丹之事。儒家學者將《參同契》當作一般的《易》學著作去解讀，[3]

---

① 《雲笈七籤》卷一〇九節錄《神仙傳》。

② 黃瑞節附錄本《周易參同契考異》，《道藏》第20冊第118頁。文物出版社、上海書店、天津古籍出版社1992年版，下同。

③ 從《神仙傳》的語氣看，此前注釋《參同契》的，似乎頗有多家，其中當包括三國人虞翻。按，陸德明《經典釋文》，"易"字下引"虞翻注《參同契》云：字從日下月。"對這句話曾有兩種理解，一説所引虞翻語出自其《參同契注》，一説虞翻注《周易》時引用《參同契》（見《胡適論學近著》卷五《參同契的年代》）。今從前説，並補證一條資料。《參同契》卷末

反而失落了它的本旨。

　　顯而易見，葛洪是站在丹家的立場上，强調《參同契》比一般的易學著作更深奥。但是反過來看，也未嘗不可以根據葛洪的叙論，判斷《參同契》祇是假借爻象，與《易》學没有理論上的更深聯繫。葛洪的這種看法，應該説是由於過份强調《參同契》本旨在於煉丹的一面，確切地説是强調煉丹術的秘奥，從而忽視了《參同契》與《易》理相關涉的另一面。如果没有這一面，儒者"多作陰陽注之"的事，大概就不可能發生。

　　比較而言，朱熹的看法見得事理更全面。一方面他看到《參同契》的立言本旨不在於解釋《周易》，另一方面他又肯定《參同契》對於《周易》的運用是合理的。朱熹對《參同契》甚至有過這樣的讚嘆：

　　　《參同契》取《易》而用之，不知天地造化，如何排得如此巧！④

朱熹研究《周易》，也研究《參同契》。他的研究結果，是發現《參同契》所描述的《易》道中，包含了奇妙的"天地造化"。

　　朱熹的研究對我們是一種重要的啓示。《參同契》作為一部丹經，其獨特之處正在於引申發揮了《周易》的天道原理，與專言藥物

_____

有一段廋辭，即"委時去世"云云，隱作者魏伯陽姓名。最早破解這段廋辭的人，或即虞翻。《道藏》中有託名陰長生的《周易參同契注》，據陳國符考證係唐人注本（參見《道藏源流續考·中國外丹黄白法經訣出世朝代考》）。此本於廋辭下引："虞翻以為委邊著鬼是魏字。"是則虞翻曾注《參同契》，殆無疑義。但虞翻不信神仙，曾指斥誕語神仙者是"死人"，則必不以煉丹人説，而是"作陰陽注之"，即藉附《參同契》而闡明《易》道。虞翻是《易》學名家，其"虞氏學"，尤其受到清儒的推崇。清儒尊漢《易》，貶宋《易》雜染《參同契》一系的方士學，而漢《易》之殿軍虞翻卻曾為《參同契》作注解，這是一件很可玩味的事。蓋學術若存門户之見，則往往不知紛爭所為何事，鋭於辨枝節之小異，昧於見易道歷史性流轉之大全。

　　④　《朱子語類·易三·綱領下》，中華書局1986年版，第5册，第1673頁。

方劑、操作程序的丹經不同。正是這一特點，使它與《易》學以及
《易》學史發生深刻的關係。

　　從某種意義上説，《周易》由卜筮之書發展為融貫天道與人事
的哲學經典，本來就是歷代學者不斷理解和詮釋的結果。理解和
詮釋，可以站在不同的角度，由此便形成了《易》學的流派和類別。
按照《四庫提要》的看法，歷代易學著作可以分為兩大類，一類被概
括為“兩派六宗”，另一類統稱為“《易》外別傳”。① 從形式上看，
“兩派六宗”是儒家的經學傳統，但這個傳統吸收了其他學派的思
想，如王弼的《易》學“説以老莊”等。這説明儒家易經學歷史傳統
的形成，並不是僵化封閉的，而是以易學的獨特形式，吸收其他各
種思想内容，從而不斷地豐富和發展，使經學與非經學之間保持着
思想理論上的聯繫，互有啟發。“易外別傳”包括天文、地理以及
《參同契》所代表的“方外之爐火”等。《四庫提要》何以如此劃分，
沒有作出明確的説明——這也許是《易》學範圍很難界定的表現，
不過編纂者對《周易》宗旨有一個基本的認識：“《易》之為書，推天
道以明人事者也”，並根據這個認識確立了一條總體原則：“今參校
諸家，以因象立教者為宗，而其他易外別傳者，亦兼收以盡其變。”
據此，我們可以作出這樣的理解：易學作為儒家的經學傳統，以着
眼於社會整體的人文建設為宗旨，其他“易外別傳”，則結合於各自
特定的知識領域和角度，與易學發生形式不同、程度不等的聯繫。
聯繫的本質，是《周易》的天道原理與各門類的具體應用之間，可以
相互印證或者轉相發明。《參同契》與《易》學的關係，就是站在煉
丹的角度印證或者運用了《周易》的天道原理，並不衹是葛洪所説

──────────

　　① 《四庫全書總目提要·經部·易類一》。從文意看，這種劃分是相對的。其説“以
因象立教者為宗”，則六宗中的王弼之“説之老莊”，楊萬里之“參以史事”，似乎也可以
被歸屬於“易外別傳”一類。又，這種分類法也是隋唐以來的傳統，隋、兩唐《志》著錄
《易》學著作，一在經部，一在子部五行或雜藝類。

的"假借爻象"而已。

　　歷史地看,《參同契》對於《周易》原理的運用,使它在煉丹術的
形式和神仙信仰的方式下,承傳了中國文化所固有的天道觀念,成
為元氣生成論和宇宙生機觀的一大載體。《參同契》在《易》學史上
的價值,主要就體現在承傳轉載的歷史功能上。

　　按照研究者的一般看法,《參同契》對於《周易》理旨的發
明或者發展並不突出,其中用來解説《易》理的納甲、卦氣等方
法,都來自孟喜、京房一系的象數學。但另一方面我們也應該看
到,《參同契》與孟京《易》之間,存在着某種文化導向上的重
大差别。孟京之《易》,本身便"入於機祥",[1] 流變中更耽溺於
風角占算之小術,這一點,祇要翻看《隋書·經籍志》即可瞭然。
《隋書·經籍志》的五行類,著録京房撰著的《周易飛候》、《周易
占事》等雜占類書,多達十九種、一百三十卷。其中絶大多數無
疑是託名之作,但這種情況也從一個方面説明京房易本身存在文
化導向上的問題,是由京房易"入於機祥"的因所引出來的果。
《參同契》將其《易》理和方法轉用於煉丹,另闢蹊徑,將孟京
易引上探討天地造化問題的發展道路,從而使漢易的天道觀能夠
跨越佛教的歷史性衝擊,存微繼絶,承傳轉載到唐五代道教中,
成為與佛教世界觀相頡頏的重要理論基礎,並以其對於傳統理論
和信息的維護,為宋儒理學的興起完成了歷史性的鋪墊。站在思
想史的角度看待《參同契》,則其承傳轉載的歷史功能不但於易
學史看價值,於唐宋思想史也有重要的價值。

　　再從道教史的角度看,《參同契》的傳播,第一是使金丹術
上升到系統理論的高度,第二是引導道教完成了由外丹向內丹
的轉化。

---

　　①　同前引《四庫提要》。

　　金丹術在漢初興起時，祇是藉附於神仙信仰和傳説，没有基礎理論。信仰神仙存在則相信金丹術，反過來説，相信金丹術便相信神仙實有並且可致。信仰和方法都未經過理性思考，思想處在比循環論證還要混沌的狀態。正因為信仰和方法都缺乏必要的理論基礎，使金丹神仙長期停留在民間信仰的階段，未能發展為一門有教理宗旨的宗教。漢末魏伯陽作《参同契》，可以説為金丹神仙的信仰彌補了理論上的極大缺陷。但奇怪的是，《参同契》的丹道理論，在隋唐以前幾乎没有引起什麼注意，而這時候信仰金丹神仙的道士，却又正在尋找已經被寫在《参同契》中的丹道理論。這是一種很奇怪的歷史現象，也許是道教史上的一個謎。我們以葛洪和陶弘景為例。

　　若前引《神仙傳》果為葛洪所作，則葛洪對《参同契》非但知之，甚至可以説知之甚深，因為他已點明此書中有煉丹的"奧旨"。其《抱坪子内篇·遐覽》又著録有《魏伯陽内經》，可佐證葛洪對魏伯陽及《参同契》必有所接觸。但葛洪對丹道的解釋，却無所援引於魏伯陽或《参同契》。如《抱朴子内篇·金丹》説，世人少所識，多所怪，不知水銀可以從丹砂中提煉而出，不敢想像固體的紅色丹砂如何能够燒煉成液體的白色水銀，以為丹砂是石，各種石料燒即成灰，何獨丹砂有這種奇妙的變化？"告之終不肯信"。信服這種奇妙變化的葛洪，又如何解釋這一神秘的現象呢？他説："凡草木燒之即燼，而丹砂燒之成水銀，積變又還成丹砂，其去凡草木亦遠矣，故能令人長生。神仙獨見此理，其去俗人，亦何緬邈之無限乎？"這樣的解釋，顯然十分勉强，不若同書《對俗》中的一段話來得實在：

　　　　吾今知仙之可得也，吾能休糧不食也，吾保流珠之可飛也，黄白之可求也，若責吾求其本理，則亦實復不知也。

探索出金丹神仙的"本理"，應該説是走出思想的混沌狀態之後，由時代理性所提出來的必然要求,是大勢所趨。這個"本理",在《參同契》中已有系統的叙論,雖然其中也存在種種邏輯上的問題,但就論證金丹神仙的信仰而言,無疑要比葛洪的勉强解釋圓滿得多。但葛洪全不稱引其説,這裏面的緣故,實難推測。

　　陶弘景同葛洪一樣,也是煉丹名家,長期從事煉丹實踐,並且同樣地遇到丹道理論問題又不借鑒《參同契》的理論成果,而是研究陰陽五行學説,自造渾天象,稱言"修道所須,非止史官是用"。①修道須用渾天象,想必是依準天象運行之時序以定修煉之節度,這與《參同契》的卦氣火候説是一樣的道理,但陶弘景却没有接受《參同契》的幫助。如實地説,陶弘景雖然是道教史上的一代宗師,但在思想理論方面的成就並不高,以致其法嗣司馬承禎也頗有微詞。司馬承禎在《茅山貞白先生碑陰記》中,一方面對陶弘景推崇備至,許為"百代之名師",另一方面又説:

　　　　至於思神密感之妙,煉形化度之術,非我不知,理難詳據。②

祖師的學和術,如果理據不够充份,法嗣就不免要抱持懷疑的態度。到了這個階段,煉形化度的金丹術所面臨的最嚴峻問題,無疑是基礎理論方面的。因此之故,《參同契》終於走出晉南北朝的沉寢,成為道教中的一門顯學。

　　以葛洪和陶弘景為例,也許我們可以説,晉南北朝道教丹術對於技術層面的重視,掩蓋了對於理論層面的應有關注。這種傾向導致的結果是嚴重的。因為金丹術終究不能證驗神仙長生,在丹術背後又没有令人信服的理論解釋,那麽金丹神仙之信仰就很容易受到懷疑,甚至是面臨危機。北齊顏之推在《家訓·養生篇》

----

①　《梁書·陶弘景傳》。
②　《茅山志》卷二二,《道藏》第 5 册,第 644 頁。

中説：

> 神仙之事，未可全巫，但性命在天，或難種植。……加以
> 金玉之費，爐器所須，益非貧士所辦。學如牛毛，成如麟角。
> 華山之下白骨如莽，何有可遂之理？考之內教，縱使得仙，終
> 當有死。

顏氏衹是有限度地相信藥物養生對於健康有益，不相信金丹神仙
之長生。《隋書·經籍志》叙論道教時説：

> 金丹玉液長生之事，歷代糜費，不可勝記，竟無效焉。

金丹術不能證驗神仙長生的問題，在南北朝末至隋唐之際已暴露
出來，金丹神仙的信仰已經面臨着危機。但是，此後的金丹術非但
未至衰頹，反而轉盛。其原因，恐怕不在於唐人具有特別的冒險精
神，而是在此信仰危機中，《參同契》得到迅速傳播，從而以其理論
挽救了金丹神仙之信仰。[1]

《參同契》開始成為道教中的一門顯學，大約在唐玄宗開元、
天寶年間。如此時綿州昌明縣令劉知古在所進《日月玄樞論》中
説：

> 道之至秘者莫過還丹，還丹之近驗者必先龍虎，龍虎所自
> 出者莫若《參同契》。世之習此書近乎影響，其徒實繁，達乎玄
> 義者，未之有也。[2]

研習者很多但精通者少見，這不奇怪。《參同契》本身辭義古奧，多
隱喻，作為一門學術又開始未久，從接觸到理解必有一個過程。
《參同契》依傍《周易》以立説，而南北朝以前的丹經丹術多不參

---

① 如盛唐詩人王昌齡《就道士問易參同契》："仙人騎白鹿，髮短耳何長。時余採
菖蒲，忽見嵩之陽。稽首術丹經，乃出懷中方。披讀了不誤，歸家問稽康。嗟余無道
骨，廢我人太行。"(《文苑英華》卷二二八)詩中"披讀了不誤"句，當是指《參同契》丹道
而言。

② 《全唐文》卷三三四，上海古籍出版社 1990 年版第 2 冊，第 1496 頁。

《易》理,《參同契》似乎是個例外,丹家要解讀這部書,在《易》學的
背景知識方面也需要積累。從某種意義上說,出於解讀《參同契》
的需要,也促使道士及丹術之士去接觸易學,如《道藏》中唐人託名
陰長生的《參同契》注本,即多援《易》以入丹道,言《易》的成份比言
丹術的成份更濃厚。在一些丹道雜著中,研尋《易》理也同樣受到
特別的強調,如張玄德《丹論訣旨心照五篇》說:

　　　凡修大丹,不在藥味,事在五行,精究《易》象,明辨節序之
　　運移,知日月之度數,陰陽相使,神仙之要,合道之宗。輒不可
　　信八石四黃,非長生之妙藥。①

研尋《易》理,可能是《參同契》的流傳對道教學風所產生的無形但
又極重要的影響。歷史地看道教與易學的關係,唐代似乎是個轉
折點。此前道士的著述,很少涉言《易》理。② 從唐代開始,《周易》
的義理及辭例,在道士的著述中頻繁出現,由唐而宋,蔚為風氣。③

　　唐道教研習《參同契》,進而涉獵《周易》經傳,以之與《老子》互
訓互證,使唐代道教的元氣生成論和生機觀具有經典依據。同時,
《參同契》丹道理論的展開,為金丹神仙之說開一新局,以其理論和
邏輯的力量,維護了金丹神仙之信仰。唐玄宗朝是《參同契》學術
大興之時,也是金丹方術大興之時。這種並生現象,當非偶然。

　　但是,金丹術終究還是不能證驗神仙。玄宗朝《參同契》學術
與金丹方術的並興,由此便陷於一對矛盾。一方面,《參同契》所講
的道理,不但有許多道士和丹術之士堅信不疑,儒者如李德裕等,
也深信其自然造化之理不虛(詳後)。另一方面,服食金丹非但不

　　① 《雲笈七籤》卷六六。齊魯書社 1988 年影印本,第 369 頁。
　　② 《太平經》與漢易象數學、《易緯》的關係甚深,這可能與尚未明瞭的作者身分有
關。在道教自成一局的六朝時期,其經書主要是用八卦信仰,即以八卦為八神,如《老
子中經》、《自然真一五稱符上經》等,並在齋醮活動及修持中體現出來。
　　③ 參見拙文《論唐代易老兼綜的道教學風》,《中華文化論壇》1994 年第 2 期。

能成仙長生,反而因丹毒殺人無數,這樣的事實,不能不讓時人觸目驚心。韓愈的《故太學博士李君墓誌銘》,對金丹術的迷狂及危害作沉痛揭露:

> 余不知服食說自何世起,殺人不可計,而世慕尚之益至,此其惑也! ……蘄不死,乃速得死,謂之智,可不可也?

目睹故舊屢被金丹所殺,韓愈祇得深嘆"可哀也已,可哀也已!"

信其道而不可信其術,是中唐時在金丹的道與術之間所發生的一對矛盾。矛盾以生命為代價在現實的層面暴露出來,此前的孫思邈等丹家對於克服丹毒問題富有成效的研究,也未能阻止丹藥中毒問題的繼續發生。

如何克服已經暴露出來的矛盾,在中晚唐時是一個關係到道教生存與發展的大問題。在道教的信仰體系中,金丹神仙始終是很重要的一個方面,它代表了修持與信仰之間的聯繫,或者說是從修持煉養到實現信仰的主要途徑。倘若途徑不通,如法修持煉養不能得仙,那麼道教的信仰體系便必將受到徹底的懷疑,其信仰體系與信徒之間固有的聯繫方式,同樣也要受到懷疑。世上果無神仙,修持煉養又不能使人得仙,則道教喪失了用以"設教"的根據。問題如此嚴重,迫使道教必然有所變革。

變革有三條途徑。其一是以"重玄之道"為主體,以關於"道"的信仰取代了關於神仙的信仰,同時對神仙作出新的解釋,即如《天隱子》所說,神仙是順適自然性命的人。其二是不放棄對於金丹神仙的信仰,繼續探討克服丹毒的方法。這條金丹的途徑,歷史的總體趨勢是越走越微弱,雖然直到近代依然有人信奉此道,但畢竟祇是一個關於神仙速成的夢,其真實成果,除化學方面的經驗積累之外,恐怕主要還在於醫用中成藥的煉製。第三條途徑是由外丹轉向內丹。中晚唐時,一些丹家主張內外兼修,

一些丹家以内丹排斥外丹，自五代北宋以後，内丹成為道教修持
煉養方法的主流。

　　中晚唐道教由外丹向内丹的轉化，問題十分複雜，很多丹道著
作，現在要辨別究竟是外丹還是内丹都很困難，其轉化的具體情
況，此處不遑詳論。在這裏我們祇想説明一點，由外丹向内丹的轉
化之所以發生，根源在於前述的金丹之道可信而術不可信的矛盾。
換言之，道教由外丹向内丹的轉化，是在《參同契》丹道理論的引導
下實現的，是承揚《參同契》之丹道而轉換金丹燒煉之方術的結果。

　　如果單從技術操作的層面講，内丹所採用的寶精愛氣、行氣養
神等方法，至遲可以追溯到戰國時代，秦漢時相傳不絶，一直被作
為重要的養生方法，六朝時道教上清派更奉為修持之圭臬。但這
套内修方法，與内丹之説有一個極重要的差別。内修的根旨在於
養生，修煉内丹則被作為證驗神仙的新途徑。這樣，金丹術與神仙
信仰之間幾將隔斷的聯繫，被内丹術重新補續起來。

　　内修包括行氣導引、房中還精等術，這套方術在晉南北朝道
教中流行甚盛，但不是證驗神仙的途徑，與神仙信仰沒有直接的聯
繫。《抱朴子内篇·極言》説：

　　　　不得金丹，但服草木之藥及修小術者，可以延年遲死耳，
　　不得仙也。……

　　　　若年尚少壯而知還年，服陰丹以補腦，採玉液於長谷者，
　　不服藥物，亦不失三百歲也，但不得仙耳。[1]

《養性延命錄》説：

　　　　常導引内氣息，但爾可得千歲。欲長生無限者，當服上
　　藥。[2]

---

① 王明《抱朴子内篇校釋》，中華書局 1985 年版第 243—245 頁。
② 《雲笈七籤》卷三二，齊魯書社 1988 年影印本第 184 頁。

修持煉養能否使人成仙,對於道教來說是一個關涉到信仰能否成立的問題,所以是極其重要的。[1] 內修術經過《參同契》丹道理論的改造,發展為內丹道,以為修煉身中之元精元氣,與天地間陰陽消息同盈虛,則與日月同光,共天地齊壽。這在事實上當然祇是說法不同而已,但就其以理論形態維護道教的固有信仰,並在信仰的支持下承揚其對於宇宙生機的信念而言,歷史性的深遠意義顯然比簡單的事實重要得多。

　　基於同樣的思路,我們探討《參同契》與唐五代道教的外丹理論。雖然這種理論本質上祇是對金丹術的義理敷釋,從某種意義上說是虛構的——被體系化了的理論並不能由服丹成仙而得到驗證,但丹道理論中所反映的對於天地宇宙、自然生機的看法却是真實的,是思想發展的一段真實歷史。這段歷史,因為儒釋道三教的衝突與融合,具有特殊的意義。

　　根據《參同契》及唐五代外丹理論自身的邏輯結構,大體上可分述為三個方面:第一是爐鼎法象天地,第二是鉛汞藥物蘊涵元氣生成,第三是火候符合宇宙之陰陽消息,依火候還丹則印證五行生克之理。由這三個方面所構成的宇宙圖景是,天地間氤氳着陰陽二氣,相摩相蕩,動躍流轉。宇宙的大化流行,映現出無窮的自然生機,陰陽所具有的生成本無意義,就體現在這一片生機之中。陰陽雖不可見,但陰陽造化的有序性可以掌握,陰陽有消息,造化有盈虛。按照消息盈虛的固然之理而動用,則自然生機可以體現在人事中,這就是以人事發明天道的"別構"。

---

　　① 如何評價修持煉養與信仰之間的聯繫是另一個問題。歐陽修在《無仙子刪正黃庭經》中,斥責這種聯繫的誕謬(詳《文獻通考·經籍五十一》),本文祇從理解道教史的角度討論這個問題,至於評價,歐陽文忠公已早著先鞭,毋須附麗。

三　鼎室中自是一天地

"鼎室中自是一天地"，是五代人彭曉提出來的，[①]我們將這個命題作為對《參同契》流系丹鼎理論的一種概括。歷史地看，《參同契》流系的丹鼎理論，曾因為丹鼎技術的進步，導致了義理敷釋方面的相應發展，即由太一爐發展為既濟、未濟鼎。但將爐鼎看作一個造化體系的基本思想，却一以貫之。我們所要討論的，就是這個基本思想。

如果站在化學實驗的角度去看，爐鼎本來衹是煉製丹藥的器具，安爐立鼎時所要解決的材料、設計以及製作等，都是技術性的問題。爐鼎本身既不神秘，也没有形而上的哲學意義。但在歷史上，爐鼎技術一直帶有濃厚的神秘色彩，通常都要編成口訣，口耳相傳，不立文字。即使寫成文字，也往往採取密碼或者謎語的方式，讓後人費盡心思去破解。在這個問題上，研求丹道之理的《參同契》也未能免俗。《參同契》中有三言《鼎器歌》，歌訣多用虛辭，隱其實義，據後世某些丹家研究，"此鼎器之造，其所象者，頗推未合"。[②] 作為設計方案，本不宜藏頭露尾，但《鼎器歌》却因為辭義隱晦，使其方案不可推求。歌中甚至説："諦思之，不須論。深藏守，莫傳文。"其用意，或如朱熹所説："《參同契》為艱深之詞，使人難曉。大概其説以為欲明之，恐洩天機，欲不説來，又却可惜。"[③]

---

①　原文見其著《周易參同契分章通真義》第六章："故鼎室中乃自是一天地也。"

②　《道藏》映字號無名氏注《周易參同契》。疑此本即北宋張隨注本。按彭曉《周易參同契分章通真義·鼎器歌》，曾轉引"張隨注"云云，其説正見於此本。今《道藏》所傳彭曉本乃南宋重刊，轉引當為後人所加。張隨事見《文獻通考·經籍五十一》，謂皇祐中居青城山云。其書匡字缺筆，亦宋本，分章則與彭曉本同，蓋在彭曉之後。

③　《朱子語類》卷一二五。

　　技術層面的爐鼎，究竟隱藏着什麼樣的天機玄奧，以至欲罷不能，欲說還休？它又如何能够獲得形而上的哲學意義？

　　生活在現代，似乎祗有詩人才會對自然之物產生奇妙的遐想。更多的人，都祗是生活在各式各樣的、大大小小的“事實”中。所以對多數現代人中來說，煉丹用的爐鼎充其量也祗是較為複雜的竈具。爐竈用來燒火，鼎器用來盛藥。鉛汞等藥物，被密封在陶土或金屬製成的鼎器裏，加溫後發生反應，得到晶體狀的成品丹或粉末，這就是煉丹的基本過程。過程中當然有許多複雜的技術問題，但它依然祗是形而下世界裏缺乏詩意的化學實踐。然而，從爐鼎這種特別的竈具裏，却可以製煉出金丹，這就不能不引發古人極富感情色彩的奇妙聯想，鉛汞等藥物在爐鼎中的奇怪變化、服丹使人成仙的信仰和傳說，都很容易使古人聯想到爐鼎具有某種深刻的奧妙。由聯想所產生的這種神秘意識，是技術層面的爐鼎之所以神秘的前提。而隨着神秘意識的增長，又會激發起一種不可抑制的理性衝動，力圖探索出這種深刻的奧妙、解開其神秘之謎，正如兒童總是試圖將玩具拆開來看一樣。爐鼎最終具有與宇宙模式一樣的哲學意義，正是在理性衝動下演繹出來的。這大概就是《參同契》流系的丹家努力以哲學理性揭示爐鼎之神秘的原由。

　　哲學理性在後來得到繼承與發展，闡揚為一種宇宙觀——其歷程似乎正如《周易》由巫術符號發展為哲學語言相髣髴。宇宙觀是理性的思維果實，但却結在信仰的神秘之樹上，理性與信仰處於一種共生的關係中，這與現代人時常將二者對立起來的思維模式，似乎有極大的差別。從論證金丹神仙的信仰出發，決定了《參同契》對於丹道的義理敷釋，不能祗是由化學方程式層層演進的實驗報告，而是擬義於宇宙造化的哲學體系。體系的演繹，以《周易》的卦象爻數為依據。而《周易》由符合時序的卦爻運動所構成的體系，從乾坤兆元，於是《參同契》將爐鼎擬義於乾坤。宇宙的造化發生在天地間,煉丹的造化發生在爐鼎間,乾坤則是對兩個造化體系的同理概括。

　　對於乾坤二卦,易學家向來有兩種解釋。象數派釋乾為天,坤為地;義理派則釋乾為剛健,坤為柔順。這兩種解釋都能夠在《繫辭》中找到根據。《參同契》走象數派的路子,但也吸收義理派的剛柔之說,用以稱述其交合變化之義。如說:

　　　　乾坤者,易之門戶,眾卦之父母。坎離匡郭,運轂正軸。

　　　　天地設位,而易行乎其中矣。天地者,乾坤之象也;設位者,列陰陽配合之位也。易謂坎離。坎離者,乾坤二用。

　　　　乾坤剛柔,配合相包,陽裏陰受,雄雌相須。須以造化,精氣乃舒。①

　　所謂乾坤為“易之門戶”,出《易·繫辭》。據孔穎達《正義》的解釋,意謂“易之變化從乾坤而起”,“以陰陽相合乃生萬物”。《周易》經卦自乾坤發端,象徵宇宙化生從陰陽兆元。陰陽取義為剛柔之氣,取象為天地設位。這是易學的思想理論。《參同契》援引之,但指意不盡相同。《參同契》之所謂“易”,模糊的指意或許也涉及六十四卦之體系,但更明確的指意無疑是坎離日月。“日月為易”、“易謂坎離”是《參同契》的基本觀念,坎離日月則又隱喻鉛汞藥物。鉛汞在爐鼎中的交合,被擬義為日月在天地間的輪轉而氣交,反過來說,天地間的無窮造化就顯示出爐鼎內的秘密。

　　《參同契》將爐鼎擬義為乾坤,可能與其設計的構造模式有關。根據一些注家的解釋,《參同契》所設計的是太一爐和懸胎鼎。《道藏》映字號無名氏注《鼎器歌》云:“名太一爐,圓天方地,狀若蓬壺。”《參同契》本文第二十六章、六十四章,也都談到爐鼎的構造,如“旁有垣闕,狀似蓬壺”,“類如雞子,白黑相守”云云。容字號無

────────────

①　本文所引《參同契》皆據彭曉《周易參同契分章通真義》。

名氏注云:"垣牆是太一爐也。言爐四而(面)而開八門,而通八風;安十二突,象十二時,窟象十二辰。乃有四層,而應四時。"①

懸胎鼎則據其《鼎器歌》中所謂"坐垂温"云云,如陰長生注本說:"空中懸物謂之垂。即明器於爐中懸之,而不著地。"② 彭曉注說:"鼎懸於竈中,不著地,懸胎鼎是也。"

太一爐和懸胎鼎的設計,可能是出於煉丹的技術性需要。太一爐大概就是後來的八卦爐,開八門便於通風,保持温度平衡。③ 懸胎鼎的鑄造,也是為通風和均匀受熱之利,如《大還丹契秘圖》指黄帝荆山鑄鼎有技術性十病,第二即"不懸胎鑄"。爐鼎設計出於技術性的需要,但在義理敷釋時,被强調的却不是技術問題,而是宇宙觀問題。④《參同契》的太一爐和懸胎鼎,因其結構被敷釋為圜天方地,鼎之上下釜又附合於乾坤兩卦,⑤ 都反映出一種宇宙觀。而隨着爐鼎技術的進步,義理敷釋也取得相應的發展,并引發一種新的宇宙觀。即由《參同契》天地設位或乾坤定位的太一爐和懸胎鼎,發展為唐五代的水火既濟鼎、未濟鼎,相應地,宇宙模式也由静態發展為動態。

隋唐時,丹家發明上下水火鼎。⑥ 水上火下的鼎器可能有兩種功能,一是阻止熱量散發,二是依據水鼎的蒸發情况定火候;火

---

①　陳國符考此二書為唐人注本,詳其著《道藏源流續考》。

②　陳國符考此二書為唐人注本,詳其著《道藏源流續考》。

③　參閱張覺人《中國煉丹術與丹藥》,四川人民出版社 1981 年版第 42 頁。太一爐式樣,參見《雲笈七籤》卷七十二《大還丹契秘圖》。

④　如唐陳少微《大洞煉真實經修優靈砂妙訣》:"夫大丹爐鼎,亦須合其天地人三才五神而造之。"又如《九轉靈砂大丹資聖玄經》:"夫煉丹之法,鼎有三足,以應三才;上下二合,以像二義;足高四寸,以應四時;爐深八寸,以配八節;下開八門,以通八風。"

⑤　如容字號無名氏注"天地設位",云:"乾,天也;坤,地也;是鼎器也。設位是陰陽配合也。""乾為天,上鼎蓋;坤為地,下鼎蓋。"注"乾坤易之門户"云"乾坤謂鼎器也。乾為上釜,坤為下釜。"劉知古《日月玄樞論》也説:"以乾坤為鼎,天地之道成焉。"

⑥　參見陳國符《道藏源流續考》第 58—78 頁。

上水下的鼎器則是一種具有過濾功能的蒸餾器。這種發明，是由
煉丹實踐而取得的技術進步，本沒有什麼深奧的理論意義，但却成
為義理敷釋的新起點。如彭曉的《周易參同契分章通真義》，既在
《序》文中據《參同契》本義，稱"列以乾坤，奠量鼎器"，"以乾坤為鼎
器"，又在注文中説："天地設位者，以其既濟鼎器法象乾坤也"，"乾
坤剛柔，配合相包。凡修金液還丹，先立乾坤既濟鼎器。"乾坤在這
裏似乎祇代表上下方位，而既濟却代表了鼎器的義理內容。但因
為在《參同契》中既濟卦祇用來表示火候，不表示鼎器，所以彭曉的
注解，語義頗模糊。

　　除既濟鼎器外，唐五代外丹還出現另一種新現象，即在煉丹時
翻轉鼎器，如據考為元陽子所作的《金碧五相類參同契》説："七返
還因翻既濟。"注云："離坎二宮，是為水火既濟鼎。"① 煉丹時翻轉
既濟鼎，大概出於技術上的要求，但因此引出了對《參同契》所謂
"坎離匡郭，運轂正軸"的一種新解釋。

　　《參同契》的這句話很費解，歧義也多，在唐代已有幾種解釋。
如陰注本説："坎為水，離為火。火性常動，水性常靜。靜以比軸，
動以比轂。……火著器外，水著器中，水火氣交，然後通達其情，化
成其寶。坎中盛陽，離中盛陰，亦匡郭之義。"這是兩種解釋，一從

---

　　①　金正耀《〈金碧五相類參同契〉宋代別本之發現》一文據宋曾慥《道樞》卷三四
《參同契下篇》，校考《道藏》中題為陰長生撰之《金碧五相類參同契》，作者實為元陽子，
並認為《道藏》映字號陰長生注《周易參同契》亦元陽子所撰（文載《世界宗教研究》1990
年第 2 期）。陳國符《道藏源流考》，曾據《文獻通考》著錄元陽子《金碧潛通》一卷，復引
《邯鄲書目》云"羊參微集"，推考元陽子即羊參微，疑為隋唐人。又，王明《周易參同契
考證》，認為《道藏》所收《古文龍虎經》即《金丹金碧潛通訣》，後書見收於《雲笈七籤》卷
七三，不題撰人。《文獻通考·經籍五十二》著錄《金碧潛通》一卷，題太白山人元陽子
解，殆即是書。是則推衍《參同契》丹道的三類著作：一曰注解，二曰《五相類》，三曰《龍
虎經》，皆與元陽子有關。唯丹書撰人常輾轉依託，迄難考為定論。元陽子事見《雲笈
七籤》卷一○四《太和真人傳》附元陽子傳，藏其注《黃庭經》事。其注見唐白履忠《黃庭
內景經注》引錄。白氏活動於開元年間，則元陽子為開元以前人。

水火匡郭鼎器入説，一從卦象入説。容字號無名氏注，對"坎離遠郭"一句既同於第一種説法，又提出新解："亦謂藥物，坎是金公，離是朱汞。以二寶為丹，用水火匡郭上下釜也。"至於所謂"運轂正軸"，則解為翻轉鼎器："轂，器也。……謂運火轉其鼎器，如日月在乾坤之内輪轉，又似車軸而轉也。"其解旦屯暮蒙之火候，也認為是依卦序翻轉鼎器，如説："前論晝屯夜蒙者，即是反轉鼎器。"《參同契》中又有所謂"往來既不定，上下亦無常"云云，容字號無名氏注："言汞及反覆其鼎，一日十二時，六時向上，六時向下，無常定。"

煉丹要求轉動鼎器，而鼎器又被擬義為離下坎上的既濟卦。當丹家們堅信其煉丹鼎器"自是一天地"時，擬想中的宇宙圖景就不再祇是乾坤定尊卑的静態模式，而是一個動轉流行的造化體系。萬物的生機，就在這動轉流行之中。

如果考察這種宇宙動轉流行之思想的來源，也許應該追溯到京房《易傳》和《易緯》。[1]而在唐宋丹道著作中，這種思想則由一首很流行的歌訣反映出來，歌曰：

　　聖人奪得造化意，手摶日月安爐裏。

　　微微騰倒天地精，攢簇陰陽走神鬼。

　　日魂月魄若個識，識者便是真仙子。

　　煉之餌之千日期，身已無陰哪得死。[2]

────────────

　①　京房已提出"若天地不變易不能通氣"的觀點。《易緯·乾坤鑿度》解易義為"本日月相銜"，《乾鑿度》説："變易者其氣也。天地不變，不能通氣，五行迭終，四時更廢，君子取象，變節相移和。能消者息，必專者敗，此其易也。"（轉引自朱伯崑《易學哲學史》上册第 153 頁）《參同契》因之而有"日月相撢持"等説法，陰注本釋云："撢持者，杼柚之貌；日月者，天地之用。天地之氣交接，以藉日月運移，還如金水須水火變易也。"

　②　此歌見《真元妙道要略》、《道樞》卷一四引唐玄和子、彭曉《參同契分章通真義》、《大還丹契秘圖》等引録，是一首流行很廣泛的歌訣。

四　元精眇難睹，推度效符證

這個標題是從《參同契》中引録出來的。在《參同契》及其闡釋者關於丹藥問題的各種議論中，這句話最能概括其理論特質，同時也最能反映其邏輯思維之特色。

丹藥問題在《參同契》流系的丹道理論中，似乎具有特殊的意義。約成書於晚唐五代的《太白經》，甚至有過這樣的説法：

> 至於八卦五行，七返九還，鼎爐法樣，既濟未濟，盡是殊事，蓋丹家自要貴重作用之道。但能得水火華池、龍虎交感，已得大還丹之秘要也。①

"水火華池、龍虎交感"喻丹藥及其化學反應。《太白經》認為丹道唯此事是秘要，其餘的義理舖陳，都衹是丹家託以自重的説辭而已。這個説法雖不免偏頗，但也從一個側面反映出丹藥問題具有特殊的意義。

因為重要，丹家的議論也就繁富，分歧亦多。外丹由於所用丹藥不同，分成不同的流派，如主鉛派、主汞派、鉛汞派、硫汞派以及金砂派等等。在外丹向內丹的轉化中，對於丹藥的辨認也是一個至關重要的問題。這些分歧發生在同一種理論模式裏。而讀丹經之所以常會產生霧裏看花的感覺，一個重要的原因就是，丹家在同一種理論模式下論證各自不同的丹藥都能造就金丹。對於丹家來説，理論模式是已經設計好的建築方案，不再需要進行系統的邏輯論證，衹要説明什麼丹藥纔是實現這個方案的合理材料。丹家在一個不言而喻的理論模式中討論問題，思想邏輯被有效地節省下來，這增加了我們理解其丹藥理論的困難。本文在這

---

① 《道藏》第19册，第337頁。

個標題下試圖討論的，就是丹藥理論及其思想邏輯問題。

　　讓我們引證彭曉的一段話，看丹家對於邏輯前提的確立：

　　　　真鉛未有天地混沌之前，鉛得一而相形，次則漸生天地陰
　　陽五行萬物衆類。故鉛是天地之父母，陰陽之本元。蓋聖人
　　採天地父母之根而為大藥之基，聚陰陽純粹之精而為還丹之
　　質，殆非常物之造化也。則修丹之始，須以天地根為藥根，以
　　陰陽母為丹母，如不能於其間生天地陰陽者，即非金液還丹之
　　道。①

作為邏輯前提，真鉛丹藥即"陰陽之本元"的命題也許不必論證——
因為這個命題本身就是根據金丹神仙的信仰而假設的，即首先假設
有這種服之可以成仙的金丹，然後判斷金丹必由陰陽之本元煉化而
成。是否接受這個邏輯前提，不是思想理論問題，而是信仰問題，我
們可以避而不談。但是，生成天地陰陽的本元畢竟看不見、摸不着，
亦即"元精眇難睹"，丹家又如何判斷其存在並據之修煉呢？

　　在《參同契》流系的丹道理論中，這是一個極具挑戰性的問題。
問題涉及到對於丹藥的智性理解乃至技術性操作，信仰也就不再
能發揮其掩護作用，而必須給出理論性的答案。《參同契》所謂"推
度效符證"，開啟了尋找這個答案的運思方法。

　　也許是因為邏輯前提建立在信仰的基礎之上，"推度"就難免
隨意性②。但理論思維的高度活躍，畢竟釀造出對於思想史具有
重要價值的成果。當唐五代金丹神仙的塵埃落定之後，我們可以

---

　①　《周易參同契分章通真義》第 25 章。
　②　丹家對於這種隨意性已有嚴厲的批評，如唐末還陽子作《大還丹金龍白虎論》
說："世人枉煉五金，調和八石，呼鉛作虎，喚汞為龍，妄配陰陽，錯排水火，誇三黃是聖，
騁五礬為神。道理既乖，聖意全失。看經究義，尋本究玄，亂立規細，遞生法則。……
掛酌藥名，團量火候，爐泥八面，壇築三層，咒祝神祇，祭醮天地。總是憑空造作，非理
修持。"

看到"推度效符證"的運思方法,正是釀造丹道之理論成果的內在機制。

　　所謂"推度效符證",在運思方法上就表現為根據對於自然現象和自然之理的認知,思索丹藥與元精元氣的關係問題。丹家的認知活動,可以概括為三個方面。第一是由於鉛汞與長生觀念的歷史性聯繫,煉丹實踐中又發現鉛汞本身的奇特變化,因而將鉛汞推度為日月陰陽之精氣;第二是信奉《周易》《老子》等傳統經典,樹立起關於元氣生成之理的信念;第三是對於天地宇宙所固有的自然生機或生意的直接感知。這三個方面,也就是檢驗丹家的"推度"是否真實合理的"符證",我們依次敘論之。

(一)鉛汞與陰陽精氣

　　探討汞或者丹砂何以被作為長生藥,有一個現象值得注意,即汞或者丹砂與長生觀念的聯繫,事實上發生在煉丹術興起之前。如甘肅出土的石器時代墓葬、長沙馬王堆出土的西漢墓棺等,其中都發現有丹砂。[①] 這些考古發現究竟說明了什麼問題,或許可以有各種不同的解釋。但若證以戰國時代的文獻,則可信用丹砂與長生觀念有聯繫。這種聯繫,在文獻中反映為神話或者神仙傳說,如《山海經》中有所謂丹水、丹穴之山、丹䑋等,《楚辭·遠遊》則說:"仍羽人於丹丘兮,留不死之舊鄉。"將考古發現與文獻記載作一互證,可知汞或者丹砂之被作為長生藥,有其觀念上的歷史淵源,並非出於煉丹家的技術性選擇。煉丹術在這個觀念的基礎上有所發展,是將汞或者丹砂燒煉成金丹。

　　遠古時,丹砂為什麼與長生觀念聯繫在一起,是一個不易解開的謎。丹砂中含汞,可以使屍體不腐,這可能是由之產生永恆觀念

---

① 參閱金正耀《道教與科學》第 163 頁,中國社科出版社 1993 年版。

的一個原因。丹砂與黃金的並生現象被古人發現,①而黃金又是不朽敗的物質,這可能是丹砂與長生觀念產生聯繫的又一個原因,後世丹家甚至因此解釋説,黃金是丹砂感太陽之氣變化而成。另一個可能的原因,是將丹砂出汞的現象擬想為天地化生的精氣本元,擬想為天地間萬物之所以化生的本根。

　　古人的擬想,當然不必是物理的事實,而衹是反映出一種類比的原始思維。按照中國古代"遠取諸物,近取諸身"的思維方法,很容易在生命延續與丹砂出汞兩種現象之間產生聯想。生命的延續、新生命的產生,由父精母血交合而成,這可能是古人所感受到的最真切的化生方式。天地萬物的化生雖然難以直接感受,但可以按照生命的化生方式去類比,並由類比相信天地萬物的化生也以某種元精作為本根。至於元精究竟是什麼,可以有各種不同的擬想,諸如水、土、日月星辰等等,丹砂與汞可能也是其中之一。紅色固體丹砂與白色液體汞之間,會發生一種轉相生成的奇特變化,古人因此將二者擬想為天地萬物的元精或化生之本,似乎不難理解。而古人的永恆觀念,往往與天地本根相聯繫,如《老子》説:"穀神不死,是謂玄牝。玄牝之門,是謂天地根。縣縣若存,用之不勤。"天地間萬物,總有榮枯成毀之時,這正如個體生命的生必有死一樣。但生命鏈條可以由元精的化生而不斷延續,則天地萬物的生生不息,也必由其元精的交感變化而成。

　　如果説遠古時代丹砂與長生觀念的聯繫出於類比的原始思維,那麼由這種原始思維昇華為抽象的思辯,從而探尋丹砂或汞所具有的天地本元之意義,應該説符合中國哲學發展的一般原則。中國的思辯哲學,是從天人類比的原始思維中發展出來的。作為

---

① 《管子·地數》:"山上有赭者,其下有鐵;上有鉛者,其下有銀;一曰上有鉛者,其下有鉒銀;上有丹砂者,其下有鉒金。"

個案,《參同契》及其闡述者關於丹砂的本元思辯,也由淵源甚古的
原始思維昇華而來。

　　鉛被作為金丹大藥而與長生觀念發生聯繫,大概在丹砂之後。
鉛與銀的並生關係、丹砂與金的並生關係,最初同見於《管子·地數
篇》記載,這種並生關係可能是鉛與長生觀念發生聯繫的一種原
因。鉛的氧化過程又有顏色變化,成為黃橙色、紅色或紫色的鉛
丹,與傳說中的金丹形色相似,這可能是鉛與長生觀念發生聯繫的
另一種原因。在煉丹術史上,煉鉛與煉丹砂大概同時出現或相去
不遠。煉丹術始於漢初,當時即有人燒煉鉛丹,如《淮南子·人間
訓》說:"鉛之與丹,異類殊色,而可以為丹者,得其數也。"青白色的
礦物質鉛,經過燒煉能變成紅色的丹,紅色的丹砂經過燒煉則變
成白色的汞,這兩種看起來正好相反的化學現象,在《參同契》流
系的丹道理論中就被解釋為陰陽互含。鉛是陰中含陽,本來的青
白色,與五行色中的北方水、黑色相近似,陰含陽又正符合八卦方
位中北方的坎卦卦象;丹砂是陽中含陰,本來的赤色正如南方火、
赤色相同,陽含陰則符合南方的離卦卦象。這一系列的巧合,不
但使《參同契》"因《易》以明之",即援引甚談八卦九宮、五行方色
的漢《易》象數學發明丹道原理,同時也强化了鉛汞即陰陽精氣的
觀念。《參同契》及其闡述者關於丹藥的本元思辯,正圍繞這個觀
念而展開。

　　從唐五代的丹道著作看,圍繞這個觀念所展開的思辯,可以分
為兩個層次。其一如《陰真君金石五相類》說:

　　　　假如用鉛,鉛是陰中有陽,陽是鉛中有銀,兼銷成水,
　　採黃華。黃華是鉛之焄,銀是鉛中之精,三物為命,合成一
　　體。

　　　　假如波斯鉛,本出西方庚辛金,鉛裏有金。金華像西方庚
　　辛金,鉛質像北方壬癸水。可知自古仙士認金華為黃芽,不知

鉛中採者,象焦同類而用之,一物之中便有金水相生之象。象者,形質之謂也。①

將煉鉛的經驗事實引伸為五行方色的義理敷釋,雖然也表現出思辯性,但脫離經驗事實未遠,所以關注的焦點在鉛的形質變化上。較之更為抽象的思辯,則將關注的焦點放在陰陽精氣上,有形質的鉛汞祇被作為陰陽精氣的載體,煉丹的目的,就是從鉛汞中提煉出陰陽精氣,而非煉化其形質。這個層面的抽象思辯,不但是唐五代《參同契》流系丹道理論的主流,而且表現出針對性。如《巨勝歌序》說:

　　《太易圖》云:凡有陰陽,即生人民禽獸草木。若以水銀朱
　　砂產於巴蜀,其不出水銀朱砂處,即不合有人民禽獸草木
　　也。②

這可以說是針對重視形質的鉛汞論而進行的更加抽象的思辯。

　　思辯的進一步抽象化,在外丹的道和術兩個層面都有所反映。就術的層面講,主汞論者多用由加熱丹砂提煉而得的熟水銀,不用生水銀(即自然汞);主鉛論者不直接用鉛作為丹藥,而用由鉛燒煉出的所謂黃芽、黃花。這種分別,在唐五代外丹術中一直被視為秘訣,有"寧修鉛中金,不煉金中寶","黃芽不是鉛,不離鉛中作"等訣法,被各種丹道著作頻繁轉引。就道的層面講,鉛汞之作為金丹大藥,則被解釋為感受日月之陰陽精氣,還丹所要煉化的,不是鉛汞二物之形質,而是其中的陰陽精氣。《金液還丹百問訣》用一譬喻說明這個道理:

　　譬如養子,若割父母身上之肉,內於母腹之中,而望孩子

---

①　《道藏》,第 19 冊,第 89、100 頁。
②　《道藏》第 19 冊,第 327 頁。

生,孩子生應難也。若離父母,孩子自何而生?①

　　用這個譬喻解釋煉丹不直接用鉛汞, 淺顯明白。而煉丹之所以要七還九返, 簡單地説也就是反覆提煉其陰陽精氣, 去其形質。

　　由有這種逾益抽象化的思辯,導致了一種觀念上的傾向性,即在《參同契》流系的丹道理論中,被突出出來的是鉛汞所包含的日月精氣之意義,而不是鉛汞藥物本身。劉知古在《日月玄樞論》中説:

　　　　夫"流珠為龍",龍即日也;"黃芽為虎",虎即月也。此二物者,日月精氣,咸有變化之理,故餌之者亦能變化。所謂變化者,變丹砂為水銀,自陽返陰也;水銀覆為丹砂,自陰返陽也。故流珠丹亦名火青丹。變黑鉛為黃丹,自陰返陽也;化黃丹為黑鉛,自陽返陰也。

葛洪也曾談到鉛汞的變化,以為丹砂既能化汞,則人服食之可以化而為仙。但葛洪没有解釋出何以能夠變化的道理。劉知古解釋其道理,以為鉛汞所以能夠變化,根源在於其所蘊涵的日月精氣,或者乾脆説,發生變化的是日月精氣。

　　劉知古的解釋據《參同契》推衍而出,相對於葛洪而言似乎是一種新説,而在唐五代的丹道理論中却是一種通識。如彭曉説:"太陽流珠者,地氣感天氣而化珠露,是純陽之精氣,能發生萬物,有氣而無形,故號曰赤龍也。陽火化氣為硃砂,故火生土,土生金。"又説:"金液還丹,莫不合日月陰陽精氣而成也。"《參同契》陰注本也説:"變化始於氣象而後成形。"又如《金華玉女説丹經》,其説以為太陽元精既非水銀,亦非鉛華,也不是二者合成之物,它"託體水銀之胎,而非水銀之形"。甚至在時俗流行的點金術中,也有相同的元精元氣之説,如《太平廣記》卷七十三録《奇事記》,言點金

---

①　《道藏》第 4 册,第 895 頁。

術,説云:"水銀受太陰之氣,固流蕩而不凝定,微遇純陽之氣合,則化黄金於倏忽也。"

　　由鉛汞變化,可以推度出其中包含日月陰陽之精氣;反過來説,由鉛汞變化而還丹,也就驗證了日月精氣的變化之理。所謂"推度效符證",在這裏是雙向的,經驗事實與道理解釋不但可以相互"推度",而且可以互作"符證"。這種推論方式雖然不符合邏輯原則,但對於丹道理論的形成却是有意義的。由這種推論所得出的還丹之理,是出於天地自然的一陰一陽之道。如唐金竹坡在《大丹鉛汞論》中説:

　　　　夫大丹之術出乎鉛汞,而鉛汞之藥乃大丹之基。觀其互換感發之機,交相制伏之妙,皆出乎天地自然,非人力所能致也。[①]

又如《大還心鑑》説:

　　　　鉛汞合天地之元紀,包日月之精華,……論大丹唯一陰一陽之道,即合天地機也;一金一石謂之丹,亦天地合也。[②]

應該承認,由煉丹術所推度出的還丹之理,有其獨立的理論價值。以這種理論論證金丹神仙的信仰或許是荒謬的,為簡單的信仰作此繁富的理論注脚,也似乎大不相稱,但這並不妨礙理論本身具有其歷史意義,至於信仰,從某種意義上説也是激發其理論思維的精神力量。

(二)《易》《老》與元氣生成之信念

　　丹道與《周易》《老子》的深刻聯繫,在《參同契》的題旨中已反映出來:

---

①　《道藏》第 19 册,第 288 頁。
②　同上書第 345 頁。

大《易》情性,各如其度;黄老用究,較而可御;爐火之事,真有所據。三道由一,俱出徑路。

《參同契》丹道的建立,本以《易》《老》為依據。其得之於《周易》的,主要是陰陽對待而互含以及陰陽消息的有序性思想;得之於《老子》的,則主要是自然化生思想。將二者結合起來,以其自然之理體入於煉丹之實用,便是此書三道由一、同契相符的題旨。

因為《參同契》本身就將《周易》《老子》作為理論依據,闡發其丹道的後來者繼而援引之以立説,自是題中應有之義,似乎不必特別地提出來討論。而且,在《參同契》流系的丹道著作中,援引《易》《老》的現象也實在太多,司空見慣反而生不出新鮮感。本文之所以不迴避這個看來平淡的話題,衹是基於兩點考慮。第一,在丹道"推度效符證"的運思方法中,向《易》《老》求印證確實是一個重要的方面,而《易》《老》作為傳統經典,對於丹道理論中的元氣生成之信念,實是一種强大的精神力量,這一點,在元氣生成論深受佛教衝擊的唐代,似乎具有特殊的意義。第二,丹道與《易》《老》的關係,還有比推求印證更加深微的一面,就這一面而言,如其說是以《易》《老》的思想理論印證丹術之不誣,毋寧說是《易》《老》的思想理論引導了丹家對丹術作出超越於經驗事實之上的理解。

《黄帝九鼎神丹經訣》卷二説:

> 按《易》云:二女同居曰革,乾坤交會曰泰。故天地氤氲,萬物化淳;男女媾精,萬物化生。陰陽不測之謂神,一陰一陽之謂道,故能陶鑄萬品,誕埴生靈,此並造化之神功,陰陽之妙力。神丹秘要,亦同此義。太陰者鉛也,太陽者丹砂也。二物相生,成其大藥。九鼎之法,長生之道,原始要終,莫不皆以丹鉛二物為主也。[①]

---

① 《道藏》第 18 册,第 795 頁。

這是用《易傳》的一陰一陽之道,印證鉛汞派之丹藥。《革·象傳》:
"二女同居,其志不相得,曰革。"革卦離下兌上,據《説卦傳》,離為
中女,兌為少女,故稱"二女同居"。泰卦乾下坤上,有陽升陰降而
生成之義。以此一陰一陽的生成之道,印證丹藥所以用鉛汞,意在
援引經典的權威性理論,助證其鉛汞派之主張。

　　以上是求印證的例子。《易》《老》引導丹家對丹術作出理解,
則如陶埴《還金述》説:

　　　　古人所以假《易》象而為經者,謂至道與天地配。如太上
　　　始分一氣為二儀,二儀判然後有三才,俾乾坤運而品匯貞,坎
　　　離用而金水併,此道之樞也。男冠女笄,牝牡相得,氣交體合,
　　　應變無方,此道之用也。日月運矣,寒暑節矣,滋液潤澤,施行
　　　流通,此道之驗也。陰伸陽屈,陽用陰潛,一往一來,推情合
　　　性,此道之返也。此乃明乎剖一氣以法天象地,自有為合於無
　　　為者矣,豈假他物而成之乎?[1]

所謂古人"假《易》象而為經",指《參同契》而言。陶埴是中唐人,其
丹道理論頗有影響,頻見後人稱引。[2] 他的這段叙論,可以理解為
對《參同契》題旨的闡發,即以《老子》之自然化生、《周易》之陰陽節
序,與煉丹之事相參證。論述的主題雖然是丹術,但將丹術提昇到
生成之道的高度去理解,則在運思理路上就表現為以《易》《老》的
思想理論作為主導,或者説以《易》《老》之思想理論通解其煉丹之
術。煉丹術本身有物理、化學方面的知識,無所謂系統理論。其所
以有理論而可以稱為丹道,無疑是超越於經驗事實之上併入於
《易》《老》之學的結果。從某種意義上説,這種"三道由一"的相互

　　① 《道藏》第 19 册,第 285 頁。
　　② 埴或作植。宋戴起宗《紫陽真人悟真篇注疏》卷四稱陶植於唐敬宗寶曆元年
(825)向日上昇。

參證，其實是藉附於《易》《老》所進行的新的理論建構。而這一點，也許就是《參同契》的題旨最值得深察的地方，陶埴可算是善察其題旨者。

(三)對於自然生機的直接感知

對於自然生機的直接感知，也是丹道之元精元氣說的一個重要方面。就"推度效符證"的運思方法而言，這方面的符證最淺顯明白，推度也不須玄思冥想。《元陽子金液集》說："真陰真陽是真道，祇在眼前何處討。"宇宙間陰陽對待而化生的道理，普遍存在於耳目所可知見的自然界。陰陽化生中就顯現出自然生機，顯現出元精元氣的運動流通。以對於自然生機的直接感知言諸丹藥，則丹藥蘊涵元精元氣的道理容易曉喻。《真元妙道修丹歷驗抄》說：

> 夫鉛者，玄元之泉，泉者水之源也。人但見泉水流出於石窟之中奔騰，莫知源水自何而至。亦如元氣生育，萬物成熟，莫見元氣從何而來也。[1]

鉛中之元精元氣，一如不可名狀的玄元之泉。泉水從石窟中流出，穿流不息，由此我們推測必有其泉水之源。自然萬物的生育成熟，生生不息，正如泉水奔騰出石窟，由其生育我們可以推度化生之本元的存在。至於泉源究在何處，本元畢竟如何，則"深不可識"。對於丹道來說，鉛汞之蘊涵元精元氣，可由這樣的感知得到證實。燒煉鉛汞而生丹藥，正是交感其元精元氣的結果。

如果將感知的視野投放到天地宇宙，則可知天地宇宙也同樣以陰陽造化而充滿生機。如《混元八景真經》說：

> 始天降地騰，水火相交，陰陽相戰，交氣極足，方結就太丹，太陽是也。其陽被天地運轉，至有金氣。金氣屬陰，運轉

---

① 《雲笈七籤》卷七二。

氣足,始生太陰,月是也。自後日月交泰,陰陽相煉,其數滿
足,漸生星辰。自古至今,不離天降地騰,陰陽相交,日月相
合,真氣生產萬物。[1]

將這樣的感知用詩句表述出來,則如《玉壺頌》所說:"二氣推尋不
暫停,陰陽互用若神靈。"[2] 天地間陰陽元氣的相推相蕩,是造化
萬物的源泉活水。陰陽推蕩不息,天地造化不已。推蕩造化,可以
從具體某物的生成流動中去感知,也可以從天地日月的輪轉交合
中去感知。

綜觀上述三個方面,回到"元精眇難睹,推度效符證"的命題
上。這句話在《參同契》中的本意,是就還丹火候而說的,如陰注本
說:

元精者,元氣也。……元氣懸遠,不可見其形容,故推日
月以度寒暑,占其卦象以明吉凶。即金水稟精氣於器中,不可
見其狀貌,亦以寒暑日月卦象測焉。

對於丹家來說,鉛汞藥物稟受陰陽元氣,是一個不容置疑的邏輯前
提或基本信念。他們所關注的,是元精元氣在丹鼎中的變化節序,
所以要"推度",要在丹鼎之外求得"符證"。然而,就在這種推度和
求符證的運思中,卻表現出丹道關於天地宇宙之自然造化的理論。
放在思想史上看,這種理論上承漢代之元氣本元說,上啟宋代之理
氣本體論,是中國思想史上一個具有承傳轉合之歷史功能的過渡
性階段。之所以謂之過渡性,是因為思想理論被掩蓋在神仙信仰
的外衣之下。若就唐五代之斷代史而言,則神仙信仰又是激發這
種理論而與佛教頡頏的精神力量。信仰與思想理論的繼承和發
展,在這裏表現為相輔相成的關係。同樣,宗密等佛教學者對於元

① 《道藏》第 11 册,第 434 頁。
② 轉引自《諸真論還丹訣》,《道藏》第 4 册,第 327 頁。

氣生成論的非難,也是立足於其佛教信仰,並不單純是思辯理論上
的不能苟同。明白了這一點,我們對丹道理論與神仙信仰的種種
糾葛,自當具一種歷史眼目。

<h1 style="text-align:center">五　修丹與天地造化同途</h1>

這個標題取自彭曉的《周易參同契分章通真義序》,是對《參同
契》丹道的一種概括。

《參同契》流系的丹道,大體上可以分為三個方面,即爐鼎、丹
藥、火候。正如爐鼎問題蘊涵了宇宙觀、丹藥問題蘊涵了本元論一
樣,其所謂火候,也不僅僅是關於丹藥之化學反應的量化說明,而
是按照天對自然的造化對其化學反應作出理論性的闡釋。天地自
然之造化有其節序,煉丹火候因此有進退。所謂"修丹與天地造化
同途",基本涵義就是煉丹火候效法於陰陽造化之消息。

對於丹家來說,將修丹與天地造化等同起來是異常重要的,非
如此,不足以說明所煉成的是長生金丹。這注定了丹家要傾注其
熱情和心智去探索天地自然的造化之理。《還丹時後訣》說:

　　凡煉金液神丹者,須要洞曉陰陽,深達造化,明五行相克
　之幽微,識金水相生之妙理。[1]

《陶真人內丹賦序》說:

　　欲達至真者,明閑卦象,痛會陰陽,曉察天文,精求《易》
　義,火候進退,生殺合宜,表裏清通,內外相應。[2]

《大丹鉛汞論》說:

　　欲得其方,先修其行。察陰陽之動靜,驗天地之循環,明

---

[1] 《道藏》第 19 冊,第 181 頁。
[2] 《道藏》第 4 冊,第 578 頁。

辨藥材,扣求水火法。參稽互考,尋訪明師。直與天地同其軌
轍,與內丹同其關鍵。

　　且夫外丹之術,與天地造化初無少異。[①]
不難看出,丹家將造化之理奉為修丹或者還丹所必須理解,也必須
遵守的基本原則。由此導致的結果,是丹家的理論思維能力得到
了充分的鍛煉,而煉丹作為一門技術,對於技術本身的重視程度反
不如強調理論問題來得突出。

　　丹家圍繞修丹、還丹問題所闡發的天地造化之理,從總體上看
可以劃分為兩個大的方面。其一是建立在卦氣説基礎上的還丹火
候,其二是建立在五行説基礎上的還丹之理。

　　從技術操作的層面講,還丹火候本來衹是要求在煉丹時對文
武火有一種適度的掌握,用火固然要悉心照料,却無玄奧可言。但
由於丹家始終都堅信丹藥的化學反應是元精元氣的交媾,是處於
造化運動中的陰陽本元,所以火候也就必然地被理解為陰陽造化
之時序。換言之,也衹有火候符合陰陽造化之時序,纔能够燒製出
凝煉元精元氣而生生不息的金丹。陰陽造化之時序,年有四季,月
有望朔,日有旦暮。這種時序性,在漢《易》中以卦象爻數的形式表
徵出來,即孟喜、京房的卦氣説。這套方法被《參同契》所吸收,唐
五代丹家則據《參同契》而推衍。

　　因為推衍方法有其淵源於漢《易》象數學的歷史傳統,推衍的
目的又在於揭示一定時間範圍内的陰陽消長情況,所以唐五代丹
家關於還丹火候的推衍,大體上都堅持用最便於表示陰陽消長的
卦象爻數作為基本符號。[②] 這樣的推衍雖有其必然性和特定的涵

---

　　①　《道藏》第 19 册,第 290 頁。
　　②　例外是個別的。如陳少微《大洞煉真寶經九還金丹妙訣》説:"夫用火之訣,亦
象乎陰陽二十四氣,七十二候。"指導思想同樣是擬義於天地陰陽之造化,但不擬配於
卦象爻數。

義,但却使本來簡單的數學推算因符號系統而表現得形式複雜。至於具體的推衍方式,則大約有三類。最常見的是用十二辟卦配一年十二月,又據納支法配一日十二時,如唐張太空《玄和子十二月卦金訣》、《大還丹契秘圖》等。其次則用乾坤坎離四正卦之外的六十卦,配一月之火候,晝夜各一卦,如彭曉《明鏡圖》。第三是用八經卦配八節,每卦值四十五日,如《陶真人內丹賦》。這種方式約在唐末五代時有新演變,即以八卦配八節時,復據天地間相距八萬四千里,推算陰陽升降之節序,如《靈寶畢法》。除最後一種演變外,其他推衍方式在彭曉的《明鏡圖》中都有所反映。

　　經過這些形式複雜的推衍,更加堅定了丹家們的信念:不但天地陰陽的造化是真實的,而且陰陽造化的道理是可以掌握的。掌握造化之理,就是根據陰陽消長之節序性而運作。要表達這樣的意思,丹經通常用“盜”或“奪”一類的詞彙。“盜”是盜陰陽造化之機,亦即發現陰陽運動的道理,取而用之。“奪”是奪陰陽造化之利,諸如爐鼎一日之火候可奪天地一年之造化等。這也是丹道中一種很值得注意的思想,即認為還丹火候雖然效法天地造化之陰陽消息,但祇要掌握了其中的道理,則取得與天地造化同等的功利却不必使用與之等同的時間。這種思想的實質,是摹擬自然、因循自然造化之理,但不機械地拘泥於自然之形制。這在唐五代丹道著作中,有些理論地稱之為以人事之“有為”入於自然造化之“無為”,有些則根據卦爻數進行推算,如《通幽訣》說丹砂經天符(日)照耀四千三百二十年而元氣足,成自然還丹,爐鼎火候則晝夜各一卦,一年總四千四百二十爻,於是“依卦氣節候,運動以成金丹”。①這類推算,在鍾呂金丹派的著作中更詳盡。推算雖出於牽強附會,但這種以《周易》為經典依據而形式又近似於數理邏輯的論證方

____
　①　《道藏》第19冊,第150頁。

法,却又在觀念上加深了陰陽造化可以盜奪的信念。

但是,盜陰陽造化之機也好,奪陰陽造化之利也罷,最終所能說明的都衹是因循或者順任陰陽消息之時序。時序是一維的,由春而夏,陰消陽息,萬物生長成熟,爐鼎擬配之則漸進武火。順任這樣的消息時序,又如何能説明"還丹"之義呢?《參同契》説:"金來歸性初,乃得稱還丹。"各類丹經又都有九還七返之説,以為鉛汞等藥物經過若干次煉化,可以復返於純粹的元精元氣狀態,服食之,使元精元氣在人體内霧散若風雨,人體充盈元精元氣,於是生生不息,長生不死。這種美妙的意想,必須以鉛汞藥物的精氣復返為前提,如張玄德《丹論訣旨心鑑》説:"夫還丹者,被日月運成,還其本元,却歸本丹砂之色,名曰還丹。"[1] 何以見得鉛汞的煉化是復返於本元的結晶體呢?修丹既與天地造化同途,又如何説明還丹不同於常物之造化,不是由本元生成並且"物壯則老",而是逆向地復歸於本元?

這類問題,在丹經中雖未見被明確地提出來,但却在另一個議題下受到廣泛的討論。

另一個議題即五行學説。丹道採用五行學説,淵源於《參同契》對京房《易傳》的吸收。京房將占星術之五行説納入其《周易》占算體系,提出"納甲法",並以五行生數、方位及生克關係,解釋其八宮卦的爻象變化及所含陰陽相蕩之理。其大旨,第一在於解釋卦爻運動符合"陰陽相資相返,相克相生"的《易》道,第二在於強調順任五行之性的重要,即所謂"降五行,分四象,順則吉,逆則凶。"《參同契》將其理旨轉用於丹道,議論不少。如説:

賞罰應春秋,昏明順寒暑。……如是應四時,五行得其理。

① 《道藏》第 19 册,第 341 頁。

土王四季，羅絡始終。青赤白黑，各居一方，皆稟中宮，戊己之功。

日合五行精，月受六律紀，五六三十度，度竟復更始。原始要終，存亡之緒。

五行錯王，相據以生。火性銷金，金伐木榮。三五與一，天地至精。

五行相克，更為父母。

這些議論的大意，是將五行生數及生克關係與丹藥擬配起來，以說明其陰陽交合的變化之理。如鉛配坎卦，屬水，生數一；汞配離卦，屬火，生數二等等。又以五行配五方、四季，以五行生克關係説明還丹火候。

對於《參同契》的這些説法，後世丹家提出了各式各樣的解釋，歧義很多。就《參同契》本意而言，不離京房五行説之大旨，强調的是丹藥火候順任五行之性而能轉相生成。以這樣的大旨理解其所謂"金來歸性初，乃得稱還丹"，則還丹是建立在循環論基礎上的，一次循環而復歸本位，又"度竟復更始"。

這種五行循環論，雖然也能對九轉七返的還丹作出理論解釋，但與煉丹的實際不符。如丹砂與汞的轉化，丹砂配東方木，汞配南方火，丹砂出汞是木生火，符合五行相生的關係；但煉汞又能還成丹砂，則是火反生木。反生既不經過五行循環，更與五行説中的火克木完全相反。顯然，對於這種煉丹實際，京房《易傳》和《參同契》都不能提供合理的解釋，於是唐代丹家提出新的五行説。

新五行説的内核，是將傳統的五行相生顛倒過來，稱為"返生"。我們舉兩個例子。其一如唐宋時流行的《太白真人歌》説：

五行顛倒術，龍從火裏出；五行不順行，虎向水中生。[①]

---

① 轉引自彭曉《周易參同契分章通真義》第68章。

龍即青龍,象徵東方木,亦即丹砂,如《參同契》"丹砂木精"之謂;虎
即白虎,象徵西方金,亦即鉛丹。所謂"龍從火裏出",是説丹砂由
汞而生、木由火而生;所謂"虎向水中生",是説鉛反生鉛丹、水反生
金。這種相生關係,與傳統的木生火、金生水相反,但符合煉丹實
際,而且也符合復返元精元氣的"還丹"之義——丹家將丹砂和鉛
丹理解為比汞和鉛更本元的東西,汞和鉛則被理解為向有形質的
金和銀轉化。

其二如劉知古的《日月玄樞論》説:

> 夫金能生水,水亦能生金。水生金者,則鉛中出黄芽,是
> 其性也。《五金訣》云:"鉛能制汞,汞能伏金。金汞成形,故名
> 制伏。"此一理也。夫木能生火,火亦能生木者,則丹砂中出
> 汞,亦是其性。[①]

這些説法,與《太白真人歌》的意思完全一樣,金與水互生,木與火
互生,都是根據煉丹實際提出的新説。

但是,這種新説要讓人信服似乎有些困難。傳統的五行相生
説不但流傳日久,而且驗之於事理也容易理解,例如木生火,符
合日常生活的常識,言則可信。丹家説火反生木,雖符合丹藥反
映的實際情形,却與常識相違背,要想讓人信服,就不能不為此
新説作出新的義理敷釋。這使丹家的理論思維能力再一次受到鍛
煉。

新的義理敷釋有兩方面的基本内容。第一是將五行理解為
"五行之氣",或者叫作"真五行"、"五行真氣"等。第二是以天地日
月的運行説明五行的順生、返生之理。

"五行之氣"的提法見於劉知古《日月玄樞論》,並就《參同契》
所謂"坎戊月精,離己日光"解釋説:

---

① 《全唐文》卷三三四。

　　　　真人之意，惟以戊己之氣而為土，非以土地為土也。

這是依據納甲法推衍出來的，即以坎離二卦納戊己二干，配中央土。

　　將五行理解為氣，在唐五代丹道中也是一種通識。如《金液還丹百問訣》説：

　　　　還丹者，燒五行之精氣，含萬象之神光。①

《混元八景真經》卷四説：

　　　　五行者，真五行也，非東南西北中、金木水火土五行也。此五行者，蓋是配象，有名無形。五行真象，名具形體。又非人之五藏。人之五藏，亦是真五行結就也。②

陳摶注《陰真君還丹歌》"無質生質是還丹"説：

　　　　從無入有，從有入無。將無質氣結為陰氣，交感是也。大丹無藥，五行真氣是矣。③

彭曉《周易參同契分章通真義》説：

　　　　五行是虛無之氣，窺視難名。若以天地總數則之，則無逃其運用。致感鼎內五行自拘，陰陽交媾，火興水退，水激火衰，日魂起於朔晨，月魄終於晦暮，雄雌相禪，砂汞互生，天地自然，丹道昭矣。

放在中國哲學史上看，將五行理解為氣，不但使這門學説超越了常識性的理解方式，昇華到理論思維的層面，甚至可以説為宋儒理學將五行説與陰陽説有機地結合起來奠定了基礎，或者説充當了思想前導。理學從周敦頤的《太極圖》開始，五行説與陰陽説就被有機地結合為一個整體，如其《圖説》云："陽變

---

① 《道藏》第 4 冊，第 897 頁。
② 《道藏》第 11 冊，第 446 頁。
③ 《道藏》第 2 冊，第 880 頁。

陰合，而生水火木金土。五氣順佈，四時行焉。五行一陰陽也，陰陽一太極也。”這裏不但同樣地也將五行稱作“五氣”，而且表述了五行即是陰陽的思想。而在唐五代，這種思想正是丹家所反覆強調的，耳熟能詳。

按照唐五代丹家的理解，五行之氣的順生和返生，是由陰陽感通所推動的。如《還丹肘後訣》說：

> 大丹用之於五行，成之於四象，此是陰陽元炁感通，自然之道也。[1]

四象即天地日月。天地日月的運轉，五行之氣的流通，都與陰陽元炁的交感互通相符相應。這是自然造化的道理，也是修丹的道理。

進而言之，也正因為五行是氣，而非拘繫於具體形質的物，所以丹家能夠從容地超越於常識的局障之外，論述其五行返生之理。這也就是新五行說基本內容的另一方面。《日月玄樞論》說：

> 天地左轉，日月右行。俯而視之，則金能生水，木能生火；仰而觀之，水返生金，火返生木。“子當右轉，午乃東旋。卯酉界隔，主定二名”，此之謂也。

這裏面借鑒了西漢以來的天文學觀點，其旨意，在於用有形可見的天地日月之運行，表徵無形可見的陰陽元氣之流轉。“子當右轉”云云，出《參同契》，按納支法，子為北方水，午乃南方火，卯是東方木，酉即西方金。用納支法，與借鑒天文學觀點一樣，都在於說明一定時間內陰陽二氣的消息流通，而五行的順生返生之義，就在此陰陽消息的對待流轉之中。至於其所構想的天地日月之運行流轉之圖景，則大概與後來的《仰觀天文圖》、《俯察地理圖》相彷彿。[2]

---

① 《道藏》第 19 冊，第 177 頁。
② 此二圖見《大易象數鈎深圖》，據劉師培《讀道藏記》，出宋楊甲編撰、葉仲堪增補之《六經圖》。

六　小　結

　　通過研述唐五代道教的外丹理論，我們可以看到，中國傳統的元氣生成論思想，在這一歷史時期並未因為佛教的衝擊而湮滅。就佛道而言，圍繞元氣生成論問題構成了兩種信仰體系和思想體系的衝突。佛教針對元氣生成論以及建立在這個理論基礎上的道教信仰固然提出了各種批評，但未能動搖道教的根本信念。道教不但堅信天地陰陽的造化是真實的，而且堅信造化之理可以再現為人事之應用。這種信念，在《參同契》流系的各種丹道著作中廣泛地反映出來，並非出於某一個或者某幾個典型作家的典型言論，而是一種普遍信奉的觀念。也正因為這個緣故，丹道理論雖然缺乏體系化的自我闡述，但思想理論本身卻具有一種歷史性的厚實。

　　就儒道而言，元氣生成論以及深涵在這個理論形式之中的生機觀，可以說是二家所共同信奉的。圍繞這個問題，唐代儒家學者的理論性闡發不多，道教則闡揚甚盛。對於儒學者來說，金丹神仙之信仰也許難以接受，但在脫去了信仰的外衣之後，丹道理論的內核則是合理而且可信的。也許正因為接受其理論信念而不必接受其信仰，所以儒學者不是將天地造化之理應用於煉丹，而是應用於社會的人文建設。這方面，周敦頤是一個很典型而且具有特殊歷史意義的例子。周敦頤既稱言"始見丹訣信希夷，蓋得陰陽造化機"，但在作為其理論體系之建構的《太極圖說》中，又以"立人極"為宗旨，不言神仙之事。因為周敦頤是程朱理學的先導，這個例子便涉及到理學與道教的理論源流關係，很特別，研究者的看法也就有分歧。其實，周敦頤站在儒家關注人文建設的立場上吸收道教的丹道理論，不但是一件合情合理的事，而且並非特例。祇不過因為周敦頤在思想史上具有特殊的影響，使問題變得緊張而且敏感。

如果我們放下這個敏感的例子，就會發現站在與之相同的角度接受道教的丹道理論，在唐代便已有先例。中唐時的李德裕，以相同題目作一論一賦，其《黃冶論》說：

> 或問黃冶變化。余曰：未之學也，焉知無有？然天地萬物，皆可以至理索之。夫光明砂者，天地自然之寶，在石室之間，生雪床之上，如初生芙蓉，紅苞未拆。細者環拱，大者處中，有辰居之象，有君臣之位。光明外澈，採之者尋石脈而求。此造化之所鑄也。倘至人道奧者，用天地之精，合陰陽之粹，濟以神術，或能成之。若以藥石熔鑄，術則疏矣。昔人問楊子鑄金而得鑄人，以孔聖熔冶顏子至於殆，庶幾未若造化之鑄丹砂矣。方士固不足恃，劉向葛洪皆下（士）〔學〕上達，極天地之際，謂之可就，必有精理。[①]

顯然，李德裕對方士雖未必信，但相信天地陰陽之造化有其"至理"或者"精理"。稱言此理的煉金或煉丹之術士雖然沒有權威性，"固不足恃"，但這並不妨礙"至理"本身的真實性。也因為相信陰陽造化之理，不信方士之金丹神仙，所以李德裕主張將此至理應用於社會的人文建設。《黃冶賦》託稱董仲舒答對漢武帝說：

> 臣惟聞天地變化，聖人熔範；方士之言，臣以為詭。至如圓方為爐，造化為冶，鼓風為橐，熾陽為火，玄黃之氣，絪縕和粹，稟而生者為仁為智。是以生寶寶繁，終古不匱。天地之熔範鼓鑄也如是。及夫堯舜之化，大道為爐，中和為冶，聲教為橐，文明為火，以法天為造，以得賢為寶，是以得其鴻名，後天難老。至於仲尼無位，大莫能致，猶鑄顏與冉，底於極智，聖人之熔鑄也。取類若乃不務德業，營信秘籙，祈年永久，以極嗜

---

①　《全唐文》卷七七〇。"下士"，《文苑英華》卷七三九作"下學"。

欲,斯則不由於正道,無益於景福。①

所謂"圓方為爐,造化為冶",出《莊子·大宗師》"今一以天地為大爐,以造化為大冶。"所謂"鼓風為橐",出《老子》"天地之間,其猶橐籥乎"。將這一論一賦結合起來看,李德裕正如周敦頤一樣,接受道家道教所倡言的天地造化之理,但應用於儒家所關注的人文建設。

綜上所述,唐五代道教丹道理論中元氣生成論和生機觀,是在這一歷史時期以特殊的方式闡揚中國文化中所固有的思想理論。就唐代而言,堅持傳統的理論和信念,使道教在信仰體系和思想體系兩方面都受到佛教的衝擊,但衝擊並未阻遏道教的理論探求。這種理論探求,在形式上是藉附研述《參同契》丹道而展開的,從而與漢代的思想理論保持着歷史的聯繫性。而丹道理論在脫除神仙信仰的外衣之後,則可能對儒家學者所關注的人文建設具有思想上的啟發意義。

---

① 《文苑英華》卷一一九、《全唐文》卷六九六。

《參同契》與唐宋內丹道之流變

盧國龍

内容提要 內丹作為道教修持的重要方法,受到研究者的普遍關注。但在目前的有關論著中,研述內丹功法者多,而將內丹視為一種文化現象,系統考察其歷史流變者則尚屬少見,本文是這方面的嘗試之作。作者認為,內丹有淵源久遠的道與術兩個層面。分別以《參同契》和《黃庭經》為載體,完成由秦漢文化之傳統入於道教的轉換。並站在二者相結合的角度考察內丹道形成問題。隋唐時,丹家以《參同契》之丹道與《黃庭經》之內修術相敷釋,形成內丹道的基本形態。由唐而宋,內丹道表現為道教變革其修持方法的一種思潮,流傳範圍甚廣,形式多樣,並非單傳私授之秘術,而是承傳中國固有文化的一種特殊形態。此種考察,為進一步疏理元氣論思想由漢而宋的承傳轉合,奠定了基礎。

一 內丹的道與術兩個層面

道教的內丹修煉,提倡簡易,反對繁難。但要考察內丹修煉的歷史流變,所面臨的實際情形却又錯綜複雜,其中的許多問題,都有可能使我們陷入斬不斷、理還亂的困境。為廓清其整體面貌,我們從道與術兩個層面進行分疏。

　　道與術兩個層面,是道教修持中所固有的,既可以言之於各種修煉方術,當然也可以言之於佔其主流地位的所謂內丹。《雲笈七籤》卷四十五《秘要訣法》說:

　　　　道者虛無之至真也,術者變化之玄技也。道無形,因術以濟人;人有靈,因修而會道。人能學道,則變化自然。道之要者,深簡而易知也;術之秘者,唯符與氣、藥也。符者三光之靈文,天真之信也;氣者陰陽之太和,萬物之靈爽也;藥者五行之華英,天地之精液也。妙於一事則無不應矣。

符即符咒法術,氣與藥則屬於內外丹。這三種方術,是道教衆術中的大本大端,而歸旨都離不開道。

　　按照道教的一般說法,道是所以立教的理本,術是修行此道的方訣,二者隱顯互彰,是一種即此即彼,相須而行的關係,術使虛無之道體在應用中有所顯現,道則使術在精神理念方面得以虓華。如《太清玉碑子》說:

　　　　道隱無名,術彰有實。術彰有實,其術可行;道隱無名,而道可成。

又如杜光庭《仙傳拾遺》說:

　　　　術之與道,相須而行。道非術無以自致,術非道無以延長。若得術而不得道,亦如欲適萬里而足不行也。術者雖萬端隱見,未除死籙,因當棲心妙域,注念丹華,立功以助其外,煉魄以存其內。內外齊一,然後可適道,可以長存也。

從這些議論看,道作為術的觀念背景,既是天地宇宙的本然之理,又是修持的理想境界。而術作為修持的必要途徑,則被認為體現出道的涵蘊。這種相須而行的關凖,既是一種相互補充,也是一種相互限定。無其術,則修持無階梯,道不可自致;無其道,則方術是盲修瞎煉,甚至是怪力亂神。

　　道教的方術雜而多端。因為方術的形式不同,其所彰顯的道

之涵蘊及所具有的體系化性質,也就存在種種差別。就各種方術
比較而言,最能彰顯道之涵蘊並且具有完整之體系型態的,當數內
外丹。而內外丹之道與術的有機結合,歷史地看是一個日趨圓融
的漸進過程,既非一蹴而就,也非一成不變。如果我們對這一過程
進行大致的階段性劃分,則漢末的《周易參同契》為其發軔。隋唐
五代時,丹家對《參同契》多所敷釋,探討的焦點問題由外丹轉向內
丹,其特點是內外丹兼綜論之,言內丹又多結合於《黃庭經》一系的
內修術。北宋時內丹道的形態已成熟,完成了借鑒外丹的流變過
程,走上獨立的發展道路,其代表作,則是張伯端的《悟真篇》。此
後內丹雖分宗立派甚多,但就總體趨勢而言,是朝着道德性命之學
的方向深化,宗派之間有傳承或功法上的差別,旨趣則基本相同或
相近。

　　分疏內丹之道與術兩個層面,對於考察內丹道何時形成或者
如何形成之類的問題,可以提供適當的視角,即站在二者結合的角
度考察這類問題,將有以克服偏執於道或術所引起的各種歧見。

　　在當代學者對於道教的研究中,內丹可算是大受關注的熱點
問題之一。研究者多,研究成果也比其他方面更繁富。但由於內
丹本身的某些特性,研究者對於許多問題的看法或者判斷,往往相
去甚遠。其中歧見最大者,大概就是內丹道何時形成或者如何形
成的問題。

　　就內丹作為一種修持方法而言,特性之一就是必然要聯繫到
修煉的體驗。例如它與晉南北朝時還精行氣等內修方術的差異,
便在很大程度上要依靠體驗去辨別,否則,即使通讀丹道經書,依
然難知所謂真陰真陽或者先天精炁究為何物,與內修方術之精氣
究竟有何同異等這種特性,使內丹在語言表述方面遇到困難,可會
之於心,難宣之於口,討論時也就缺乏客觀的、量化或者範式化的
公共準則,對於何謂內丹這樣一種前提性的問題,研究者的見解也

就每有不同。而且,歷史上內丹修煉的派系極多,彼此關係錯綜複雜。其著述又往往稱號而不名,年代不易詳考。著述形式則多為詩詞,自詠修持體悟,非自成體系之宏篇巨製,其中除張伯端《悟真篇》等少數名篇之外,多數都不易受到研究者注目。這些特性,使系統疏理內丹道之歷史資料面臨着困難。而在內丹道繁富的研究成果中,系統疏理其歷史資料或具此知識背景者,實尚未之見。

與內丹道的自身特性相關,研究者考察問題的視角也多式多樣。因為對何謂內丹的問題可以有各種理解,與體驗的必然聯繫又使這個問題很難在一個共同準則的基礎上進行討論,所以考察問題的視角以及基本判斷,往往存在極大的差距,其甚者乃至不能構成對話。例如同樣從內丹之術的角度探討其形成,最早者溯源於春秋時代的《行氣玉佩銘》,最晚者則推始於五代宋初的鍾呂金丹派。又如同樣從內丹之道的角度探討這個問題,最早者有學者據《易傳》"近取諸身"之談,撰文認為《易傳》已包含內丹思想;最晚者則有學者認為五代人彭曉始以內丹法解注《周易參同契》,提出系統的內丹理論。①

---

①　在這幾種看法中,推始於鍾離權、呂洞賓較有代表性,我們略加辨析。鍾、呂是五代宋初傳說的神仙,北宋內丹家或自稱得其傳授。但其事本末,可據信的資料極少,或亦傳播內丹修煉之一派,但斷非創始者。蒙文通《陳碧虛與陳摶學派》一文曾說:"鍾、呂之事,倘猶釋氏之有惠能,要為唐宋新舊道教之一大限,而前予實為希夷,安有所謂鍾、呂者哉?"此以開宋代道教之新局者為陳摶,附會於鍾、呂,可為一說。今案,以鍾、呂可據信之資料極少,而將內丹推始於其人,蓋依據道教之傳說。大約在宋末元初,內丹家開始編排結隊譜系,並由此標立內丹之南宋和北宋。這一過程,學步於禪宗的痕跡十分明顯,至有南宗五祖、北宗五祖之說。禪宗以證悟心法而得傳衣缽,內丹家擬附之而特重修煉口訣。因為口訣是口口相授,不立文字的,所以被內丹家視為師傳秘法,是內丹術之至秘者。所謂內丹南北宗,據稱就是傳承心法口訣的譜系,而南北宗都推始於鍾、呂,如翁保光序《紫陽真人悟真篇注疏》說:"五師宗祖,口口相傳,惟此一法。"其實,所謂口訣並不是什麼絕密之術,祇不過點明丹經反復譬喻的藥物究竟是什麼,或者說藥物產生時究竟是一種什麼樣的感覺狀態而已。因為感覺狀態與性亢奮有關,丹經不便點明,祇能用各種隱喻,所以顯得很神秘。而一旦點明了,則如《悟真篇》

　　由以上幾種看法的差距之大，彼此不着邊際，可以顯見單純從丹術或者丹道的角度考察內丹道的形成，都將像沒有準心刻度的秤一樣不可靠。這使我們有必要站在道與術的結合點上來考察這個問題。如前所述，道與術的結合既是一種相互補充，也是一種相互制約，亦即在相入互訓中構成一個有機整體。

　　誠然，內丹之道與術兩方面的歷史淵源都極久遠。但對於我們理解內丹道而言，歷史淵源的意義在於表徵其文化底蘊或性質，即以中國傳統的思想理論為依據，圍繞固有文化的生命情調或旨趣進行人生修持。歷史淵源作為一種大背景，可以幫助我們廓清其與佛教的種種糾葛，對於內丹道在佛教大盛的時代裏，以其獨特形式傳承固有文化的歷史性功能，也可由此得一基本估價。但是，不能將道與術兩方面的歷史淵源一起囊括進內丹道中。此中分際，歷史固有一種限定，即內丹道所具有的神仙信仰之因素。準此而言，則所謂內丹道者，乃以系統理論推證內修可以成仙，修煉中受理論思辯之引導而以真陰真陽或先天精氣為本元，並據丹道理論而定修煉之時序。

　　進而言之，淵源久遠的內丹之道與術兩個層面，都必以道教自身的經典作為載體，完成由文化傳統入於道教的轉換，並在教內得以流播。丹道的經典即《周易參同契》，內修術的經典則主要有《黃庭經》等。所謂內丹之道與術的結合，就可考察的歷史線索而言，也可以說是《參同契》與《黃庭經》等內修道經的結合。此二書，為考察內丹形成問題之一大限，過此以往，都祇能作為文化傳統或淵源，不能推度為內丹之古始。

────────────

所說："工夫容易藥非遙，說破人須失笑。"呂洞賓《葫蘆歌》說："行着妙，說着丑，惹得愚人笑破口。"（轉引自王沐《悟真篇淺解》第140頁，此歌或亦依託之作）。所以，如果剝去口訣的神秘面紗，其實不過爾爾。而內丹家以此分南北宗且皆推始於鍾、呂，實出於分宗立派之需要，如南宗白玉蟾、元代全真道等，不足以信為史實。

　　《參同契》無疑是一種頗具創造性的著述。其創穎之處，既不在於理論體系，更非發明了什麼秘術，而在於援引漢代《易》學之道以推闡還丹之理，將二者結合起來，使丹術得以昇華。在《參同契》之前，有煉丹及煉金術，有精氣養生等內修方法，但對於這些方術，未見有系統的理論歸納和闡釋。煉丹及煉金的實踐探索，是在神仙信仰的觀念背景下進行的；而各種內修方術，則大率以巫醫之養生為其觀念背景，諸如房中還精、冥想存神等。無論內修還是外煉，都存在神秘信仰重於智性理解的問題。《參同契》的問世，為解決這個開闢了一種歷史方向。

　　對於《參同契》，唐以來即有內外丹兩種讀法，現代研究中更出現內外丹之爭，而兩種觀點都能從這本篇幅不大的書中找到證據和反證據。在我們看來，《參同契》本身所試圖凸現的，祇是修丹之道，內修與外煉二事，則是其丹道的兩方面注腳，既取諸身，又觀諸物，內外互證而推闡其原理，是《參同契》宗本於《易》學的基本運思方式。也正因此之故，它成為內丹和外丹的共同經典。此書與外丹理論的關係，已如前論。就此書與內丹理論的關係而言，則據彭曉注本有如下數章值得注意。第六十二章說：

　　　　將欲養性，延命卻期，審思後末，當慮其先。人所稟軀，體本一無，元精雲布，因氣託初。

第六十六章說：

　　　　耳目口三寶，固塞勿發揚。真人潛深淵，浮遊守規中。旋曲以視聽，開闔皆合同，為己之樞轄，動靜不竭窮。離氣內營衛，乃不用聰，兌合不以談，希言順鴻濛。三者既關楗，緩體處空房，委志歸虛無，無念以為常。（中略）修之不輟休，庶氣雲雨行。淫淫若春澤，液液像解冰，從頭流達足，究竟復上升。往來洞無極，怫怫被容中。

第二十章、二十一章説：

> 内以養己，安靜虚無，原本隱明，内照形軀。閉塞其兑，築
> 固靈株。三光陸沉，温養子珠。

> 黄中漸通理，潤澤達肌膚。初正則終修，幹立末可持。一
> 者以掩蔽，世人莫知之。

從這幾章看，《參同契》之致思有所取證於内修是毋須懷疑的。但
由於《參同契》是站在研尋修丹原理的高度俯視方術之操作，所以
更關注的是生命本元及如何培護的問題，與當時流行的各種内修
雜術有區别，《參同契》本身也有意識地將這種區别揭示出來，此即
第二十七章所説：

> 是非歷藏法，内視有所思；履行步斗宿，六甲以日辰；陰道
> 厭九一，濁亂弄元胞；食氣鳴腸胃，吐正吸外邪；晝夜不卧寐，
> 晦朔未嘗休。……諸術甚衆多，千條有萬餘，前卻違黄老，曲
> 折戾九都。

首句之"是"作"此"解，指《參同契》本身具有丹道理論之背景的内
修法。歷藏法是瞑目内視臟腑的内修方術，《黄庭經》及《老子中
經》等多言之，所舉其餘例證有醮祭、房中、吐納等。《參同契》内修
法與此等雜術之區别，第一是向生命發生的根源處尋找修煉之本，
第二是依漢《易》的卦氣説原理確立元精循環煉化之時序。這兩個
方面，也是唐宋内丹所探討的焦點問題。

《參同契》所提出的内丹理論，對隋唐以後内外丹術的發展，都
起到了引導方向的作用。如外丹捐棄五金八石，主用鉛汞，以之為
陰陽載體，探尋其自然造化之理。内丹則由此陰陽造化之理而主
張煉精化氣，多不取瞑想存神諸雜術。内丹的心性修養，其主流也
因為《參同契》流系的丹道理論以自然造化為本，所以在旨趣上表
現為以天地宇宙之大我，超越各種局障中的小我，獨具一種生命意
識和情調，與佛教之心性修持歸趣於悟空，在觀念的根深處有差

別。這些都歷史地顯現出丹道對於丹術的引導作用，即以其體系化的理論建構，蠲除修煉方術之繁蕪，摒棄某些來源於巫覡的卑瑣雜術，並使生命意識昇華到天地境界。

就《參同契》與《黃庭經》比較而言，《參同契》可謂道顯而術隱，讀《參同契》，我們可以理解還丹之理，但不能悉知具體的操作方法。而《黃庭經》則可謂術顯而道隱，對於內修方術言之頗詳，理旨則相對不足。另外，《參同契》雖成書於漢末，但在魏晉南北朝時却處於沉寂狀態，未受重視，而《黃庭經》却是此一時期奉道者普遍誦讀的道經，尤其受到上清派的推崇，其內修方法也流傳甚廣。這種重術特點和廣泛流傳所產生的實際影響，使《黃庭經》成為開啟內丹修煉之法門的另一種門徑。

站在考察內丹道形成問題的角度看，《黃庭經》所代表的內煉精氣之傳統，具有十分特殊的意義。雖然這部經書在唐宋內丹道中的地位及影響並不像《參同契》那樣突出，由唐而宋甚至呈現出一種漸趨微弱的態勢，但它對於以內事解讀《參同契》並被普遍接受和理解，確實起到了鋪墊某種觀念背景的重要作用。所謂內丹道，簡略地說就是以內事解讀《參同契》的產物。而當內丹道的形態基本完成時，《黃庭經》的歷史鋪墊作用也趨於完成，所以由唐而宋的內丹著述，旁引《黃庭經》的現象日漸減少。一個簡單的例子可以幫助我們掌握這種歷史流變，唐代的內丹著作，往往據《黃庭經》的臟腑說，將五行之氣擬配於五臟，而宋以後的內丹著作則往往對這樣的擬配進行批駁。這是在考察內丹道的形成及其歷史流變時，所當注意的現象。由有這種現象，我們可以說《黃庭經》所代表的內煉精氣之傳統，是開啟內丹道的一方面重要因素，但《黃庭經》的內煉術與內丹道又有差別，所以隨着內丹道基本形態的日漸完成，其歷史性影響也相應地化入無形，或者說不像《參同契》那樣顯著。

　　根據本文重在探討丹道理論而非方術的題旨,略過《黃庭經》服氣存神諸術不談,則除上述歷史性影響之外,其"丹田"之說,更可視為內丹道之濫觴。

　　"丹田"是《黃庭經》的一個核心概念。合《黃庭》內外二景經,"丹田"概念凡五見,另外還有多種異稱,如三田、寸田、三寸異室、丹玄鄉、三房、玄泉等。至於"丹田"概念是否由《黃庭經》首先提出來,則因為一些道經的年代不易推斷,這個問題還待考證,[①]但有一點是可以肯定的,即由於自晉及唐《黃庭經》備受重視,流傳廣泛,所以對於"丹田"之說的傳播,無疑發揮了比其他經書更為重要的作用。而"丹田"之說對於內丹道以身心為爐鼎,顯而易見是一種啟示,即由"丹田"而內丹,在致思方向上有明顯的連貫性。從《黃庭經》本身看,"丹田"為保精行氣之關鍵,如《內景經》第四章:"三田之中精氣微",《外景經》第一章:"丹田之中精氣微",都以"丹田"為精氣發生之所。又如《內景經》第一章:"回紫抱黃入丹田",第二十二章:"常念三房相通達",《外景經》第一章:"呼吸廬間入丹田",第三章:"立於明堂望丹田",都以"丹田"為行氣之關鍵。在《黃庭經》中,由"丹田"之說甚至出現內丹的思想萌芽,如《內景經》第十九章:"若得三宮存玄丹",《外景經》第二章:"選以還丹入玄泉",皆初見內丹之端倪。由《黃庭經》敘議"丹田"的這些辭例,可以說已在觀念上將內修與還丹初步聯繫起來,而這種聯繫,可與《參同契》相印證,為內丹道之濫觴。

――――――――――

　　① 王明《黃庭經考》:"關元之名,起源較古。至《黃庭經》,三關三田之說悉備。"(載《道家和道教思想研究》,社科出版社 1984 年版)此亦未確指。《黃庭經》,學者多認為出魏晉間,約與之相前後的《老子中經》、《道機經》等,亦皆有丹田之說。前書今存於《道藏》,後書已佚,其說可見於唐梁丘子白履忠《黃庭內景經》注引。

二　道術結合與隋唐內丹道的形成

　　承上所述，內丹的道與術兩個層面，分別以《參同契》和《黃庭經》為其濫觴。而由此二書為載體所推進的道與術相結合，形成內丹道，歷史地看是一個漸進的過程，發生在隋唐時期。從這一時期的有關著述看，內丹道的形成不同於一般的歷史事件，亦即很難確認某種特定的發生標誌或起點，非由某人於某時創立，而更像是變革其修持方法的一種思潮。很多著作，都內外丹兼述，從中不難看出修持方法正處於變革、轉化狀態的種種痕跡。在這些著作中，相互引述的現象又很普遍，可見內丹作為一種新的修持方法受到廣泛的關注，但作者之間多沒有師承關係，衹不過以詩文傳世，相互啟發而已。內丹道日漸形成的如此景象，無疑是紛繁複雜的，不同於某種宗派的興起及流傳。若推測其所以然之故，或許正在於道與術兩個方面的淵源都極深遠，道流稔熟，將二者結合起來驀然出一新解，且能不服金丹大藥而自修神仙，則其於道流不但大有魅力，容易接受和理解，而且很容易據其舊知識以推陳出新。於是擾擾萬緒起，各以其所得參予議論。

　　因為歷史真相本來如此繽紛萬象，其間雖有些局部小範圍的師資傳承，但放在大景像裏，顯得並不重要，所以我們大可不必像宋元之際的某些內丹家那樣，為分宗立派而擬構一個傳承譜系，衹需以例證展現其紛起景像即可。

　　我們首先以青霞子蘇玄朗為例。其事見於《古今圖書集成·博物匯編·神異典》所引《羅浮山志》載錄：

　　　　蘇玄朗，嘗學道於句曲，得司命真秘，遂成地仙。生於晉太康時，隋開皇中來居羅浮，年已三百餘歲矣。居青霞谷，修煉大丹，自號青霞子，作《太清石壁記》及所授《茅君歌》。又發明太易丹道,为《寶藏論》。弟子從游者聞朱真人服芝得仙,競論靈芝春青夏赤,秋白冬黑。惟黃芝獨產於崧高,遠不可得。玄朗笑曰:"靈芝在汝八景中,盍向黃房求諸? 諺云:天地之先,無根靈草,一意制度,產成至寶。此之謂也。"乃著《旨道篇》示之。自此道從始知內丹矣。又以《古龍虎經》、《周易參同契》、《金碧潛通祕訣》三書,文繁義隱,乃纂為《龍虎金液還丹通玄論》,歸神丹於心煉。其言曰:"天地久大,聖人像之。精華在乎日月,進退運乎水火,是故性命雙修,內外一道。龍虎寶鼎即身心也。身為爐鼎,心為神寶,津為華池。五金之中,惟用天鉛。陰中有陽,是為嬰兒,即身中坎也。八石之中,惟用砂汞,陽中有陰,是為姹女,即身中離也。鉛結金體乃能生汞之白,汞受金焉然後審砂之方。中央戊己,是為黃婆,即心中意也。火之居木,水之處金,皆本心神,脾土猶黃芽也。修治內外,兩弦均平,惟存乎真土之動靜而已。真土者藥物之主,斗柄者火候之樞,白虎者鉛中之精華,青龍者砂中之元氣。鵲橋河車,百刻上運,華池神水,四時逆流。有物之時,無為為本,自形中之神入神中之性,此謂歸根復命,猶'金歸性初'而稱還丹也。"內視九年道成,沖舉而去。

這段史料,自陳國符《道藏源流考》發掘之,引起一些學者的注意,現在我們就相關的兩個問題加以探討。

第一是青霞子蘇玄朗的活動年代以及這段史料本身的真實性問題。

此《羅浮山志》,撰人及撰作年代皆不詳,陳國符已指明非明代陳璉所撰。[①] 而從文中所引青霞子著述看,多見於宋以前史乘、道書之著錄或引錄,故可能出於宋元。作為方志,其中難免有據信地

---

① 《道藏源流考》下冊 435 頁,中華書局 1963 年版。

方傳説的內容，如年三百歲、內視九年沖舉等，既難置信，亦難詳考。所可考者，是以其説與《道藏》中有關資料作一互證。

就筆者讀《道藏》所見，年代不同的青霞子或青霞真人凡有三。最晚者為宋末南嶽道士，白玉蟾弟子，作《青霞真人內用祕文》，①此系言內丹之另一人，從略。較早者有《龍虎元旨》所稱"東嶽董師元貞元五年受之於羅浮山隱士青霞子"，此則青霞子出現於中唐，有學者因此懷疑青霞子有二人，隋唐各一。但從文中以青霞子與狐剛子等並引，又稱青霞子為羅浮山隱士的情形看，為二人的可能性不大，倒像是傳授託稱古人或由之輾轉傳授而來。最早者有《玄光先生口訣》附詩歌曰："《參同》《金碧》盡藏情，賴有陰君序節明，學人更遇清霞訣，龍虎從□識本形。"②玄光先生的活動年代，在唐玄宗朝或此前，如劉知古《日月玄樞論》説："又有玄光先生，不知何代人也，睹《日月混元經》"。③玄光詩歌中所謂"陰君序節明"，或指題署為陰長生的《參同契注》，清霞當即青霞。"清霞訣"與"陰君序節明"連舉，可信指青霞子闡發《參同契》、《金碧經》的丹訣而言。玄光先生活動在唐玄宗朝以前，青霞子更早，以此作為旁證，則《羅浮山志》載之為隋代人，大抵是可信的。

從《羅浮山志》看，青霞子的言論及著述，主旨是將《參同契》丹道應用於內修。這一主旨，也可由某些丹家所引青霞子語論，得一旁證。如《還丹衆仙論》引《茅君歌》曰：

"陰中有陽，陽中有陰，寒暑相反，虎嘯龍吟。青黑赤白，各居一方，不得參差，乃失紀綱。陽却作臣，陰乃為王。消息

---

① 文載玄全子集《諸真內丹集要》卷下，《道藏》第 32 册 468—472 頁。

② 載《大還丹照鑑》，《道藏》第 19 册 308 頁。此書序於廣政二十五年(962)，輯錄五代以前多家內外丹歌訣，頗有史料價值。

③ 《全唐文》卷 334。

在意，天道自昌。"又曰："還中亦無丹，丹中復有還，無鉛不成丹，還丹生在鉛。"又曰："白雪粉，黃金芽，不得妙，莫謾誇。時人不識真黃芽，唯知盡認鉛黃花。花本是死物，焉得到仙家？"①

又如《諸真論還丹訣》引《青霞子贊金碧龍虎經》等曰：

　　青霞《金碧》言龍虎，有名形體終難睹。虎隱在龍宮，龍行虎抱蹤。一般求不錯，兩種難尋度。會取一如人，性情不離身。

　　真鼎：煉丹先要修真鼎，功夫到日方神聖。凡物不相富，全乖陰與陽。沖和象一氣，爭奈名同異。南北路交差，朦朧是一家。

　　贊魏伯陽《參同契》：魏君三卷《參同契》，於中一一言真諦。子細說還丹，還丹事不難。制時何所似？黃白如雞子。小小一事中，乾坤法象同。

　　明水火：從來水火為樞轄，一方王處多相殺。真水與真陽，一源難改張。直須窮玄理，易字形應是。日月不相拋，坎離兩位交。

　　明火候：一陽生後為春夏，一陰才至秋冬卦。陽氣上升時，陰雲暗下垂。專須聽漏刻，莫遣乖常則。造化手中權，身為壺裏客。

　　明至藥：家家僅有長生藥，人人取用皆差錯。氣候似浮沉，問君何處尋？眼看猶不識，手授無蹤跡。大道不繁論，青龍白虎門。②

---

　　①　《道藏》第4冊334頁。此書序於宋皇祐四年（1052）。
　　②　《道藏》第4冊327頁。此外引錄青霞子語論的，還有《真元妙道修丹歷驗抄》、《龍虎元旨》、《龍虎還丹訣頌》、《九還七返龍虎金丹析理真訣》、《金丹真一論》（引稱青霞君）等。

這些言論，主旨同樣在於闡發《參同契》丹道，並應用於內修。以《道藏》所見資料與《羅浮山志》相參照，可證青霞子確為將《參同契》丹道與內修術結合起來，倡導內丹修煉的人物之一，而《羅浮山志》的載述，也大致可信。至於其稱言自青霞子後道流始知內丹，則是方志作者所得出的一個很難找到切實證據的判斷，既不必疑其假，也不必信其真，因為這個判斷本身的文化意義並不重要，重要的是從這個倡導內丹的例子中，我們可以得到一些線索，藉以考察內丹道如何興起的問題。

　　我們所要探討的第二個問題，是青霞子內丹道的大旨。從《羅浮山志》和《道藏》有關資料看，青霞子內丹道的大旨，在於將《參同契》丹道與上清派內修術結合起來，以《老子》之理論抽象作為統貫，理旨歸於"內外一道"。

　　《羅浮山志》說青霞子"嘗學道於句曲，得司命真祕，遂成地仙"。這條記載，取材於地方傳說的痕跡十分明顯，但其中也吐露出某些消息，表明青霞子之修煉法與上清派茅山宗有聯繫。句曲即茅山。茅山自陶弘景立宗，經教主要承傳《上清經》一系，而奉本地民間信仰之茅盈為祖師，號"司命東嶽上真卿太元真人"。[①]元劉大彬等所編《茅山志》卷九《道山冊》，載錄茅山道教或與之相關之著述，其中亦有"《授茅君歌》一卷，晉太康時人蘇元明撰"。[②]此則兩山志相呼應，皆顯示出青霞子與上清派茅山宗有某種聯繫。

　　此種聯繫，由青霞子謂弟子曰"靈芝在汝八景中，盍向黃房求諸"云云，可以得到些許提示。"八景"是五臟之八卦神，如《黃庭內

————————————

　　①　見陶弘景《真靈位業圖》。茅山道教敬奉三茅君的傳統，在元劉大彬等人編纂的《茅山志》中也得到反映，即彷史志體例，叙三茅君事為《三神紀》，歷代宗師則為《上清品》。

　　②　《道藏》第5冊595頁。"明"當是"朗"之誤。

景經》"兼行形中八景神,二十四真出自然"。據王明先生的看法,
此八景二十四真,為《黃庭經》要義之一。[①]　"黃房",意與"黃庭"同
義,如《黃庭內景經》云"常念三房相通達",梁丘子注:"三房謂明
堂、明房、丹田之房也。"丹田之房也即黃庭。據此青霞子之用語,
則其所得於茅山宗者,乃上清派之內修法。這是青霞子內丹道之
一方面淵源。

　　另一方面淵源即《參同契》。這一點,在前引《羅浮山志》等資
料中已梗概俱陳,《龍虎元旨》等書所引青霞子語,也大都是演繹
《參同契》之丹道。這方面,所引資料明白易曉,不再贅述。

　　我們再舉元陽子為例。元陽子之行事也很渺茫,但一些學者
從外丹和文獻角度所進行的研究,可以為我們提供許多有益的幫
助。[②]　根據這些研究以及唐宋時內外丹著作所引元陽子語論之頻
煩,可信元陽子為推闡《參同契》丹道的一極重要人物,既言外丹,
亦言內丹。其內丹之道,較諸青霞子,更加明顯地由統合《參同契》
與《黃庭經》而形成基本特色。

　　《雲笈七籤》卷一百四《元陽子傳》,主要載述其注解《黃庭經》
之事,云:"黃老以來英儒之士,多為注解,不得黃老之本旨,失其要
說。於是元陽憮然退思,採黃老之妙識,粗為其注。不能究盡道
意,深達至通,猶可為學之徒,使微悟之爾。"元陽子的《黃庭經注》
已佚,其說略見於唐梁丘子白履忠《黃庭內景經注》轉引。再從據
考為元陽子著而誤題為陰長生的《金碧五相類參同契》看,旨趣正

----

①　見其著《黃庭經考》,載《道家和道教思想研究》,中國社科出版社 1984 年版。
②　這方面可參考的論著有:王明《周易參同契考證》,考明《雲笈七籤》卷七十三
《金丹金碧潛通訣》即《龍虎經》之原本,作者即元陽子(載《道家與道教思想研究》)。陳
國符《道藏源流考》叙錄元陽子諸著述,注意到《道樞》卷三十四《參同契》下篇之元陽子
注,《道藏源流續考》復疑題署為陰長生注的《金碧五相類參同契》亦唐人注。金正耀
《〈金碧五相類參同契〉宋代別本之發現》,考明《道樞》卷三十四《參同契》下篇即此書之
宋代別本,為唐初元陽子自著自注(載《世界宗教研究》1990 年 2 期)。

在於以《參同契》與《黃庭經》相發明。此書對於《參同契》的推揚，不衹在於沿用其坎離鉛汞諸概念，更在於推重於其修丹之理。如《叙説章第一》説：

> 昔説魏君《參同契》，其中真話長生理。陰陽造化本根元，莫問他人但問己。

注云：

> 夫以學人不曉丹經子書，多生迷亂，不問自己，卻於外覓求真，何日得達天經？與道殊絕。更求五金八石，卻燒煉大藥，那能燒煉得成就也。[①]

《九轉章第十四》説：

> 九轉靈丹號曰金，仙經義奧理幽深。要識身中真大藥，須藉陰陽二炁成。

注云：

> 仙經萬卷，子書萬章，盡言鉛汞。學人不曉義理，卻將黑錫水銀用鼎器而燒，不曾有達人悟其義理。大藥不離人，身中自有也。(中略)凡修學人，悟於鉛汞之理，識認陰陽根祖，煅煉成丹，延年益算，萬病皆除。[②]

凸現一個"理"字，將悟理作為修丹的前提，是元陽子之所以推重《參同契》的出發點。回顧一下葛洪自稱不知金丹變化之本理，則唐代道教由推重《參同契》而引起的觀念變化，是十分明顯的。此所謂"理"，元陽子強調要向自身尋求，要"問己"。其涵義，據上引文句可有兩重。第一是對此"奧理"、"義理"的理解或解悟，須通過自己的思維活動，解悟是内在的，不能停留於丹經子書之表面文字或他人之道聽途説。第二是向自身參悟此理，即通過對自我生命

---

① 《道藏》第 19 册 73 頁。
② 《道藏》第 19 册 83 頁。

的體認,悟達陰陽造化之本根,"識身中真大藥"。這兩個方面,在元陽子的論述中是密切聯繫在一起的,而他由《參同契》推衍內丹的運思理路,也大致可見。

理也就是丹道,悟理必然要結合於修丹實踐,不停留於丹經子書之表面文字,也就是不就溺於概念化的純粹思辯,而必須將參悟、解悟內化為真切的體驗。元陽子由體驗所參悟到的修丹之理,概略地講就是由丹田凝煉精炁,以精炁交合而昇華為生生不息的生命本根。同上書《叙説章第一》有注云:

> 仙經云:"藥藥元無藥,鼎鼎元無鼎。為復四象成,為復五行作。"藥及鼎不離於身,莫向外求。若向外求,去仙遠矣。①

向身內求鼎與藥,反映出借鑒外丹以推度內丹的最初歷程。元陽子的內丹道,也大致可以分疏為這樣兩個方面。而兩方面的證悟,又都離不開內修體驗。

第一個方面是以丹田為鼎器。如《用功章第三》注説:

> 鉛汞相合入中宮鼎內。鼎者,黃婆也,謂之丹田。②

《日精月華章第九》説:

> 運行中宮內,丹田生黃芽。

注云:

> 中宮者,謂之鼎器也。③

《大小數章第十》説:

> 安在中宮鼎,方用八卦行。

注云:

> 中宮者,丹田也,名曰鼎器。④

---

① 《道藏》第 19 册 73 頁。
② 同上書第 19 册 76 頁。
③ 《道藏》第 19 册第 78、79 頁。
④ 同上書第 78、79 頁。

鼎器為外丹術語，元陽子之説，蓋據《參同契》。《參同契》中有
《鼎器歌》，專言其事。丹田是内修術語，元陽子蓋取之於《黃庭
經》。如此以内修外煉二法相參證，將内修法中丹田凝煉精炁的
體驗按合於外丹鼎器還丹之理，與青霞子所謂"龍虎寶鼎即身
心"云云，致思方向相同，且更明確而具體。從内丹道形成的角
度看，將丹田喻為鼎器從而證明内修可以還丹，可以成仙，是一
步關鍵性的突破。

　　第二個方面是以精炁為藥物。精炁也即鉛汞，又是陰陽之本
根。如《鉛汞章第四》注云：

　　　　鉛汞並是下元命門之根，為囊籥中所產，生於腎。[①]

《金津玉液章第七》注云：

　　　　炁者為陽，精者為陰。謂陰陽相感為正炁。正炁者，是人
　　　　之根柢也。[②]

《嬰兒姹女章第十七》注云：

　　　　學士之人，心中修養丹田元和正炁，結就煉成金丹大藥，
　　　　真陰陽炁相合。[③]

《彩真玉霞出現章第十八》注云：

　　　　修道人修身養命，丹田中有真陰真陽二炁相合，成紫
　　　　金丹，是日月之魂魄晶華相凝，散為流珠，謂之功成行
　　　　滿。[④]

顯而易見，這些説法也都出於内修與外煉的結合。鉛汞是外丹藥
物，《參同契》流系的丹家主用之，捐棄五金八石。精炁則為内修之
本，寶精愛炁是内修的一條通則，也是漢魏以來道教修持的一種傳
統。元陽子在傳統的基礎上有所推進，是將精炁明確地指喻為丹
藥，並認為此種丹藥的產生須藉附於自我凝煉，這樣就擺脱了修養

---

① ②③④ 《道藏》第 19 册 76、77、85、86 頁。

精炁在傳統上與房中術的種種糾葛。就這部著作而言,元陽子的內丹道當屬清修一派。①

從邏輯上説,元陽子既以丹田為鼎器,以自身精炁為丹藥,那麼,修煉丹田中之精炁而稱還丹,自是題中應有之義。為了揭明內還丹之證驗,元陽子甚至援引佛教所謂舍利,説:"鉛汞煉就成珠,亦呼舍利,仙人曰流珠。"流珠也就是內丹,可聚可散,如説:"散為流珠千萬顆,聚時方始作真人。"聚是聚真炁於丹田,如説:"丹田中有真炁者,不久便是真人也。"至於其具體的養煉方法,則有來源於《黄庭經》的存神默念去三尸,來源於《參同契》的三百日火候等,毋須俱述。

由以上兩例,我們可以獲悉內丹道形成的大致情形,即推闡《參同契》之丹道,以之敷釋《黄庭經》所代表的傳統內修術。這種道與術的結合,不但使以內丹法解讀《參同契》成為歷史發展的主導方向,以至宋初有道流站在內丹的角度尊之為"萬古丹中王",② 而且使內修還丹得到邏輯的論證,從而使內修能夠像服食金丹大藥一樣維護道教的神仙信仰,被作為修仙的直接途徑,而不衹是被作為養生延年之一法。

以內修法推闡《參同契》丹道的例證,還可以舉出許多。我們不妨再略言兩通,作為旁證。

---

① 《道藏》中另有題署為元陽子的內丹著作三種:一、《元陽子金液集》,有注,注引《金碧》、《潛通訣》及陶植《還金述》,故當成於中唐以後。二、《還丹金液歌注》,題元陽子修、通玄先生注,此書序引"張君五篇",即張玄德《丹論訣旨心鑑》,故當成於五代以後。三、《還丹歌訣》,題元陽子集,由此書卷上《古神仙身事歌》"劍訣曾傳遇洞賓"云云,可知集成於北宋以後,卷下則為元陽子《還丹歌訣》,其中四首可見於《還丹衆仙論》所引"元陽子云"。此三種書,作為唐宋內丹道資料固可,屬之元陽子則須審慎。

② 語見《真人高象先金丹歌》:"叔通從事魏伯陽,相將笑入無何鄉。準《連山》作《參同契》,留為萬古丹中王"(《道藏》第 24 册 152 頁)據無名氏序,高象先於宋真宗大中祥符年間在世。

　　《道藏》洞真部方法類有《真龍虎九仙經》，題羅葉二真人注。此書可見於《通志》著録，云：《天真皇人九仙經》一卷，唐葉静能撰，羅公遠、一行注。"《文獻通考》亦著録，而三人皆為注家。《宋史・藝文志》則著録"僧一行《天真皇人九仙經》一卷"。其書又可於宋曾慥《道樞》兩見之。其一為卷五之《黄帝問篇》，即此經之本文，而内容較完整。其二為卷三十一之《九仙篇》，即此經之注文，且多出僧一行一家，與《通志》等所載吻合，當是舊傳本。以三種文本相參互校，既可略得其完整面貌，又可信此經及注淵源有自，經與注雖有或分或合之異，但同一淵源，基本可信是唐人傳本。羅公遠、葉法善、僧一行，皆唐玄宗朝高道名僧。《宋史・藝文志》又著録《大易志圖參同經》一卷，云"玄宗與葉静能、一行答問語"。此書最早可見於《云笈七籤》卷七十二《真元妙道修丹歷驗抄》稱引，題為《參同契太易志圖》，而《真元妙道修丹歷驗抄》大致可斷定是唐代道書，以此旁證，則唐玄宗及葉静能、僧一行等共同探討《參同契》丹道之事，寧亦不誣。其書在唐宋内丹道中且頗具影響，不但頻見稱引，而且具有權威性質，如《洞元子内丹訣序》説："今備述神仙修養之叙，威為篇次，欲諸學者不枉其志，即不必以《周易參同契太易至圖》而合之，理實焕然。"① 即被作為舊日權威而試圖取代之。《參同契太易志圖》已佚，而從《真龍虎九仙經》及羅、葉二家注看，既採撫《參同契》的龍虎水火之喻，又據《黄庭經》演繹其内修法度。舉葉法善的兩條注為例，以見一斑。注"内安其神，外去其欲"説：

　　　　内安其神者，《黄庭經》云：人有五臟六腑、三魂七魄，毛髮以來，皆有其神。常叩齒集其神，或三十六通，或二十四通，内

---

① 《道藏》第 24 册 235 頁。

安神,無令散亂,切忌淫欲也。①

注"少用水,大用火"説:

> 夫水火者,古聖大藥也。不在於外,凡人身上有水有火。雖互説不同,其歸一也。心為火,應離。腎為水,應坎。凡修道造金丹,須憑龍虎水火也。②

此為一例,其內修金丹,亦以《參同契》與《黃庭經》之轉向發明為特色。

《道藏》洞神部本文類有《太上日月混元經》,此書《通志》著録,題元光撰,明焦竑《國史經籍志》亦著録,題李光元撰。元為玄之避諱字。李光玄之著述,另有《還丹金液百問訣》傳世。據朱越利先生考證,李光玄為盛唐前後人。③ 這兩種著述,皆以發明《參同契》丹道為特色,且內外丹兼綜論之。其內丹之道,則以丹田凝住元精元氣為訓。如《還丹金液百問訣》説:

> 元氣不散,可至長生。夫元氣者。是身中混元之氣,是人之根基。念住則氣停,神行則氣散,是以至人住息,屏是非,絶顧盼,喘息不逾於鼻外,存想常注於丹田。若丹田得實,千年可保。(中略)古歌曰:"氣是添年藥,精為續命芝。世上謾忙並謾走,不知求己更求誰。"④

此亦以元精元氣為修丹之藥,凝注丹田中。

中晚唐暨乎五代,闡揚《參同契》的丹道理論家,著名者有作《還金述》的陶植、作《丹論訣旨心鑑》的張玄德、作《周易參同契分

---

① ② 《道藏》第 4 冊 317 頁。

③ 朱越利《唐氣功師百歲道人趙日考》一文,對李光玄事蹟及《還丹金液百問訣》之傳本進行了翔實的考證,推斷李光玄為唐玄宗朝前後人(文載《世界宗教研究》1993 年第 3 期)。若玄光先生與李光玄果為一人,則此考甚確。本文前引唐玄宗時劉知古《日月玄樞論》"又有玄光先生者,不知何代人也,睹《日月混元經》"云云,可為一有力佐證。

④ 《道藏》第 4 冊 893 頁。

章通真義》的彭曉等，此由唐宋時内丹著作頻煩稱引其説可知。其
餘託名或佚名的著述，更不知其幾。① 也正因為此類著述十分繁
富，所以本文認為唐五代内丹道之興起，呈現繽紛景像，反映出道
教修持方法處於變革或轉換狀態的一種思潮，不可與某一宗派的
師資傳承同日而語。而在此繽紛景象之背後，始終貫穿着一條道
與術的主線。這條主線，對於疏理唐五代内丹道之流變來説，具有
"秉本執要"的意義。

三　兩宋内丹道及《悟真篇》之丹道淵源

　　兩宋内丹道的流傳及發展，其局面之複雜，並不稍遜於唐五
代。就其資料繁富，名家輩出之氣象而言，又遠較唐五代為甚，
其中在道與術兩個層面皆可與張伯端的傳世名作──《悟真篇》
相媲美者，亦頗有多家。但鑒於《悟真篇》在南宋以後的深遠影
響，我們將它從整體中劃分出來，專作叙論。這樣劃分，主要是
為了叙述的方便，試圖使複雜的局面簡明化，庶幾對兩宋内丹道
的流傳及發展，既有一整體性的瞭解，又有較深入的觀察，並不
意味着《悟真篇》猶日月之既出，而其他流派的論著則爝火可
息，事實上，《悟真篇》作者張伯端本身既不是道士，其書在宋
元時的傳播範圍，也主要在文人學士之間，注疏此書諸人，大都
沒有嚴格的道士身份，而是崇尚道教文化或喜愛内丹煉養的詩文
之士。這從一個方面使《悟真篇》流系的内丹道更能保持其純潔
性，即未與科儀法術之類的宗教形式發生密切關係。站在道教内

---

　　① 集成於後蜀廣政二十五年的《大還丹照鑑》，錄丹訣詩歌等凡二十九家；集成於
宋皇祐四年的《還丹衆仙論》，凡錄四十一家，其中可考者多為五代以前人。此二書所
錄，重複者極少，且多不見於今《道藏》。

部闡揚《悟真篇》丹道的，主要有白玉蟾一系，即所謂丹道南宗。此派雖將內丹用於雷法，但同樣也具有善詩能文的特色。所以概略而言，《悟真篇》在宋元文人間的流傳，情形與《黃庭經》在晉南北朝士族間的流傳頗近似，對於提高道教的文化品位以至改變道教的文化形象，都發揮了重要的作用。但是，在充分肯定《悟真篇》之歷史價值的同時，我們也應瞭解到內丹流傳非獨此一支、而為兩宋道教所普遍奉行之修持方法的事實，否則容易導致偏失，斷斷於此派丹法傳承之考辨，停留於丹道似乎祇有南北二宗的表面印象，反而忽略內丹與兩宋道教之整體的更深刻關係。

首先敘論兩宋內丹道流傳與發展的整體狀況。

比較而言，唐宋內丹道雖同樣複雜，但性質及表現形式又有所不同。如果說唐五代內丹道的複雜局面是由於修持方法處於變革或者轉換狀態所造成的，表現為某種思潮在醞釀及形成過程中所具有的紛囂景象，那麼，兩宋內丹道則因應其基本形態的日趨成熟以及某些歷史原因，呈現出兩種新的特點，即流傳的廣泛性和表現形式的多樣性。

流傳的廣泛性可從兩方面來看。第一個方面是流傳的地域十分廣闊，東到海濱，西至巴蜀，南逮瓊州八閩，北及燕趙三秦，內丹道可謂遍地開花，無處不在。略舉數例，以見梗概。

東海之濱先有天臺張無夢，宋真時人，師事華山陳摶。陳摶有《陰真君還丹歌注》，見收於《道藏》，其說亦以《黃庭》與《參同》互訓。張無夢有《還元詩》，見錄於《道樞》卷十三，又有《學仙辨真訣》，見收於《道藏》。二書所言內丹道，則以《參同契》之坎離龍虎與《黃庭經》之三疊胎仙，轉向發明。天臺又有彭仲堪，號易成子，作《大丹訣》一卷，見錄於《道樞》卷十二。[①] 其説以神氣為藥，推闡《參同契》丹道，言火候頗詳，與五代北宋時的鍾呂金丹派相類。

　　巴蜀流傳《參同契》丹道，頗有淵源，如唐劉知古、五代彭曉等。北宋所傳內丹道，則以青城山最為集中。如隱居青城山的陳朴，作《內丹訣》一卷，援用外丹所謂九轉，演繹內丹修煉之法度，每轉有歌、《望江南》詞及口訣，所述甚詳。其法以心腎交通、丹田煉氣為主旨。[②] 又如張隨，亦居青城山，注《參同契》三卷。張隨是宋仁宗時人，就目前所知，以內丹之法系統解注《參同契》，實自張隨始，而五代彭曉之《參同契分章通真義》，蓋忠實於原作，內外丹兼綜。張隨注，宋元時影響頗大，可見於《紫陽真人悟真篇三注》等書頻煩稱引。又有段昊，號亢龍子，青城山方士，《道樞》卷二十四存錄其《九轉金丹篇》，亦以內丹法敷釋《參同契》，詳論火候，其說與陳朴《內丹訣》相近。

　　內丹道南傳至福建、廣東，可以曾慥、白玉蟾為例。曾慥，兩宋之際晉江人，編纂《道樞》四十二卷。此書收集唐宋內丹資料之廣，自來無出其右者，而曾慥本人也多所撰述，以內丹闡解《參同契》之丹解，為兩宋之一大名家。白玉蟾，南宋時人，祖籍福建閩清，出生於廣東海南。入道後多所遊歷，自閩廣以至兩湖、西蜀，雲遊訪道。白玉蟾為丹道南宗第五祖，而實為南宗之真正創始人。其丹法承傳《悟真篇》一系，並結合於雷法，建立一派新道教，白玉蟾本人，也成為道教史上的一代名師。

_____

　　① 《文獻通考·經籍五十二》：“《易成子大丹訣》一卷。晁氏曰：彭仲堪撰，不著何代人，字舜元。天臺遇一異僧，授此術，論火候。”以其書見錄於《道樞》，可知為北宋以前人。

　　② 詳《道藏》第24冊226—234頁。據書前無名氏序，陳朴為“唐末五代初人”，宋神宗元豐戊午（1078年）尚在世，則生年不可測。又稱受道於鍾離先生，與呂洞賓同師（參見宋末李簡易《玉溪子丹經指要·混元仙派圖》。五代時避亂入蜀，隱居青城大面山。

　　北傳之內丹道，可以舉劉哲為例。劉哲是內丹道傳播中一位頗具傳奇色彩的人物，名號亦多，而以海蟾子之號行。史載劉哲曾事燕主劉守光為丞相，而雅好性命之學，欽崇黃老之說。又相傳得正陽子（鍾離權號）點化，棄官入道，往來於華山、終南。後被全真道尊為北宗五祖之一。《道樞》卷十二《還金篇》題名海蟾子，以《參同契》術語講論內丹之道。另據《宋史·方技列傳》，單父（今屬山東）人甄棲真，"與隱人海蟾子者以詩往還，論養生秘術，目曰《還金篇》，凡兩卷。"劉哲兩弟子馬自然及王庭揚，亦皆有內丹著作傳世。《馬自然金丹口訣》今存於《道藏》，王庭揚著述則見收於《道樞》卷二十一，題《修真要訣篇》。內丹道流傳至西北部地區，則可以天水人趙大信為例證。其所作《谷神賦》，以清靜養神、丹田煉氣為旨，理論上雖未涉言《參同契》，而以《道德》、《陰符》二經為宗，但實與《參同契》流系的內丹道同一模式。

　　由以上例證，足見兩宋時內丹道流傳地域之廣闊。若詳加考證，則五代宋初已然如此。所以，雖然兩宋內丹道有各種師資傳承，但其傳播範圍，又遠非傳承派系所可局限。

　　流傳廣泛性的第二個方面是被社會各階層普遍接受，聞其風而悅者，自帝王將相以至販夫走卒，各階層都大有人在。任繼愈先生主編的《中國道教史》第十三章《兩宋內丹派道教》，以南宋末李簡易《玉溪子丹經指要·混元仙派圖》為基本線索，考論兩宋時傳習內丹之人物，並總結說："兩宋內丹修煉者既有陳摶、張無夢、藍元道、張繼先、王老志、曹文逸等名道士，有王溥、晁迥、張中孚、李觀、曹國舅等名公巨卿，有种放、李之才等隱士名儒，有張伯端、夏宗禹等幕僚，也有市井百工之流如縫紉為業的石泰、箍桶盤櫳為業的陳楠、滌器為業的郭上竈等勞動人民，乃至乞兒、妓女、和尚，無所不有，可謂遍於社會各階層。"① 此説符合史實，甚是。

　　由上述内丹道流傳的廣泛性，我們可以粗知其氣象，並且意識到這樣一個問題：兩宋道教因為内丹道的廣泛流傳，正在與世俗社會發生一種新型的關係。如果説此前道教是以宮觀、教團等實體形式，相對獨立地存在於社會整體之中，那麼，在宋代這種存在方式並不顯得很重要，而道教作為一種文化形態存在於社會的方式則相對地凸現出來。即一方面，道傳於教外，滲透到社會的各個角落，另一方面，道也不斷地更新於教外，由崇尚其文化的學者敷陳新義。對於道教來説，這種現象既使它具有更強的普適性，非局限在特殊階層流傳的金丹、重玄等教法、教義所可比擬，也使道教除文化特徵外没有很嚴格的教派門户之標幟。在宋代，是否具有道士身份與是否服膺於道教文化，是差別很大的兩個問題。而從某種意義上甚至可以説，宮觀、教派、科儀、道士等祇是道教存在方式的一些象徵，文化形態或特質才是其存在方式的根本。換言之，宋代所謂道教，從本質上説是一種文化，這種文化的載體以及作用範圍，都遠非局限於道教内部。明確了這一點，將使我們放開視野去重新審視道教與其他文化形態——諸如理學、禪宗等等的關係，對後文將要談到的内丹道之基本理論，我們也就能有一個更真切的理解和適當的估價。

　　與此同時，道教内部也正在發生深刻的變革與更新。變革的原因誠然是多層面的，但就道教自身的重新建構而言，内丹道的流傳及發展，無疑是根本原因之一。其表現，就是内丹道滲透到道教的每一個角落，被作為一以貫之之道，對道教的各個方面進行重新詮釋，諸如經教、信仰、科儀、法術等等。將這些現象概括起來，就是本文所要討論的宋代内丹道之另一特點，即表現形式的多樣性。

---

① 《中國道教史》第 495 頁，上海人民出版社 1990 年版。

　　本文限於題旨,不宜對這個涉及到如何從整體上理解兩宋道教的問題進行系統的討論,但即使是梗概言之,對於思想敏銳者來說,也不難從中洞察到內丹道在推動道教變革與更新方面所具有的深刻影響。

　　道教的宗教形式有兩大傳統,即齋醮科儀和符籙法術。這兩種傳統在宋代所發生的變化,是以內丹修煉貫透其中,如齋醮科儀中有"祭煉",符籙發法術中有"雷法"等,此為學人所熟知,各種道教通史也每有論述,①　不再附贅。需要強調的一點是,對於參預這兩類活動的道士,歷來有一個資格審定的問題。唐以前,這種資格審定是由道士所受經籙戒律等確立的,即依其所受經籙戒律,獲得不同的道階名號,主持相應的法事。而從宋代開始,傳統的資格審定已若存若亡,內丹修煉的重要性也就相應地凸現出來,內煉成丹而外用成法,幾乎成為一條通則,如"祭煉"的默運行持既與內丹修煉儘同,"雷法"亦以內丹修煉為根基。這條通則,對於道士來說也是一種要求,即以修煉內丹作為主持法事的前提。雖然這種新的資格審定並不像唐以前那樣有其驗證的標準,某道士是否精通內丹修煉無從考核,但作為一種風氣,從總體上看對於道教的變革與更新實產生了深刻的影響。兩宋道士,精通"三洞"經教者也許沒有唐代那麼多,但是,一觸及到內丹煉養,則但凡見載於史冊者,幾乎人人都通曉。這是宋代道教所以能稱其為新局的一方面表現。

　　如果深入一步考察,我們將發現道教的信仰以及道士對於經教的理解,也因為內丹道的盛行而發生變革與更新。兩宋道教的造神運動,即以內丹成仙為主流,鍾離權、呂洞賓是其著者。而鍾

―――――――――

　　①　參見任繼愈主編《中國道教史》第十五章、卿希泰主編《中國道教史》第三卷第八章。

呂信仰在兩宋道教中流傳之廣,斷非其他神仙所可企及,以至宋元之際的道士要將宋代道教的淵源追溯到這兩位亦人亦神的人物身人。更有甚者,對於道教最高的"三清"信仰,也有道士據内丹修煉敷繹出新義。如《修真太極混元圖》說:

> 三清者,人之三田也;五太者,人之五行也。煉五行秀氣而為内丹,合三田真氣而為陽神。内丹就則長存,陽神現則升仙矣。[①]

在唐代,三清信仰與修習三洞經教聯繫在一起,其中蘊涵着道士對其信仰體系和教理體系的理解。而在宋代,三清信仰乃與内丹修煉聯繫在一起,其涵蘊,則是下文將要談到的理與氣問題。還有更典型的例子,如南宋蕭應叟以内丹道詮釋《度人經》,將元始天尊解釋為内丹修煉之元神,說云:

> 元始天尊即法身之祖炁,所謂本來面目,不壞元神,名曰真鉛者也。當說是經者,明祖炁為丹之體。[②]

這不但將《度人經》演義成了内丹經,也將元始天尊從天宫轉移到修煉者自身。至於以内丹道重新詮釋《道德經》《陰符經》等,則兩宋時比比皆是,不勝枚舉。

毋庸置疑,内丹道的流傳和發展,對宋代道教的更新曾產生深刻的影響,在科儀、法術、信仰、教理等方面,都是推動道教進行文化重建的一股巨大動力。站在這個角度看,說内丹道塑造出兩宋道教新形象,開創出新局面,大概不算誇張。

通過以上粗略的描述,我們對兩宋内丹道的整體輪廓,可以有一個印象式的認識。接下來我們討論《悟真篇》的丹道淵源問題,希望通過較為具體的考察,對内丹道作為一種文化現象的前因後

---

① 《道藏》第 3 册 94 頁。
② 《道藏》第 2 册 338 頁。

果,能產生深入一步的認識。

　　談及《悟真篇》丹道淵源,我們首先會遇到的,是其如何通過劉海蟾得傳鍾呂金丹道的問題,這在目前關於《悟真篇》的研究中,幾乎成為一種慣例。其實,如果嚴格地從學術求真的立場上來說,這根本就是一個假問題,它不但在很大程度上掩蓋了《悟真篇》的真實文化背景,而且對於認識《悟真篇》在為數不少的同類著作中何以一枝獨秀、其創穎處何在等,也是一種障礙。

　　對於這個假問題,也許毋須多費筆墨進行考證辨偽。據《悟真篇自序》說,作者曾於熙寧二年(1069 年)在成都"感真人授金丹藥物、火候之訣",詩中又有"夢謁西華到九天,真人授我指玄篇"之句。這兩處文字,其一是以精誠感通神仙,另一處則乾脆是"夢謁",此外沒有直接的資料涉言《悟真篇》傳承。而感通神仙和"夢謁",祇是立言的方便法門,本不足為據,所以,《悟真篇》丹道是否果真有一個特殊的授受傳承尚且是個問題,至於將所感通的神仙指實為劉海蟾,就更是空穴來風。其說肇因於南宋末李簡易《玉溪子丹經指要》所表列的《混元仙派之圖》,此前注解《悟真篇》諸家皆不知此事。而從李簡易所列圖表看,也還沒有明確地將張伯端指實為劉海蟾弟子,祇是將他們劃分為兩代人。與劉海蟾同代六人中,僅劉海蟾一人有所傳授,與張伯端同代六人中,則有劉海蟾弟子馬自然。所以,如果準確地描述這個圖表,是說上代人劉海蟾曾傳授丹道,馬自然為其下代,而張伯端則與馬自然為同代人。此外沒有別的意思。但由於圖表本身的模糊或者說不很明確,乃成為後人指虛為實的一點端緒,如元道士趙道一所編《歷世真仙體道通鑑》卷四十九《張用成》,即稱"晚傳混元之道而未備,孜孜訪問,遍歷四方。宋神宗熙寧二年……遂遇劉海蟾,授金液還丹火候之訣。"[①] 趙氏此書,每傳必有所據,至於這段劉海蟾傳道張伯端的故事,

----

① 《道藏》第 5 册 382 頁。

明顯是以《悟真篇自序》以及李簡易圖表為依據,糅合而成。稱張伯端"傳混元之道",便是曾採摭李簡易《混元仙派之圖》的痕跡。而將張伯端所感通的真人指實為劉海蟾,也許是出於對李簡易圖表的誤解。

由以上辨偽,可知所謂張伯端經劉海蟾得傳鍾呂金丹道云云,根本就是一個假問題。而本文之所以要對這個假問題進行辨偽,目的祇在於彰顯出另一個真問題,即《悟真篇》的真實文化背景。這個問題,不難從《悟真篇》本身找到答案。概括而言,《悟真篇》是對《參同契》及其流系之丹道理論的總結,這包括正反或建設和批判兩個方面。反過來看,《參同契》及其流系的丹道理論,即是《悟真篇》丹道的真實文化背景,是其丹道之淵源。

先看批判的一方面。《悟真篇自序》說:

> 僕幼親善道,涉獵三教經書,以至刑法、書算、醫卜、戰陣、天文、地理、吉凶、死生之術,靡不留心詳究。惟金丹一法,閱盡羣經及諸家歌詩論契,皆云日魂月魄,庚虎甲龍,水銀朱砂,白金黑錫,坎男離女,能成金液還丹。終不言真鉛真汞是何物色,不說火候法度,溫養指歸。加以後世迷徒,恣其臆說,將先聖典教,妄行淺注,乖訛萬狀。不唯紊亂仙經,抑亦惑誤後學。[①]

這段自述,向我們昭示了兩點內容:第一,作者張伯端長期以來閱讀了大量的內丹著作,對古往今來各家各派的利弊得失,深有所察;[②] 第二,所讀內丹著作的通弊,是千篇一律地重複使用各種譬喻的老套,衍述甚繁而理旨不明。

---

① 王沐《悟真篇淺解》第 3 頁,中華書局 1990 年版。
② 張伯端對同時代內丹流弊的批判尤其值得注意,如說:"今之學者,有取鉛汞為二氣,指臟腑為五行,分心腎為坎離,心肝肺為龍虎,用神氣為子母,執津液為鉛汞。不識浮沉,寧分主客?何異認他財為己物,呼別姓為親兒?又豈知金木相克之幽微,陰陽互用之奧妙?是皆日月失道,鉛汞異爐,欲望結成還丹,不亦遠乎?"所舉弊端,多自唐以來已然,蓋出於以《參同》《黃庭》二書互為訓釋之故。時人習而不察,陳陳相因,或許正是張伯端起而著書立說的動因,蓋意在匡謬也。

　　歷史地看,張伯端所指陳的内丹通弊,是内丹道經過長期流變並且廣泛流傳所形成的。自隋唐時内丹之説出,各種雜術都附會其事,於是出現以語義模糊的相同譬喻指謂各種不同方術的現象,如同樣説抽坎填離,可以有神炁相交、心腎相通、房中御女、咽液回津、存想交媾等等各種指意。這些演衍,本來就出於對《參同契》丹道的附會或猜測,由之積弊成"紊亂仙經"的現象,也就不足為怪,並且還衹是浮淺層面的。其甚深者,在於内丹道的形成過程本以《參同契》與《黄庭經》的結合為主脈絡。這兩種著作,雖然在内修精炁方面有共同點,但精炁的指意既不相同,(此即所謂先天精炁與後天精炁之分)修持的系統方法更互異其趣。將二者强相比附,便必然要出現"指臟腑為五行,分心腎為坎離"等各種牽强附會的弊端。也正因為這個緣故,宋以後的内丹家自"丹田"之説外,多不取法於《黄庭經》。

　　無獨有偶。在張伯端作《悟真篇》之前,已有《真人高象先金丹歌》傳世,其中對内丹流弊的針砭,可與《悟真篇》互證。如説:

　　　　返精内視為團空,臍下强名太一宫,先想神爐峙乎内,次存真火炎其中。常當半夜子時起,採日月華報鼎裏。妄將津液號金精,漱下丹田作神水。自云沖妙符希夷,脱胎十月生嬰兒。勞神疲思良可嘆,往往容色先人衰。(中略)何事千歧並萬路,埋没真詮無覓處。[①]

有破即有立。所破者主要是以上清派存想内修術附合於丹道,所立者則是《參同契》。將《參同契》推尊為"萬古丹中王",即始見於

────────────

　　① 《道藏》第 24 册 152 頁。據文前無名氏序,此歌於大中祥符七年(1014)傳世。《悟真篇》則作於熙寧年間(1068—1077),晚半個世紀。又,《悟真篇》所謂"夢謁西華到九天,真人授我《指玄篇》",陳摶、吕洞賓皆作有《指玄篇》,故研究者多認為《悟真篇》所指必居其一。而據《紫陽真人悟真篇注疏》,所謂《指玄篇》似即指高象先此歌。見《道藏》第 2 册 951 頁。

此歌。

又有《古神仙身事歌》，著作年代未詳，從文意看亦宋人所為。此歌同樣針砭内丹道在傳播中出現的各種流弊，同樣推尊《參同契》，並且意識到對於《參同契》有一個如何理解的問題。如説：

> 古今學者玩《參同》，旨趣元中顯異同。不識本源真旨趣，此書到老的朦朧。謂之内，説爐説鼎還似解；謂之外，無質生質還難會。《參同》意旨本分明，不遇師傳終自昧。[①]

歷史地看，自隋唐以降，研習《參同契》即蔚然成風，衍述甚繁。但由於《參同契》的立言宗旨在於兼採内修外煉二事以推闡還丹之道，加上語義古奧，多設喻，所以對《參同契》的理解也就千奇百怪，將其丹道落實到具體操作的層面，更出現各種猜測和附會，其中歧見最大者，就是内丹外丹二説。就隋唐五代總的情況看，闡釋《參同契》的主流是内外丹兼綜，即所謂"内外一道"。如前述青霞子、元陽子等，都既言内丹，又是外丹名家。這種局面，直到彭曉作《周易參同契分章通真義》時，依然沒有改變。如果僅從詮釋學的角度看，這種内外丹兼綜以探求"内外一道"的路數，應該説更符合原著的基本精神，也是詮釋的必經之路，即所謂去古未遠，不失古人本旨。但由於兩方面原因，決定了詮釋《參同契》的風氣必然要發生改變。第一，在還丹之道的層面上，内丹外丹固然一理相通，但二者畢竟又屬於兩個不同的操作系統，所以，站在内外丹兼綜的立場上詮釋《參同契》雖然極高明，但很難真正作到左右逢源，其表現，就是不能以同一種理論詮釋明確地應用於兩種不同的操作系統。換言之，同一種詮釋可能對於兩種不同的操作系統都具有理論上的指導意義，但不能同時轉化為兩種具體的操作方法，亦即不能既

作為外丹口訣,又作為內丹口訣。① 在歷史上,以內外丹兼綜詮釋
《參同契》的最高成就,當首推彭曉的《周易參同契分章通真義》,但
從彭曉的詮釋中,讀者祇能獲得對於丹道更明晰的理解,却不能獲
得很明確的丹術操作。所以即使是最高成就,也不能滿足丹術的
要求,用一句更通俗的話說,就是模稜兩可則必然兩不可。兩可是
丹道層面的,兩不可是丹術層面的。第二,隨着內丹道基本形態的
日漸成熟,如何擺脱模稜兩可的舊模式,創作出既具有《參同契》之
理論高度又專注於內丹的新經典,清理內丹與其他方術的各種糾
葛,從而使其理論體系和修持方法更系統化,便成為新時代的必然
主題。圍繞這個主題,宋代內丹著作出現兩種新趨勢。其一是純
以內丹注解《參同契》,如張隨、儲華谷、陳顯微以至宋末元初的俞
琰等,皆屬此例,並且隨着內丹本身的發展,詮釋日益圓融,因原著
某些章節本以外丹為背景所造成的扞格不通,也日益被磨合或消
解。其二是創造內丹經典的意識在成長,如宋真宗時傳世的《準易
繋辭》,即模擬《繋辭傳》的格式體例,闡述內丹之道;又如《太上老
君內丹經》、《高上玉皇心印經》、《太上內丹守一真定經》等,都是這
一時期創造出的內丹新經典,其託諸神,則是創造經典意識的表象
化。具有同樣意識而採取詩詞歌訣等著述形式的例子更多,《悟真
篇》則是其中較為卓越的一個範例。而這一點,也就是本文所要探
討的《悟真篇》總結前代內丹道之另一面,即建設性的方面。

在張伯端時代,具有相同的批判精神和建設意識者,不祇他一
人,具有相同的經典創作意識者,也不祇他一人,但其他人未能像
張伯端這樣幸運地成為經典作家。此中原由,大抵有深淺兩個層
面。就淺的層面講,《悟真篇》在同類作品中堪稱文彩富贍,後來的

① 此就大旨而論。也有個別的例外,如唐宋時內外丹皆多所稱引的《太白真人
歌》。但即便如此,也須丹家站在內丹抑或外丹的角度重新理解。

繼起述作者,非難尚其道,亦且愛其文,所以能發揮文以載道的優
勢,猶北辰居其所而衆星拱焉,注疏或稱引者接踵而至。就深的層
面講,《悟真篇》在同類作品中學理性較强,非唯不沾染各種雜術,
而且提出了一種解讀《參同契》的新思路,所以能推陳出新,即在理
解丹道傳統的基礎上,擺脱其形式化的束縛,將其理論内核抽繹出
來,予以發揮或體系化的再創造。在這個層面上,張伯端甚至表現
出了一個哲學家的氣象,而不衹是一個優越的内丹家。

　　《悟真篇·讀周易參同契》在概述《參同契》丹道理論之後,有一
小段專門談到讀《參同契》的方法,説:

　　　　本立言以明象,既得象以忘言。猶設象以指意,悟真意則
　　象捐。達者惟簡惟易,迷者愈惑愈繁。故之修真之士讀《參同
　　契》者,不在乎泥象執文。①

這種解讀《參同契》的方法,在思路上曾借鑒王弼《易》學是不言而
喻的。王弼針對象數派《易》學因比附取象而造成的種種解《易》局
障,援伸《老子》的抽象理論思維,提出得意忘象的新思路,開創出
義理派《易》學的新風氣。而《參同契》則從概念體系到運思理路,
都淵源於漢《易》象數學,即將其由推衍《周易》象數所締構的宇宙
生成原理轉用於修丹,為漢《易》象數學的流傳開闢出另一條途徑,
也開創了道教《易》學之傳統。唐五代時,丹家對於《參同契》的敷
釋堪稱繁富,但從總體上看未能跳脱其概念體系或象數模式之基
本框架,更未能以方法論為突破口進行理論體系的重建。如彭曉
的《周易參同契分章通真義》,雖將其要旨概括為"修丹與天地造化
同途",理論致思不可謂不精深,對前人歧解《參同契》的流弊也深

────────────

　　① 《道藏》第 2 册 960 頁。《悟真篇》又有詩云:"否泰才交萬物盈,屯蒙受卦稟生
成。此中得意休求象,若究羣文漫役情。""卦中設法本儀刑,得意忘言意自明。舉世迷
人惟泥象,却行卦氣望飛升。"皆伸述此意。

有所察,並試圖對《參同契》進行體系化的詮釋,但由於未能跳脫原
著的固有框架,其體系化的重新詮釋就不免流於形式。如此書之
序説:

> 曉所分真契為章義者,蓋以假借為宗,上下無準,文泛而
> 道正,事顯而言微。後世議之,各取所見,或則分字而義,或則
> 合句而箋,不無畎澮殊流,因有妍媸互起。末學尋究,難便洞
> 明。既首尾之議論不同,在取捨而是非無的。今乃分章定句,
> 所貴道理相黏,合義正文,反冀藥門附就。故以四篇統分三
> 卷,為九十章,以應陽九之數。(中略)內有《鼎器歌》一篇,謂
> 其詞理鈎連,字句零碎,分章不得,故獨存焉,以應水一之數,
> 喻丹道陰陽之數備矣。①

為了將《參同契》的概念、象數融匯為一個整體,彭曉還作有
《明鏡圖》一幅,"列八環而符動靜,明二象以定陰陽"。八環包
括後天八卦、二十八宿、三十日之月象、十二辟卦、十二友、四
季、五行等,其旨趣,則在於使《參同契》幽邃繁蕪的概念、象
數一覽無遺。

以彭曉與張伯端相比較,其共同點在於都意識到研習《參同
契》有一種瑣屑無歸旨的流弊,不同點在於克服流弊的方法互異。
從表面上看,這種差異是由著述體例造成的,而從更深的層面看,
則是時移世易使之然。在彭曉的時代,站在內外丹兼綜的角度推
闡《參同契》丹道是主流,而在張伯端的時代,站在內丹角度推闡
《參同契》丹道則成為主流。專言內丹,就不能完全照着《參同契》
本旨講,而必然要採取接着講的方式,這在北宋時是常例,悟空見
慣,但不一定都能達到以方法論上進行突破的高度。達不到這個
高度而將《參同契》依章循句地解釋為內丹,其中就不免有各種牽

---

① 《道藏》第 20 册 132 頁。

強附會，臆斷曲説。① 從這個意義上説，張伯端明確提出解讀《參同契》的方法問題，對於内丹道的進一步發展具有撥開迷霧、走出模糊混沌的歷史意義，而這一點，也許正是《悟真篇》之所以能够成為内丹經典之作的真正秘奧。②

與其解讀《參同契》的方法相關聯，張伯端又推重《道德》、《陰符》二經。説云：

　　《陰符》寶字逾三百，《道德》靈文止五千。今古上仙無限數，盡從此處達真詮。③

此所謂“真詮”，蓋指與自然造化一理相通的丹道而言。為了闡明斯理，《悟真篇》繼而有七絶五首，詠味《道德》、《陰符》三經之理旨。當然，詠味是從由丹的角度出發的，但就其運思理路而言，與王弼之《易》《老》互訓，正相髣髴。

如上簡述，張伯端解讀《參同契》的方法，既使我們對《悟真篇》何以成為内丹之經典作品具有一種理解，也間接（同時也更深入）地了解到《悟真篇》丹道的歷史淵源。儘管《悟真篇》的著述體例不屬解注《參同契》範圍，但其理論却毫無疑問由總結《參同契》流系丹道之得失而來，至於援伸《道德》、《陰符》二經，則出於理論抽繹的需要。關於這一點，我們還可以從宋元諸家《悟真篇》注疏中得

---

　　① 如宋有佚名者作《參同契摘微》，專解“以金為隄防”一章，有云：“余謂魏公玄要，悉在此章。彭真一、陳抱一（按即彭曉、陳顯微）、儲華谷三家議論不同，中間寧無穿鑿？其説皆失經意。愚不自揣，輒將師旨，率為之注。蓋此章首尾次序，收功證驗，皆有法度，故釋其義。其餘諸章，引明天道，啟發人用，俱可以心領而意會也矣。”（此文夾附於南宋陳顯微《周易參同契解》之卷末與後叙之間，見《道藏》第 20 册 295 頁）。

　　② 丹家推崇《悟真篇》的例子極多，如元葆起宗稱此書“實為千古丹經之祖，垂世立教，可與《周易參同契》並傳不朽。”（《悟真篇注疏序》，《道藏》第 2 册 910 頁）又如清董德寧説：“得魏公倡之於前，而張君和之於後，自可循流以達源，見標以知月。其前後諸家丹書，無出二公之右者，可謂觀止矣，不用他求焉。”（《悟真篇正義自序》），守一子校正本第 2 頁）。

　　③ 《道藏》第 2 册 950 頁。

到旁證，如《修真十書》本《悟真篇》注，多引證《參同契》、《大易志圖》、彭曉等作為疏釋；《紫陽真人悟真篇注疏》，亦多引《參同契》及太白真人、陶植、彭曉、張隨諸家之敷釋。宋元人的這些注疏，以辭章考釋的形式揭示出《悟真篇》丹道淵源於《參同契》流系的歷史真相。明確了這一點，則既不必受鍾呂傳道之傳說的朦蔽，對張伯端本人高唱三教合一、融攝禪宗心性學說之實義，也自有一真切理解。蓋其本體論思想建立在《參同契》流系丹道理論的基礎上，此為漢唐以來由丹道所承傳的中國傳統思想，也是張伯端融攝禪宗心性學說的基本立場。

四　小　結

如上考察《參同契》與唐宋内丹道之歷史流變，我們可以作出兩點簡短的結論。

第一，就内丹所具有的道與術兩個層面而言，它是一種文化現象，並非一般印象中的所謂秘術。在歷史上，内丹也許不像玄學、重玄學以及佛教般若學那樣堪稱“顯學”，但其流傳之廣、在唐宋道教以至整個社會中傳播某種思想觀念的實際作用，都遠非局趣於秘術所能評估。

第二，此種文化現象，是以修煉成仙的特殊形態承傳轉載中國固有的思想文化。其所謂道，以《參同契》所載述的漢《易》天道觀為宗本，據此探索天地造化與修煉還丹相通貫的固有之理，所以在唐宋各種丹經中，道又常見被稱作“理”。其所謂術，則以養精行氣為根本，是對秦漢之精元氣論思想的具體應用。“理”與“氣”作為對“道”與“術”的進一步詮釋，既是唐宋内丹著述的常用概念，是其思想理論的兩個基本點，又是啓迪宋儒理學的歷史前奏。這個問題雖有待另文研述，但基於本文之歷史考察，也可知内丹道為承傳

秦漢思想文化的一條重要脈絡。換言之也可以説,秦漢時的元氣
論等思想,在魏晉以後雖然經歷了玄學尤其佛教般若學的强烈衝
擊,但並非泯滅,而是在道教中的丹道的形式承傳下來。歷史地
看,這是一種文化命脈的流傳,而宋以後之學術,既吸收佛學又復
歸於中國傳統文化之本位,則是這一文化命脈的發揚光大。

陳摶易學思想探微

李遠國

內容提要 在中國易學史上，陳摶是一位繼往開來的重要人物。他上承秦漢以來《周易》象數學之絕脈，開啟了易學史上輝煌的一頁，那就是對兩宋道德文章有很大影響的河洛、先天、無極之學。本文着重論述了陳摶的易學思想、學術淵源及其影響。

一 陳摶的易學著述

據史籍記載，陳摶畢生精研《周易》，為世人稱道。《宋史·陳摶傳》曰："摶好讀《易》，手不釋卷。"元張輅《太華希夷志·序》曰："先生明《易》，深造玄妙之理，視人之禍福、物之休咎，其應有如蓍龜。"關於他所著的易學方面的文獻，大概有以下幾種：

(1)《易龍圖》一卷。此書為《宋史·藝文志》易類收錄。今僅存其序，收入《皇朝文鑒》卷八五中。對此，蒙文通先生曾考辨說："觀於希夷、鴻蒙受詔酬對之際，正其宗風所在。視林靈素輩之術，非能之而不言，殆有不屑為者。則已厭上來隋、唐之舊轍，而極研幾於圖書象數，此又新舊道流之一大限也。呂東萊編《宋文鑑》，於希夷取《龍圖序》一篇，此正宋之道家所以異於隋、唐符籙丹鼎之傳者,故東萊取之耳。"①

　　(2)《正易心法注》一卷。《宋史·藝文志》易類曰:"麻衣道者《正易心法》一卷。"麻衣道者為五代宋初人。宋政和癸巳(1113年)章炳文撰《搜神秘覽》中有傳,謂其姓氏、籍貫不詳,精通相卜佛學,"人問其甲子修短,及卜前因未來,皆書畫於紙。其言以接引世俗明了本性,大抵戒人歸於為善杜惡已,而乖暌分錯,不可探索。"在宋代的許多典籍中,如《宋史·太祖本紀》、《宋人軼事匯編》、《邵氏聞見錄》、《貴耳集》、《續聞錄》、《湘山野錄》、《洞微志》、《輿地紀勝》等書中,都可見到有關麻衣道者的記載,可見確有其人。陳摶師事麻衣,並贊譽老師"道行高潔,學通天人,至於知人,尤為有神仙之鑒"。② 他得麻衣《正易心法》,為之注釋。宋釋誌磐《佛祖統紀》卷四三曰:"處士陳摶,受易於麻衣道者,得所述《正易心法》四十二章,理極天人,歷詆先儒之失,摶始為之注。及受河圖、洛書之訣,發易道之秘,漢晉諸儒如鄭康成、京房、王弼、韓康伯皆所未知也。"述曰:"五季之際,有方服而衣麻者,妙達易道,始發河圖之秘,以授希夷,希夷始著訣傳世。"《佛祖統紀》成書於南宋咸淳五年(1269年),以景遷《宗源錄》、宗鑒《釋門正統》兩書為基礎,採擇史料豐富,編選精審,有關《正易心法》的記載必有所本,可信。

　　該書傳世后,首先為之作序的是與邵雍、周敦頤同時代的李潛。其序作於北宋崇寧三年(1104年),曰:"麻衣道者《羲皇氏正易心法》,頃得之盧山一異人。或有疑而問者,余應之云:何疑之有,顧其議論可也。昔黃帝《素問》、孔子《易大傳》,世尚有疑之。嘗曰:世固有能作《素問》者乎? 固有能作《易大傳》者乎? 雖非本真,亦黃帝、孔子之徒也。余於《正易心法》亦曰:世固有能作之者

　　① 　見《蒙文通文集》第一卷第 375 頁,巴蜀書社 1987 年 7 月版。
　　② 　見宋錢希白《洞微志》。

乎？雖非麻衣，是乃麻衣之徒也。胡不觀其文辭議論乎！一滴真金，源流天造，前無古人，後無來者，翩然於羲皇心地馳騁，實物外真仙之書也。讀來十年方悟，浸漬觸類，以知易道之大。如是也，得其人當與共之。崇寧三年三月九日廬峰隱者李潛幾道書。"①

序中所言的異人，或云為許堅。考許堅與陳摶同時，北宋真宗景德末（1007 年）卒於金陵，故不可能傳授此書予李潛或云為廬山老僧壽涯。毛奇齡說："山陽度正，字周卿，朱晦庵門人。有云或謂周先生與胡文恭公同師鶴林寺僧壽涯，又謂邵康節之父邂逅文恭於廬山，從隱者老浮屠遊，遂同受易學。是所謂隱者，疑即壽涯也。按李潛序《麻衣易》，云是書頃得之廬山隱者，此亦與廬山隱者老浮屠說合。則度正謂隱者即壽涯，自必有據。"②

到了南宋時期，該書至少已有兩種傳本。一為李潛序本，一為張栻跋本。兩本文句略有差異。如四十一章注，李本作："學易者當於羲皇心地中馳騁，無於周、孔言語下拘攣。"張本作："學者當於羲皇心地上馳騁，無於周、孔腳跡下盤旋。"張栻在其序中儘管並不贊同《正易心法》中一些觀點，但他認為此書確為麻衣、陳摶著作。他說："嗚呼！此真麻衣道者之書也。其說獨本於羲皇之畫，推乾坤之自然，考卦脈之流動，論反對變復之際，深矣，其自得者歟？希夷隱君，實傳其學。二公高視塵外，皆有長往不來之願，仰列御寇、莊周之徒歟？"③ 然此書自從被朱熹斥為戴師愈的偽作之後，長期被人忽略。對此，筆者曾撰《正易心法考辨》，④ 對該書的淵源、傳授、語言文字、思想內容及社會影響幾個方面加以考證，認為此書並非偽作，而是麻衣、陳摶的一部重要著作。

---

① 見《古今圖書集成·經籍典》一百九卷。
② 見毛奇齡《毛西河全集》卷七。
③ 見宋陳振孫《直齋書錄解題》。
④ 見《社會科學研究》1984 年 4 期。

（3）《觀空篇》。收載北宋曾慥編《道樞》卷十。曾氏提要曰：
"動或不撓，滯或不通，當究其極，以觀五空。"篇中將佛教的空觀與
易理、丹道相結合，頗多創意，為陳摶的重要著述。

（4）《廣慈禪院修瑞像記》。此碑記原載清陸耀遹《金石續編》
卷十三，題曰："裝本，高廣行數不計，正書。篆額題：廣慈禪院新修
瑞像記。在咸寧。"碑首有："京兆府廣慈禪院新修瑞像記　　華山
希夷先生陳摶撰　　前鄉貢進士楊從乂書丹篆額。"碑尾有："大宋
雍熙二年歲次乙酉三月戊辰朔十八日壬戌僧義省建　　武威郡安
文璲並弟文璨鈐鐫字。"其後尚有沙門師忠、師政、義全、義能及官
宦張擢、解汾等署名。此碑記亦收入陳垣編《道家金石略》第 223
頁，列在宋代碑記類。考宋之京兆府轄縣十三，治所在咸寧（今西
安市）。此碑立於北宋雍熙二年（985 年），其時陳摶尚存，正隱居
華山雲臺觀，故其文為陳摶所撰，可以確定。又碑記文中引易道以
證佛學，言"龍馬"先天之理法，這與《易龍圖》、《正易心法注》、《觀
空篇》等學說完全一致，亦可證之。

（5）《河圖》、《洛書》、《先天圖》、《無極圖》等。這是陳摶所作或
所傳的一些易圖。宋朱震《進周易表》曰："故前代是《繫辭》、《說
卦》為《周易大傳》，爾後馬、鄭、荀、虞各自名家，說雖不同，要之去
象數之源未遠也。獨魏王弼與鍾會同學，儘去舊說，雜之以老莊之
言，於是儒者專尚文辭，不復推原《大傳》，天人之道自是分裂而不
合者七百餘年矣。國家龍興，異人間出，濮上陳摶以《先天圖》傳种
放，放傳穆修，修傳李之才，之才傳邵雍；放以《河圖》、《洛書》傳李
溉，溉傳許堅，許傳范諤昌，諤昌傳劉牧；修以《太極圖》傳周敦頤，
敦頤傳程頤、程顥；是時張載講學於兩程、邵雍之間。故雍著《皇極
經世》之書，牧陳天地五十有五之數，敦頤述《易傳》，載造《太和》、
《叄兩》等篇，或明其象，或論其數，或傳其辭，或兼明之，更唱迭和，
相為表里。"元錢義方《周易圖說·序》亦曰："寥寥千載，易學絕響。

宋之陳摶,始本吾聖人'易有太極、兩儀、四象、八卦,因而重之,及天地定位'等說,為橫、圓、大、小四圖,傳之穆、李以及邵子;而又本'帝出乎震'之說,為後天圓圖,因大橫圖之卦,為否、泰反類方圖,於是易之有圖,始大明於天下。"

　　以上這些文獻與易圖,綜合加以考察,可見它們的學術思想、語言文句都是互相貫通、風格一致的,這是探討陳摶易學思想的基本依據。

二　龍圖、河洛之學

　　一部《周易》,自成書之後,因後人的理解不同而分為兩派。義理派着重通過對《周易》文辭的解釋,來探究其中的哲學、倫理之學,象數派則偏重於易象、易數的研究,並將其與黃老之學、煉養方術及讖緯之說相結合。前者依託於文王、孔子,即儒生們推崇的"聖人之《易》";後者依託於伏羲,這就是後人所言的"老氏之《易》"、"方士之《易》"。兩種傳統,不同風範,義理派與象數派的興衰交替,便構成了一部易學發展史。

　　義理和象數從表面上看似乎勢同水火,互不相容,其實這是一種誤解。探究《周易》要以義理為主,但却離不開象數。因為《易》生於筮,筮源於數。"名物為象數所依,象數為義理而設"。象和數本是《周易》中原有的成份,《繫辭傳》說:"聖人設卦觀象,繫辭焉而明吉凶。"《說卦傳》說:"幽贊於神明而生蓍,參天兩地而倚數。"因此,義理、象數兩派雖各有倚重,但其相互影響、彼此交融之處却處處可見。

　　在探究漢唐易學的基礎上,陳摶雖直承象數絕脈,但却主張義理、象數兼融。他說:"易學意、言、象、數,四者不可闕一,其理皆見於聖人之經,不煩文字解說。止有圖,謂先天方、圓圖也,以寓陰陽

消長之説。"① 在陳摶看來,象數、義理本是易學中和諧的統一體,
何有分離? 就象而言,是乾☰與坤☷;就數而言,是奇與偶;就理而
言,是陽與陰,這三位一體的觀念,是整個易學體系的理論基礎。
正如其後學邵雍所言:"意、言、象、數者,易之用也。""天意也者,盡
物之性也;言也者,盡物之情也;象也者,盡物之形也;數也者,盡物
之體也。"②

所謂"象",《繫辭上》曰:"聖人有以見天下之賾,而擬諸其形
容,象其物宜,是故謂之象。"陳摶説:"易之取象,世所知者數卦而
已,如賾,如鼎,如筮噬之類是。殊不知易者,象也。依物象以為
訓,故六十四卦皆有取象。如屯象草木,蒙象童稚,需象燕賓,訟象
飲食,師象軍陣,比象翼載,家人象家正,暌象覆家,餘卦盡然。"③
也就是説,"象"是天地萬物、客觀世界的一種表象、一種象徵。如
兩儀、四象、八卦、六十四卦,都可謂之"象"。

所謂"數",《繫辭上》曰:"參伍以變,錯綜其數,通其變,遂成天
地之交;極其數,遂定天下之象。"陳摶則説:"生數,謂一二三四五,
陰陽之位也,天道也。成數,謂六七八九十,剛柔之德也,地道也。
以剛柔成數,而運於陰陽生數之上,然後天地交感,吉凶葉應,而天
下之事無能逃於其間矣。"④ 也就是説,各種卦象所代表的天地萬
物,都起於數,數又來自天地陰陽的消長。由於天地交感、萬物繁
衍而永不息,使得象、數的演變錯綜複雜,而這正顯現了事物發展
的無限性與多元化。

所謂"理",《説卦》曰:"昔者聖人之作易也,將以順性命之理。
是以立天之道,曰陰與陽。立地之道,曰柔與剛。立人之道,曰仁

① 見《楊升庵全集》卷九引。
② 見《觀物内篇》卷四。
③ 見《正易心法注》十七章。
④ 見《正易心法注》三十八章。

與義。兼三才而兩之，故易六畫而成卦，分陰分陽，迭用柔剛，故易六位而成章。”陳摶亦說：“易之為書，本於陰陽，萬物負陰而抱陽，何適而非陰陽也。是以在人惟其所入耳。文王、周公以庶類入，宣父以八物入，斯其上也；其後或以律度入，或以曆數入，或以仙道入，以此知易道無往而不可也。”[①] 也就是說，無論象、數的表象多麼複雜，但歸根結底都是演示陰陽變化之道、盡性至命之理。

在陳摶看來，象、數、理三者之中起決定作用的是理，象和數祗不過是表示理即陰陽消長、性命窮盡的模式而已，並沒有什麼神秘的色彩。不過，要想瞭解易理的內奧，卻離不開對易象與易數的剖析。正如《正易心法》五章所說：“六十四卦，無窮妙義，盡在畫中，合為自然。”運用各種易圖來闡發《周易》的象、數、義理，這當是陳摶的一大創舉。其中，《龍圖》即為此類易圖之首。

《龍圖》亦即《易龍圖》，它包括“圖”和“文”兩部份。至宋末元初時全書尚存。元初道士雷思齊就嘗親見全貌。他說：“及宋之初，陳摶圖南始創古，推明象數，閔其賤用於陰陽家之起例，而蕪沒於《乾鑿度》太一，取其數以行九宮之法，起而著為《龍圖》，以行於世。愚幸及其全書，觀其離合出入具於制數之說，若刳心而有以求義、文之心者也。”[②]據雷思齊所言，圖式共有二十，“是全用《大傳》天一、地二至天五、地十、五十有五之數，雜以納甲，貫穿易理”[③]，其中包括有《洛書》、《河圖》。“自圖南五傳而至劉牧長民，乃增至五十五圖，名曰《鉤隱》”。[④]

陳摶《易龍圖》今僅存序文。但據其序文可知“龍圖”三變之說。《龍圖序》曰：“且夫龍馬始負圖，出於羲皇之代，在太古之先也。今存已合之位，或疑之，況更陳其未合之數耶？然則何以知

---

① 　見《正易心法注》四十一章。
②③④　見雷思齊《易圖通變》

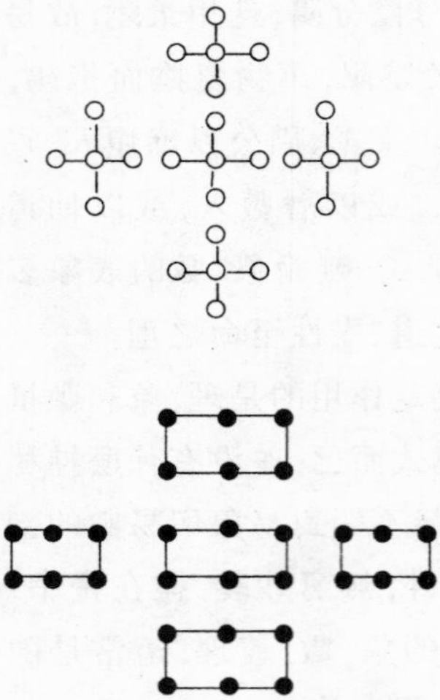

圖一　天地未合之數圖

之？答曰："於仲尼三陳九卦之義探其旨,所以知之也。況夫天之垂象,的如貫珠,少有差,則不成次序矣。故自一至於盈萬,皆累累然如繫於縷也。且若龍圖本合,則聖人不得見其象。所以天意先未合其形其象,聖人觀象而明其用。是龍圖者,天散而示之,伏羲合而用之,仲尼默而形之。"①

　　這裏所説的"仲尼三陳九卦之義",是取自《繫辭下》,因為書中對履、謙、復、恆、損、益、困、井、巽等九卦之德講了三點,故名。據此,陳搏提出了龍圖三變之説:一變為天地未合之數,二變為天地已合之數,三變為龍馬負圖之形。元張理《易象圖説内篇》載有龍圖三變圖式,即依陳搏《龍圖序》大旨而作。下面根據張理的《易象圖説内篇》圖式,略述龍圖三變。

　　第一變的圖式是"天地未合之數"(見圖一)。上位白點〇象徵陽,下位黑點●象徵陰,上下位黑白點相加共五十五。即《龍圖序》中所説:"始龍圖之未合也,惟五十五數,上二十五,天數也,中貫三、五、九,外包之十五,盡天三、天五、天九並十五之用。後形一、六無位,又顯二十四之為用也。兹所謂天垂象矣。下三十,地數也,亦分五位,皆明五之用也。十分而為六,形坤之象焉。六分而幾四象,地六不配。在上則一不用,形二十四;在下則六不用,亦形二十四。"其中天數以五為單位組成,共有五組,所以説"天五"。再看每組的縱橫排列都是三,五個組的縱橫排列也是三,故謂之

---

　　① 見《皇朝文鑑》卷八五。

"天三"。所謂"天九",是指五個組的縱橫之數皆為九。又因為天數的縱橫總數各為十五,所以又說"中貫三、五、九,外包之十五"。地數以六為單位組成,共有五組,此即《序》中所言"下三十,地數也,亦分五位,皆明五之用也。十分而為六,形坤之象焉。"在上位中包含着一、三、五、七、九這五個基本奇數,在下位中包含着二、四、六、八、十這五個基本偶數,上下奇偶之數相加的總數為五十五,此即天地之數。但由於奇、偶分居上、下,故稱"天地未合之數",這就是龍圖一變之説。

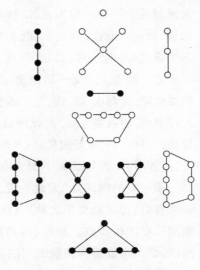

圖二　天地已合之位圖

第二變的圖式是"天地已合之位"(見圖二)。此圖亦分上下。上位合一、三、五,謂之"參天",偶二、四謂之"兩地",奇、偶相合為十五,即為五行生數——天一生水,地二生火,天三生木,地四生金,天五生土。下位由六、七、八、九、十組成,加起來共四十,則為五行成數——地六成水,天七成火,地八成木,天九成金,地十成土。其圖之最上的○表示"天一居上,為道之宗",最下的 則體現"地六居下,為器之本"。上、下相合,即顯示了天地生成之數推衍五行、八卦、萬物的規律。

按照張理的看法,天地已合之後,五行、八卦、河圖、洛書相繼問世,而龍圖為其宗祖。他説:"上下相重,而為五行,則左右前後生成之位是也。上下相交,而為八卦,則四正四隅九宮之位是也。""是故一在南,起法天象,動而右轉,初交一居東南,二居西北,三居西南,四居東北,四陽班布居上右,四陰班布居下左,分陰分陽,而天地設位。再交一居東北，二居西南，三居東南，四居西北，則牝牡相禦，而六子卦生，合是二變，而成先天八卦自然之象也。然後重為生成之位，則一六、二七、三八、四九，陰陽各相配合，即邵子、朱子所述之圖也。三交一居西北，二居東南，三居東北，四居西南，則剛柔相錯，而為坎、離、震、兌。四交一居西南，二居東北，三居西北，四居東南，則右陽左陰，而乾坤成列，合是二變，而成後天八卦裁成位也。再轉則一復於南矣。《大傳》所謂"參伍以變，錯綜其數，劉歆云'河圖洛書，相為經緯，八卦九章，相為表裏'，此其義也。"①

第三變的圖式是"天地生成之數"，亦即陳摶所傳《河圖》。其後尚有《洛書天地交午之數》、《洛書縱橫十五之象》等圖式，均系由龍圖三變演衍而成。關於《河圖》、《洛書》，後經劉牧、邵雍等分別推演，從而形成影響甚廣的河洛之學。

陳摶的《河圖》、《洛書》傳世不久，便引起了宋代學術界的廣泛關注。清毛奇齡《河圖洛書原舛編》曰："乃趙宋之世，當太平興國之年，忽有華山道士陳摶者，驟出《河圖》、《洛書》並《先天圖》古易，以示世，稱為三寶。並不言授自何人，得自何處，傳自何家，出之何書之中，嬗之何方術技士之手，當時見之者亦未之信。惟游其門者有种放、李溉二人，深契其說，而放受先天四圖，溉受圖書，各得一寶。溉傳許堅，堅傳范諤昌，諤昌傳劉牧，至牧而其說始行於時，於是寶曆前後，士子說易者始言圖書。"

然自陳摶之後，河洛之學便存在"九、十"之爭。即邵雍、朱熹一系以《河圖》之數為十，《洛書》之數為九，而劉牧、朱震一派以九為《河圖》，十為《洛書》，其說截然相反，皆言傳於陳摶。依筆者所考，邵雍之說為是。因陳摶《龍圖序》中所言五十五數，則本以十為《河圖》。而且劉牧的老師范諤昌所言亦以《河圖》之數為十，他說：

---

① 　見張理《易象圖說內篇》卷上。

"龍馬負圖出河，羲皇窮天人之際，重定五行生成之數，定地上八卦之體。故老子自西周傳授孔子造易之原，天一正北，地二正南，天三正東，地四正西，天五正中央，地六配子，天七配午，地八配卯，天九配酉，地十配中，寄於未，乃天地之數五十有五矣。"① 顯然，至范諤昌時尚以十為《河圖》，並無九、十圖書之辨。

　　以十為《河圖》九為《洛書》，這也符合古說。正如蔡元定所言："古今傳記，自孔安國、劉向父子、班固皆以為《河圖》授羲，《洛書》錫禹，關子明、邵康節皆以十為《河圖》，九為《洛書》。蓋《大傳》既陳天地五十有五之數，《洪範》又明言天乃錫禹訣範九疇，而九宮之數戴九履一，左三右七，二、四為肩，六、八為足，正龜背之象也。唯劉牧臆見，以九為《河圖》，十為《洛書》，託言出於希夷，既與諸儒舊說不合。"②

　　陳摶的《河圖》(見圖三)以五生數統五成數，故曰用十。其中有奇有偶，奇數屬陽，用白點表示；偶數屬陰，用黑點表示。他說："天一生水，坎之氣孕於乾金，立冬節也。地二生火，離之氣孕於巽

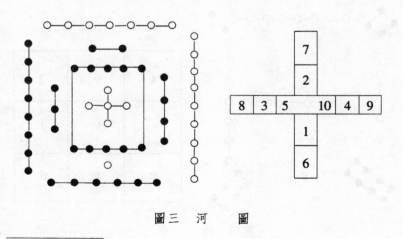

圖三　河　　圖

①　見雷思齊《易圖通變》卷五引。
②　見朱熹《易學啟蒙》蔡元定注。

木,立夏節也。天三生木,震之氣孕於艮水,立春節也。地四生金,
兌之氣孕於坤土,立秋節也。天五生土,離寄戊而土氣孕於離火,長
夏節也。凡此,皆言其成象矣。天一與地六合而成水,乾、坎合而水
成於金,冬至節也。地二與天七合而成火,巽、離合而火成於木,夏
至節也。天三與地八合而成木,艮、震合而木成於水,春分節也。地
四與天九合而成金,坤、兌合而金成於土,秋分節也。天五與地十合
而成土,離寄於己而土成於火也。凡此,皆言其成形矣。"[1]

《河圖》以生數為主,因此一、二、三、四、五居内,六、七、八、九、
十居外。一、六為水,居於北方;二、七為火,居於南方;三、八為木,
居於正東;四、九為金,居於正西;五、十為土,居於中央。成數在
内,生數在外,互以對待,各處一方。其左旋運轉主生,金生水,水
生木,木生火,火生土;左旋一周,土復生金……如此生生不息。這
就是《河圖》包含的五行相生學説。

有生必有克。《河圖》主左旋相生,《洛書》主右旋相(見圖四)

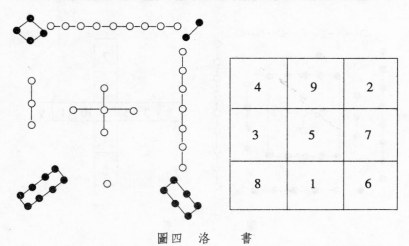

圖四　洛　　書

---

①　見《正易心法注》三十七章。

主右旋相克。陳摶說："其訣曰：戴九履一，左三右七，二、四為肩，六、八為膝，縱橫皆十五，而五居其室。"①《洛書》以奇數為主，故一、三、七、九各居四方，五處中央；二、四、六、八則各以其類附奇數之側。正者為君，側者為臣，以陽統陰，而肇變數之用。其數縱橫相加，皆為十五。陰消陽息，迭為消長。一、六為水，二、七為火，四、九為金，三、八為木，五即為土。其右旋運轉，水克火，火克金，金克木，木克土；右旋一週，土復克水……如此互相克制。這就是《洛書》包含的五行相克學說。

五行的相生相克，寓寄着天地間陰陽的消長變化。將《河圖》、《洛書》結合而看，就是一個由天地生成之數構成的陰陽消長、五行變化、萬物繁衍的宇宙生成模式。陳摶在這裏用數的形式來反映陰陽五行之說，這是一種象徵性的自然觀，其中揭示了天地、萬物中包含的奇偶性、對稱性和有序性，這些合理的科學觀念，應該加以肯定。

三　先天、後天之學

陳摶的先天圖共有四種，即錢義方所說的"橫、圓、大、小四圖"。其中《伏羲八卦次序圖》（見圖五）為小橫圖，《伏羲六十四卦次序圖》（見圖六）為大橫圖，《伏羲八卦方位圖》（見圖七）為小圓

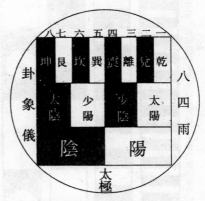

圖五　伏羲八卦次序

①　見《佛祖統紀》卷四三引。

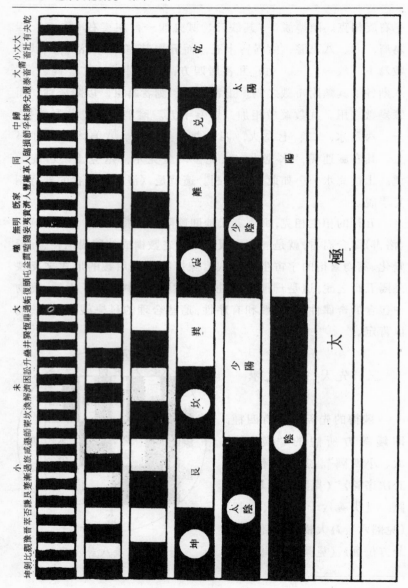

圖,《伏羲六十四卦方
位圖》(見圖八)為大
圓圖,皆收入朱熹《周
易本義》卷首。朱熹
並明確說明它們出自
陳摶,而非邵氏所作。
"伏羲四圖,其說皆出
邵氏。蓋邵氏得之李
之才挺之,挺之得之
穆修伯長,伯長得之
華山希夷先生陳摶圖
南者,所謂先天之學
也"。(見朱熹《周易
本義》)

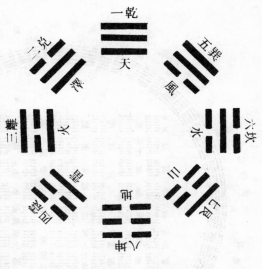

圖七　伏羲八卦方位圖

　　從大、小橫圖中可以看出陳摶關於宇宙萬物生成發展的基本
觀點。對於八卦和六十四卦的形成過程,陳摶作了這樣的說明:
"兩儀即太極也,太極即無極也。兩儀未判,鴻濛未開,上而日月未
光,下而山川未奠,一氣交融,萬氣全具,故名太極,即吾身未生之
前之面具。"① 從圖中所見,正是由太極分化為兩儀而開始了演化
的過程。

　　這個太極如用數來表示,即為《龍圖序》中所說的"居上為道之
宗"的"天一"。陳摶指出:"學者徒知一為太極不動之數,而不知義
實落處也,何者? 一者,數之宗本也。凡物之理,無所宗本則亂;有
宗本焉,則不當用,用則復亂矣。且如輪之運而中則止,如輅之行
而大者後,如網之有綱而綱則提之,如器之有柄而柄則執之,如元

―――――――――

①　見《玉詮》卷五引。

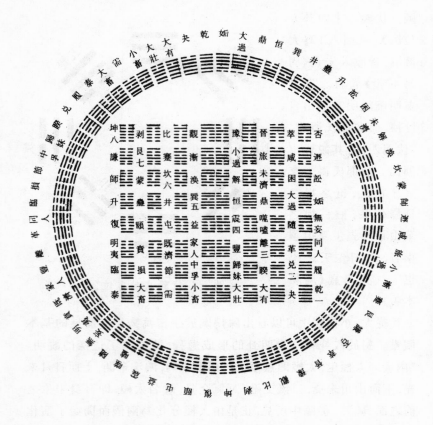

圖八　伏羲六十四卦方位圖

首在上,手足為之舉,如大將居中而士卒為之役,如君無為而臣有為,如賢者尊而能者使。是知凡得一者,宗也,本也,主也,皆有不動之理。一苟動焉,則其餘錯亂,而不能有所施設者矣。"① 也就是說,"一"是無為不動的"道",是包含着陰陽、動静但尚處於静態的太極。

　　由於太極自身運動,包含在太極中混沌未分的陰陽開始顯現,逐漸從太極中分化,這就是兩儀——陰陽。在陳搏看來,任何物質都是矛盾對立的統一體。他說:"萬物負陰而抱陽,何適而非陰陽也。"所謂"陰",實際上是太陰和少陽一對矛盾的統一體;所謂"陽",則是太陽和少陰一對矛盾的統一體。它們之間的區別是在於誰主誰從,如太陰為主,則叫作"陰";少陰為從,則叫作"陽"。由陰陽分為四象——太陰、少陽、少陰、太陽,四象分為八卦,以此類推,八分為十六,十六分為三十二,三十二分為六十四,乃至萬物分衍,無窮無盡。對此一分為二的觀念,陳搏稱之為"倍數"法。他說:"先天諸卦,初以一陰一陽相間,次以二陰二陽相間,倍數至三十二陰、三十二陽相間。"②

　　概而言之,陳搏以此倍法解釋六十四卦卦數和卦象的形成,於易學史上可謂獨具特色。這既不同於虞翻的卦變說,也不同於韓康伯的有生於無說。其後邵雍繼承了陳搏的加一倍法,並加以發展,試圖將宇宙萬物都納入數的範疇,從而形成了新的以數學觀點解易的流派,於是陳搏的加一倍法便成為宋元以來幾百年間周易象數學的基本原理之一。此外,在此倍法中所包含的一分為二觀,又是宇宙生成的基本法則。在中國思想史上,陳搏首先把一分為二的觀念作為天地萬物發展的普遍規律,這一貢獻是應該肯定的。

---

①　見《正易心法注》三十五章。
②　見《正易心法注》三十七章。

　　先天四圖中的其餘二圖為《伏羲八卦方位圖》、《伏羲六十四卦方位圖》。陳搏即指出了二圖卦序和方位安置的原則，又講述了其中包含的數理。他說："蓋乾為首，坤為腹，天地定位也。坎為耳，離為目，水火相逮也。艮為鼻，兌為口，山澤通氣也。巽為手，震為足，雷風相薄也。此羲皇八卦之應矣，其理昭昭。"[1]在八卦方位圖中，乾居正南，坤居正北，離居正東，坎居正西，震居東北，兌居東南，巽居西南，艮居西北，陰陽交錯，彼此對待，左順右逆，升乾降坤，皆妙合自然。其六十四卦方位圖亦同一原則。

　　關於圓圖的數理，陳搏說："先天用九，謂乾一與坤八，震四與巽五，兌二與艮七，離三與坎六，縱橫皆九，而其九居中也。"[2] 這是指八卦方位圖而言。就六十四卦方位圖而言，左屬陽，右屬陰，左從復卦始，自下而上，至乾卦共三十二卦，合百一十二陽爻，八十陰爻；右從姤卦始，自上而下，至坤卦亦三十二卦，合百一十二陰爻，八十陽爻。左右相合，即六十四卦、三百八十四爻。這就是大圓圖包含的數理。陳搏指出："爻數三百八十又四，真天文也。諸儒求合其數而不可得，或謂一卦六日七分，或謂除震、離、坎、兌之數，皆附會也。倘以閏求之，則三百八十四數，自然吻合，無餘欠矣。蓋天度或贏或縮，至三年，乾坤之氣數始足於此也。"[3] 又曰："一歲三百六十，而爻數三百八十四，則是二十四爻為餘也。以卦畫求之，是為叠數。何以言之？夫既有八卦矣，及八卦互相合體，以立諸卦，則諸卦者，八卦在其中矣。而別又有八純卦，則其合體八卦為重復，而二十四數為叠也。是以三百六十為正爻，與每歲之數合；而三百八十四，與閏歲之數合矣。則是閏數也，豈惟見於數，

────────────

①　見《正易心法注》二十三章
②　見元王申子《大易輯說》引。
③　見《正易心法注》二十九章。

亦見於象,人知之者蓋鮮矣。"①

先天為本,後天為用。依據《說卦傳》中"帝出乎震"之說,陳摶又創《帝出震圖》(見圖九)② 也就是後人稱說的《文王八卦圖》、③《文王八卦方位圖》。④陳摶解釋說:"正位稱方,故震東,離南,兌西,坎北;四維言位,故艮東北,巽東南,乾西北;坤獨稱地者,蓋八方皆統於地也。兌言正秋,

圖九 帝出震圖

亦不言方位者,舉正秋則四方之主時為四正,類可見矣。離稱相見,以萬物皆見於此也。兌稱說言者,以正秋非萬物所說之時,惟以兌體為澤。澤者,物之所說,而不取其時焉。艮稱成言者,以艮之體終止萬物,無生成之義。今以生成初言者,以艮連於寅也,故特言之。坤加致字者,以其致用於乾也。觸類皆然。"⑤

以上各種易圖,或表卦象,或言數理,但歸根結底都是為了探討《周易》中包含的義理,以及易學與天地陰陽消長的關系。對此,陳摶指出:"易者,大易也。大易,未見氣也。視之不見,聽之不聞,循之不得,故曰易。易者,希微玄虛凝寂之稱也。及易變而為一,一變而為七,七變而為九,九復變而為一也。一者,形變之始也。清輕者上為天,重濁者下為地,沖和氣者中為人,謂之易者,知陰陽之根本有在於是也。此說本於《沖虛真經》,是為定論。學者盲然不悟,乃作變易之易,是即字言之,非宗旨之學也。唯楊雄為之,擬

① 見《正易心法注》三十章。
② 見宋代輯《周易圖》。
③ 見朱震《漢上易傳》。
④ 見朱熹《周易本義》
⑤ 見宋代輯《周易圖》引。

之曰《太玄》,頗得之。道家亦以日月為古之易字,蓋其本陰陽而言
也。"①

四　無極、太極之學

陳摶所創易圖,即是演示天地變化、陰陽消長的模式,也是披
露人體奧秘、內丹修煉的瑰寶。如先天方位圖中乾南坤北,實為養
生家之大旨。黃宗炎《辨先天八卦方位圖》曰:"謂人身本具天地,
俱因水潤火炎,會易交易,變其本體,故令☰乾之中畫損而成☲離,
☷坤之中畫塞而成☵坎,是後天使然。今有取坎填離之法,挹坎水
一畫之奇,歸離火一畫之耦。如煉精化氣,煉氣化神之類,益其所
不足,離得故有也。如鑿竅喪魄、五色五聲五味之類,損其所有餘,
坎去本無也。離復反為乾,坎復反為坤,乃先天之南北也。養生所
重,專在水火,比之為天地。即以南北置乾坤,坎離不得不就東西。
坎月也,水也,生於西方。離日也,火也,出自東方。丹家砂火能伏
澒水鉛水結成金液,所謂火中水,水中金,混和結聚。"② 當然,將
易學與丹道相結合,最具代表性的易圖是陳摶的《無極圖》。

據黃宗炎《太極圖説辨》曰:"考河上公本圖名《無極圖》,魏伯
陽得之以著《參同契》,鍾離權得之以授呂洞賓。洞賓後與陳圖南
同隱華山,而以授陳,陳刻之華山石壁。陳又得《先天圖》於麻衣道
者,皆以授种放。放以授穆修與僧壽涯。修以《先天圖》授李挺之,
挺之以授邵天叟,天叟以授子堯夫。修以《無極圖》授周子,周子又
得'先天地之偈'於僧壽涯。其圖自下而上,以明逆則成丹之法,其
重在水火。火性炎上,逆之使下,則火不熛烈,惟温養而和煦;水性

---

① 見《正易心法注》四十章。
② 見《宋元學案》卷十《百源學案》下。

潤下。逆之使上，則水不卑濕，惟滋養而光澤。滋養之至，接續而不已；温養之至，堅固而不敗。其最下圈名為‘玄牝’，玄牝即谷神。牝者，竅也；谷者，虛也。指人身命門、兩腎空隙之處，氣之所由以生，是為祖氣。凡人五官百骸之運用知覺，皆根於此。於是提其祖氣上升，為稍上一圈，名為‘煉精化氣，煉氣化神’。煉有形之精，化為微芒之氣；煉依希呼吸之氣，化為出有入無之神，使貫徹於五臟六腑，而為中層之左木火、右金水、中土相聯絡之一圈，名為‘五氣朝元’。行之而得也，則水火交媾而為孕。又其上之中分黑白而相間雜之一圈，名為‘取坎填離’，乃成聖胎。又使復還於無始，而為最上一圈，名為‘煉神還虛，復歸無極’，而功用至矣。蓋始於得竅，次於煉己，次於和合，次於得藥，終於脱胎求仙，真長生之秘訣也。”[1]

　　然河上分為傳說中的西漢隱士，魏伯陽為東漢時人，鍾、呂、陳搏却為五代宋初時道士，其間不可能相互傳授。但《無極圖》源自道教，還是有根據的。如《無極圖》的主要部份，即是依據《周易參同契》之說及彭曉《水火匡廓圖》和《三五至精圖》而來。

　　《周易參同契》曰：“乾坤者，易之門户，衆卦之父母，坎離匡廓，運轂正軸。”並載有漢代緯說“三五與一，天地至精。”五代後蜀道士彭曉為之作注，一併繪製了《水火匡廓圖》（見圖十）、《三五至精圖》（見圖十一）。後經陳搏略加修改，便成為《無極圖》中的《取坎填離圖》和《五氣朝元圖》。因此，朱熹說：“伯陽《參同契》，恐希夷之學有些是其源流。《先天圖》與納音相應，蔡季通言與《參同契》合。以圖觀之，坤、復之間為晦；震為初三，一陽生，八日為兑，月上弦；十五日為乾；十八日為巽，一陰生，二十三日為艮，月下弦，坎、離為日、月，故不用。《參同契》以坎離為藥，餘者以為火候，邵子發明《先天圖》，圖傳自希夷，希夷又自有所傳，蓋方士技術用以修煉，

　　① 　見《宋元學案》卷十二《濂溪學案》下。

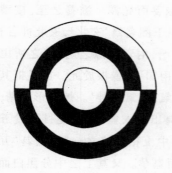

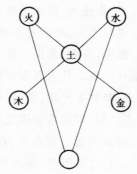

　　　圖十　水火匡廓圖　　　　　圖十一　三五至精圖

《參同契》所言是也。"[1] 這些觀點確有根據，一則陳摶學術本有淵
源，二則《無極圖》、《先天圖》、《河圖》、《洛書》等的思想大旨完全相
通，因皆為陳摶所作。

　　再引劉靜修《記太極圖説後》中的考辨證之，他説："然而周子、
邵子之學，《先天》、《太極》之圖，雖不敢必所傳之出於一，而其理則
未嘗不一。而其理之出於《河圖》者，則又未嘗不一也。夫《河圖》
之中宮，則《先天圖》之所謂無極，所謂太極，所謂道與心者也。《先
天圖》之所謂無極，所謂太極，所謂道與心者，即《太極圖》之所謂無
極而太極，所謂太極本無極，所謂人之所以最靈者也。《河圖》之東
北，陽之二生數，統乎陰之二成數，則《先天圖》之左方震一、離兌
二、乾三者也。《先天圖》之左方震一、離兌二、乾三者，即《太極圖》
之左方陽動者也；其兌、離之為陽中之陰，即陽動中之為陰静之根
者也。《河圖》之西南，陰之二生數，統乎陽之二成數，則《先天圖》
之右方巽四、坎艮五、坤六者也，《先天圖》之右方巽四、坎艮五、坤
六者，即《太極圖》之右方陰静者也；其坎、艮之為陰中之陽者，即陰
静中之為陽動之根者也。《河圖》之奇偶，即《先天》、《太極圖》之所

────────────

　　① 　見朱熹《周易參同契考異》。

謂陰陽。而凡陽皆乾,凡陰皆坤也。《河圖》、《先天》、《太極圖》之左方,皆離之象也,右方皆坎之象也。是以《河圖》水火居南北之極,《先天圖》坎離列左右之門,《太極圖》陽變陰合而即生水火也。"①　由此可見,河洛、先天、太極(無極)之學,各有倚重,但理趣一致,構成陳摶學術思想的主幹。

《無極圖》(見圖十二)共分五圈,自下逆行而上,開始於"得竅",繼而"煉己","和合","得藥",最後了結於"脫胎還虛",完整地闡述了內丹修煉的全部過程。

內煉當由修命開始,即識"玄牝之門",守一"得竅",這是《無極圖》第一圈所示。陳摶說:"人無論賢愚,實不分高下,俱可復全元始,洞見本來。所以然者,童相未灕,一真浩然,玄牝一穴,妙氣回旋,三品光中,潛符太極,先天而生,後天而存,存存涵養,貫古徹今。"②　在此,陳摶把玄牝作為人體生命的根源。這種觀點與中國傳統醫學理論相符。所謂"玄牝",中醫謂之"命門",指腎間空竅,這裏為水、火交會之地。《碧虛子親傳直指》曰:"人之一身,左足太陽,右足太陰,兩足底為涌泉,發水、火二氣,自兩足入尾閭,上合於兩腎。左為腎堂,右為精府,一水一火,一龜一蛇,互相橐籥。兩腎之間,空虛一竅,名曰玄牝,二腎之氣貫通玄牝。氣之由此發黃赤二道,上夾脊雙關,貫二十四椎,中通心腹,入膏肓,會乎風府,上朝泥丸;由泥丸而下明堂,散灌五宮,下重樓,復流入於本宮。日夜循環,周流不息,皆是自然而然。"故煉丹採藥,首先當識玄牝之門。然後澄思息慮,把意念集中在玄牝一竅,一心一意固守命門,一呼一吸氣沉丹田,這就叫做守一"得竅"。後來的丹家,把這些功夫歸屬內丹修煉中的築基階段。

---

①　見《宋元學案》卷十二《濂溪學案》下。
②　見《玉詮》卷五引。

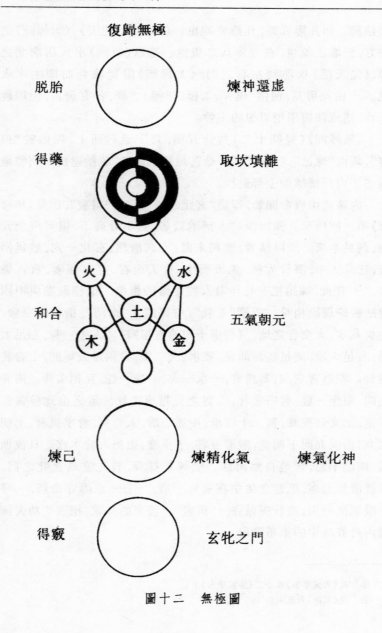

復歸無極

脫胎　　　　　　　　　　　　煉神還虛

得藥　　　　　　　　　　　　取坎填離

火　　水

和合　　　土　　　　　五氣朝元

木　　金

煉己　　　　　　　煉精化氣　　　　煉氣化神

得竅　　　　　　　玄牝之門

圖十二　無極圖

　　《無極圖》的第二圈叫做"煉精化氣，煉氣化神"。這是在築基的基礎上，煉有形之精，化為無形之氣；煉依希之氣，化為莫渺之神，屬於陳摶丹法的第二個階段——煉己。

　　按照內丹學說，煉丹的藥物是由精、氣、神構成的，精氣神是生命的三大原素，丹經中稱為三寶。陳摶說："故曰存精，養神，煉氣，此乃三德之神，不可不知。"[①] 三寶之中，以精為物質基礎。元精雖屬先天，但亦多雜質，為有形質的陰物，不能通過督脈上升至頭頂。陳摶《指玄篇》說："涕涶精津氣血液，七者元來盡屬陰。若將此物為仙質，怎得飛神貫玉京。"[②] 所以必須將精與氣合煉，化為精氣合一之"陽氣"，輕清無質，始能隨意念沿任、督二脈運轉。此合三(精、氣、神)為二(氣、神)的過程，就叫作煉精化氣。

　　煉精化氣階段又可分為幾個具體步驟，但最基本的功夫是煉己，在整個修煉過程不可須臾或離。陳摶指出："定心不動謂之曰禪，神通萬變謂之曰靈，智通萬事謂之曰慧，道元合氣謂之曰修，真會歸源謂之曰煉。"[③] 這裏所說即是煉己功夫。

　　禪定入靜，煉己修心，靜極之時，正有動機，於恍惚杳冥之中，覺丹田(玄牝)氣動，即到了採藥的時候，所謂"採藥"，就是運用意念的作用，調動腎間精氣沿任、督運煉。陳摶說："竅冥綻露一端倪，恍惚未曾分彼此，中間主宰這些兒，便是世人真種子。"[④] 這裏所說的"真種子"，便是採取的藥物，即精氣混融物。

　　藥物在其運煉之中，經過了督脈、頭頂、氣管、任脈、會陰等處，完成一個循環，即為煉精化氣一小周天。在這個循環的過程中，口中津液往往增多，其味甘清香，此即丹經中常說的"瓊漿"、"玉液"，

① 見《諸真聖胎神用訣》引陳摶《胎息訣》。
② 見宋夏元鼎《悟真篇訣義》卷二引。
③ 見陳摶《胎息訣》。
④ 見《性命圭旨·利集》引。

咽之對人體大有補益。如同陳摶《指玄篇》所言："但能息息皆相顧，換盡形骸玉液流。"①

據丹經所載，經過煉精化氣三百次後，即可轉入煉氣化神。煉精化氣為初關，將精與氣合煉而成為陽氣，作為丹母，為三歸二；煉氣化神則將氣與神合煉，使氣歸神，則為二歸一，稱為中關，或大周天。

大、小周天的區別在於，小周天是採藥運轉入下丹田，經過頭頂泥丸宮，再返下丹田封固；頭頂曰乾鼎，下丹田曰坤爐。大周天則將鼎下移，以黃庭中丹田為鼎，下丹田為爐，元氣祇氤氳二田之虛境，不再任、督運轉，不固定於一田，任其自然靈活，用綿密寂照之功，入定之力，使元神發育成長而已。

陳摶《指玄篇》說："苗苗裔裔綿綿理，南北東西自合來。"② 又說："必知會合東西路，切在沖和上下田。"③ 即是指明大周天非運氣循環而是洗心滌慮，以真氣薰蒸，以目內照，綿密寂然，沖和丹田，由有為到無為，"氣"亦由微動到不動而盡化，氣神合一，最後又餘元神而已。

接着逆而上之，即第三圈所示的五氣朝元。此階段調動元神，使之調理身心，藏魂伏魄。《性命圭旨》解釋說："蓋身不動則精固而水朝元，心不動則氣固而火朝元，真性寂則魂藏而木朝元，妄情忘而魄伏而金朝元，四大安和則意定而土朝元，此謂五氣朝元，皆聚於頂也。"

五氣朝元，聚於丹田，和合而成"聖胎"，即取坎填離階段，這是第四圈所示，為內丹術的核心。圖中左為坎卦☵，陰中含陽，為水，

---

① 見俞琰《周易參同契發揮》卷八引。
② 見俞琰《周易參同契發揮》卷五引。
③ 見俞琰《周易參同契發揮》卷七引。

水中生氣,謂之真氣,或叫作虎;右為離卦☲,陽中含陰,為水,火中
生液,謂之真水,或叫作龍。陳摶《胎息訣》説:"龍虎相交謂之曰
丹,三丹同契謂之曰了,若修行之人知此根源,乃可入道近矣。"即
指水火既濟,取坎中之一陽,填離中之一陰,使離卦變為純陽之乾
卦,由後天復歸先天,這就"得藥"而"結胎"。陳摶《指玄篇》曰:"邈
無蹤跡歸玄武,潛有機關結聖胎。"① 所謂的"聖胎",是指神氣凝
合而言,並非有形有象之物。

　　至此,經過得竅、煉己、和合、得藥四個階段,精氣神合煉的結
果,祇餘元神,由有為進入無為,由命功轉為純粹的性功,常定常
覺,寂空觀照,做到一切歸乎自然,進入煉神還虛,復歸無極階段。
這是《無極圖》所示內丹修煉的最高境界。這種還虛的理想與佛教
禪宗"真如覺性"説相似。陳摶《指玄篇》説:"若得心空苦便無,有
何生死有何拘。一朝脱下胎州袄,作個逍遥大丈夫。"② 即四大歸
空,脱離生死,得大解脱。後來的丹經中常以○代表無極,代表虛
空,即一切歸於虛空,一切融為圓明,一切復歸最終的本源。

　　總結以上論述,陳摶《無極圖》系統地闡述了內丹修煉的全部
過程。其核心內容是性命雙修,以求"脱離生死,躍出輪回"。它的
理論基礎是類比宇宙論的人體生命哲學。

五　易理、心法與空觀

　　與漢唐諸家易學不同,陳摶創作了各種易圖,藉以揭示《周易》
包含的奧義大理。在架設其易學理論框架中,陳摶依據傳統易學
中陰陽的觀念,吸取了道家、道教的許多理論成果,是對易學的一

---

① 　見俞琰《周易參同契講義》卷一引。
② 　見《性命圭旨·亨集》引。

種發展。然而當我們深入探究這種創新的原動力時,却看到了佛教禪宗的心髓——"唯心是法"的觀念。

在《正易心法》中首章便曰:"羲皇易道,包括萬象,須知落處,方有實用。"陳摶注:"落處,謂知卦畫實義所在,不盲誦古人語也。"這裏所説的"古人",即指儒家聖人文王、周公、孔子等。《正易心法》六章指出:"消息卦畫,無止於辭,辭外見意,方審易道。"這裏所説的"辭",即指《繫辭》而言。陳摶注:"《繫辭》特繫以吉凶大略之辭而已,非謂六畫之義盡於是也。如大有繫以元亨,大壯繫以利貞,此數字果是以盡二卦之義乎?要須辭外見意,可也。辭外之意,如乾九二,見龍在田;上九,亢龍有悔。辟、師之外,不動如地,內趨變如水。無窮好意,如此類不可殫舉,皆是辭之所不能該也。"

陳摶認為,文王、周、孔之易學,僅為一家之言,並不能攬盡易道之奥理。至於後世的儒生,迷信周、孔,奉《易傳》為聖典,不敢越雷池一步,謬誤更甚,以致易道暗晦。他説:"上古卦畫明,易道行。後世卦畫不明,易道不傳,聖人於是不得已而有辭。學者淺識,一著其辭,便謂易止於是,而周、孔自孤行,更不知有卦畫微旨,祇作八字解,此謂之賣櫝還珠。由漢以來皆然,易道胡為而不晦也。"[①]

因此,要使易道昌明,必須打破儒家一統天下的局面,辭外見意,直探本原,這就是麻衣道者傳授的"活法"、"心法"、伏羲先天易學。陳摶説:"羲皇氏正易,《春秋》比也;周、孔明易,作《傳》比也。左氏本為《春秋》作《傳》,而世乃玩其文辭,致左氏孤行,而《春秋》之微旨泯矣。《易》之有《辭》,本為羲皇發揚,學者不知借《辭》以明其畫象,遂溺其《辭》,加以古今訓注而襲謬承誤,使羲皇初意不行於世,而易道於此淺狹矣,嗚呼!"[②]

---

① 見《正易心法注》四章。
② 見《正易心法注》四十二章。

　　因此,要批斥漢唐易學中的謬誤,應當直探上古卦畫象數之真諦,再求文辭義理,這就是麻衣、陳摶所說的"於羲皇心地中馳騁"的活法。《正易心法》四十一章曰:"易道彌滿,九流可入,當知活法,要須自悟。"陳摶注:"《易》之為書,本於陰陽,萬物負陰而抱陽,何適而非陰陽也。是以在人,惟其所入耳。文王、周公以庶類入,宣父以八物入,斯其上也。其後或以律度入,或以曆數入,或以仙道入,以此知易道無往而不可也。苟惟束於辭訓,則是犯法也。良由未悟耳。果得法焉,則辭外見意,而縱橫妙用,唯吾所欲,是為活法也。故曰:學者當於羲皇心地中馳騁,無於周、孔言語下拘攣。"①

　　陳摶於"辭外見意","唯吾所欲",以己"自悟"之"活法",求索羲皇易學之"心地",開創了影響甚深的先天易學。這種不迷信古人,敢於蔑視周孔權威,自創新說的精神,非常可貴。但也由之遭到了歷代守舊儒生的大肆攻擊,從宋代一直罵到清代。宋王炎說:"不翫周公、尼父之辭,而曰吾求《易》於交爻之外,此系風捕影之類。"② "無周、孔之辭,則羲皇心地,學者從何探之?"③ 元郝敬曰:"詆夫子十翼為一家言,離經叛道,莫此為甚。"④ 清惠棟說:"以周、孔為不足學,而更向庖羲。甚矣! 異端之為害也,不可以不辟。""學者不鳴鼓而攻之,必非聖人之徒。"⑤ 至於胡謂,更謂陳摶之罪甚於桀、紂。他說:"魏正始中,何晏、王弼等,好老、莊書,祖尚虛無,以六經為聖人之糟粕,天下士大夫慕效成風,迄江左而未艾,故范寧謂王、何之罪深於桀、紂。今觀弼所注《易》,各依象爻以立

---

①　見《正易心法注》四十一章。

②　見王炎《讀易筆記·序》。

③　見陳振孫《直齋書錄解題》引。

④　見胡謂《易圖明辨》卷十引。

⑤　見惠棟《漢易學》卷八。

教,間有涉於老、莊者,亦千百之一二,未嘗以文王、周公、孔子之辭為不足貴而糟粕視之也。獨為先天學者,欲盡廢周、孔之言,而專從羲皇心地上尋求,是其罪更浮於王、何矣。"①

然而,也正是這種離經叛道、超越前人的精神,成為宋元時期以己意解注經典的新風尚之靈魂。對傳統經學的懷疑思潮的興起,意味着官方欽定經學固步箋注的沒落,這就為各種新的思想,新的學派的形成——如先天易學、宋明理學、道教內丹學,打開了一條條蹊徑。正是從這點出發,邵雍、周敦頤出入儒、道,二程融佛學以解《易》,張伯端、白玉蟾攝合三教要旨,流風所被,衆賢紛從,從而誘發了宋元學術思想的空前興盛。

陳摶的這種唯吾所欲的活法,究其來源,也就是佛教之"心法"。佛教天臺宗認為,心為萬法之本。在他們看來,世界呈現的萬千氣象,不過是人心一念的產物。宇宙萬物之中,祇有心纔是最真實的,最可靠的,最根本的存在。玄覺《禪宗永嘉集·淨修三業》曰:"三界無別法,惟是一心作,當知心是萬法之根本也。"這種"唯心是法"的觀念被禪宗大加發展,他們不重經典文辭,宣稱以心相傳的心法纔是最上乘法。其三祖商那和修曰:"非法亦非心,無心亦無法,說是心法時,是法非心法。"五祖提多迦曰:"通達本心法,無法無非法,悟了同未悟,無心亦無法。"八祖佛陀難提曰:"虛空無內外,心法亦如此,若了虛空故,是達真如理。"② 二十八祖達摩對慧可說:"吾有《楞伽經》四卷,亦用付汝,即是如來心地要門,令諸衆生開示悟入。"③

禪宗的這種獨立思考、大膽懷疑的精神,不假語言、以心印證

① 見胡渭《易圖明辨》卷十。
② 見《景德傳燈錄》卷一。
③ 見《景德傳燈錄》卷三。

的"心法"，深刻地影響了後來的許多思想家。陳摶正是運用了"唯心是法"的思想武器，反對周、孔千年不易的權威，打破了儒家一統易學的局面，開創了先天易學。宋魏了翁評述説：先天之學源遠流長，秦漢之後惟魏伯陽得其妙意，"至華山陳處士圖南始發其秘，一再而為邵子，建圖著書以示人。曰：先天學，心法也。故圖皆自中起，萬化萬事皆生於心。"①

心為萬法之本，生出善慧諸行，恰如大地之生出果谷，故名心地。《大乘本生心地觀經》卷八曰："三界之中，以心為主，能觀心者，究竟解脱；不能觀者，究竟沉淪。衆人之心猶如大地，五穀五菓從大地生，如是心法生入世出世善惡五趣、有學無學、獨覺菩薩及於如來，以此因緣，三界唯心，心名為地。"

陳摶熟知其理，援引入道，不僅在《正易心法注》中運用，其他著述中亦用。如其相法專著《人倫風鑒》中曰："結喉露齒，雖則劣相，有時心地吉者，又貴矣。""其神氣安静之人，心地空閑而所為放心。"甚至陳摶的師友及後學，亦常用此辭。如吕洞賓《讀入藥鏡》詩曰："因看崔公《入藥鏡》，令人心地轉分明。"② 白玉蟾曰："彼皆就羲皇心地上著刻，故所謂夢者，乃神氣合誠而爾也。"③ 李簡易亦曰："假饒心地上徵理得明白，亦衹是守一個頑空，若能撤底無瑕，可以直超佛地。"又曰："探玄頤奥之士，當直於羲皇心地上立命，混沌裏面安身，則到個中矣。"④

概而言之，這種直探羲皇心地，唯吾所欲、要須自悟的先天心法，脱胎於佛教之心學，經陳摶等人的推演，又融入了道家的色彩，成為一種佛道融合之學。這種鮮明的思想特徵，在北宋道士陳舉

① 見《鶴山全集》卷六二。
② 見《修真十書》卷十三引。
③ 見《修真十書》卷四十一。
④ 見李簡易《玉谿子丹經指要》卷中。

的《心法》詩中有着形象的描述："又屬南無又屬黄,門前雙劍號金
剛。萬緣盡是心中造,七賊須憑劍下亡。定裏慧燈船倚柂,禪中祖
印日揮霜。一靈到岸捐心法,如得名為解脱香。"[1]

如果説,心法是陳摶傳微繼絶、破舊立新的靈魂;那麽可以説,
空觀則是陳摶改造仙學、倡明丹法易道的利劍。

以歷史上看,漢唐以來的道教仙學,皆以修真求仙為宗旨。他
們或導引行氣,或採藥餌丹,或房中補益,企求長生久視,白日飛
昇。這種執著肉身不朽的仙學,無論是理論上或是實踐中都陷入
了難以自圓的困境。於是,唐代的道流們紛紛援引新説,力求完善
傳統的仙學。其中引禪宗之"空"説"道",援天臺宗之"觀"圓"法",
尤其引人注目。如趙志堅曰:"觀有多法,今略言三。一者有觀,二
者空觀,三者真觀。一有觀者,河上公云:以修道身觀不修道身,執
存執亡。鄉、國、天下例然,但以存亡,有跡觀跡,以知修與不修,故
云有觀。二空觀者,觀身虛幻,無真有處。《定志經》云:要訣當知
三界之中,三代皆空,雖有我身,皆應歸空,故曰空觀。三真觀者,
則依此經為觀,當觀此身因何而來,從何而來,是誰之子,四肢百體
以何為質,氣命精神以誰為主……"[2]

十分明顯,趙氏援佛解老,是以佛教天合宗之"三觀"學説為其
底蘊。蒙文通先生指出:"此即智者天臺之三觀也。司馬子微七
篇,其五曰真觀,與志堅同,則《坐志》源出天臺事更明著。"[3]

陳摶承其遺風,賦以空觀以新的内容,從而完善了道教的仙學
與丹道,同時自創新説,論"五空"之秘。其《觀空篇》曰:"欲究空之
無空,莫若神之與慧,斯太空之蹊也。於是有五空焉。其一曰頑

---

[1]　見宋曾慥《道樞》卷四。
[2]　見趙志堅《道德真經疏義》卷五。
[3]　見《蒙文通文集》第一卷 325 頁。

空,何也? 虛而不化,滯而不通,陰沉胚渾,清氣埋藏而不發,陽虛質樸而不止,其為至愚者也。其二曰性空,何也? 虛而不受,靜而能清,惟任乎離中之虛,而不知坎中之滿,扃其衆妙,守乎孤陰,終為杳冥之鬼,是為斷見者也。其三曰法空,何也? 動而不撓,靜而能生,塊然勿用於潛龍,乾位初通於玄谷,在乎無色無形之中,無事也,無為也,合於天道焉,是為得道之初者也。其四曰真空,何也? 知色不色,知空不空,於是真空一變而生真道,真道一變而生真神,真神一變而物無不備矣,是為神仙者也。其五曰不空,何也? 天者高且清矣,而有日月星辰焉;地者靜且寧也,而有山川草木焉;人者虛且無也,而為仙焉。三者出虛而後成者也,一神變而千神形矣,一氣化而九氣和矣。故動者靜為基,有者無為本,斯亢龍回首之高真者也。"

　　這裏融易理、丹法與佛學空觀為一體,既有對先賢諸學的繼承,又有唯吾所欲的心悟。其五空之說,源出佛門。佛教以頑空指浩浩宇宙之虛空,又稱偏空、太虛空。此虛空湛然常寂,畢竟無為無物,教中常以之譬小乘灰身滅智之涅槃,而異於大乘涅之妙空。性空,佛家論諸法為空,就其體性稱性空。依《大智度論》卷三一言,性空者,謂諸法之性未生時為空無所有,遇衆緣和合時則生諸法,依《十八空論》所說,性空意指佛性即空。佛性乃諸法之自性,為真實性,以真實相為無體、無相、無生、無滅、寂靜之自性涅槃。法空,指諸法之自性為空,色心之諸法為因緣生之俗法,而無實體,謂之法空。《十地論》曰:"無我智者有二種,我空法空。"佛教觀萬法為有條件的幻假之存在者,無有實體,稱為法空觀,是大乘菩薩之觀見。真空,佛教謂真如之理遠離一切迷情所見之相,杜絕"有、空"之相對,故稱真空。如《大乘起信論》所說之"空真如"、唯識宗所說的"二空真如"、華嚴宗所說的"真空觀"等均屬之。又大乘以非有之有,稱為妙有；非空之空，稱為真空，此乃大乘至極之空。不空，意指假名，如佛經所説色空，其性實為空，故稱為空；而假色非空，此即性實。空無性實，故是真諦；不空為假名，故是俗諦。

佛教之空觀，内容極其豐富。主旨謂世界一切事物皆是因緣所生，剎那生滅，虛幻不實，故謂之空。凡觀想一切諸法皆空之法，皆為空觀。陳摶運用佛教空觀法門來闡述其易理、丹道之學，他並不掩飾自己與佛門的關係。他説："暨乎釋舍中正，柔麗大和，成六年野戰之功，超十地得朋之操，因空得性，無相成真，尚致馴致之能，方證圓明之果。出諸體化，離以言名，有願是從，無響不應，毫珠電轉，心印星羅，隨造化以有初，莫窮其始；育玄黄而在後，罔測其終。任草木以榮枯，吾非大覺；在陰陽之隱顯，吾不自知。泊一氣分元，三才互用，龍馬□辟於上下，烏兔分照於東西，運變形名，陶甄物類，剛柔著矣，大小數焉，將及指名，罔窮元造，確乎性也，其何言哉！且禽斂於四時，復含章於萬物，如來也融光五蘊，馳化六虛，不可以聲色所言，不可以智慧所議。既受我命，復生我神，惟命與神，可大可久，不化而化，不言而言，乃謂神極而必通，感誠而後應，其法相也言與，其聲教也自行，妙不表於人寰，至不可言乎沙界，乃因端像，略以明辭。辭不可盡乎聖理，像不可述乎聖容，蓋自有情響於福壽者也。贊曰：我丞三昧，無終善始，我丞六極，得通善至。履和盡妙，感誠無思，惟真日忘，惟法是利。匪我神通，神通自致，匪我法輪，法輪自熾，偉哉像設，教流大地。大寂淵奧，雲施雨行，大寂圓朗，電激雷驚。或出或處，萬物含英，且易且簡，萬物生成，至極至變，非色非聲，至感至應，不滅不生。我法非法，我名非名，誰蓄誰洩，自枯自榮，噫哉瑞像，歸於物情。大樂無聲，且鼓且舞，大權無名，且默且語，我味

天供，匪寒匪暑，我聲天樂，惟律惟呂，為世慈悲，百靈相
與。"①

　　所謂"十地"、"因空"、"無相"、"圓明"、"心印"、"五
蘊"、"法相"、"三味"、"法輪"、"非法"、"非名"等均為佛教
術語，"中正"、"大和"、"感誠"、"履和"等則為儒家名詞，
陳摶隨心取之，融合無礙，顯示了他很深的學術造詣。但其五
空之說，本質上仍是道教內煉修養的理論，並被其後學繼承發
揚。

　　如白玉蟾二傳弟子王慶升《三極至命筌蹄》中有《五空頌》丹
訣，闡述陳摶之說："頑空：頑空枯坐斬生緣，日事無縈夜不眠。形
木心灰成底事，有聞行道却凝堅。性空：性空虛曠日清閑，動若浮
雲靜似山。懶打頑空無則法，有聞行道必間關。法空：法空大抵似
頑空，有動依然在靜中，按月按時行卦氣，二千門路擬皆通。不空：
不空空裏有工夫，歸復元陽靜處符，陽復陰消須淨盡，惟餘黍米一
明珠。真空：真空妙用妙難思，髣髴還如歲運推，夜代晝更寒暑序，
了無停跡孰為之。"

　　概括以上所言，可見陳摶之思想內涵廣博而精微，他不僅精通
易相、丹法、道學，同時出入佛家門戶，操持儒家風範，"九流百氏之
學，咸徹視洞觀"。② 他援佛入道，以佛教之空觀完善道教的內煉
體系，用禪宗之心法開創先天易學，並啟發了宋明理學的問世。南
宋馮復曰："康節先生云：《先天圖》，心法也。心乎心乎！天地間一
大義理之府乎！《大易》六十四卦潔淨精微之旨，皆從心畫中來；二
帝三王精一執中之傳，皆從心法中出；洙泗師弟子一貫忠恕之妙，
皆由心學中得；靈府淵微之地，故初聖賢以此而極深研幾，探賾索

---

①　見陳摶《廣慈禪院修瑞像記》。
②　見元張輅《太華希夷志》卷下。

隱,以此而超凡入聖,悟道參真。"①

六　學術淵源與影響

考察陳摶精深廣博的學術思想,淵源於多種渠道。有唐一代,儒、釋、道三教並行,其思想相互交融,呈現出三教合一的文化特徵,這種時代的風尚,明顯地影響了陳摶。

早期的陳摶,本是儒生。他熟讀經史百家之言。《青瑣高議前集》卷八說他"年十五,詩、禮、書、數之書,莫不通究考校"。企圖以科舉而致仕。後唐時曾應考進士,此時他已頗有名氣。《宋史·陳摶傳》說他"頗以詩名後唐"。宋龐覺《希夷先生傳》亦說:"唐士大夫挹其清風,欲識先生,而如景星慶雲之出,爭先睹之為快。"因此,儒家思想對他的影響是不可忽視的。

首先,在修身養性方面,他接受了儒家"慎獨"的思想。他在《自贊碑》中說:"一念之善,則天地神祇、祥風和氣皆在於此。一念之惡,則妖星厲鬼、凶荒札瘥皆在於此。是以君子慎其獨。"②

其次,陳摶在新創易圖之際,亦吸收了一些儒家傳統的觀念。據他自己所言,正是受了孔子作《十翼》的啟發,而畫《龍圖》。在《周易圖》卷下中所載"陳氏三陳九卦圖"中,三陳九卦之義為:一、履德之基,謙德之柄,復德之本,恆德之固,損德之修,益德之裕,困德之辨,井德之地,巽德之利。二、履和而至,謙尊而光,復小而辨於物,恆雜而不厭,損先難而後易,益長裕而不設,困窮而通,井居其所而遷,巽稱而隱。三、履以和行,謙以制禮,復以自知,恆以一德,損以遠害,益以興利,困以寡欲,井以辨義,巽以行權。在此,陳

---

① 見《道德真經藏室纂微開題科文疏》卷首。
② 見《全宋文》第 1 冊第 220 頁,巴蜀書社 1988 年版。

摶以儒、道兩家皆能接受的"三陳九德"作為其畫《龍圖》的出發點，說明他的思想為儒、道互補。

當然，對陳摶影響最大的還是他遁跡山林後所從遊的師友。在他的師友中，既有麻衣道者這樣的高僧，又有何昌一、譚峭、呂洞賓這樣的仙逸。正是在與他們的交往中，陳摶融貫三教學說，而啟宋代三教合一的思想潮流。

陳摶與佛學的關係，與麻衣道者甚有關連。據章炳文《搜神秘覽》言，麻衣精通佛法，常作偈詞贊頌，"得其一曰：這裏有情忘我，諸佛大思增長，地獄時時轉多。不忍見，不忍見，三轉淨行，不及愚夫五欲樂。"在元趙道一《歷代真仙體道通鑑續編》卷四有《趙麻衣傳》，謂其不知何人，"唐僖宗時黃巢盜起，麻衣避於終南山"。入宋之後，"言及五代及本朝時，亹亹有條理。或窮詰之，則於廢上取《圓覺經》示之，曰："盡在是矣。"此之趙麻衣，當即陳摶之師麻衣道者。

陳摶師事麻衣，不僅得其先天易學，並且受其佛學禪觀。因此，陳摶大量援引佛學以入易道、仙法，自然得心應手，毫不勉強。《太華希夷志》卷上亦說：宋太宗多次詔請陳摶入宮深談，"自契崆峒之問，八素九真之要訣，四覺七緣之妙門"。所謂"四覺七緣"，即為大乘佛學覺知證悟的玄理。

如四覺者，為《大乘起信論》所說四種不同覺知之證悟階段。一為本覺，謂一切衆生之自性清淨心體遠離妄念，同於虛空界而無所不遍，諸法界皆等同一相，此即如來平等法身。二為相似覺，謂二乘及三賢位之菩薩既覺知見惑、思惑而斷之，捨離粗分別的執著之相，得類似之覺悟，為始覺之初。三為隨分覺，謂初地以上之菩薩逐地斷除無明，而於各地中逐一得真覺。四為究竟覺，謂既已斷盡根本無明，本覺之體全彰，徹見心性，了知心即常住之理，而得究竟至極之真覺，此即入於如來也。

　　如此精微的大乘佛學，陳摶能够對太宗"造膝沃心"而談，可見陳摶的佛學造詣甚深。

　　然而，陳摶畢竟是一位道門中人。故其思想中道家的成份最重。他曾師事四川邛州天慶觀高公何昌一，學習"鎖鼻息飛精"之術，並賜詩曰："我謂浮榮真是幻，醉來舍轡謁高公，因聆玄論冥冥理，轉覺生寰一夢中。"①

　　其後又與譚峭交好，譚峭亦為何昌一的弟子。撰有《化書》六卷。《佛祖統紀》卷四二説："顯德四年（957年），隱士譚景升居終南山，與陳摶相師友。著《化書》百十篇，窮括化原。"正因陳摶、譚峭同出一門，因此在思想行持上有許多共同之處。在譚峭《化書》中突出表現了一切事物都在永恆變化的自然觀，稱世界的本原是"虚"，"虚化神，神化氣，氣化形"，最後復歸於虚。陳摶《胎息訣》説："夫道化少，少化老，老化病，病化死，死化神，神化萬物，氣化生靈，精化成形，神氣精三化，煉成真仙。"亦認為變化是萬物生滅的根本法則。

　　吕洞賓亦是陳摶的師友。《宋史·陳摶傳》説："關西逸人吕洞賓，有劍術，百餘歲而童顏，步履輕疾，頃刻數百里，世以為神仙，皆數來摶齋中。"其師鍾離權亦為五代隱士。《宋朝事實類苑》卷三五載："邢州開元寺一僧院壁，有五代隱士鍾離權草書詩二絶，筆勢遒逸，詩句亦佳。詩曰：得道真僧不易逢，幾時歸願相從。自言住處連滄海，別是蓬萊第一峯。"《佛祖統紀》卷四二説："鍾離權，字雲房。自稱漢時遇王玄甫，得長生之道。避亂入終南山，於石壁間得《靈寶經》，悟陰中有陽，陽中有陰，為天地升降之宜；氣中生水，水中生氣，即心腎交合之理。乃静坐内觀，遂能身外有身。"鍾離權的這種陰陽互包的觀念，與陳摶先天易學、内丹理論的基礎完全

---

　　①　見文同《丹淵集·拾遺下》。

一致。

　　溯其本源，這種辯證的陰陽學説來自道家。在《老子》、《莊子》中已透露出陰陽相守的觀點，至東漢魏伯陽《周易參同契》及《太平經》中，更詳細地論述了這種思想。唐末宋初，再經鍾、呂、陳摶的推演，遂成為內丹修煉的基本理論。

　　一部《周易》，儒家首重乾、坤二卦，"天尊地卑，乾坤定矣"的形而上學觀念，成為封建王朝永恆存在的理論根據。而道家從探討宇宙的生成和煉養出發，却特别重視坎、離二卦。《參同契》曰："易謂坎、離，坎、離者乾坤二用。二用無爻位，周流行六虚，往來既不定，上下亦無常，幽潛淪匿，升降於中，包裹萬物，為道紀綱。"陳摶則曰："乾，天也，一陰升於乾之中為離，離為日，則日本天之氣也。坤，地也，一陽下降於坤之中為坎，坎為月，則月本地之氣也。日為天氣，自西而下以交於地。月為地氣，自東而上以交於天。日月交錯，一晝一夜，循環三百六十度，而擾擾萬緒起矣。是為三百六十爻，而諸卦生焉。"[①] 從乾坤到坎離，即從純陰陽的觀念到陰陽互包觀念的演變，反映了陰陽學説從形而上學向辯證思想發展的過程，對此道家作出了重大的貢獻，其中也包含着陳摶的理論成果。

　　作為《無極圖》的思想淵源，即有取於《周易參同契》，更是根基於老、莊的思想。其最高的範疇——無極，即出自《老子》："知其白，守其黑，為天下式，常德不忒，復歸於無極。"在《老子》書中，無極還不是一個重要的概念，主要用來表示道的無形無體、無窮無限的特性。但到陳摶手中，第一次既被用於表示世界最終的本源，又是其內丹修煉的最後歸宿，成為陳摶學術思想中最高的哲學範疇。至於《無極圖》中的"還虛"，則脱胎於《莊子》的"心齋"。《莊子·人間世》説："若一志，無聽之以耳，而聽之以心。無聽之以心，而聽之

以氣。耳止於聽，心止於符。氣也者，虛而待物者也。唯道集虛。虛者，心齋也。"

其河洛、先天之圖，即是對秦漢易學的闡幽發微，上承漢代緯學與象數絕脈。他所說的伏羲易學確有來歷，並非杜撰依託。因為早在隋朝初年，已有華山隱士楊伯丑精通此學。《仙傳拾遺》記載："楊伯丑，馮翊武鄉人。好讀《易》。隱於華山。隋開皇初，文帝搜訪逸隱，聞其有道，徵至京師，見公卿不為禮。人無貴賤，皆汝之，人不能測。帝賜衣，著至朝堂，捨之而去。常被發祥狂，遊行市里，形體垢穢，未嘗櫛沐。亦開肆賣卜，卦無不中。有人失馬，詣伯丑卜之，伯丑方為太子所召，在途遇之，立為立卦。曰：可於西市東壁第三店，為我買魚作鱠。如其言，詣所指店中，果有人牽所失馬而至，遂擒之。何妥嘗與論《易》，聞妥之言，笑曰：何用鄭玄、王弼之言乎！於是別理辨答，思理玄妙，大異先儒之旨。論者謂其有玄機，因問其所學。曰：太華之下，金天洞中，我曾受羲皇所教之《易》，與大道玄同，理窮衆妙，豈可與世儒常談，而測神仙之旨乎！數年後復歸華山上。"

何妥為隋初時著名易學家，撰有《周易講疏》三卷，其學大抵本於王弼、韓康伯一派。他與楊伯丑切蹉易學，楊氏獨主羲皇易道，故"大異先儒之旨"。其內容儘管未顯於世，但必在華山、終南地區芻密傳授，故其後鍾、呂、麻衣、陳摶皆得伏羲先天易學於此地區，並傳播於世。

總結以上所述，可見陳摶既善於繼承三教傳統的思想，更敢於自創新說。他的學術思想精深廣博，曾廣泛地影響了宋元時期的思想界。

首先，由他開創的先天易學開啟了宋元易學研究的興盛局面。他的《河圖》、《洛書》、《龍圖》、《先天圖》、《後天圖》、《無極圖》等成為後世相當多易學家們探究易理的基本圖式或彷效依據。在宋、元、明、清出現了一大批追隨者，其中著名的有宋代的周敦頤、邵雍、劉牧、吳祕、劉義叟、鄭史、張行成、郭忠孝、朱震、朱熹、蔡元定、晁說之、王湜、朱元升，元代的王申子、俞琰、雷思齊、蕭漢中、張理、錢義方，明代的宋濂、來知德、黃道周，清代的錢澄之、包儀、張文炳、劉一明、張惠言、陳夢雷等。他們的著作在《四庫全書總目提要》中多有介紹。至於《總目》未著錄的，更不知凡幾。儘管後代的易學學者們對陳摶的易學或褒或貶，有所修正和演衍，但陳摶仍不失為宋代易學體系的開山者。

　　如陳摶的《無極圖》傳世以後，幾經展轉，至周敦頤手中，又被改造成為發明理學祕奧的《太極圖》。黃宗炎《太極圖辨》說：周子"顛倒其序，更易其名，附以《大易》，以為儒者之祕傳。蓋方士之訣，在逆而成丹，故從下而上；周子之意，以順而生人，故從上而下。"周氏並著《太極圖說》以論之，其後成為宋明理學的經典，享有"有宋理學之宗祖"的榮譽。

　　邵雍則師承了陳摶的《先天圖》，把陳摶之心法推演宏大，創立了一套龐大的完整的象數體系，用以概括宇宙間的萬事萬物。其著作《皇極經世》正是試圖以其象數學來解釋天地萬物的變化，並預測未來的事變。正如昭武上良所言："先天方、圓圖，《經世》之骨髓也。象數皆在其中。圓圖之象數，變而為元會運世，而總於四象運行之一圖。方圖之象數，變而為律呂聲音，而總於八卦變化之八圖，此二者皆以支干極其變。圓圖分逆順，氣之元自復始順而左旋，數之元自乾始逆而右轉，天之氣自北而南為陽長，自南而北為陰消，此古今治亂之候。"① 這一學說影響頗大，而形成了先天學派。魏了翁說：先天之學於陳摶始發其祕，後傳邵子，邵氏死後而失其傳。"迨漢上朱氏及朱文公、蔡元定始申其說，吾鄉觀物張公

---

① 　見《理數鈐·坎集下》引。

行成,亦嘗推本邵説,為《通變》、《經世》諸書。"①

　　其《河圖》、《洛書》則被劉牧師徒宣染,以而形成研究河洛之學的高潮。《四庫全書總目提要》卷二評述説:"漢儒言易多主象數,至宋而象數之中復岐出圖書一派。牧在邵之前,其首倡者也。牧之學出於种放,放出於陳摶,其源流與邵子之出於穆、李者同。而以九為《河圖》,十為《洛書》,則與邵子異。其學盛行於仁宗時。黃黎獻作《略例》、《隱訣》,吳秘作《通神》,程大昌作《易原》,皆發明牧説。"

　　以周敦頤、邵雍、劉牧為代表的太極(無極)、先天、河洛三大學系,雖然各自獨立發展,但其基本思想都是來自陳摶。它們各有特色,構成了一個龐大的陳摶學派。據蒙文通先生《圖南學系表》所示,僅宋代學人道流系其門下者就有五四名。故蒙老指出:"則圖南不徒為高隱,而實博學多能;不徒為書生,而固有雄武大略。真人中之龍耶! 方其高卧三峯,而兩宋之道德文章,已系於一身。""觀其流風所被,甄陶群杰,更是驗也。"②

　　作者簡介　李遠國,1950 年生於四川成都。現任四川社會科學院哲學與文化研究所副研究員。主要著作有《道教氣功養生學》、《四川道教史話》、《中國道教氣功養生大全》、《道教與氣功——中國養生思想史》(日文版),並發表學術論文二十餘篇。

---

①　見《鶴山全集》卷六二。
②　見《蒙文通文集》第一卷《陳碧虛與陳摶學派》。

論邵雍的物理之學與性命之學

余敦康

内容提要　本文指出，邵雍的易學源於道教的傳授系統，其所建構的體系推衍伏羲先天之旨，帶有厚重的道家色調，但他作為北宋理學的代表人物，又認同於儒家的名教理想，因而就其易學思路而言，走的是一條援道入儒、儒道兼綜的道路。邵雍在物理之學上推崇道家，在性命之學推崇儒家，企圖通過《易》之體用關係把二者統一起來，以老子為得《易》之體，以孟子為得《易》之用。邵雍認為，道家的物理之學着重於研究宇宙的自然史，對先天之體有獨到的體會，可稱之為"天學"。儒家的性命之學着重於研究人類的文明史，對後天之用闡發得特別詳盡，可稱之為"人學"。由於先天統率後天，必先有體而後始能發而為用，所以在處理二者的關係上，道家要重於儒家。這種思想傾向，從他把觀物之樂置於名教之樂之上，也可以明顯地看出來。

邵雍的易學源於道教的傳授系統。《宋元學案·百源學案》記載：

> 圖數之學，由陳圖南搏、种明逸放、穆伯長修、李挺之之才遞傳於先生。

> 先生居百源，挺之知先生事父孝謹，勵志精勤，一日，叩門勞苦之曰："好學篤志何如?"先生曰："簡策之外，未有適也。"

挺之曰:"君非迹簡策者,其如物理之學何!"他日,又曰:"不有性命之學乎!"先生再拜,願受業。

《宋史·道學傳》記載:

> 北海李之才攝共城令,聞雍好學,嘗造其廬,謂曰:"子亦聞物理性命之學乎?"雍對曰:"幸受教。"乃事之才,受《河圖》、《洛書》、伏羲八卦六十四卦圖像。之才之傳,遠有端緒,而雍探賾索隱,妙悟神契,洞徹蘊奧,汪洋浩博,多其所自得者。及其學益老,德益邵,玩心高明,以觀夫天地之運化,陰陽之消長,遠而古今事變,微而走飛草木之性情,深造曲暢,庶幾所謂不惑,而非依彷象類、億則屢中者。遂衍伏羲先天之旨,著書十餘萬言行於世。

簡策之學即章句訓詁記向應對之學,物理性命之學即義理之學,也就是哲學。邵雍是李之才的受業弟子,先受其物理之學,接着又受其性命之學,通過李之才的傳授引導,由簡策之學轉而從事哲學的研究。這對邵雍的人生道路和學術思想產生了極大的影響,他所建構的體系推衍伏羲先天之旨,帶有厚重的道家色調,是和這種傳授系統密切相關的。但是,邵雍以繼承孔子的道統自命,認為"予非知仲尼者,學為仲尼者也",推崇《易》、《書》、《詩》、《春秋》聖人之四經,在他所建構的體系中,有很多獨創性的心得體會,就其思想的性質而言,皆本於儒家的名教理想。正是由於這個原因,所以邵雍與周敦頤、張載、二程同列為北宋理學的代表人物,稱為北宋五子。從這種情況來看,邵雍的學術走的是一條援道入儒、儒道兼綜的道路。這和魏晉玄學的思路是相當接近的。《晉書·阮瞻傳》記載:"瞻見司徒王戎,戎問曰:'聖人貴名教,老莊明自然,其旨同異?'瞻曰:'將無同?'"將無者,然而未遽然之辭,理智上不敢遽然言其同,情感上不願遽然言其異,依違於同異二者之間,模棱兩可,含糊其辭,不作獨斷論的判定。這是魏晉玄學的一大公案,

也是玄學家始終未能妥善解答的一道難題，因為言其同者有異在，
言其異者有同在，有時因着眼於明自然而偏向於道家，有時又因着
眼於貴名教而偏向於儒家。邵雍既然由於自己的學術師承關係以
及對名教理想的認同，走上了儒道兼綜的道路，他就不能避開玄學
所碰到的這道難題，而必須去探索出一種如何化異為同、會通整合
的辦法。在《伊川擊壤集序》中，邵雍表述了自己的心路歷程。他
說：

> 予自壯歲，業於儒術，謂人世之樂，何嘗有萬之一二，而謂
> 名教之樂，固有萬萬焉。況觀物之樂，復有萬萬者焉。雖死生
> 榮辱轉戰於前，曾未入於胸中，則何異四時風花雪月一過乎眼
> 也；誠為能以物觀物而兩不相傷者焉。蓋其間情累都忘去爾。

所謂觀物之樂，是指從事物理之學的研究所得到的一種精神境界，
名教之樂，是指從事性命之學的研究所得到的一種精神境界。就
樂的層次而言，觀物之樂要高於名教之樂，邵雍之所以由儒而入
道，去從事物理之學的研究，目的在於把名教之樂提升到以物觀
物、情累都忘的境界，以便更好地安身立命。由此看來，邵雍對李
之才所傳授的道教思想一開始就採取了區別對待的態度，祇接受
了其中着眼於明自然的物理之學，至於在性命之學方面，則是站在
儒家的立場，堅持他所固有的名教理想。因此，如何把這種源於道
家的物理之學和本於儒家的性命之學統一起來，建構一個邏輯上
不發生矛盾的完整的體系，就成了邵雍的哲學探索的重點所在。

邵雍在物理之學上推崇道家，在性命之學上推崇儒家，這種有
所區別、有所選擇的傾向性表現得非常鮮明。《觀物外篇》說：

> 老子知《易》之體者也，五千言大抵明物理。

> 莊子與惠子遊於濠梁之上，莊子曰："鯈魚出遊從容，是魚
> 樂也。"此盡己之性，能盡物之性也。非魚則然，天下之物皆
> 然。若莊子者，可謂善通物矣。

莊周雄辯，數千年一人而已。如庖丁解牛曰："躊躇四顧。"孔子觀呂梁之水曰："蹈水之道無私。"皆至理之言也。

《春秋》循自然之理而不立私意，故為盡性之書也。

人言《春秋》非性命之書，非也。

顏子不遷怒，不二過。遷怒二過，皆情也，非性也。不至於性命，不足謂之好學。

孟子著書，未嘗及《易》，其間《易》道存焉，但人見之者鮮耳。人能用《易》，是為知《易》。如孟子可謂善用《易》者也。

邵雍企圖通過《易》之體用關係把道家的物理之學與儒家的性命之學統一起來，以老子為得《易》之體，以孟子為得《易》之用，合二者而用之。朱熹批評這種做法是"體用自分作兩截"，"二程謂其粹而不雜，以今觀之，亦不可謂不雜"，"康節之學似老子"。（《朱子語類》卷一百）實際上，朱熹的這個批評是出於學派門戶之見，帶有意識形態的偏狹性，近似於邵雍所指斥的那種"以我觀物"的心態。而邵雍則是"以物觀物"，氣度恢宏，不存畛域，立足於宇宙一元的太極整體觀，力圖擺正儒道兩家的地位，而使之統一於《易》道。這種理論探索自有其哲學上的深厚的依據，持之有故，言之成理，並不是像朱熹所批評的那種把體用分作兩截。

照邵雍看來，易學有先天與後天之分，先天之學明體，後天之學入用。就一般性的哲學原理的層次而言，體用相依，體不離用，用不離體，體者言其對待，用者言其流行，此二者不可分作兩截，故先天與後天彼此相函，體與用合為一體，是同一個變化之道的兩個不同的方面。但是，從宇宙演化的具體的歷史過程來看，先天與後天以唐堯時期作為確定的分界線，唐堯以前為先天，唐堯以後為後天，其所以如此區分，關鍵在於唐堯以前的歷史主要是宇宙的自然史，缺乏人的因素、社會的因素和主體性因素的參與，即無人事之用，而唐堯以後的歷史則主要是人類的文明史，在這個時期，如何發揮人事之用來創造人類的業績佔了主導的地位。根據這種區分,所以邵雍認為儒道兩家的學術思想,研究的對象互不相同,研究的成果各有所長,以老子為得《易》之體,以孟子為得《易》之用。道家的物理之學着重於研究宇宙的自然史,可稱之為"天學",對先天之體有獨到的體會。儒家的性命之學着重於研究人類的文明史,可稱之為"人學",對後天之用闡發得特別詳盡。①由於天人之學分中有合,合中有分,自其合者而觀之,則天人互為表裏,道家的"天學"與儒家的"人學"會通整合而形成一種互補性的結構,統攝於《易》之體用而歸於一元,儘管老子與孟子學派門戶不同,分屬道儒兩家,仍然是體用相依,並未分作兩截。邵雍的這一番論證,不僅在邏輯上經得起推敲,能夠自圓其說,而且深刻地揭示了《易》道的本質,妥善地擺正了儒道兩家在易學中的地位。

　　所謂《易》道,合而言之,即通貫天地人三才的太極一元之道,分而言之,則有天道之陰陽,地道之柔剛,人道之仁義。陰陽柔剛,謂之四象,四象相交,乃生萬物。《周易·序卦》說:"有天地,然後萬物生焉,盈天地之間者唯萬物。"天地萬物是一種自然的生成,没有人文的因素,支配此自然生成的規律叫做天地萬物之理,簡稱為物理,專門研究物理的學問叫做物理之學,也就是今天所説的自然科學。人是在有了萬物以後纔產生的。《序卦》接着指出:"有萬物然後有男女,有男女然後有夫婦,有夫婦然後有父子,有父子然後有君臣,有君臣然後有上下,有上下然後禮義有所錯。"自從產生了人,就有了由各種人際關係所組成的社會。人道之仁義就是為了調整穩定社會秩序而人為地設立的,並非自然的生成。專門研究

---

　　① 其《先天吟》云:"若問先天一字無,後天方要着功夫。拔山蓋世稱才力,到此分毫強乎!"《天人吟》云:"天學修心,人學修身。身安心樂,乃見天人。"(見《伊川擊壤集》卷十七、十八)

人性的學問叫做性命之學,也就是今天所說的人文科學。由此看來,分而言之的《易》道,包括了自然科學和人文科學兩個不同的組成部份。邵雍稱自然科學為天學,人文科學為人學,並且以有無人文因素的參與作為區分先天與後天的標準,是和《周易》原典的精神相符合的。由於宇宙自然與人類社會的發生學的本源皆本於太極,同歸於太極一元之道,雖然發展的階段有所不同,却是相互聯結,不可分割的。那麼,人與宇宙的相互聯結之點究竟何在呢?《周易·繫辭》指出:"一陰一陽之謂道,繼之者善也,成之者性也。""成性存存,道義之門"。天人之間的溝通,關鍵在一個繼字,繼之則善,不繼則不善。就天道之陰陽而言,無所謂善與不善,物之性乘大化之偶然,也無所謂善與不善,唯有人能自覺地繼承天道之陰陽,使之繼續不斷,所以纔叫做善。繼之而後必有所成。"成之者性也",進一步突出了主體性的原則。如果人不繼承天道之陰陽,就沒有本源意義的善。如果人不發揮主觀能動性去實現此本源意義的善,就不可能凝成而為性。因此,必須存其所存,存乎人者,因而存之,使本源意義的善不致於喪失而變為自己的本性,這就是進入道義的門户,完成德業的根本。邵雍所說的"若問先天一字無,後天方要著功夫",也是和《周易》的這個思想相符合的。但是,先秦時期,儒道兩家處理天人關係都沒有找到一個可靠的聯結點而各有所蔽,道家蔽於天而不知人,儒家恰恰相反,蔽於人而不知天。老子曾說:"道生一,一生二,二生三,三生萬物。萬物負陰而抱陽,沖氣以為和。"這是對天地萬物之理的一種深刻的研究,屬於自然科學的範疇。但是,老子不重視人文科學的研究,貶斥人道之仁義,認為"大道廢,有仁義"。"失道而後德,失德而後仁,失仁而後義,失義而後禮。夫禮者,忠信之薄,而亂之首也"。因而老子的思想,有天學而無人學。孟子對人道之仁義推崇備至,認為仁義乃是人性的本質,但却不重視自然科學的研究,有人學而無天學。雖然

孟子也曾説:"誠者,天之道也。思誠者,人之道也。"並且主張由盡
心以知性、由知性以知天的途徑來溝通天人,但是,其所謂天乃是
人的主觀的投影,人性本質的外化,並不是指稱完全排除了人文因
素的客觀外在的天地萬物之理。因此,儒道兩家的思想各有所長,
也各有所短。《周易》會通整合了這兩家的思想,取其所長而去其
所短,把自然科學與人文科學有機地聯結起來,構成一個通貫天地
人三才之道的完整的體系,這就把中國哲學推進到一個新的發展
階段。邵雍在物理之學上推崇道家,在性命之學上推崇儒家,以老
子為得《易》之體,以孟子為得《易》之用,超越了學派門戶之見,從
儒道互補的角度來溝通天人,他的這個做法也是和《周易》的精神
相符合的。

　　邵雍首先立足於太極一元的整體觀,着眼於人與天地萬物既
相互聯繫又相互區別的兩個方面,對"窮理盡性以至於命"的易學
命題進行義理的分疏,企圖通過這種分疏來為自己的道體論確立
一個堅實的哲學基礎。他説:

　　《易》曰:"窮理盡性以至於命。"所以謂之理者,物之理也。
所以謂之性者,天之性也。所以謂之命者,處理性者也。所以
能處理性者,非道而何?

　　天下之物,莫不有理焉,莫不有性焉,莫不有命焉。所以謂
之理者,窮之而後可知也。所以謂之性者,盡之而後可知也。
所以謂之命者,至之而後可知也。此三者,天下之真知也。

　　天地人物則異矣,其於道一也。

　　夫分陰分陽、分柔分剛者,天地萬物之謂也。備天地萬物
者,人之謂也。(《觀物內篇》)

　　天使我有是之謂命,命之在我之謂性,性之在物之謂理。
理窮而復知性,性盡而後知命,命知而後知至。

　　萬物受性於天,而各為其性也。在人則為人之性,在禽獸

則為禽獸之性，在草木則為草木之性。

人之類備乎萬物之性。

惟人兼乎萬物，而為萬物之靈。如禽獸之聲，以類而各能其一。無所不能者，人也。

人配天地謂之人，唯仁者真可以謂之人矣。(《觀物外篇》)

邵雍認為，人與天地萬物就其相互聯繫的一面而言，皆可稱之為物。因為以天地觀萬物，則萬物為萬物，以道觀天地，則天地亦為萬物，人雖為物之至者，亦為萬物中之一物。天下之物，莫不有理，莫不有性，莫不有命，故《易》以此"性命之理"作為貫通天地人三才之道的基本綱領，以"窮理盡性以至於命"作為易學研究的最高目標。《乾卦·彖傳》有云："乾道變化，各正性命"。邵雍據此而強調指出："不知乾，無以知性命之理"。理即物之理，性即天之性，命則處乎理性之賦受偏全，此三者無非陰陽剛柔變化感應之道，而同歸於太極之一元。是故理不可不窮，窮之而理無不貫。性不可不盡，盡之而性無不全。命不可不知，知命而至於根極之處，則與造化一般，而復歸於本體。此三者乃天下之真知，祇有知此三者，纔能窺見天地之心，全面地把握《易》道的本質。因此，道是一個最高的範疇，道統理性命三者而為一，所謂性命之理，天地萬物之理，自然之理，物理，至理，天理，都是對同一個太極之道的不同的表述。邵雍曾說："《易》之為書，將以順性命之理者，循自然也。"這是認為，整個宇宙，包括天地人物在內，是一個自然而然的大系統，為自然之理所支配，天由道而生，地由道而成，物由道而形，人由道而行，天地人物則異矣，其於道一也。邵雍由此而建立了一個天人不二、萬物一理的一元論的宇宙觀，這個宇宙觀也就是今天所說的大自然觀，或一般系統論。根據這個宇宙觀，物理之學就成為一個普適性的概念，可以涵攝性命之學以及其他各種各樣的學問，所有對天地人物的一切研究，可以統稱為"觀物"。先天之學與後天之學、先天之學的宇宙圖式以及宇宙的自然史與人類的文明史的演變規律，都是通過觀物以窮萬物之理而後所獲得的一種理性的認識，故邵雍把自己的哲學著作《皇極經世書》也命名為《觀物篇》。

　　但是，就人與天地萬物相互區別的一面而言，人雖為萬物中之一物，却是有意識，有智慧，有靈性，能兼乎萬物，配乎天地，而為萬物之靈。照邵雍看來，宇宙的演化是一個由低級到高級的發展過程，各種各樣的物類依其演化程度的高低以及感應能力的大小而有層次之分，等級之別。《觀物內篇》說：

　　　　有一物之物，有十物之物，有百物之物，有千物之物，有萬
　　　物之物，有億物之物，有兆物之物。為兆物之物，豈非人乎？

　　　　有一人之人，有十人之人，有百人之人，有千人之人，有萬
　　　之人，有億人之人，有兆人之人。為兆人之人，豈非聖乎？

這就是說，人就是天地萬物中的出類拔萃者，而聖人則是人類中的出類拔萃者，在"盈天地之間者唯萬物"的宇宙大系統中，可分為三個子系統，即物類、人類、聖人。在《觀物外篇》中，邵雍曾說："自然而然者，天也。唯聖人能索之效法者，人也。"聖人與人同屬一類，因而大而別之，祇有兩個子系統，即物類與人類，或天與人。在物類中又可分為若干個子系統，日月星辰、水火土石屬於無機物，走飛草木屬於有機物，草木為植物，走飛為動物。就整體而言，物類與人類的本質區別在於物類純屬自然而然而無人為，而人類則能以自己的靈性人為地效法自然，在演化的程度上比物類要高出兆億倍。因此，雖然萬物受性於天而各有其性，但是，人之性却不同於禽獸草木之性。"性之在物之謂理"，禽獸草木之性屬於在物者，祇可謂之物理。"天使我有是之謂命，命之在我之謂性"，"我"是一個主體性的概念，是人對自己所特有的主體性的自我意識，物類無我，人類有我，因而從狹義的角度來說，性命專屬於在人者。邵雍曾反覆強調人與物之不同。比如他說："在人則乾道成男，坤道成

女。在物則乾道成陽，坤道成陰。”“生生長類，天地成功。別生分類，聖人成能。”（《觀物外篇》）由於宇宙的大系統大別而為兩類，所以邵雍也把自己的易學劃分為物理之學與性命之學兩大門類，物理之學以物類作為研究的對象，稱之為天學，性命之學以人類作為研究的對象，稱之為人學，天學與人學雖分而亦合，統稱之為天人之學。

　　在易學史上，關於天學與人學的同異分合的關係問題，一直是各派易學探索的重點，但是由於象數與義理的殊途，儒道兩家學術思路的互異，這個問題始終未能得到妥善的解決，往往是各有所蔽，偏而不全。就宋代易學而論，劉牧的圖書象數之學言天而不及人，李覯、歐陽修的經世義理之學言人而不及天，司馬光偏於儒家的名教理想而言天人，蘇軾則偏於道家的天道自然而言天人。周敦頤作為理學的開山人物，走的是一條象數與義理合流、儒道兩家互補的路子，他以天道性命為主題，致力於溝通天人關係，但是，他所言的太極，目的祇在於為儒家之人極確立一個宇宙論的根據，並未拈出物理之學的概念，對自然科學本身展開具體的研究。比較起來，邵雍對這個問題的處理在很大程度上糾正了以往的一些偏向，超越了前人，在易學史上作出了突出的貢獻。邵雍明確地把易學區分為先天與後天，先天之學着重於研究天道之自然，屬於科學易，後天之學着重於研究人道之名教，屬於人文易，這種學科分類的思想直至今天尚為人們所遵循，是非常卓越的。就此二者的關係而言，先天明體，後天入用，後天從屬於先天，因而研究的途徑應該是推天道以明人事，先研究物理之學，後研究性命之學，由自然科學入手而過渡到人文科學，至於研究的目的，則是為了闡明人性高於物性的本質所在，以便更好地效法天道以發揮人事之用，故應本着人文的關懷而落實於性命之學。照邵雍看來，祇有如此，纔能建構一個完整的天人之學。他曾説：“學不際天人，不足以謂之

學。"(《觀物外篇》)

　　邵雍對物理之學傾注了極大的熱情,涉及到天文、曆法、算數、生物、律呂聲音之唱和諸多方面,解釋了各種各樣的自然現象,雖然並不是一種實證的研究,但却是本於易理,蘊含着一系列富有啟發性的真知灼見,在中國古代的自然科學史上應該佔有一定的地位。比如他說:

> 大衍之數,其算法之原乎! 是以算數之起,不過乎方圓曲直也。乘數,生數也。除數,消數也。算法雖多,不出乎此矣。

> 圓者,星也。曆紀之數,其肇於此乎! 方者,土也。畫州並地法,其放於此乎!

> 月體本黑,受日之光而白。

> 日月之相食,數之交也。日望月,則月食。月掩日,則日食。

> 曆不能無差。今之學曆者,但知曆法,不知曆理。能布算者,洛下閎也。能推步者,甘公、石公也。洛下閎但知曆法。揚雄知曆法,又知曆理。

> 海潮者,地之喘息也。所以應月者,從其類也。

> 天之象數可得而推,如其神用,則不可得而測也。天可以理盡,不可以形盡。渾天之術,以形盡天,可乎?

> 物理之學,或有所不通,不可以強通。強通則有我,有我則失理而入術矣。(《觀物外篇》)

　　邵雍稱性命之學為人學,着重於對人的研究。人是宇宙大系統中的一個子系統,不能脫離宇宙而孤立地存在,但是,人又有着自己的本質特徵而與天地萬物相區別。因此,關於人的研究,主要是探討人在宇宙中的地位以及人之所以為人的本質問題。這也就是中國哲學史上一直都在探討的人性論的問題。一般而言,道家往往是站在宇宙的高度來俯瞰人,把宇宙的偉大和人的渺小進行對比。比如莊子曾說:"眇乎小哉,所以屬於人也。謷乎大哉,獨成其天。"（《莊子·德充符》）既然宇宙比人偉大,所以道家認為人之所以為人的本質不在於人為的造作,而在稟受於宇宙的自然本性。儒家與道家相反,強調"人最為天下貴"的偉大,可以與天地並立而為三。人之所以偉大,是因為人具有與禽獸相區別的道德屬性（孟子）,或者具有能以禮義組合社會羣體的能力（荀子）,因而人的本質規定不是自然本性,而是人文價值。實際上,人一方面作為宇宙的一個組成部份,另一方面又是萬物之靈,既有自然本性,又有人文價值的規定。從這個角度來看,儒道兩家的人性論可以說是各有所見,也各有所偏。邵雍的易學是一個儒道兼綜的體系,他的人性論的思想力圖把道家的自然主義與儒家的人文主義有機地結合起來,從而表現出鮮明的特色。

　　邵雍首先從物理之學的角度來觀察,指出人類的生理結構與物類相比較,存在着既有聯繫又有區別的兩面性。他說:

　　　　性情形體者,本乎天者也。走飛草木者,本乎地者也。本乎天者,分陰分陽之謂也。本乎地者,分剛分柔之謂也。夫分陰分陽、分柔分剛者,天地萬物之謂也。備天地萬物者,人之謂也。（《觀物內篇》）

　　　　動者體橫,植者體縱,人宜橫而反縱也。飛者有翅,走者有趾,人兩手,翅也,兩足,趾也。飛者食木,走者食草,人皆兼之,而又食飛走也。故最貴於萬物也。神統於心,氣統於腎,形統於首,形氣交而神交乎中,三才之道也。

　　　　人之四肢,各有脈也。一脈三部,一部三候,以應天數也。

　　　　天有四時,地有四方,人有四肢。是以指節可以觀天,掌文可以察地,天地之理,具乎指掌矣,可不貴之哉!（《觀物外篇》）

這是認為,人類與物類的生理結構皆本於陰陽剛柔之四象,但物類分陰分陽,分剛分柔,僅得四象之偏,人類則兼陰陽剛柔而有之,能得四象之全。人類的體形、四肢、飲食是物類演化的一個高級階段，其兩手由飛之翅演化而來，兩足由走之趾演化而來，體形直立有如植物之體縱，兼飛走草木而食之，故最為天下貴。特別是，人的四肢是一個宇宙的全息系統，上應天文，下應地理，首上腎下，而心處中，有精神，有心靈，以一身而象全三才之道。因此，人類與物類雖然同是自然的產物，其生理結構不外乎陰陽剛柔之四象，但人類卻是宇宙之驕子，是陰陽剛柔最完美的組合，僅就其稟受於宇宙的自然本性而言，也比動植物高出了無數個層次。

再從心理的角度來觀察。邵雍認為，人類的感覺器官靈於萬物，目能收萬物之色，耳能收萬物之聲，鼻能收萬物之氣，口能收萬物之味。心是感覺器官的主宰，人類之所以能全面地感受到萬物之色聲氣味，關鍵在於人類有心而物類無心。《觀物外篇》説："人居天地之中，心居人之中。"心是整個人體的指揮中心。物類有性情形體，人類之心有意言象數，意盡物之性，言盡物之情，象盡物之形，數盡物之體。性情形體為所知，意言象數為能知，所知為認識的客體，能知為認識的主體，所知被動而能知主動。這就是認為，人類之心具有主動地認識物類的能力，能夠窮盡物之性情形體，故為萬物之靈。邵雍稱先天之學為"心法"，把自己的哲學體系概括為"心學"，企圖以此認識之心作為溝通人與宇宙自然的關係的橋樑，這是他的人性論思想不同於其他各家的最大的特色所在。

照邵雍看來，心有三種，一為天地之心，二為人類之心，三為聖人之心。天地之心即太極一元之道，是一種尚未被人們所認識的客觀自在之理，為天運之本然，陰陽之消息，屬於所知的範疇。人類之心則屬於能知的範疇，具有主觀能動的靈性，能夠認識天地之心，把自在轉化為自為。《觀物內篇》説："夫一動一靜者，天地至妙者與！夫一動一靜之間者，天地人之至妙至妙者與！"這是認為，天地之心的特點在於"一動一靜"，人類之心的特點則在於"一動一靜之間"，加上了主體性的因素。天生於動，地生於静，一動一静交，而天地之道盡，萬物由此而生，大化由此而出，自然而然，無思無為，鼓萬物而不與聖人同憂，這就是天地之心的本質。人類之心則是動而無動，静而無静，動中含静，静中含動，處乎一動一静之間。《莊子·在宥》曾説："人心排下而進上，上下囚殺，淖約柔乎剛强，廉劌雕琢，其熱焦火，其寒凝冰，其疾俯仰之間而再撫四海之外；其居也，淵而静；其動也，縣而天。僨驕而不可繫者，其唯人心乎!"這種主體的能動性就是人類之心的本質，其所以稱之為"至妙至妙"，是因為衹有憑藉着這種主體的能動性，纔能發揮人事之用去感應和認識自然而然的天地之心，把人類從物類中分化出來，與天地並立而為三。但是，人類之心也包含了很多的雜質，有情有慾，有情則蔽，蔽則昏，有慾則私，私則"屈天地而徇人慾"，因而免不了常犯錯誤，產生"心過"。邵雍滿懷感慨地指出："無口過易，無心過難。既無心過，何難之學？吁! 安得無心過之人，而與之語心哉! 是知聖人所以能立於無過之地者，謂其善事於心者也。"(《觀物內篇》)聖人是人類中的出類拔萃者，聖人之心集中體現了人類之心的精華而無任何的雜質，至誠湛明，精義入神，能知天地萬物之理而一以貫之，因此，衹有聖人之心纔能全面地認識天地之心，人與宇宙自然的溝通是以聖人之心為中介而後實現的。關於聖人之心的本質，邵雍指出："大哉用乎! 吾於此見聖人之心矣。""無思無為者，神妙致一之地也，所謂一以貫之。聖人以此洗心，退藏於密。"(《觀物外篇》)所謂無思無為，即先天之體，也就是一動一静的"天地之至妙"，聖人心無一思之起，亦無一為之感，一而不分，退藏於密，則與先天之體合而為一，由此發而為後天之用，隨乎天地，因時之否泰而進行人為的因革損益，時行則行，時止則止，這就是處乎一動一静之間的"天地人之至妙至妙"了。《觀物內篇》説："人皆知仲尼之為仲尼，不知仲尼之所以為仲尼。不欲知仲尼之所以為仲尼則已，如其必欲知仲

尼之所以為仲尼,則捨天地將奚之焉?"這就是認為,聖人之心實與
天地同妙,應該從天道自然無為的角度來領會聖人之心,但是,聖
人之心又是一個主體性的因素,以後天為用為主,能開不世之事業
於無窮,所以是人的自然本性與價值理想的完美的統一,是人性的
最高的典範。

　　在《伊川擊壤集序》中,邵雍對自己的性命之學作了一個總體
性的表述。他說:

　　　　性者,道之形體也,性傷則道亦從之矣。心者,性之郛郭
　　　　也,心傷則性亦從之矣。身者,心之區宇也,身傷則心亦從之
　　　　矣。物者,身之舟車也,物傷則身亦從之矣。

朱熹對這幾個命題頗為讚賞, 認為"此語雖說得粗, 畢竟大概
好"(見《朱子語類》卷一百),道即天地萬物自然之道,無所不在,在物
謂之理,具於人謂之性,就外延而言,道大而性小,性從屬於道,就
內涵而言,則道小而性大,因為人之性除了同於自然的物之理以
外,還包含着極為豐富的人文價值的規定。道是泛言,性是就自家
身上說,欲知此道之實有者,當求之吾性分之內,故稱性為道之形
體。性之本質為善,具於心中,心為性之郛郭,心大而性小,心包括
性,性不能該盡此心,因為心統性情,有正有邪,善惡相混,故心傷
則性亦從之。身者心之區宇,心是身的主宰,身是心的寓所,此二
者相互依存,不可脫離,如果身體受到傷害,也勢必要傷害心靈。
身體的生存必須仰賴外物的資養,故物為身之舟車,如果缺乏外物
的資養,身體的生存也就失去了保障。這幾個命題環環相扣,層次
分明,把性命之學放置在整個宇宙的大系統中進行宏觀的考察,既
突出了人性高於物性的人文主義的價值,同時又強調這種人文價
值的本源在於自然之道,人性的完美的實現必須與作為物質範疇
的身體、外物結成和諧的統一。

　　根據這種表述,邵雍接着提出了自己的認識論的基本原則。

他説：

> 是知以道觀性，以性觀心，以心觀身，以身觀物，治則治
> 矣，然猶未離乎害者也。不若以道觀道，以性觀性，以心觀心，
> 以身觀身，以物觀物，則雖欲相傷，其可得乎！若然，則以家觀
> 家，以國觀國，以天下觀天下，亦從而可知矣。（《伊川擊壤集序》）

朱熹對邵雍的這個思想作了詳細的討論，贊成邵雍所反對的原則，
而反對邵雍所贊成的原則，認為"以道觀道"而下，皆付之自然，其
説出於老子，若使孔孟言之，必不肯如此説，教導他的學生且説"以
道觀性"前四句。他解釋説：

> "以道觀性者，道是自然底道理，性則有剛柔善惡參差不
> 齊處，是道不能以該盡此性也。性有仁義禮智之善，心卻千思
> 萬慮，出入無時，是性不能以該盡此心也。心欲如此，而身卻
> 不能如此，是心有不能檢其身處。以一身而觀物，亦有不能盡
> 其情狀變態處，此則未離乎害之意也。且以一事言之，若好人
> 之所好，惡人之所惡，是"以物觀物"之意；若以己之好惡律人，
> 則是"以身觀物"者也。
>
> 又問：如此，則康節"以道觀道"等説，果為無病否？
>
> 曰：謂之無病不可，謂之有病亦不可。若使孔孟言之，必
> 不肯如此説。渠自是一樣意思。如"以天下觀天下"，其説出
> 於老子。
>
> 又問：如此，則"以道觀性，以性觀心，以心觀身"三句，義
> 理有可通者，但"以身觀物"一句為不可通耳。
>
> 曰：若論"萬物皆備於我"，則"以身觀物"，亦何不可之有？

（《朱子語類》卷一百）

從朱熹的這種解釋，可以看出他與邵雍的觀點上的分歧，分歧
的關鍵在於朱熹主要是着眼於道德的修養，而邵雍則主要是着眼
於理性的認識。照朱熹看來，道雖是自然的道理，却也是道德的本

體,價值的源泉,為了進行道德修養,必須把道與性連起來說,一方面要以道觀性,否則就不知其所本,另一方面要就己之性上來體認,否則就渺茫無據,如何知得這道。他舉例說,"天叙有典",典是天底,自我驗之,方知得"五典五惇";"天秩有禮",禮是天底,自我驗之,方知得"五禮有庸"。根據這個看法,朱熹批評邵雍的"以道觀道"的思想不僅"似老子",而且"近似釋氏","與張子房之學相近","有個自私自利底意思",同於楊朱之為我。因為邵雍所說的道祇是指自然的道理,為陰陽之消息、天運之本然,是宇宙的本體,而非道德的本體,若以道觀道,則與老子"天地不仁,以萬物為芻狗"的自然主義的思想近似,一切皆付之自然,亡者自亡,存者自存,這就無異於否定了人文價值,取消了道德的修養。朱熹認為,邵雍之為人神閑氣定,極會處置事,但祇是以"術",而與聖人之知天命以理有差,方衆人紛拏擾擾時,他自在背處,祇是自要尋個寬間快活處,人皆害他不得。朱熹的這個批評看來過於尖刻,但是頗有見地,涉及到如何處理道德修養與理性認識的關係問題,揭示了邵雍的學術思想的基本傾向,並不完全是對邵雍的誤解。

實際上,邵雍雖然強調理性認識,却沒有取消道德修養,反過來說,朱熹雖然強調道德修養,也沒有忽視理性認識,祇是在處理二者的關係時,他們的思路和傾向存在着分歧。從哲學史的角度來看,這種分歧由來已久,歸根結底,是由儒道兩家在處理天人關係問題上所表現的不同的思路和傾向派生而來的,具有十分深刻的哲學意義。一般而言,道家把天道自然置於首位,主張人事的運作應當效法天道,追求一種按照天道本來的面目去理解而不摻雜人為私慮的客觀知識,儒家則相反,把人的道德價值置於首位,按照人道的主觀理想來塑造天道,主張盡人事即可知天命,企圖援引這個被塑造了的天道來作為人道的價值的源泉,道德的本體。道家和儒家的這兩種不同的思想傾向相當於西方哲學史上所說的追

求"客觀性"的哲學和追求"協同性"的哲學。(見羅蒂《哲學和自然之鏡》)
前者可稱為科學主義,後者可稱為人文主義。用羅蒂的話來說,追
求客觀性,使協同性以客觀性為根據的人,可稱為實在論者。追求
協同性,把客觀性歸結為協同性的人,可稱為實用主義者。在西方
哲學史上,這兩種哲學既有分歧,也有合流。不過就其合流的一面
而言,其不同的傾向仍然清晰可辨。比如羅蒂是以協同性為主導
傾向而與客觀性合流,波普爾則是以客觀性為主導傾向而與協同
性合流。這兩種傾向相互之間不斷地展開批評,追求客觀性的人
批評對方蔽於人而不知天,追求協同性的人則批評對方蔽於天而
不知人。這種批評都是很有道理的,因為過分地強調人文必然會
對事物的客觀理解造成損害,而過分地強調科學也必然會使道德
的權威受到削弱。但也正是由於這種批評,科學主義和人文主義
纔能彼此促進,形成一種良性的互動,如同車之兩輪,鳥之雙翼,共
同推進哲學思想不斷地向前發展。由此看來,如何處理二者的關
係,是一個普遍的哲學問題,不僅長期困擾着中國的哲人,也是西
方哲人苦心孤詣探索的焦點,其所表現出的不同的思路和傾向,植
根於人類認識的深層的內在矛盾,所謂一致而百慮,殊途而同歸,
都有着合理性的依據,也是可以作出同情的理解的。

就邵雍的哲學而論,他並沒有否定名教之樂,祇是把名教之樂
置於第二位,使之從屬於觀物之樂。照邵雍看來,名教之樂着眼於
道德的修養,強調人文的價值,"治則治矣,然猶未離乎害者也",可
以管束人的身心,做一個道德人,但不能使人免除情累之害,做一
個宇宙人。觀物之樂則是把人提升到宇宙意識的高度,可以做到
"兩不相傷","情累都忘",既不損害對事物的客觀的理解,也能完
整地維護人所應有的名教之樂。這是因為,以物觀物的本質在於
以物喜物,以物悲物,人之悲喜發而中節,合乎物理,完全是一種自
然的感應,而無絲毫的情累之私。因此,為了維護名教之樂,使人

能夠更好地安身立命,不可目光短淺,局限在名教的本身上做文章,而必須從事高層次的哲學研究,以物觀物,對天地萬物自然之理有一個透徹的理解,去追求觀物之樂。邵雍寫了一系列以《觀物吟》命名的詩篇,略舉數例,以窺見他所謂的觀物所包含的具體內容。他説:

> 日月星辰天之明,耳目口鼻人之靈。皇王帝伯由之生,天意不遠人之情。飛走草木類既別,士農工商品自成。安得歲豐時長平,樂與萬物同其榮。(《伊川擊壤集》卷十)

> 時有代謝,物有枯榮,人有衰盛,事有廢興。(卷十四)

> 地以靜而方,天以動而圓。既正方圓體,還明聊靜權。靜久必成潤,動極遂成然。潤則水體具,然則火用全。水體以器受,火用以薪傳。體在天地後,用起天地先。(卷十四)

> 耳目聰明男子身,洪鈞賦與不為貧。因探月窟方知物,未躡天根豈識人。乾遇巽時觀月窟,地逢雷處看天根。天根月窟閑來往,三十六宮都是春。(卷十六)

> 一氣才分,兩儀已備。圓者為天,方者為地。變化生成,動植類起。人在其間,最靈最貴。(卷十七)

> 畫工狀物,經月經年。軒鑒照物,立寫於前。鑒之為明,猶或未精。工出人手,平與不平。天下之平,莫若於水,止能照表,不能照裏。表裏洞照,其唯聖人。察言觀行,罔或不真。盡物之性,去己之情。(卷十七)

> 物理窺開後,人情照破時,能將一個字,善解百年迷。

> 物理窺開後,人情照破時,情中明事體,理外見天機。

> 物理窺開後,人情照破時,敢言天下事,到手又何難。(卷十九)

由此可以看出,邵雍所觀之物,包括天時地理人事諸多方面,也就是由天地人所構成的整個的世界。觀是一種客觀的理性認識活動,不是指人的道德修養。觀這個概念本於《周易》。《觀卦·彖傳》:"觀天之神道而四時不忒。"《賁卦·彖傳》:"觀乎天文以察時變,觀乎人文以化成天下。"《繫辭下》:"古者包犧氏之王天下也,仰則觀象於天,俯則觀法於地,觀鳥獸之文,與地之宜,近取諸身,遠取諸物,於是始作八卦,以通神明之德,以類萬物之情。"邵雍據此而提出了觀物的思想,以觀物作為認識世界的基本方法。他把觀物比喻為以鑒照物,能知之鑒與所知之物是一種反映與被反映的關係。但是,鑒之工製,精粗不一,有平與不平,常使所照之物的真相受到歪曲。天下之平,莫若於水,清明止静,肖物唯一,但是,水僅能照表而不能照裏,祇反映了物之表象而未深入其本質,唯有聖人之觀物,纔能表裏洞照,全面地認識事物的本來面目。聖人之所以能够如此,關鍵在於以物觀物,盡物之性,去己之情。在《觀物內篇》中,邵雍進一步闡述這個看法:

> 夫鑒之所以能為明者,謂其不隱萬物之形也。雖然,鑒之能不隱萬物之形,未若水之能一萬物之形也。雖然,水之能一萬物之形,又未若聖人能一萬物之情也。聖人之所以能一萬物之情者,謂其能反觀也。所以謂之反觀者,不以我觀物也。不以我觀物者,以物觀物之謂也。既能以物觀物,又安有於其間哉!

邵雍的道體論着重於客體的研究,他把包括天地人在内的整個的世界綜合而成為一個宇宙的大系統,致力於探索其中的變化生成的普遍規律,而歸結為自然而然客觀自在的天地之心。他所謂的觀物則是着重於主體的研究。物是認識的客體,觀是認識的主體,必先有所觀之物,然後纔有能觀之心。照邵雍看來,此能觀之心是人類區別於物類的本質所在,物類祇有自然的感應而無能觀之心。"變化生成,動植類起,人在其間,最靈最貴"。人類是宇宙演化過程中的高級階段,在宇宙年表一元之數的寅會纔產生,即所謂"人生於寅"，具體說來，人類是在天地開闢以後的三萬二千四百年纔產生的。在人類產生以前，最先是一個無生命的物理世界，祇存在着日月星辰、水火土石之類的無機物。經過了若干萬年以後，產生了飛走草木之類的有機物，世界上開始有了生命，但是，動植物的生命是無意識的，蒙昧不覺，尚未從自然界中分化出來。自從產生了最靈最貴的人類，有了主體性的意識，這個世界纔起了質的變化，變成為一個包括天地人三才在內的完整的世界，以能觀之心觀所觀之物的認識活動纔能夠進行。因此，主客分立既是認識活動的歷史的前提，也是邏輯的前提，沒有這種分立，就談不上觀物。但是，主客分立的最後的歸宿應該是主客合一，否則，就會形成錯誤的認識，歪曲事物的真相。邵雍認為，如何做到主客合一從而形成正確的認識，反映事物的真相，決定的因素在主體而不在客體。以銅鏡為喻，精緻的銅鏡使物無隱形，凸凹不平的銅鏡則使物發生變形。按照這個看法，所以邵雍的觀物的思想，重點是研究如何糾正主體所常犯的錯誤，使之如其所觀，做到主客合一。他指出：

> 夫所以謂之觀物者，非觀之以目而觀之以心也，非觀之以心而觀之以理也。（《觀物內篇》）

> 以物觀物，性也。以我觀物，情也。性公而明，情偏而暗。

> 心為太極。人心當如止水則定，定則靜，靜則明。

> 先天學主乎誠，至誠可以通神明，不誠則不可以得道。

> 至理之學，非至誠不至。誠者，主性之具，無端無方者也。

> 任我則情，情則蔽，蔽則昏矣。因物則性，性則神，神則明矣。

> 為學養心，患在不由直道。去利慾，由直道，任至誠，則無所不通。天地之道直而已，當以直求之。若用智數由徑以求之，是屈天地而徇人欲也，不亦難乎！

　　　知之為知之,不知為不知,聖人之性也。苟不知而強知,
　非情而何? 失性而情,則眾人矣。(《觀物外篇》)

　　照邵雍看來,人之觀物有三種不同的觀法,--是觀之以目,二
是觀之以心,三是觀之以理。以目觀物是指用自己的感覺器官去
觀物,此種觀法可見物之形,祇能得到一些表面的感性認識。以心
觀物即以我觀物,是指用自己主觀的好惡之情去觀物,此種觀法可
見物之情,但却受到主觀的蒙蔽,昏而不明,祇能得到一些片面的
認識。以理觀物即以物觀物,是指順應物之自然本性、尊重物之本
來面目去觀物,此種觀法避免了偏而暗的主觀成見,公而且明,可
見物之性,使主體與客體合而為一。由於能觀之心包括性與情,任
我則情,因物則性,因而在認識活動中,失性而情,以我觀物,是產
生錯誤的根本原因,如果能够去利慾,由直道,以至誠為至性之具,
使人心如同止水那樣澄澈虛涵,毋意毋必毋固毋我,這就可以得到
正確的認識而不犯錯誤。從這個角度來看,關於心性的修養是必
須要講的,由至誠以通至理也是必須要強調的,但是,邵雍所謂的
"養心"、"至誠",主要是着重於理性的認識,而不是道德的修養。
他的目的在於窺開物理,照破人情,把人文的價值理想建立在對天
地萬物自然之理的客觀的認識基礎之上。邵雍的這個思想把認識
論的問題提到如此 重要的地位,不僅在理學中顯得獨樹一幟,在
整個中國哲學史上也是極為罕見的。

作者簡介　余敦康,1930 年生,湖北漢陽人。現任中國社會
科學院世界宗教研究所研究員、中國社會科學院研究生院教授。

論邵雍的先天之學與後天之學

余敦康

內容提要　　本文指出,先天之學與後天之學是邵雍易學的兩個基本概念。先天之學明體,後天之學入用,先天之學為心,後天之學為跡,由於體不離用,用不離體,心為跡之微,跡為心之顯,所以儘管先天之學為《易》之第一義,先於後天而有,為後天所效法,但是二者密不可分,共同組成為一個易學的整體。邵雍在易學上屬於象數派,企圖通過一套數學推演的方法來把握《易》道的本質,但他強調自己研究的是"理數"而不是"術數",這種理數是天地萬物本然的秩序,支配天地萬物變化的內在的規律,因而他的象數圖式實際上是對義理的一種闡發。其先天之學的圖式着眼於闡發對待之體,即就陰陽之靜態的相對性質而言其定位;其後天之學的圖式着眼於闡發流行之用,即就陰陽之動態的相互轉化而言其變易。邵雍的易學風格奇特,在宋代易學中獨樹一幟,但就其所研究的對象以及所繼承的傳統而言,卻是與他的許多同時代人息息相通的。

邵雍的《皇極經世書》,其理論特色表現為"尊先天之學,通畫前之《易》",突破了《周易》原來的框架結構,依據他所發明的先天象數重新編織了一套井然有序、層次分明的易學體系。朱熹對邵雍的易學體系極為推崇,他在《答袁機仲書》中指出:"據邵氏說,先天者伏羲所畫之《易》也,後天者文王所演之《易》也。伏羲之《易》,初無文字,祇有一圖以寓其象數,而天地萬物之理、陰陽始終之變具焉。文王之《易》即今之《周易》,而孔子所為作傳者是也。孔子既因文王之《易》以作傳,則其所論固當專以文王之《易》為主,然不推本伏羲作《易》畫卦之所由,則學者必將誤認文王所演之《易》便為伏羲始畫之《易》,祇從中半說起,不識向上根原矣。"這種伏羲所畫之《易》,"是皆自然而生,瀵湧而出,不假智力,不犯乎勢,而天地之文,萬事之理,莫不畢具,乃不謂之畫前之《易》,謂之何哉"? "其曰畫前之《易》,乃謂未畫之前,已有此理,而特假手於聰明神武之人以發其秘,非謂畫前已有此圖,畫後方有八卦也。此是《易》中第一義也。若不識此而欲言《易》,何異舉無綱之網,挈無領之裘,直是無著力處"。(《朱子大全》卷三十八)

邵雍的先天之學探索的重點是《易》之道,而不是《易》之書。邵雍認為,《易》之道先於《易》之書而有,是為畫前之《易》。這種畫前之《易》是宇宙生成的本源,存在於天地之間而為萬物所遵循的客觀規律,是一種自然之道。文王所作之《易》即今之《周易》,則是對此自然之道的一種主觀上的認識和理解,加上了人為的因素,是一種適合於人的實用目的編織而成的符號系統,而非自然之道本身,故為後天之學。後天之學是由先天之學而來,先天是第一性的,後天是第二性的,先天明其體,後天明其用,先天之學為心法,後天之學則是心法所顯現的外在的形跡,因而易學應以這種先天之學作為主要的研究對象。

可以看出,邵雍的這個思想與漢唐以來通行的注疏之學有着明顯的不同。因為注疏之學以《周易》的文本即《易》之書作為主要的研究對象,雖然也對客觀存在的《易》之道有所發明,但是由於受到經傳文字的束縛,特別是受到業已定型化的文王八卦次序和八卦方位的束縛,往往是局限於解說現成之形跡,曲意牽合,於難通之處強求其通，而不能由跡以明心，由用以見體，把易學研究推進到一個更高的哲學的層次。邵雍認識到注疏之學的這種缺陷，在易學史上第一次提出了先天之學與後天之學、伏羲之《易》與文王之《易》這些全新的概念，目的在於把《易》之道與《易》之書明確地區分開來，扭轉易學研究的方向，激發人們的哲學興趣，去進一步探索伏羲平地著此一書所依據的自然之道本身的問題。朱熹正是因此而對邵雍的易學作了高度的評價，認為邵雍所探索的先天之學、畫前之《易》是易學的基本綱領，《易》中的第一義，如果不推本伏羲作《易》畫卦之所由，祇從文王之《易》即今之《周易》説起，是不識向上根原，無著力之處，在哲學上便會落入下乘，而不能為易學確立一個堅實的理論基礎。

其實，關於畫前之《易》的問題，早在先秦時期《周易》成書之時就已經作為一個易學的基本問題提出來了。《繫辭》説："古者包犧氏之王天下也，仰則觀象於天，俯則觀法於地，觀鳥獸之文與地之宜，近取諸身，遠取諸物，於是始作八卦，以通神明之德，以類萬物之情。"《説卦》也説："觀變於陰陽而立卦，發揮於剛柔而生爻。"這是關於畫前之《易》的經典性的表述，説明八卦是伏羲觀察了天地、鳥獸、人物等自然和社會現象而後畫出來的，它是對客觀外界的一種摹擬、象徵和反映，存在於客觀外界的陰陽剛柔的自然之道是第一義，卦爻結構乃是依此第一義而始成立，屬於第二義。在易學史上，一些超越了注疏水平而卓然成家的易學家，都普遍地關注畫前之《易》的問題，追求向上根原的第一義，他們的研究對象是完全一致的。但是，由於時代思潮的不同，歷史條件的差異，他們的學術思路和研究成果卻是個性鮮明，各具特色，比如有的側重於象數，有的側重於義理，有的説得法密，有的説得理透。雖然如此，所有這些支流別派都融匯同歸於《易》之道的滾滾長河之中，加深擴大了對陰陽哲學的理解，充實豐富了易學思想的寶庫。這就在易學史上形成了一種一致而百慮、殊途而同歸的局面,既有同中之異,也有異中之同,因而如何恰如其分地處理這種同與異的關係,就成了易學史研究中的最大的難點所在。

　　就宋代的易學而言,人們不滿於漢唐注疏而轉向於對畫前之《易》的研究是一種時代的風尚,如果我們不拘泥於名詞概念而着眼於精神實質,可以看出,當時許多易學家都站在哲學的高度提出了與邵雍相類似的先天之學的思想。比如司馬光在《溫公易說》中指出,《易》雖為聖人所作,但非聖人所生。"《易》者先天而生,後天而終"。"夫《易》者,自然之道也。子以為伏羲出而後《易》乃生乎"? "推而上之,邃古之前而《易》已生,抑而下之,億世之後而《易》無窮。是故《易》之書或可亡也,若其道則未嘗一日而去物之左右也"。這就是强調《易》之道與天地相終始的客觀實在性,先於《易》之書而存在,易學應以此畫前之《易》作為主要的研究對象。蘇軾在《東坡易傳》中指出:"相因而有,謂之生生,夫苟不生,則無得無喪,無吉無凶。方是之時,《易》存乎其中而人莫見,故謂之道,而不謂之《易》。有生有物,物轉相生,而吉凶得喪之變備矣。方是之時,道行乎其間而人不知,故謂之《易》,而不謂之道。"因而《易》的本質就是宇宙萬物生生不已的自然運行的過程,這也就是所謂畫前之《易》。蘇軾依據對此畫前之《易》的研究,闡發了一套系統的易學思想,認為,"天地位則德業成,而《易》在其中矣,以明無別有《易》也"。至於乾坤之類的卦象,則是聖人為了使人們便於理解而人為地設立的,並非此畫前之《易》的本身。周敦頤在《通書·精蘊章》中指出:"聖人之精,畫卦以示;聖人之蘊,因卦以發。卦不畫,聖人之精,不可得而見。微卦,聖人之蘊,殆不可悉得而聞。《易》何止五經之源,其天地鬼神之奧乎!"朱熹認為,所謂精蘊,即"畫前之《易》,至約之理也。伏羲畫卦,專以明此而已"。這就是說,周敦頤的易學思想,也是對畫前之《易》的一種研究和闡發。張載在《橫渠易說》中指出:"《繫辭》言《易》,大概是語"易書"製作之意,其言《易》無體之類,則是《天易》也"。"《易》,造化也。聖人之意莫先乎要識造化,既識造化,然後其理可窮"。所謂《天易》,即先天之學,造化即畫前之《易》。張載認為,這是《易》的本質所在,如果不識造化,不明《天易》,便無從理解"易書"製作之意。程頤在《伊川易傳》中指出:"《易》之有卦,《易》之已形者也;卦之有爻,卦之已見者也。已形已見者可以言知,未形未見者不可以名求。則所謂《易》者,果何如哉?""至微者理也,至著者象也。體用一源,顯微無間"。所謂未形未見而至微之理,是為形而上,也就是畫前之《易》;所謂已形已見而顯著之象,是為形而下,也就是邵雍所說的文王之《易》。程頤認為,人們應該把這兩種不同的《易》區別開來,由用以見體,由顯而知微,向上追求形而上之理,以畫前之《易》作為主要的研究對象。

從以上的這些言論看來,邵雍的"尊先天之學,通畫前之《易》"的易學體系,雖然因其一系列獨創的思路和複雜的推演,在宋代易學中顯得風格奇特,與眾不同,但是就其所研究的對象以及所繼承的易學傳統而言,却是與他的許多同時代人息息相通的。在《觀物外篇》中,邵雍曾反覆申言他對《易》之道的基本理解,他說:"《易》者,一陰一陽之謂也。""生而成,成而生,《易》之道也"。"道為太極"。邵雍的這種理解表現了他的易學的共性,與其他的易學家相比較,可以說是毫無二致,完全相同。但是,由於象數與義理的殊途,各人所選擇的學術思路彼此不同,由此而建立的太極整體觀很不一樣,這就表現了易學的個性。邵雍屬於象數派,特別是注重奇偶之數的變化的有序性,企圖通過一套數學推演的方法來把握《易》道的本質,所以他在《觀物外篇》中又反覆申言這種獨特的思路,認為"《易》之數,窮天地終始"。"乾坤起自奇偶,奇偶生自太極"。

　　程頤與邵雍私交甚篤,過往密切,但在學術思路上屬於義理派,認為"有理而後有象,有象而後有數。《易》因象以明理,由象而知數。得其義,則象數在其中矣。必欲窮象之隱微,盡數之毫忽,乃尋流逐末,術家之所尚,非儒者之所務也"。(《河南程氏文集》卷九《答張閎中書》)因而公開表示對邵雍的數學不感興趣以維護自己的個性, 曾說:"頤與堯夫同里巷居三十餘年, 世間事無所不問, 惟未嘗一字及數。"

　　司馬光的學術思路與邵雍有很多的相似之處。司馬光也把太極歸結為數,認為太極即一,為數之元也,掊而聚之歸諸一,析而散之萬有一千五百二十,而未始有極,天地萬物皆由此一而來,故"義出於數"。但是,司馬光對數的有序性缺乏研究,而且主張"義急數亦急",其所建立的易學體系,義理的成份大於象數的成份。

　　周敦頤與邵雍同屬象數派,但是一個立足於《易》之象,一個立足於《易》之數,他們的易學體系仍有格局規模之不同,大小詳略之差異。朱熹在《答黃直卿書》中,對《先天》、《太極》二圖作了細緻的比較。他指出:"《先天》乃伏羲本圖,非康節所自作,雖無言語,而所該甚廣,凡今《易》中一字一義,無不自其中流出者。《太極》卻是濂溪自作,發明《易》中大概綱領意思而已。故論其格局,則《太極》不如《先天》之大而詳,論其義理,則《先天》不如《太極》之精而約。蓋合下規模不同,而《太極》終在《先天》範圍之內,又不若彼之自然,不假思慮安排也。若以數言之,則《先天》之數,自一而二,自二而四,自四而八,以為八卦。《太極》之數,亦自一而二(剛柔),自二而四(剛善、剛惡、柔善、柔惡),遂加其一(中),以為五行,而遂下及於萬物。蓋物理本同,而象數亦無二致,但推得有大小詳略耳。"(《朱子大全》卷四十六)

　　朱熹對歷代各家易學均有所批評,唯獨對邵雍的易學少有微辭。他曾說:"熹看康節《易》,看別人《易》不得。他說那太極生兩儀,兩儀生四象,又都無甚玄妙,祇是從來更無人識。""康節之學,得於《先天》,蓋是專心致志,看得這物事熟了,自然前知。"(《朱文公易說》卷十九)朱熹撰《周易本義》,取《伏羲八卦次序圖》、《伏羲八卦方位圖》、《伏羲六十四卦次序圖》、《伏羲六十四卦方位圖》載於卷首,指出,"右伏羲四圖,其說皆出邵氏。蓋邵氏得之李之才挺之,挺之得自穆修伯長,伯長得之華山希夷先生陳摶圖南者,所謂先天之學也。"這四個圖式是邵雍易學的基本的理論框架和特色所在,前人已作了大量的研究,析論甚詳,我們則着眼於異中求同,側重於從《易》道精神的角度來揭示其中所蘊含的帶普遍性的哲學意義。

在《觀物外篇》中,邵雍表述了他的先天之學的核心思想。邵雍明確指出,先天之學即心法,《先天圖》是對心法的圖解,他的整個易學體系都是圍繞着心法這個核心思想而展開的。邵雍所謂的心,指的是太極,也就是天地之心。他曾說:"心為太極。""天地之心者,生萬物之本也。"因而先天之學就是對太極的研究,對天地之心的研究。

天地之心的說法本於《周易·復卦·象傳》:"反覆其道,七日來復,天行也。利有攸往,剛長也。復其見天地之心乎。"天地本無心,但是其中自有一種客觀的自在之理,是為陰陽之消息,天運之本然。各家各派的易學莫不重視對此自在之理的研究,從事"為天地立心"的工作,把自在轉化為自為。比如義理派的王弼認為,"天地以本為心者也"。"寂然至無是其本矣。故動息地中,乃天地之心見也"。程頤認為,"一陽復於下,乃天地生物之心也。先儒皆以靜為見天地之心,蓋不知動之端乃天地之心也"。邵雍不同意義理派的這些空泛籠統的看法,而追求一種先天象數的精確性,特別贊賞揚雄的思路,認為"揚雄作《太玄》,可謂見天地之心者也"。朱熹指出:"康節之學似揚子云。《太玄》擬《易》,方、州、部、家,皆三數推之。玄為之首，一以生三為三之方，三生九為九州，九生二十七為二十七部，九九乘之，斯為八十一家。首之以八十一，所以準六十四卦；贊之以七百二十有九，所以準三百八十四爻，無非以三數推之。康節之數，則是加倍之法。"(《朱子語類》卷一百)就邵雍與揚雄皆以數而見天地之心的思路而言，二人的易學是相似的，但是揚雄以三為基數進行推演，由此而建立的體系與《易》全不相干，祇是一種擬《易》之作，邵雍則以四為基數，用加倍之法推演，不僅合理地解釋了八卦變化之由以及六十四卦生成之序，而且建立了一個完全符合於《易》道精神的太極整體觀。照邵雍看來，"《易》之數，窮天地終始"，此數即"自然之數"，"天地分太極之數"，而"天下之數出於理"，此理即"天地萬物之理"，"生而成，成而生"的變易之理，理寓於數，數的奇偶變化的有序性乃是此理的表現形式，故稱為"理數"。邵雍不同意程頤把他的易學簡單歸結為術數的說法，強調自己研究的是理數而不是術數，認為"違乎理，則入於術。世人以數而入於術，故不入於理也"。這種理數是天地萬物的本然的秩序，支配天地萬物變化的內在的規律，就其與外在的有形可見的象器相對而言，也叫做"內象內數"、"先天象數"，統稱之為"心法"。所謂"萬化萬事生乎心"，此心指的是"天心"，即天地之心，心與跡相對，跡是"指定一物而不變者"的"外象外數"，心是"自然而然不得而更者"的"內象內數"。邵雍根據這種看法，提出了自己的認識把握天地之心的基本思路，認為"乾坤起自奇偶，奇偶生自太極"，"天地象數，可得而推"，祇要懂得了奇偶變化的有序性，就可以通過數的推演而把握此內象內數，窺見天地之心。

　　邵雍首先按照這條思路解釋了八卦生成的次序。《繫辭》曾說："《易》有太極，是生兩儀。兩儀生四象，四象生八卦。"邵雍認為，這種生成的次序表現為一種數的推演，即"一分為二，二分為四，四分為八"。太極為一，"一者數之始而非數"，"非數而數以之成",因為數的本質在於奇偶,有了奇偶,才有數的變化,陽為奇,陰為偶,而太極乃陰陽渾而未分之一,雖為奇偶之數的本源而本身並非奇偶。"奇偶生自太極",奇偶之數的有序性是在太極分為兩儀的過程中呈現出來的,故一分為二之二,指的並不是一與一相加而成的自然數,而是指具有對立性質的一陰一陽。所謂二分為四,也不是指加一倍法的簡單的數的推演,而是指陰與陽的四種不同的組合,即陽中陽(太陽)、陽中陰(少陰)、陰中陽(少陽)、陰中陰(太陰)。在太陽之上再加一陽,即是☰,故乾一;再加一陰,即是☱,故兌二。在少陰之上再加一陽,即是☲,故離三;再加一陰,即是☳,故震四。在少陽之上再加一陽,即是☴,故巽五;再加一陰,即是☵,故坎六。在太陰之上再加一陽,即是☶,故艮七;再加一陰,即是☷,故坤八。因而所謂四分為八,指的是陰與陽相交而成的八種組合形態,看來是一種數的自然的推演,實質上是表現了一陰一陽相互交錯的內在的規律。《周易本義》所載之《伏羲八卦次序圖》(即小橫圖)是邵雍此說的圖解。

若將小橫圖從中間拆開拚成圓圖,則成為《伏羲八卦方位圖》。邵雍認為,《說卦》中的"天地定位"一節,是對此圖的一種文字的解釋。此圖乾南、坤北、離東、坎西、震東北、兌東南、巽西南、艮西北,自震至乾為順,自巽至坤為逆,八卦的排列既有確定的方位,也有左右旋轉的運行方向。邵雍指出:"乾坤定上下之位,離坎列左右之門,天地之所闔闢,日月之所出入。是以春夏秋冬,晦朔弦望,晝夜長短,行度盈縮,莫不由乎此矣。"這是說,方位圖是一個宇宙的模型。乾為天,坤為地,乾上坤下,以定天尊地卑之位。離為日,坎為月,日東月西,而列左右之門。天地闔闢於定位之中,日月出入於列門之間,由此而生出四時、晦朔、晝夜的種種變化,究其變化之所由,無非是陰陽之消長。此圖之左方,震為乾陽下交於坤陰,陽少而陰尚多。兌與離,則浸多矣。右方之巽為坤陰上交於乾陽,陰

少而陽尚多。坎與艮則陰浸多矣。左方為天,右方為地。震兑為
在天之陰,巽艮為在地之陽。震一陽在下而二陰在上,兑二陽在下
而一陰在上,合之則三陽皆下而三陰皆上,陰上而陽下,以此見地
天交泰之義。巽一陰在下而二陽在上,艮二陰在下而一陽在上,合
之則三陰皆下而三陽皆上,陽上而陰下,以此見天地尊卑之位。天
地尊卑之位是就陰陽之分而言,地天交泰之義是就陰陽之合而言。
若無陰陽之合,則無從協調並濟以發揮生物之功;若無陰陽之分,
則無從形成一個上下尊卑井然有序的整體。因而陰陽之分與陰陽
之合就構成了宇宙內部的一種必要的張力,有分必有合,有合必有
分,分中有合,合中有分,這就是《説卦》所説的"分陰分陽,迭用柔
剛,故《易》六位而成章"的內在的含義,同時也是《伏羲八卦方位
圖》所表示的宇宙的結構及其運行的基本原理。

　　邵雍接着按照這條思路解釋了六十四卦生成的次序。這是一
種自然的生成,由太極而生成六十四卦,經歷了六個階段,即一變
而二,二變而四,三變而成八卦,四變而十六,五變而三十二,六變
而成六十四卦。表面上看來,這是加一倍法的簡單的數的推演,實
質上是一個陰與陽的不斷的分化和組合的過程,邵雍把這個過程
描述為"合之斯為一,衍之斯為萬"。六十四卦,陰陽各三十二,皆
本一陰一陽之分。其陰柔陽剛,相間迭用,消長盈虛,合而成章,故
能象數森齊,統乎一中。《伏羲六十四卦次序圖》(即先天大橫圖)
是對這個過程的圖解。若將大橫圖對剖,規而圓之,即成《伏羲六
十四卦方位圖》(即先天大圓圖)。朱熹對這幾個圖式推崇備至,認
為"伏羲畫卦皆是自然,不曾用些子心思智慮"。"自太極生兩儀,
祇管畫去,到得後來,更畫不迭。正如磨面相似,四下都恁地自然
撒出來"。"看他當時畫卦之意,妙不可言"。"《易》是互相博易之
義,觀《先天圖》便可見。東邊一畫陰,便對西邊一畫陽。蓋東一邊
本皆是陽,西一邊本皆是陰。東邊陰畫,皆是自西邊來;西邊陽畫,

都是自東邊來。姤在西，是東邊五畫陽過；復在東，是西邊五畫陰過，互相博易而成。《易》之變雖多般，然此是第一變"。(《朱子語類》卷六十五)

就此圖式的結構及其運行原理而言，邵雍指出："陽起於復，而陰起於姤"。"夫《易》根於乾坤，而生於復姤。蓋剛交柔而為復，柔交剛而為姤，自茲而無窮矣"。復☲與坤☷相接，由坤變化而來。坤為純陰；陰為陽之母，故母孕長男而為復。復坤之間，稱為"無極"，"天根"以生。姤☴與乾☰相接，由乾變化而來。乾為純陽，陽為陰之父，故父生長女而為姤。姤乾之間，"月窟"以伏。自復至乾為陽長，在東邊運行。復卦一陽初生，隔十六卦而為臨☱，為二陽之卦。又隔八卦而為泰☰，為三陽之卦。又隔四卦而為大壯☳，為四陽之卦。又隔一卦而為夬☱，為五陽之卦。夬卦接乾☰，為純陽之卦。乾卦接姤。自姤至坤為陰長而陽消，在西邊運行。姤卦一陰初生，隔十六卦而為遯☶，為二陰之卦。又隔八卦而為否☶，為三陰之卦。又隔四卦而為觀☴，為四陰之卦。又隔一卦而為剝☶，為五陰之卦。剝卦接坤☷，為純陰之卦。坤又接復，如此周而復始，循環無端，卦氣左旋，而一歲十二月之卦（即十二辟卦）皆有其序。這是一種不假安排的自然之序，陰陽相克，此消彼長，由此而形成的結構，東西交易，左右對稱。東邊復至乾三十二卦，凡百有十二陽爻，八十陰爻；西邊姤至坤三十二卦，凡百有十二陰爻，八十陽爻。從方圖所排列的八宮卦來看，乾一中的八個卦共四十八爻，其陰陽爻的分配，陽爻共三十六，陰爻共十二，而坤八中的八個卦的分配的情況則與乾一相反，陰爻共三十六，陽爻共十二。邵雍指出，這是由於乾宮中有四分之一的陽為陰所克，而入於坤宮之中，坤宮之中的十二陽爻即由乾宮而來。離、兌、巽中的八個卦，其陽爻各為二十八，陰爻各為二十。坎、艮、震中的八個卦，其陽爻各二十，陰爻各二十八。這也是由於陰陽之相克而形成的。這種對

稱性的結構及其循環無端的運行原理皆本於太極,萬物萬化皆從
這裏流出,而太極居於此圖式之中,"故圖皆自中起"。邵雍認為,
伏羲當初只畫有此圖,並無文字說明,"圖雖無文,吾終日言,而未
嘗離乎是。蓋天地萬物之理盡在其中矣"。這就是說,天下所有的
義理完全蘊含在《先天圖》的象數結構之中,他的先天之學衹是對
《先天圖》的一種解說,對其中的義理的一種闡發,因而他雖終日言
而未嘗離乎此圖,其所研究的對象卻是天地萬物之理,一陰一陽的
盈虛消息之理,也就是心法。

　　後天之學與先天之學不同,稱為文王八卦,有兩個圖式,即《文
王八卦次序圖》、《文王八卦方位圖》。邵雍認為,先天之學明體,後
天之學入用,先天之學為心,後天之學為跡。由於體不離用,用不
離體,心為跡之微,跡為心之顯,所以儘管先天之學為《易》之第一
義,先於後天而有,為後天所效法,但是二者密不可分,共同組成為
一個易學的整體,如果忽視後天之學的研究,就會形成一種有體而
無用、有心而無跡的割裂現象。因此,在《觀物外篇》中,邵雍又着
重研究了"後天象數"、"後天《周易》理數"的問題,論述了先天與後
天之間的關係,把後天之學作為一個重要的組成部份納入自己的
易學體系之中。

　　邵雍關於文王八卦次序與文王八卦方位的說法皆本於《說
卦》。《說卦》有乾坤合而生六子之說,邵雍據以定為文王八卦次
序,其"帝出乎震"一節,則據以定為文王八卦方位。朱熹認為,"文
王八卦,不可曉處多。如離南坎北,離坎卻不應在南北,且做水火
居南北。兌也不屬金。如今衹是見他底慣了,一似合當恁地相
似"。"帝出乎震,萬物發生,便是他主宰,從這裏出。齊乎巽,曉不
得。離中虛明,可以為南方之卦。坤安在西南,不成西北方無地!
西方蕭殺之地,如何云萬物之所說? 乾西北,也不可曉,如何陰陽
衹來這裏相薄"? (《朱子語類》卷七十七)但是邵雍對此許多不可曉之處

一一作了解釋,這種解釋很難說是切合《說卦》之文的本義,祇能看作是依據先天之學的思路來解釋後天,試圖把後天之學納入他的易學體系之中的一種理論上的努力。

邵雍認為,"《易》者,一陰一陽之謂也"。這是《易》道的本質所在,先天之學與後天之學都是對此一陰一陽之道的闡發。但是,一陰一陽之道可對待,有流行,對待為體,流行為用,對待着眼於陰陽之靜態的相對性質而言其定位,流行則是着眼於其動態的相互轉化而言其變易,必先有對待而後始有流行,對待是流行的內在的動因,於不易而函變易之體,故為先天之學,流行是對待的外在的表現形式,於變易而致不易之用,故為後天之學。由於對待與流行之不同,故易學分為先天與後天以判明其先後體用之關係,伏羲八卦的排列依據的是對待的交易的原則,文王八卦則是依據流行的交易的原則排列而成。雖然如此,由於體中有用,用中用體,對待必發而為流行,流行之中必含有對待,二者實際上是統一為一體而不可強行分割的,故先天與後天必須合而觀之,一方面從先天的角度以明後天所本之體,另一方面從後天的角度以明先天所致之用,如此循環往復,體用相互,始能全面地把握《易》道的本質。

邵雍首先解釋先天象數與後天象數所依據的是兩個不同的原則。他說:"乾坤縱而六子橫,《易》之本也。""乾生於子,坤生於午,坎終於寅,離終於申,以應天之時也。"這是就《伏羲八卦方位圖》的排列而言的。這種排列,乾南坤北,離東坎西,稱之為四正。邵雍認為,"四正者,乾坤坎離也,觀其象無反覆之變,所以為正也"。正就是陰陽未交,兩兩相對,反覆無變,其中所體現的是對待的原則,這是《易》之本。對待也有交易之義。所謂交易,即陰陽之盈虛消長,陽中有陰,陰中有陽,陽來交易陰,陰來交易陽,雖然也有陰陽之升降運行,但由此而形成的對稱性的結構,仍然是兩邊各相對。以乾坤為例,乾生於位北之子中,在東邊運行而盡於午中,定位於

南,坤生於位南之午中,在西邊運行而盡於子中,定位於北。坎本
位西,要其所以終則於寅,離本位東,要其所以終則於申,雖為水火
之相交,仍呈東西對待之勢。其他艮兌震巽四卦分居四隅,雖有山
澤之通氣,雷風之相薄,也是兩兩相對。至於文王八卦的排列則與
此不同,其中所體現的是流行的原則。流行即是變易,惟交乃變,
變易是由交易而來。但是,對待中之交易是一陰一陽的對稱性的
交換,流行中之交易則是一陰一陽的轉化性的推移,陰變為陽,陽
變為陰。邵雍指出,"震兌橫而六卦縱,《易》之用也"。此種排列,
以坎離震兌為四正卦,震東兌西,東西為橫,離南坎北,南北為縱。
其所以如此,是因為震兌為陰陽之始交,故當朝夕之位,坎離為交
之極者也,故當子午之位。置乾於西北,退坤於西南,是因為乾坤
乃六子之父母,純陰純陽,故當不用之位。兌離巽三女本為乾體,
索諸坤而各得一陰。艮坎震三男本為坤體,索諸乾而各得一陽。
三男三女乃乾坤之六子,為乾坤之變易而成,是以為天地之用。乾
坤既生六子,則長子用事,而長女代母,乾退於西北而統三男,坤退
於西南而統三女。邵雍認為,今本《周易》六十四卦的卦序都是按
照文王八卦的流行的原則而排列的,總的精神是強調一個用字。
他指出:"乾坤坎離為上篇之用,兌艮震巽為下篇之用。""是以《易》
始於乾坤,中於坎離,終於既未濟,而否泰為上經之中,咸恆當下經
之首,皆言乎用也"。"大哉用乎! 吾於此見聖人之心矣"。

　　關於先天與後天的提法,最早見於《周易·乾卦·文言》:"先天
而天弗違,後天而奉天時"。邵雍據此而提出了先天之學與後天之
學的概念,以先天明體,後天明用,認為先天者先天象而有,藏而未
顯,無形可見,此為畫前之《易》,天地之心,天象由此而出,萬化由
此而生,以一陰一陽之對待而為天地之本,本者兼有本源與本體二
義,故為後天所效法;後天者後於天象,乃吾人生活於其中的有形
可見大化流行生生不已的現象界,其所顯現的為一陰一陽之變易,

相互轉化，彼此推移，就其與天地之心相對而言，稱之為跡，就其與本體相對而言，稱之為用，此用亦兼有二義，一為由本體所發出的法象自然之用，一為由聖人所效法的人事之用。因此，邵雍在從象數的角度確立了先天與後天的關係之後，又從義理的角度發揮闡明，進一步展開他的體系。

邵雍對《周易‧繫辭》"神無方而《易》無體"、"顯諸仁，藏諸用"之文作了解釋。邵雍認為，就《易》之變動不居而言，謂之無體，就《易》之既有典常而言，又可謂之有體，體不可見，假象以見體，此為剛柔有體之體，乃已成之象數，不可為典要，故雖有體而本無體。神者《易》之主，《易》的根本精神在於神。《繫辭》云："陰陽不測之謂神"。"知變化之道者，其知神之所為乎"。神即變化之道。道有體用。體是支配變化的不變的規律，用是變化本身所顯示的形跡。先天明體，後天明用，神則體用相互，統先天與後天而一以貫之。因而對於《易》之是否有體的問題，不能執一而論，滯而不通，必須由用以見體，由體以及用，着眼於先天與後天之間的辯證關係，來全面地把握神妙致一的變化之道。這也就是説，先天之體內在地藏有後天之用，後天之用乃先天之體的外在的顯現。顯諸仁，即用中有體。藏諸用，即體中有用。故先天與後天彼此相函，是同一個變化之道的兩個不同的方面，依據體與用、常與變、微與顯、本質與現象的諸多辯證關係緊密地結合在一起而不可分離。邵雍通過這一番論證，把神提昇為一個最高範疇而置於先天與後天之上，認為神是貫穿在先天與後天之中的根本精神，而易學研究的目的在於"精義入神以致用"，因為不精義則不能入神，不能入神則不能致用。

邵雍進一步指出，今本《周易》中之後天理數，除了體現體用關系之外，也體現了天人關係。邵雍認為，《周易》之上經言天道，下經言人事。天道表現為元亨利貞四德，元為春，春者時之始，亨為

夏,夏者時之盛,利為秋,秋者時之成,貞為冬,冬者時之末,此乃由
先天對待之體所顯現出來的自然而然的流行,變易不常,若日月之
照臨,四時之成歲。天變而人效之,天道有變,人道有應,天與人
合,是為變中之應,人與天合,是為應中之變,此即"後天而奉天時"
之義,奉天時則吉,若違乎時,則導致凶的後果,故元亨利貞之德,
各包吉凶悔吝之事。天時之變,治生於亂,亂生於治,此皆自然而
然,無假於人者,但聖人能索乎天之象數,效法於天,奉天時而行,
防患於未然,以成人事之功。天時不可違,順之則吉,違之則凶,故
君子從天不從人。若不違乎時,時行則行,時止則止,人事的應變
之方符合於天道運行的客觀規律,則是天人合一,雖人而亦天。因
此,邵雍認為,"學不際天人,不足以謂之學"。這種天人之學作為
經世之道貫穿於今本《周易》的後天易學之中,是謂《易》之大綱。

　　由此看來,雖然邵雍易學的理論特色表現為"尊先天之學,通
畫前之《易》",但其理論的旨歸卻是落實於後天的天人之學。他曾
說,"堯之前,先天也。堯之後,後天也"。堯之前的先天是宇宙的
自然史,堯之後的後天則是人類的文明史。人類的文明史從屬於
自然史,故先有先天而後始有後天,欲明後天必先明先天,但是,對
後天的人文關懷畢竟是邵雍的用心所在,所以他的研究也就由自
然史而落實於文明史,強調人事之用,把古今成敗治亂之變作為易
學的旨歸。程明道稱許邵雍之學為"內聖外王之道"。尹和靖認
為,"康節本是經世之學,今人但知其明《易》數,知未來事,卻是小
了他學問"。這種理解是十分透闢的。

論朱熹易學與道家之關係

詹石窗

內容提要 朱熹的學說被後世稱為"閩學"或"朱子學"。長期以來,學術界主要從儒家方面對朱熹學說進行研究。本文則以其易學撰述為紐帶,探討其道家文化蘊含,分析了朱熹易學融攝道家文化的基本原因、主要內容以及歷史影響。

《易》之為書,由於其悠久之歷史、別出心裁之框架結構和博大精深之思想,向來被諸子百家所看重。各學派從不同角度加以闡釋、發揮和應用。於是,中國學術傳統上便有了不同流派之"易學"。

南宋時期理學的集大成者朱熹對於《周易》一書亦頗為關注。早年,朱熹即撰《周易本義》。是書自南宋至清朝一直被奉為《易經》的最具權威的注本。為了傳播大《易》之學,朱熹嘗囑其徒蔡季通草擬《易學啟蒙》,且親為修訂。在長期的學術生涯中,朱熹教授門徒經學,弟子各有記錄,黎靖德將之編成《朱子語類》,其中關於易學探討資料甚豐。另有《晦庵先生朱文公文集》所收錄書信亦常言及《易》。

就其基本立場而言,朱熹之治《易》乃以孔孟儒學為宗;但若深入考析則不難發現他在許多方面也深受道家的思想影響。此之所

為"道家"即包括西漢前之老莊學派,又包括東漢以來之道教(為敘
述之便,本文概稱之道家)。衆所周知,在其不朽之名著《周易本
義》篇首列有九幅圖。考其淵源,此九圖乃本於道家。關於此,朱
熹本人在與門徒交談過程中時有透露。在與其門徒探討卦象義理
之際,朱熹時常引述老莊之言。不僅如此,他還化名"空同道士鄒
訢,以注道家易學秘典《周易參同契》,頗行於世。這一切表明朱熹
之易學與道家學術傳統具有密切關係。如果說從學派基本性質上
看,朱熹易學仍屬儒家,那麼在其理論營構過程中,朱熹則對道家
思想多有採擷,且融匯貫通。

一　朱熹易學兼容道家思想的原因

朱熹治《易》,側重於義理之發明。他在對《繫辭上傳》
"一陰一陽之謂道"的注中說:"陰陽迭運者,氣也,其理則所
謂道。"①在他看來,理與道是一回事。朱熹還說:"一每生二,
自然之理也。《易》者,陰陽之變。太極者,其理也。"②朱熹申
明義理的特點,在其《文集》中亦隨時可見。他在與蔡季通討論
"易道"時說:"闔闢而無窮者,以其有是理耳。有是理則天地設位
而《易》行乎其中矣。"③這說明朱熹不僅強調了義理,而且將理與
易陰陽道相匯通。

朱熹主之於義理學,固然受其學派立場所規範,但若追根
溯源,則必須看到道家思想傳統的作用。本來,《易》古經卦爻
辭乃為占筮所設,義理僅是隱含其中。首次從卦爻辭裏引發出
義理之學,並建立了"道本論"哲學體系的是老子的《道德

---

① ②　《周易本義》卷七,《四庫全書》本。
③　《晦庵先生朱文公文集》卷四十四。

經》。前賢所謂"老子識《易》之體"[①]並非虛言。作為史官，老子是通曉《易》之古經的，但他並没有停留於巫《易》的占筮基點上，而是在其象徵思維模式的啟迪下進行哲理建構。此點，學術界討論已多。不過，《道德經》有一根本性建樹至今尚未被充分認識。筆者以為，《道德經》事實上是一部據"易卦"而發的"義理學"專著。《易經》之"隨"卦九四爻辭稱："有孚在，道以明。"老子將此"道"提昇成為其義理學的基本範疇，且依大《易》天地人的對應模式，提出"道生一，一生二，二生三，三生萬物"的宇宙發生論，從而建立了思想深邃的義理哲學體系。這不僅對後來的道家學術之發展產生了深遠的影響，而且成為《易傳》義理學的先驅。陳鼓應先生所撰《易傳與道家思想》以深入之考證、透徹之分析，表明《易傳》的哲學思想乃屬於道家。筆者基本同意這一看法。《易傳》在主體上與老子《道德經》可謂一脈相承。這就難怪魏晉時王弼以道家思想解《易》。從某種意義上說，王弼易學可以看作道家易學義理思想的弘揚與發展。由於王弼以道家立場解《易》，道家經學中本有的義理觀念得到了顯示，形成了系統，這大大推動了日後《周易》義理學的發展。魏晉以降，王弼之學大興。唐孔穎達之《周易正義》即以王弼義理學為宗，這啟迪了宋代理學的形成。由此看來，朱熹將"理"與"道"同等而觀，是有其深厚的道家文化背景的。儘管朱熹在它處論"道"多從孔孟學統出發，但關於《易》陰陽道之闡述則又與老莊作為宇宙發生根本之"道"相合。

當然，作為一位博學的經師，朱熹治《易》雖主於義理，但並未排斥象數。他在許多場合不僅言及象數，而且表現出一種歷史主

---

① 邵雍《觀物外篇》。

義的客觀態度。在《易象説》一文中,朱熹指出,象數與義理不可偏
廢而泥於一端。① 基於這種立場,朱熹在與門徒論《易》時對於象
數問題亦多有涉及。他甚至直言不諱地表明自己所探討的河洛圖
書一類象數之學乃出於方士道家人物。②

　　朱熹關注象數問題, 這更有道家學術傳統上的原因。道家
到了東漢發生了演變與分化, 其中有一部分人物注重將西漢即
已相當完善的象數易學模式加以應用和衍擴, 以建立方術修煉
理論。魏伯陽的《周易參同契》依京房"納甲"之法以述煉丹
之理 , 這在道家研究界幾乎人所共知; 至於《太平經》仍是以
京房為代表的漢易象數學作基礎的。如該書中有這麼一段話:
"故火為心, 心為聖。故火常倚木而居, 木者仁而有心。火者有
光, 能察是非, 心者聖而明。"③《太平經》根據實際需要, 在此
運用了五行中的木火關係來説明聖賢的仁明之心。在漢易象數
學中, 五行是對卦象的一種性質概括, 例如在京房解《易》的
行文中以八卦納五行, 兌卦納金, 離卦納火, 坎卦納水, 艮卦
坤卦納土, 巽卦震卦納木, 乾卦納金。這樣, 卦象實際上又被
轉換成五行之象。因此, 當象數學家談論五行性狀時往往潛藏
着卦象。換一句話説, 他們所説的五行往往可以轉換成卦象。
以此思路來看待《太平經》有關五行的言辭, 就可以發掘其背
後潛在之卦。可見它在思維形式上是遵循象數派的象徵類比方
法的。此後, 道家學者製作經書大多遵循《易》象數思維模式,
這在《正統道藏》中可以找到大量的文獻資料。像《十洲記》
中的方位結構説、《度人經》中的天尊説經描述, 無不貫穿象數

---

① 見《晦庵先生朱文公文集》卷六七。
② 詳見《朱子語類》第四、五册,中華書局,1983。
③ 王明《太平經合校》第 166—167 頁,中華書局,1960。

思想。實際上，自魏晉以來，《周易》象數學主要是在道家學派中得以承傳和發展的，尤其是河圖洛書之學更是在道門中秘傳，到了宋代纔為儒者所知。朱熹正是有感於此，故潛心研討之。他的學說之所以有別於俗儒，就在於他能够尊重歷史，對於道門秘學敢於正視。所以，他的易學主義理而不廢象數，表現出一定程度的道家思想色彩。

　　從文化傳播的大背景上看，朱熹易學對道家思想之汲取，與道家文化的社會影響是分不開的。魏晉南北朝以後，隨着道教組織在全國範圍内的建立，道家文化教育受到統治者的支持。唐皇室一方面追認老子為其遠祖，廣建道觀，另一方面則把道家文化教育納入官方科舉考試的系統之中。根據《資治通鑑》卷二百二的記載，上元元年（674 年），"天后"上表，以為國家聖緒出自老子，因此祈請皇帝下詔，號召王公以下者都必須學習老子《道德經》，每年科考，依《孝經》、《論語》之例，進行策試。儀鳳三年（678 年）五月，唐高宗詔示天下：自此以後，《道德經》列為科舉考試之上經，貢舉人都必須兼通。這從唐玄宗開始形成了制度。宋朝皇帝對道家文化亦給予大力提倡。從宋太祖登基到宋徽宗繼位，先後掀起多次崇道熱潮。徽宗甚至批准設立道學博士，且依"貢士法"，三年大比，道人入殿策試。在朝廷提倡下，社會上讀道經的風氣頗盛，尤其是士大夫階層，熟諳道經者甚多。如蘇東坡兄弟都潛心鑽研讀過《道藏》。這種風氣也沿襲於南宋。作為一代鴻儒碩士，朱熹不僅與當時的許多道門中人有過交往，而且親自探討道經。像《道德經》、《莊子》、《列子》、《黃帝陰符經》之類，朱熹都很熟悉。所以，其門徒向他請教《周易》的有關問題時，他能信口引述道家秘典。由此可見，朱熹之易學研究與道家文化相匯通，這是唐宋之際道家文化廣泛傳播的結果。

二　朱熹易學的道家文化蘊含考析

朱熹在《周易本義》中首列出自道家傳統的九幅圖。由於種種原因,他對這些圖的意旨並沒有詳細闡釋;但後來在與門徒的交談中他不僅點明其由來,而且對其符號蘊含進行了多方面的發掘。同時,在對《周易》經傳的解釋中,他不時將道家思想摻入其中。概括起來,這種融攝道家的解《易》法式主要表現在如下數端:

第一、論伏羲畫卦出於自然。

《周易》一書以六十四卦為序,而六十四卦又以八卦為本。因此,八卦是怎樣畫出來的? 這成為歷代易學家們關注的一個重要問題。向來,人們以為八卦是由伏羲氏畫出來。伏羲為甚麼畫出八卦? 他在甚麼情況下畫出八卦? 歷史上有種種傳説。或以為,古時有龍馬負圖自河而出,伏羲則之而成八卦;或稱曰,伏羲見白龜出水,法其理則而成卦云云。對這些傳説,許多易學家作出各式各樣解釋,大都尋求伏羲畫卦所表現的高深思想。朱熹則從"自然"的角度加以説明。有門徒葉賀孫記曰:

> 某嘗問季通:"康節之數,伏羲也曾理會否?"曰:"伏羲須理會過。"某以為不然。伏羲祇是據他見得一個道理,恁地便畫出幾畫。他也那裏知得疊出來恁地巧? 此伏羲所以為聖。若他也逐一推排,便不是伏羲天然意思。《史記》曰:"伏羲至淳厚,作《易》八卦。"那裏恁地巧推排![①]

研究中國哲學的人都知道,邵康節曾對八卦之產生作了象數的推演,朱熹與蔡季通就這一問題作了討論。伏羲所畫八卦是不是包含着康節所推演的象數蘊含? 蔡季通以為伏羲是"理會"過這種高

---

①　黎靖德編《朱子語類》第四冊第 1609 頁,中華書局,1983。

深象數問題的;但朱熹却不同意蔡季通的看法。在朱熹的心目中,
伏羲畫卦並没有人偽巧安排。於這種看法,朱熹多次作了強調。
如輔廣所記,朱熹稱伏羲畫卦,與"磨麴相似,四下都恁地自然撒出
來"。① 陳文蔚記朱子言"伏羲當時畫卦,祗如擲珓相似,無容心。
《易》祗是陰一陽一,其始一陰一陽而已。有陽中陽,陽中陰,有陰
中陽,陰中陰"。② 朱熹在此作了兩個比喻,一個是"磨麴",一個是
"擲珓",③ 其目的都在於説明伏羲畫卦祗是一種自然行為,是天
然而然,無所用心計的。這表現了朱熹是看重自然天成的。其思
想乃源於老子《道德經》。該書第二十五章有一句至理名言常被人
們所徵引:"人法地,地法天,天法道,道法自然。"按照老子的主張,
道乃是以自然為歸,道的最根本特性就是自然。顯而易見,朱熹正
是運用老子這一思想來分析伏羲畫卦問題。故而較為客觀,體現
了去末歸本的旨趣。

第二、論"易以道陰陽"。

《周易》不僅有一套六十四卦符號系統,而且有一個用以解釋
六十四卦的語言系統。溝通兩者之間的橋樑是甚麼? 進一步地
問:貫穿《周易》一書中的綱領是甚麼? 能否抓住綱領,這是能否弄
通該書秘義的一大關鍵。向來,綱領問題在易學界亦是見仁見智,
各自為説。朱熹經過了深思熟慮,提出:這個綱領就是"陰陽"二
字。他説:"'易'字義祗是陰陽。"④ 又説:"《易》,祗消道'陰陽'二
字括盡。"⑤這兩句話可以説是朱熹讀《易》的最切身體會,也是對
《周易》這部千古奇書之要旨的根本概括。為甚麼説其綱領在"陰
陽"二字呢? 朱熹從許多角度加以論證。近處,可從自身上看,纔

①　黎靖德編《朱子語類》第四册第 1612 頁,中華書局,1983。
②　同上書第 1612—1613 頁。
③　按:珓是古代占卜用的一種工具,古人擲珓,任其轉動,亦有天然之意。
④⑤　黎靖德編《朱子語類》第四册第 1605 頁。

開眼,所見不是陰便是陽;遠處,天地之間亦"無往而非陰陽"① 總
而言之,朱熹認為天下萬物,從小到大,都具備了陰陽之理。《周
易》六十四卦三百八十四爻,歸根結底正是由一陰爻一陽爻而出,
因此讀《易》必須抓住這個關鍵。

朱熹示其門徒以陰陽為總綱而讀《易》,這個思想也主要淵
源於道家。在《周易》古經卦爻辭中尚無陰陽對舉之辭。作為
一對重要概念,陰陽首見於史官對天地自然現象的解釋,出於
史官的老子將陰陽上昇為哲學範疇,並且為後來的道家學派所
廣為應用。對此,陳鼓應先生作了深入研究,他通過比較,指
出:"孔子和孟子都不談陰陽,與此相反,與孟子同時而學本老
子的莊子則極為重視陰陽的概念。內七篇中,'陰陽'詞出現了
四次,《莊子》全書則出現了二十多次。"②《易傳》,尤其是其中
的《繫辭》,陰陽說得到了充分的發展,具有明顯的道家思想特
色。朱熹讀《易》,勸人抓住"陰陽"以為根本,這說明他在客
觀上已具有道家的解《易》思想傾向。他稱讚莊子所言"《易》
以道陰陽"的話"亦不為無見",③並進一步指出"如奇耦、剛
柔,便祇是陰陽做了《易》"。④他對莊子的這番肯定,表明其易
學指歸,道家思想色彩亦躍然紙上。

第三、論河圖、洛書。

翻開《易傳》的《繫辭》,可以讀到"河出圖、洛出書,聖人則之"
的行文。但是,《河圖》、《洛書》的形貌如何? 宋以前之儒者却幾乎
無人能窺其真跡。《論語·子罕》謂:"子曰:鳳鳥不至,河不出圖,吾
已矣乎!"孔子慨嘆河不出圖,足見在儒家學派中乃鮮為人知。直

---

① 黎靖德編《朱子語類》第四冊第 1604 頁。
② 陳鼓應:《易傳與道家思想》第 113 頁,臺灣商務印書館,1994。
③ ④ 黎靖德編《朱子語類》第四冊第 1605 頁,中華書局,1983。

到清代,保守的儒家人物甚至大作文章非要把河圖洛書的研究逐出易學之門,如胡渭在《易圖明辨題辭》中即稱:《易》於古"無所用圖",他說:"《河圖》之象,自古無傳,從何擬議?《洛書》之文,見於《洪範》,奚關卦爻?五行九宮初不為《易》而設,《參同契》先天太極特藉《易》以明丹道,而後人或指為《河圖》,或指為《洛書》,妄矣!"胡渭這種"明辨"表現了一定的審慎精神,但其關門主義做法則又是庸儒的偏見反映。

與胡渭的關門主義態度相反,朱熹則主張應對河圖洛書進行研究。輔廣記云:

> 先生謂甘叔懷曰:"曾看《河圖》、《洛書》數否?無事時好看。雖未是要切處,然玩此時,且得自家心流轉得動。"①

這一段談話中所謂"無事時好看"既是勸甘叔懷於無事時應看看《河圖》、《洛書》,又是朱熹自己雅好的一種表現。實際上,朱熹自己是經常看的,他在與門徒廖德明等人的談話中即表明了這一點。他不僅探討了河圖、洛書本身的數字蘊含,而且考索了《易》"大衍數"與河洛數的關係。所論意旨與《易學啟蒙》的解說大體一致。

《河圖》、《洛書》,宋代以前之儒者雖然無所見,但在道門中却秘傳而有端緒。朱熹《周易本義》卷首謂其圖自邵雍所傳,而邵雍之學則來自道門。此點宋代易學家朱震已有考證。《周易參同契》上篇稱:"發號順時令,勿失爻動時。上察河圖文,下序地形流,中稽於人情,參同考三才。"想必作者魏君當親睹《河圖》。行文中尚有"九還七反,八歸六居"、"三五與一,天地至精"等語,許多學者指出其數與今所見《河圖》、《洛書》相合。此並非無根之說。考《黃帝內經‧素問‧金匱真言論》以東方之數為八,南方之數為七,中央之

---

① 黎靖德編《朱子語類》第四册第 1610 頁,中華書局,1983。

數為五,西方之數為九,北方之數為六,五方所配五數恰好是今日通行《河圖》的一半,如按成數與生數之對應,將一、二、三、四搭配進去,便構成一個完整的《河圖》。大家知道,《內經》是醫家要典,而早期乃醫道不分,共尊黃老。種種跡象表明:河圖、洛書本秘傳於道門。朱熹勸人看河圖、洛書數,這是他兼採道家秘學的又一見證。

第四、論先天圖。

《朱子語類》卷六十五有相當篇幅是論述先天圖的,其它有關"易類"的語錄亦多有涉及。

關於先天圖的來歷,朱熹在《周易本義》卷首簡略言之,謂先天之學,"康節得於李之才挺之,挺之得於穆修伯長,伯長得於希夷"。這話是研究者們頗熟悉的;但是,他在與夏淵的談話時却作了更遠的追溯:

> 《先天圖》直是精微,不起於康節。希夷以前元有,祇是秘而不傳。次第是方士輩所相傳授底。《參同契》中亦有些意思相似……①

比較一下可以看出,《周易本義》雖然已經明確指出先天之學即出於道門高士希夷先生,但僅此而已;而後來之談話則遠溯至漢代的《周易參同契》,儘管他說得並不十分肯定,却也透露出他注意從道家文化系統尋找先天之學源頭的想法。

朱熹這種想法與道門中人的描述是吻合的。宋元著名道教學者俞琰於《易外別傳》稱先天圖係魏伯陽《參同契》之學。俞氏說:"人生天地間,首乾腹坤,呼日吸月,與天地同一陰陽。《易》以道陰陽,故伯陽藉《易》以明其說,大要不出先天一圖。是雖《易》道之儲餘,然亦君子養生之切務,蓋不可不知也。圖之妙在乎終坤始復,

---

① 黎靖德編《朱子語類》第四冊第 1617 頁。

循環無窮,其至妙則又在乎坤復之交、一動一靜之間。愚嘗學此矣,遍閱雲笈,略曉其一二。忽遇隱者,授以讀《易》之法,乃盡得環中之秘。"按俞琰的看法,《周易參同契》的大旨可以用一個先天圖來概括,反過來說,先天圖之義旨實已貫穿於《周易參同契》之中。俞琰是林屋洞天的道門高人,他的說法是值得注意的。把它拿來同朱熹的論述相對照,可以更加明確朱熹所極關心的先天圖與道家的奧妙關係。

從先天圖的卦位排列看,它與《周易參同契》的納甲法是不謀而合的。該圖之圓圈所列六十四卦,由北至東北、東南、西北、西南順時針而行,寓合月象之進退。坤、復之間為月之晦,震為初三月象,一陽始生;兌為初八月上弦象,二陽生;乾為十五日滿月象,純陽;巽為十八日之月象,一陰始生;艮為二十三日,月下弦,二陰生;坎離為日月。這個卦位安排,其理見諸《周易參同契》,故而朱熹與門徒討論先天圖多次言及《周易參同契》。這就進一步顯示朱熹將先天圖歸之於道門之秘傳並非鑿空之談。

第五、論諸卦義

朱熹與門徒共研易學,其內容是很廣的。他們不僅就一般性的問題展開討論,而且對《周易》每一卦的具體意義加以探討。對於門徒,朱熹是有問必答的。他在對具體卦爻象數義理的闡述過程中也時常引道家之言相佐證或相對照。例如在對"復"卦的解釋中,朱熹說:

> 陽無驟生之理,如冬至前一月中氣是小雪,陽已生三十分之一分。到得冬至前幾日,須已生到二十七八分,到是日方始成一畫。不是昨日全無,今日一旦便都復了,大抵剝盡處便生。《莊子》云:"造化密移,疇覺之哉?"這語自說得好。又如《列子》亦謂:"運轉無已,天地密移,疇覺之哉?"凡一氣不頓進,一形不頓虧,亦不覺其成,不覺其虧。蓋陰陽浸消浸盛,人

之一身自少至老,亦莫不然。①

在這裏,朱熹既引了《莊子》,又引了《列子》。其中有些話雖然不用引號,但實際上也是道家之言,如"一氣不頓進,一形不頓虧"以下數句乃出於《列子·天瑞篇》,衹是詞語略有更變而已。

按《易》之"復"卦,下震☳上坤☷,象徵回復。唐李鼎祚《周易集解》引何妥曰:"復者,歸本之名,群陰剝陽,至於幾盡,一陽來下,故稱反復。陽氣復反而得交通。故云復亨也。"② 復卦六爻,暗示返轉回復之規律,所謂"七日來復"。在我國出土的青銅器銘文中,保留着一種古代紀日法,按月亮周轉規律,分每月為四期,每期為七日。"復"卦六爻,即象徵,至第七天,陰陽反復。就先天圖來說,坤與復為交結點,坤純陰,復一陽始生。這也是一種陰陽轉換。但是,在大千世界中,陰陽反復是一個由漸變到劇變的過程。平日之漸變,人們是幾乎不察覺的。這一點道家人物有深刻體會,論述也不少。《列子·天瑞篇》所謂"有生則復於不生,有形則復於無形"可以說是對《周易·復》卦意旨所作的生命哲學的引申,其理論根基是老子《道德經》的"反者道之動"。老、莊、列諸子的論述影響於《易傳》。《彖傳》以"復"為"剛反",為"見天地之心"。《易童子問》稱"天地之心見乎動"。這一切表明道家學派的許多哲學命題本是建立在《易》古經"復"卦的基點上,而《彖》《象》諸傳又以道家哲學為卦象解釋的依據。朱熹博聞廣見,他對此是深有感觸,故隨手拈來以釋之。像這種例子在《朱子語類》中頗為不少,限於篇幅,本文就不多枚舉了。

由上述的分析可知,無論是在卦畫起源、易學綱領、象數卦圖的闡述,或是對具體的卦義的解釋,朱熹的探討都表現出一定的道

---

① 黎靖德編《朱子語類》第四册第1789頁,中華書局,1983。
② 李鼎祚《周易集解》第90頁,上海古籍出版社,1989。

家思想傾向。這一方面表明易學本來就是道家學派傾注心力研討
的學科,同時也表明朱熹實事求是的歷史態度。

三　朱熹援道家之學治易的歷史影響

朱熹援道家之學治《易》的影響是巨大的。在我國文化史上,
朱熹佔有很高的地位,向來頗受推崇。觀其一生,朱熹主要是從事
學術活動。生前,朱熹已廣收門徒,他與門人一起,建立書院、著書
立說,登壇會講。按明人戴銑記載,與朱熹有關的書院有 27 所。[①]
由於學院的建立,朱熹門徒盛多,僅有籍貫的登門求教、明言奉侍、
自稱弟子者,即所謂正式門人就有 378 人,[②] 他們來自全國許多
省份。其門人學成之後,又在各地傳播,故而形成了一個特色鮮明
的理學派系。朱熹教授門徒,主要是弘揚儒家學說,其門徒也主要
是研究和發展儒學,但在治《易》問題上,朱熹對道家文化的融攝也
同樣為其門徒所效法。宋元以來,研究朱熹思想者蔚然成風,形成
了所謂朱子學。在長期的發展過程中,朱熹援道家之學以治《易》
的法式也在朱子學門人中得到發展。表現較為突出的有蔡元定、
蔡沈、熊禾等。

蔡元定,字季通,是朱熹最接近的朋友和學生。他一生未做
官,始終從學於朱熹。在治《易》問題上,朱熹與蔡元定探討最多。
北宋以來,《易》圖書之學勃興,推演卦象的各種圖式紛出,如《太極
圖》、《先天圖》之類,開始通過北宋時期的周敦頤、邵雍、劉牧等一
批理學家之手而流傳。史稱《易》之先天河洛遺學多在蜀漢間,士
大夫聞是說爭陰購之。朱熹對之頗為關注,嘗派蔡季通到荊州,後

---

① 詳見《朱子紀實》卷七《書院》。
② 參見陳榮捷《朱子門人》第 11 頁,臺灣學生書局,1982。

又入峽,得《易》三圖。朱熹與蔡元定之書信言之甚詳。袁桷《清容居士集》卷二十一嘗記錄其大概。由於蔡元定親自深入《易》圖秘傳之地,所以他得到了有關道家易學的第一手資料。趙撝謙《六書本義·圖考》稱:"天地自然之圖,伏羲時龍馬負而出於滎河,八卦所由以畫者也。《易》曰:'河出圖','聖人則之'。《書》曰:'河圖在東序'是也。此圖世傳蔡元定得於蜀之隱者,秘而不傳,雖朱子亦莫之見。"趙氏所云天地自然之圖,又稱太極真圖,簡稱先天圖,它不同於伏羲六十四卦圓圖,而是雙魚陰陽圖,"有太極函陰陽,陰陽函八卦自然之妙"。[①] 不管此圖的蘊含如何,有兩點是必須肯定的。一是它屬於道家易學系統;二是它經過蔡元定之手後來纔在朱子學派中傳出。可見,蔡元定對於道家易學與朱子學的溝通可謂起了重要的橋樑作用。所以,朱熹在《周易本義》的《河圖洛書說》裏還引用了蔡元定的話。前人將蔡元定當作傳播朱子學的一大"干城",這評價可以說是很中肯的。

　　蔡元定的第三子蔡沈也是朱子學的一員大將,他從小就從學於朱熹。在《夢奠記》裏,蔡沈言及他與朱熹親密的師生關係。朱熹去世後,蔡沈是極力維護其學說的一位門徒。但對於道家文化尤其是道家易學,蔡沈有着更為濃厚的興趣。明人陳真晟稱:

　　　　蔡九峯(蔡沈號九峯)之學,未得為醇,祇觀其自序,乃以窮神知化與獨立物表者並言,亦可見矣。若物之表,果有一獨立者,則是莊(子)、列(子)之玄虛。康節謂老子得《易》之體,正亦同此。[②]

陳真晟是從儒家立場來評價蔡沈的,他所說的"未得為醇"指的是蔡沈並非純儒,明白一點說,那就是蔡沈也汲取莊子、列子的

<hr/>

①　趙撝謙《六書本義·圖考》,《四庫全書》本。
②　見《陳剩夫文集》卷二《答何椒丘》。

"玄虛"之學，而這個玄虛之學具體地講就是蔡沈也如老子一樣，探討那個與道家精神相聯繫的"《易》之體"。蔡沈在師事朱熹的過程中，用數十年時間研習《尚書》。他的方法是用邵雍《皇極經世》中所謂"先天數學"理論來分析《尚書》。大家知道，邵雍是北宋道門高士陳摶易學的主要傳人，其《皇極經世》乃是《易》、《老》摻合的產物，蔡沈用這種"先天之學"來分析《尚書》，所得出的結果必定富有道家易學色彩。這從他的"數論"中便可得到佐證：

> 數始於一，參於二，究於九，成於八十一，備於六千五百六十一。八十一者，數之大成也。天地之變化，人事之始終，古今之因革，莫不於是著焉。[1]

蔡沈把邵雍《皇極經世》《觀物外篇》的象數易學方法貫穿於其數論之中。其基本框架也是《易》、《老》匯通。他認為，"一"是最根本的，這個"一"實際上是老子的"道生一"，又是《易》之太極，而"參"即協同作用，陰陽二氣協調感應而成三，故《易》三畫成卦，究之則成九，九九推進而有八十一。老子《道德經》八十一章之數與此相合。這就表明朱熹之大門人蔡沈研《易》既深受朱學援道家入《易》法式的影響，又比之更進一步，具有更鮮明的道家色彩。

蔡元定、蔡沈之後，熊禾對於朱子學的傳播尤為積極。他是朱熹的三傳弟子，在宋官至汀州司戶參軍，多有政績；入元以後，誓不仕宦，隱居於福建崇安武夷山，築洪源書堂、武夷書堂，並主持過建陽鼇峯書院。前後三十餘年，從事講學。著述和刻書。他所研究的側重點當然是朱子學，他極力推崇朱熹，認為朱熹是孔子第二，讚揚朱熹的文章是"如日麗天"，[2] 並說"孔孟後千五百餘載，道未

---

① 蔡沈《洪範皇極·內篇中》。
② 《重建朱文公神道門疏》。

有如文公之尊", ① 足見熊禾對朱熹評價之高。

　　由於朱熹本來就潛心研討過道家重要典籍並從中採擷菁華以說《易》, 崇尚朱熹的熊禾自然受其薰染。熊禾寫過不少有關解釋《易經》的書, 如《易學圖傳》、《易經講義》、《周易集疏》、《勿軒易學啟蒙圖傳通義》等。熊禾這些著作主要是用以闡發朱熹《周易本義》和《易學啟蒙》。如前所述,《周易本義》首列之九圖乃出於道家之秘傳, 而《易學啟蒙》係由通道家易學的蔡元定起草, 兩者都具有道家色彩, 故以此為大宗的熊禾之著述必然要帶上道家易學易的信息。關於此, 從他論易之名義 以及緣起問題便可得到證明。他說:

　　　　"易"字從日從月。日中有一奇, 陽數; 月中有二為偶, 陰數也。合日月為"易"。故觀圖書(指河圖、洛書)迭出, 可見天地自然之"易"。《易》之 作雖則乎圖、書, 而其為義, 尤莫蓄於日月。蓋易者陰陽之道、卦則陰陽之物, 爻則陰陽之動也。然有交易、變易之義, 在天則一動一靜互為其根, 所謂日月運行, 一寒一暑是也。②

熊禾這段話言及河圖、洛書和"易者陰陽之道", 其源自道家, 前已論及。其中需要着重考明的是以"日月為易"的說法。張惠言《周易虞氏義》稱: "《參同契》云'日月為易', 虞君(指虞翻)注云: '易字從日下爪'。"張氏此話本於唐李鼎祚《周易集解》, 是書卷十五注"是故易者象也"一句即引虞翻曰: "易謂日月, 在天成八卦象, 縣象著明莫大日月是也。"虞翻"以日月為易"說, 其源蓋出於《周易參同契》。魏君於是書上篇有云: "易謂坎離。"所謂坎離在易學納甲法中即指日月(坎為月, 離為日)。朱熹在《周易參同契考異》卷首講

_____

① 《重修武夷書院疏》。

② 熊禾《易卦說》。

到"納甲法"時即稱"坎離為日月"。由此可見,道家對於"易"的解釋影響於朱熹,而朱熹的學說又被其傳人熊禾作為闡述《周易》原義的根據。朱子學派中像熊禾這樣的傳人為數不少,說明朱熹援道家之說以治《易》的法式在該學派中的確影響深遠。

朱熹的治《易》法式除了對其門人、傳人發生深刻影響之外,對南宋以來的道家學者也有不可忽略的影響。

這裏還應該重新提起的是宋末元初的俞琰,他雖然曾經是個儒生,但後來却潛心於道家學說的研究,自號全陽子,石澗道人,嘗自稱遍閱道教云笈,感異人指示先天真一之大要,平生著述甚多,尤精於《易》、爐火(丹學)、《陰符經》之學,而其撰述大多同朱熹有密切關係。他作《周易集説》十三卷,即以朱熹《周易本義》為指南。九仙山人王本齋稱:"石澗先生《周易集説》大概以晦庵(朱熹)為主。"① 西秦張菊存亦云:"石澗俞先生於諸家《易》説無不披閱,獨以朱子《本義》為主。"② 俞琰作《易外別傳》,謂之發魏伯陽《參同契》之秘,在這一部僅有一二十頁的"別傳"秘學著作裏,引用朱熹言論就有八則之多。於道門中,《黃帝陰符經》也是一部極重要的典籍。該書精要所在仍在於它貫穿易理。對此書,俞琰也加以注疏。行文之中,俞琰常以朱説為佐證。如對"五賊"的解釋,他説:"朱紫陽(朱熹號)曰:天下之善由此五者而生,惡亦由此五者而有。故即反言而之曰'五賊'。愚謂天之五行,水火木金土是也;人之五行,視、聽、言、貌、命是也。"五行在《易傳》裏已經是基礎性的概念,在漢以來的易學著述中更被廣為應用,俞琰以"五行"為要,可見是用易學思想解釋《陰符經》,他引用朱熹的話為證據,這就表明了道家陰符學在長期發展過程中也染上了朱熹易學的色彩。

大約與俞琰同時的臨川道士雷思齊對朱熹也頗佩服。袁桷

---

① ②　《周易集説·序》。

説：雷思齊，"幼棄家，居烏石觀。"[1] 揭傒斯謂雷思齊 "去儒服，稱黄冠師"，[2] 可見雷思齊在少年時代便加入道教組織。雷思齊治《易》甚勤，著有《易圖通變》與《易筮通變》等書。翻開雷思齊的著作亦不難發現他對朱熹是欽崇的。雷思齊對朱熹在《易》筮法方面的研究予以很高的評價，稱其 "發明先儒所未到，最為有功"。[3] 雷氏這番評價是有所指的。朱熹《周易本義》卷首有《筮儀》一文詳述其占筮法式。在同門徒交談時，朱熹也時常涉及卜筮，並且將這一問題同道家卜筮著作聯繫起來考察。黄義剛記有朱熹一段話："卜筮之書，如《火珠林》之類，許多道理，依舊在其間。但是因他作這卜筮後，却去推出許多道理來。"[4] 這裏提及的《火珠林》出於麻衣道者之手。按《歷世真仙體道通鑑》等書的記載，麻衣道者姓趙，曾與陳摶一起隱居，授摶《先天圖》等。所撰《火珠林》蓋取意於 "丹"，因丹色赤，喻之而為 "火珠"，示其出於丹道門人。因煉丹以 "易" 納甲學為法，其理與卜筮通，故麻衣道者撰此書以明筮。朱熹通過研究，發現其理超出卜筮之外。而作為道門的一名德高望重的 "玄學講師"，雷思齊對朱熹研究結果的肯定是通過比較之後得出的，雷氏曾批評其他儒者不懂《周易乾鑿度》等書中的筮法問題。這一褒一貶，充分反映雷思齊對朱熹的肯定是經過一番思索的，同時也説明了朱熹易學對雷氏著述的完成是起了啟迪促進作用的。

　　略後於雷思齊的張理素以弘揚道門高士陳摶的 "易象數學" 為己任，嘗著《易象圖説》三卷，自稱以陳摶《易龍圖序》為綱要，但書中也頻繁地引證朱説。如該書卷上第 6 頁謂 "朱子曰：無事時好看

---

① 《青容居士集》卷三一《空山雷道士墓志銘》。
② 雷思齊《易圖通變·序》。
③ 雷思齊《易筮通變》卷中。
④ 黎靖德編《朱子語類》第四册第 1624 頁。

河圖、洛書數,且得自家流轉得動。"① 又卷上第 8 頁析"河圖"時説"朱子析六、七、八、九之合,以為乾坤坎離,而居四正之位,依一、二、三、四之次,以為艮、兑、震、巽,而補四隅之空者,與此數合。稽之生成之象,察其分合、進退、交重、動靜,灼然信其為交午之象,而所謂大衍之數五十,其用四十有九,蓍策分卦,揲歸四象,七八九六,皆彷於此矣。"② 顯然,朱熹的解説已成為張理立論的根據。

　　總而言之,朱熹援道家之學治《易》的法式以及研究成果無論是在其門人中或是在後來的道家學者中都留下了不可磨滅的"投影"。宋元以來的易學之所以象數義理並行比肩,這在很大程度上應歸功於朱熹對圖書象數之類道家易學内容的關注和闡發。朱熹易學著作中所具有的道家文化蘊含是多方面的,值得進一步深入探討之。

　　作者簡介　詹石窗,1954 年生,福建省同安縣人,1982 年廈門大學哲學學士;1986 年四川大學宗教學專業研究生畢業,獲哲學碩士學位;1994 年再度入蜀於四川聯合大學攻讀哲學博士學位,現兼任福建師範大學中文系副教授、宗教文化研究所副所長等職。著有《道教文學史》等。

---

① ②　　見於《正統道藏》本。

《悟真篇》易學象數意蘊發秘

詹石窗

内容提要　本文通過内容分析,發掘道經《悟真篇》的"易學"象數秘義。首先,作者指出了行文中"翻卦象"兩層意蘊,即《易》六十四卦之反復與"顛倒坎離";其次,分析"三五"與洛書法數及其丹道象徵旨趣;復次,分析"火候盈虛"與《易》十二消息卦及"八卦納甲法"的内在關聯。作者認為,《悟真篇》以易學象數來指示丹功大法,並非是要人們泥於象數,而是以之為入門嚮導,最終達於"還丹"玄妙境界。

　　在道門中,《悟真篇》被認為是繼《周易參同契》之後又一部煉丹要典。在思想上,《悟真篇》與《參同契》是一脈相承的。因而,《悟真篇》的作者弘揚《參同契》的傳統,援《易》以明丹道,這就是自然而然的事情。作者在該書的序中説:"《周易》有窮理盡性之辭,《魯語》有毋意必固我之説。此又仲尼極臻乎性命之奧也。……漢魏伯陽引《易》道交媾之體作《參同契》以明大丹之作用,唐忠國師於《語録》首叙老莊言,以顯至道之本末,如此豈非? 教雖分三,道乃歸一"。[①] 在這裏,作者不僅注意到《周易》中的性命思想,而且追述了自漢代至唐朝有關性命問題的一些論述,明確表示了三教合一的觀點。這樣,作為儒道共同遵奉的古老經典著作《周易》的

────────────

① 　《修真十書》卷二十六,《道藏要籍選刊》第 3 册第 390 頁。

形式與內容被廣泛地運用於《悟真篇》的創作中便體現了一種主動
性來。

　　從形式上看，《悟真篇》詩詞的順序是照《周易》之數理安排的。
作者在序中還說："僕既遇真筌，安敢隱默？罄所得成律詩九九八
十一首，號曰《悟真篇》。內七言四韻一十六首，以表二八之數；絕
句六十四首，按《周易》諸卦；五言一首，以象太乙；續添《西江月》一
十二首，以周歲律。其如鼎器、尊卑、藥物、斤兩、火候、進退、主客、
後先、存亡、有無、吉凶、悔吝悉備其中矣"。① 六十四首絕句合於
六十四卦，這顯然是根據《易》數原則來考慮的。而十六首七言詩
為兩個八的倍數，這裏面包含着八卦的概念，至於一首五言詩所取
法的"太乙"這也屬於易學的一個支派，還有歲律自漢代以來就一
直是以易學為綱要的。因而，《悟真篇》的這種結構安排很明顯地
表現了作者取法《周易》的指導思想。

　　從內容上看，《悟真篇》應用《周易》的例子更是隨手可得。

　　眾所周知，內丹氣功學的概念和思維方式係出於外丹學，而外
丹學的建立又是以易學為本的。所以舉凡講內丹的書幾乎都離不
開易學的理論和概念。作為一部在道教氣功學說史上佔有極重要
地位的著作，《悟真篇》更是這方面的典型。該書首列《丹房寶鑒之
圖》就是明證。作者以"精神"列於"玄門"兩側，以玄門配乾陽(☰)
之象；以"氣血"列於"牝戶"兩側，配坤陰(☷)之象；又以土羅絡木
火金水；以三層之"懸胎鼎"應於《易》之"三才"；以玄武、玉兔、月
魄、黑錫等配坎卦，以朱雀、金烏、火龍、硃砂、日魂等配離卦。這一
切都體現了《悟真篇》取法《易》象的思想。該書在開頭繪製了《丹
房寶鑒之圖》雖是為了增強讀者的內丹修煉感受性，但在客觀上卻
為後人研究道教氣功養生學與《周易》的關係問題提供了圖文並茂

────────────

① 　《修真十書》卷十六，《道藏要籍選刊》第 3 冊第 391 頁。

的資料。

　　循着《丹房寶鑒之圖》的路徑，《悟真篇》在運用詩詞以暗示內丹修法之時也常涉及《周易》的象數學。這略見於如下數端：

　　其一、論“翻卦象”。《悟真篇》七言詩第五首云：

　　　虎躍龍騰風浪粗，中央正位產玄殊。菓生枝上終其熟，子在胞中豈有殊？南北宗源翻卦象，晨昏火候合天樞。須知大隱居廛市，何必深山守靜孤。①

　　這首詩談到了內丹修煉之初有關丹田的位置以及體內坎離二氣的關係等等問題，接着在第五句裏就正式地出現了“翻卦象”的提法。

　　所謂“翻卦象”，這是就效法天地運行而煉內丹的意義說的。古代天文曆法學家為了表示日月運行的周期，曾經把《周易》六十四卦排在一個圓圈上並配上十二地支、二十四節氣、二十八星宿等等。這種法式被道教氣功養生家所借鑒。早在《周易參同契》中便已將這種法式用以指示修煉進程。《悟真篇》正是在此等基點上提出“翻卦象”之說的。按照天地運行的規則，《悟真篇》以乾坤兩卦象徵內丹鼎器（人體），以坎離為陰陽二氣（煉內丹之藥物），其餘六十卦合一月三十日，循卦煉功。早晨《屯》卦用事，表示“進火”，晚上《蒙》卦用事，表示“進水”，如此循序漸進，至三十日終於《既濟》、《未濟》兩卦。卦終則復始，由《未濟》回到了《屯》《蒙》。如果把這六十卦排在一環行圖上，《屯》《蒙》與《既濟》《未濟》就構成首尾銜接關係。由首到尾，又由尾到首，這就是“翻卦象”的第一層意義。

　　“翻卦象”還有另一層意義，這就是“顛倒坎離”。《悟真篇》七言絕句第十五首云：

　　　日居離位翻為女，坎配蟾宮卻是男。不會個中顛倒意，休

　　————————

　　①　《修真十書》卷二十六，《道藏要籍選刊》第 3 冊第 304 頁—395 頁。

將管見事高談。①

在後天八卦方位中,離卦在南方配火,為陽;坎卦在北方配水,為陰。可是在《周易》有關"乾坤生六子"的構想中,離為中女為陰,坎為中男為陽。這就是"顛倒"的寓意所在。再從卦象上看,《離》兩陽爻在外,一陰爻在內;《坎》兩陰爻在外,一陽爻在內,陰中有陽,陽中有陰。這又是一種"顛倒"。既然有顛倒就有反復。於是,"取將坎位中心實,點化離宮腹裏陰,從此變成乾健體,潛藏飛躍盡由心"。②此謂:把坎卦中的陽爻抽取出來填補離卦中的陰爻,離卦就恢復成乾卦之象"☰"。這種構想與陳摶"無極圖"中關於"復歸無極"的觀念是一致的,其用意在於還老返童,但其思想根基則是《周易》的逆數之道。

其二、論"三五"。《悟真篇》七言律詩第十四首云:

　　三五一都三個字,古今明者實然稀。東三南二同成五,北一西方四共之。戊己自居生數五,三家相見結嬰兒。嬰兒是一含真氣,十月胎圓入聖基。③

這首詩出現的數字是有排列規則的。三在東面,二在南面,兩者相加為五;一在北面,四在西面,兩者相加亦為五,中間土位戊己自含五數。東南西北中共有五(如圖所示)。這與張理在《易象圖說》中所列陳摶《易龍圖》之《二變甲圖》的排列法具有共同的對稱性,衹是一二三四所居位置顛倒而已。《悟真篇》這種象

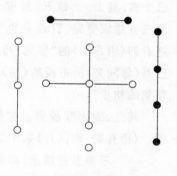

三五歸一圖

①② 《修真十書》卷二十七,《道藏要籍選刊》第 3 冊第 405 頁。

③ 《修真十書》卷二十六,《道藏要籍選刊》第 3 冊第 400 頁。

數思想來源於《周易參同契》。魏伯陽在《參同契》中篇云："三五
為一，天地至精。可以口訣，難以書傳。"① 這是運用《周易》的生
數原理來暗示元氣流向。俞琰釋曰："三者水一火二合而成三也。
五者，土也。三五為一者，水火土相與混融，化為一氣也。斯時
也，玄黃相雜。清濁未分，猶如天地渾沌之初。少焉，時至氣化，
無中生有，則窈窈冥冥生恍惚。恍恍惚惚結成團而天地之至精孕
於其中矣。"② 俞琰這段話是從水火土三者關係着眼進行解釋的。
從其解釋可知，魏伯陽《參同契》的數本具有符號的意義，它們可以
轉換成東西南北中，又可以轉換成木火土金水。《悟真篇》對這種
"氣功符號學"作了發揮。其本旨就在一個"合"字。三與二合即木
與火合；一與四合即金與水合；"三家相見"即東西南北中五氣朝
元，而結內丹。所以無名子有云："龍屬木，木數三，居東；木能生
火，故龍之弦氣屬火，火數二，居南；二物（木火）同元，故三與二合
而成一五。虎屬金，金數四，居西；金能生水。故虎之弦氣屬水，水
數一，居北；二物（金水）同宮，故四與一合而成二五。二五交於戊
己中宮，屬土，土數五，是成三五也。三五合而成丹。丹者一也。
此三者結成嬰兒，實希有也"。③ 從這種解釋中，我們可以更清楚
地看到《悟真篇》的"嬰兒"乃是一種比喻。其精髓所在就是運用早
已為《參同契》所重視的《易》數原理來指導內丹修煉活動，以達到
聚氣的初步目的。

　　其三、論火候盈虛。如何修煉內丹，掌握"火候"是關鍵的一
環。《悟真篇·西江月》第十二首云：

　　　　不辨五行四象，那分朱汞鉛銀？修丹火候未曾聞，早便稱
　　　呼居隱。不肯自思己錯，更將錯路教人。悟他永劫在迷津，似

---

① ② 　俞琰《周易參同契發揮》卷七，《道藏》第 34 冊第 427 頁。
③ 　《修真十書》卷二十六，《道藏要籍選刊》第 3 冊第 400 頁。

憑欺心安忍?④

在《悟真篇》看來,如果不知道火候是怎麼回事,終將誤入迷途。倘若自己不知錯誤,又教給別人,那就是錯上加錯。為了避免錯誤的發生,就必須學會《易》理,能够分辨"五行四象"。《悟真篇》有關"火候"重要性的見解本身貫穿着易學的基本法則。

如何掌握火候呢?《悟真篇》認為,其大要所在就是明了天地陰陽消息的規律,它説:

　　　　天地盈虛自有時,審觀消息始知機。由來庚甲申明令,殺盡三尸道可期。⑤

天地運行是有規律的。如果上昇到《周易》的陰陽範圍來認識,那麼"盈"與"息"乃是陰化為陽;而"虛"與"消"乃是陽化為陰。陰陽的消長是有迹象顯示的,抓住了其迹象就可以深入知其本質。譬如月亮的出没,漢代的易學家經過觀察之後製定八卦納甲法以表現之。這就是對其規律的一種把握,《悟真篇》認為修煉內丹,掌握火候可以月亮出没規律作為參照系。所以無名子説:"天地盈虛因月而見。月從日生。初三日震庚生形,初八日兑丁上弦,十五日乾甲圓滿,天地盈之時也;十六日巽辛受統,二十三日艮丙下弦,三十日坤乙消滅,天地虧之時也。"⑥ 這裏面提及的震、兑、乾、巽、艮、坤係易學納甲法中六個表示月亮晦朔弦望周轉規律的卦象。《悟真篇》中的所謂"庚甲申明令"即包含着易學納甲法的內容。引入納甲法的目的就在於要暗示門人及時抓住了陰陽進退的時機。

在易學中,天地陰陽運轉有各種不同的表示法。除了納甲法之外,《悟真篇》認為十二消息卦之法對於內丹修煉的火候掌握來

---

④ 《修真十書》卷二十九,《道藏要籍選刊》第 3 册第 422—423 頁。
⑤ 同上書,第 3 册第 412 頁。
⑥ 《修真十書》卷二十八,《道藏要籍選刊》第 3 册第 412 頁。

說也很有指導意義,故而它在《西江月》詞中有云:

冬至一陽來復,三旬增一陽爻。月中復卦朔晨起,望罷乾終姤兆。日又別為寒暑,陽生復起中霄。午時姤象一陰朝,煉藥須知昏曉。[①]

十二消息卦即復、臨、泰、大壯、夬、乾;姤、遯、否、觀、剝、坤。前六卦陽昇,後六卦陰昇。一年十二個月,以十一月配復卦(☳),一陽始生;過三十日增加一陽爻,於是進為《臨》卦;再過三十日又增加一陽爻,於是進為泰卦,所謂"孟春正月,三陽開泰"即是此意。餘者類推。十二消息卦不僅可與年相配,也可以與月和日相配。就月而論,三十日配十二卦,那就是兩日半一卦;就日而論,十二時辰配十二卦,那就是每兩小時配一卦。《悟真篇》引入十二消息卦是為了表明:不論年還是月日都有陰陽之往返。修煉內丹,掌握火候就是遵循天地卦象所展示的陰陽規律。

《悟真篇》通過易學卦象來說明火候,這並不是要人們泥於卦象。它說:

卦中設象本儀形,得象忘言意自明。後世迷徒惟泥象,却行卦氣望飛昇。[②]

這就是說,易學中的卦象本是物象模擬,看卦象是為了更好地掌握其內在意旨,如果僅僅停留在卦象以及闡釋卦象的那些文辭上,那就不能真正明了根本。學習內丹修煉的方法也是如此。歷來丹家總是借助卦象來表達其奧義,如果被內丹學大門之前的卦象擋住了,那就無法窺見其堂奧。因此《悟真篇》告訴人們要"得象忘言"且不泥象。這種思想出自王弼一派的義理之學。由此可見,《悟真篇》與易學的關係雖然主要表現在象數方面,但也沒有忽略義理。

---

① 《修真十書》卷二十九,《道藏要籍選刊》第 3 冊第 422 頁。
② 《修真十書》卷二十八,《道藏要籍選刊》第 3 冊第 412 頁。

論俞琰易學中的道教易

蕭漢明

内容提要 本文主要論述了俞琰道教易的基本特徵,如"先天圖環中之秘"對於內丹術的意義,天地之數為漢易納甲法、十二辟卦等之根基等。此外,對俞氏身外之《易》與人身之《易》的蘊義,以及俞氏道教易對人體生命科學和傳統醫學的影響,作了較為充分的說明。

一

俞琰(1253—1314 年),字玉吾,宋末元初易學家,江蘇吴郡(今蘇州)人,道號全陽子,自稱古吴石澗道人、林屋山人、洞天紫庭真逸等。俞氏少時,聰慧好學,經史子集無所不窺,德祐年間(時年二十二、三),曾以詞賦聞名於鄉里。是時適逢元軍滅金,大舉揮師南下,不及三、四年而南宋亡。青年俞琰在飽經國破家亡、戰亂擄掠、異族凌辱之苦後,開始過着清貧的隱居生活。① 當時許多落拓儒士紛紛轉向佛、道尋求精神寄託,他也將全部心力投入易學研

---

① 關於俞琰在宋亡之後的情況,《宋元學案》謂:"宋亡,隱居著書,自號林屋山人,精於《易》。"此外,無更多資料可兹查考。

究,且由《易》入道,經學易與道教易並治,數十年如一日,安貧樂道,孜孜不已。

　　在經學易方面,俞氏早期曾歷考諸家《易》說,集萃精華,編成《大易會要》一百三十卷。後又以朱熹《周易本義》為主,對·《大易會要》重加篩選,刪繁就簡,並抒己見,而成《周易集說》一十三卷,附《易圖纂要》二卷。今《周易集說》存於《四庫全書》,《易圖纂要》存於《永樂大典》,而《大易會要》已佚。關於《周易集說》的寫作年代,納蘭性德容若在為該書所作的《序》中說:"其書草創於至元甲申,斷手於至大辛亥。"至元甲申為1284年,至大辛亥為1311年,其間凡二十七年,時年三十一至五十八歲之間。以《周易集說》的篇幅看,似乎用不了如此漫長的歲月,抑或包括《大易會要》的編撰時間在內。當然,俞氏還有其他著作也是在此期間或在此前後完成的。如《易經考證》、《易傳考證》、《讀易須知》、《讀易舉要》、《六十四卦圖》、《易圖合璧連珠》、《易古占法》、《卦爻象占分類》等。其中,僅《讀易舉要》散見於《永樂大典》,後由四庫館臣輯存於《四庫全書》,其餘皆佚,唯見存目於《通志堂經解》或《經義考》)。

　　俞氏治經學易之特徵,大致表現為象數與義理並重,主張二者不可分割。他說:"夫《易》始作於伏羲,僅有六十四卦之畫而未有辭;文王作上下經,乃始有辭;孔子作《十翼》,其辭乃備。當知辭本於象,象本於畫,有畫斯有象,有象斯有辭。《易》之理盡在於畫,拒可捨六畫之象而專論辭之理哉?捨畫而玩辭,捨象而窮理,辭雖明,理雖通,非《易》也。"(《周易集說·自序》)由此出發,俞氏解《易》往往依《象傳》之旨闡釋卦象爻象,並據相綜或相錯之兩卦關係"並卦取義",以充分發揮義理。俞氏對待漢代象數易學和宋代圖書易學的取捨,大都力求做到言之有據，因此他雖學宗《周易本義》，[①]但對朱熹在這方面的某些結論性的說法並不盲從。可惜，俞氏《易圖合璧連珠》等書已佚，人們祇能從既存的有限書目中了解他取捨之一二，而無法知道他的完整的全面的見解。

　　在道教易方面，俞氏的著作有《周易參同契發揮》三卷（以下簡稱《發揮》）、《易外別傳》一卷（以下簡稱《別傳》）、《周易參同契釋疑》一卷（以下簡稱《釋疑》）、《玄牝之門賦》一篇、《水中金詩》一首。《發揮》自序末所署"至元甲申四月十四日（1284 年）"，當為此書完稿之日。《別傳》序所署完稿日則為"至元甲申八月望日"。《釋疑》完稿當在至元辛巳，即1281 年。

　　《釋疑》自序所署完稿日為"五星聚丑之年，金精滿鼎之日"，年份當為至元十八年（辛巳），時五星有近似聚丑之象，故郭守敬授時曆定此年冬至為歲元。古人十分注重五星連珠這種天象，[②]俞琰精通天文曆算，見此天象即認為以元代宋出乎天數，故他的著作所署時日不避元代年號。可見，他雖隱而不仕，但對元朝代宋顯已默然認同。至於"金精滿鼎之日"究為何月何日，因手頭缺乏必要參數，一時難以推出。金精，即金之精，為太白金星。金星行一周天約二百二十五日，接連兩次晨始見的真日數約五百八十四日，重複五次，

---

　　① 元代學人已注意到俞琰經學易與朱熹的聯繫。如:《周易集說》九仙山人王本齋序:"石澗先生《周易集說》大概以晦庵為主。"西秦張菊存序:"石澗俞先生於諸家《易》說無不披閱，獨以《朱子本義》為主，乃採諸家之善，萃為一編，名曰《周易集說》。"俞琰亦曾自謂:"琰幼承父師面命，首讀《朱子本義》。"但俞氏並不拘守朱熹的某些易學結論。

　　② 古人注意這一天象的例證甚多，如:《漢書·高帝紀》:"元年冬十月，五星聚於東井，沛公至霸上。"班固認為此天象為劉邦將得天下之象，故書於正史。其實，漢元年冬十月五星聚井，只不過是一種近似天象。

約滿八年。①“金精滿鼎”為“太白經天”之象，即金星過南方午位而現之象。《契》卷中云：“熒惑守西，太白經天，殺氣所臨，何有不傾。”在漢代，“太白經天”之象，明顯被認為有以武力定天下的象徵。天數既定，為之奈何。從《釋疑》自序所署，推測俞氏的應變心態，無過於此者也。

俞氏在《釋疑》序中說：“愚區區晚學，幸遇明師，獲承斯道之正傳，兼得是書之善本，歷試以還，講明粗熟，期年而書成。深恐推之未盡，言之未詳，改竄凡更三四稿。又恐後人無以折衷，遂合蜀本、越本、吉本及錢塘諸家之本，互相讎校，以為定本。”這段話交代的是寫作《釋疑》的情況，由此可知，《釋疑》的撰寫整整花費了一年時間，即所謂“期年而書成”。同時，俞氏還選定諸種版本對《周易參同契》進行了精細的互相讎校，確立了一個定本。這個定本，當然成為他接下來寫作《發揮》所據之本。如果《釋疑》的完稿之日即是《發揮》的起手之時，那麼撰寫《發揮》大致花費了三年左右時間（至元辛巳十八年——至元甲申二十一年）。而《別傳》，若起手於至元甲申四月，至同年八月攔筆，則不到四個月。《玄牝之門賦》與《水中金詩》大約亦在此期間或稍後寫成。

俞氏治道教易，以魏伯陽《周易參同契》為宗，會通邵雍的先天之學，遍採唐宋以來內丹諸學派之說，參以伊川、橫渠、朱熹之論，着重闡發道教內丹修煉的功理功法。俞氏通過治道教易，宏揚和發展了中國傳統生命科學的理論精髓，對傳統醫學的理論發展也起到了良好的推動作用。為此，本文暫置俞氏經學易於另外場合再論，此次祇以他的道教易為專題，着重探討他在這一方面的研究

---

①　金精，還有一說，指秋天清涼高爽之氣。《悟真篇》云：“八月十五望蟾輝，正是金精壯盛時。”俞琰亦謂：“蓋以八月晝夜均，陰陽分，此時秋高氣清，金精正旺，不寒不暖，最宜修煉。古仙於此時結胎，所以盜天地之金精，感天地之清氣也。”若此，則所謂“金精滿鼎之日”，當為金精壯盛之八月十五。

特徵,及其對傳統生命科學和傳統醫學所作出的理論貢獻,進而論及俞氏道教易在中國易學史和科技史上的歷史地位。

<h1 style="text-align:center">二</h1>

　　將先天圖引入道教易,以闡說煉丹之意,是俞琰道教易的一大特徵。他在説明《易外別傳》的宗旨時曾説:"《易外別傳》者,先天圖環中之秘,漢儒魏伯陽《參同契》之學也。"(《別傳》序)他斷定"先天圖環中之秘",屬"漢儒魏伯陽《參同契》之學",説的是一種學術淵源,並非認定此圖出自《參同契》,自然更不是出自陳摶、邵雍,而是遠有端緒的。但他在這一問題上沒有提供絲毫考據資料,他所説的"先天圓圖,始復次臨次泰而終於坤,卦氣圖以復臨等十二卦主十二月,蓋仿先天圖"(《讀易舉要·卦氣之附會》),不過據朱熹、蔡元定之説引伸而出。朱熹説:"邵子發明先天圖,圖傳自希夷,希夷又自有所傳,蓋方士技術用以修煉,《參同契》所言是也。"又説:"先天圖與納音相應,蔡季通言與《參同契》合。"(《參同契考異》附言)《契》以十二月消息卦納音,故蔡季通有此一説,但其僅言相合而已,俞氏謂"復臨等十二卦主十二月,蓋仿先天圖"則無據可考。朱伯崑先生指出,俞氏"此説,實乃違背歷史實際"(《易學哲學史》第八章第一節),正是從無據可考這一意義上得出的結論。

　　所謂"先天圖環中之秘",説的不過是打開內丹修煉奧秘之門的鑰匙,因而對於俞氏內丹學研究來説,無疑具有方法論的意義。俞氏説他初學內丹術時,曾"遍閱《雲笈》",也不過祇"略曉其一二",後"忽遇隱者,授以讀《易》之法,乃盡得環中之秘,反而求之吾身,則康節邵子所謂太極、所謂天根月窟,所謂三十六宮,靡不備焉"(《別傳》序)。可見,先天圖對他深切把握內丹術起了重大作用,因此他專門寫了《易外別傳》,"為之圖,為之説，披闡先天圖環中之極玄，證以《參同契》、《陰符》諸書，參以伊川、橫渠諸儒之至論，所以發朱子之所未發，以推廣邵子言外之意"（《水中金詩》附言）。

邵雍《皇極經世書》有云："先天圖者，環中也。"俞氏對"環中"的理解是："環中者，六十四卦環於其外而太極居其中也。"至於"環中之秘"為何，從俞氏的論述中，大致可以概括出兩層含義：

其一，居先天圖環中者，在《易》為太極，在人身為心。太極虛中，無象無形，渾沌鴻濛，"一氣未分之時也，……溟溟涬涬，不可得而名，强名之曰太一，含真氣，或名之先天一氣"（《發揮》卷中）。在宇宙，太極為天地未分之始，而人身亦有此太極。他説："人之一身即先天圖也。心居人身之中，猶太極在先天圖中。……在《易》為太極，在人為心。知人之心為太極，則可以語道矣"（《別傳》）。

他所繪製的太極之圖，為一中空之圓圈（見圖一），並認為神仙還丹之道即如此圖一樣，至簡至易。魏伯陽之所以稱其書名為《參同契》，在他看來，"參也者，參乎此〇也；同也者，同乎此〇也；契也者，契乎此〇也"（《發揮》自序）。

天地陰陽分判於放太極，煉丹之奧妙亦在此太極。"天道甚浩廣，真機在於頃刻之間；太玄無形容，妙處在於窈冥之內"（《發揮》卷上），故

圖一　太　極

煉丹之人，當日中或冬至之時，必須首先閉塞其兑，澄心守默，神凝氣聚，如同"日月合璧之時，隱藏其匡郭，沉淪於洞虛"一樣。（引同上）以太極之存在形態，模擬煉丹之始人之心神凝聚和人體陰陽混淪相從而未相離之狀態，表明先天圖環中之太極對於煉丹之始的深刻蘊義。他説："煉丹而不究其始，又安能洞曉陰陽深達造化哉？"（引

同上）

　　太極的另一層蘊義，體現在運氣過程之中。他說："太極動而生陽（丶，動極而靜，靜而生陰）），靜極復動，一動一靜，互為其根。此乃造化之妙，神之所為，道之自然者也。"（《發揮》自序）可見，太極之動靜，"不過一陽（（一陰））而已，合陰陽◎而言之，不過一太極而已。散而成萬，斂而成一，渾兮辟兮，其無窮兮"（同上）。人身陰陽之動靜亦同此理。人之心神"猶斗運於天中"，調動着體內陰陽二氣的不息運行，失此心神之機，內丹不可能煉成。

　　根據邵雍之說，俞氏製作了兩幅圖，說明心神在煉丹過程中的意義，一幅為"先天卦乾上坤下圖"（圖二），另一幅為"後天卦離南坎北圖"（圖三）。對先天卦乾上坤下圖，他解釋說"人之一身，首乾腹坤，而心居其中，其位猶三才也。氣統於腎，形統於首，一上一下本不相交，所以使之交者，神也。神運乎中，則上下混融，與天地同流，此非三才之道歟？夫神守於腎，則靜而藏伏，坤之道也；守於首，則動而運行，乾之道也。藏伏則妙合而凝，運行則周流不息。妙合而凝者，藥也；周天不息者，火也。"（《別傳》）乾天坤地、乾首坤腹，取《說卦》所列之象，中為人之心神，故此圖取象三才之道。氣者陽也，形者陰也。乾首統

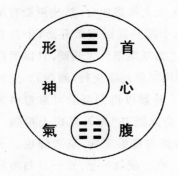

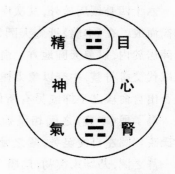

圖二　先天卦乾上坤下圖　　　圖三　後天卦離南坎北圖

形者，陽統陰也；坤腹統氣者，陰統陽也。上下本不相交，而心神運乎其中，一吸一呼，進火退符，上下得以混融，陰陽妙合而凝。成藥成丹者，依於周天火候之數矣。

對"後天卦離南坎北圖"，他解釋説："目之所至，心亦至焉，故內煉之法，以目視鼻，以鼻對臍，降心火入於氣海，蓋不過片餉功夫而已。"(《別傳》)此圖所示，為丹術中之內視功法。"以目視鼻，以鼻對臍"，外在之相；"降心火入於氣海"，內煉之情。氣走任脈，入於下丹田，即心神附於目，內視心火下行入腹與腎水相交，亦即"神入氣中，氣入臍中，而沉歸海底去也"(《發揮》卷上)。

由上可知，俞氏反覆強調，無論丹術將行之際或運行之中，心神之用皆為至關緊要之事。故"修還丹者，運吾身之日月，以與天地造化同途，不正其心可乎"？(引同上)正其心即調其神，故所謂"先天圖環中之秘"，即在此心神，亦即在此人身之太極也。

其二，居先天圖環上者，六十四卦之終始循環，在天道為陰陽之升降，在人身為二氣之周流。俞氏説："圖之妙在乎終坤始復，循環無窮，其至妙則又在乎坤復之交一動一靜之間。"其妙者，在於周流循環；其至妙者，在於循環圈上的坤復之交這一關節點。

六十四卦環周於外，其次序為先天大橫圖中分，然後兩截首尾相銜而成。在《本義》祗先天圖為六十四卦圓圖環於外，六十四卦方陣居於內，以象天圓地方。俞氏之圖祗取環外之圓圖，且以黑白塊取代爻畫符號，中空以象太極，環周以象陰陽流行(圖四)。此圖是否出自俞琰之手抑或另有所傳，一時難以得到新的可靠資料説明。為了與《本義》之圖相區別，姑命此圖為"先天月窟天根圖"。俞氏説："圖左自復至乾，陽之動也；圖右自姤至坤，陰之靜也。一動一靜之間，乃坤末復初，陰陽之交，在一歲為冬至，在一月為晦朔之間，在一日則亥末子初是也。"又説："吾身之乾坤內交，靜極機

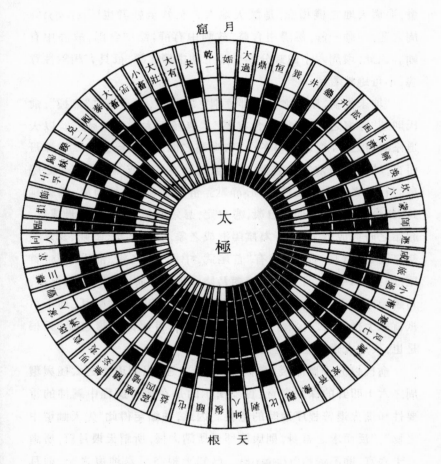

圖四　先天月窟天根圖

發,而與天地之機相應,是誠天地人之至妙至妙者也!"(《別傳》)圓周之運,一動一靜,然陽中含陰,故動中有靜;陰中含陽,故靜中有動。因此,環周六十四卦分陰分陽主動主靜之說,祇具有相對性意義,不可絕然看待。

"坤末復初,陰陽之交",邵雍謂之"天根",朱熹謂之"無極",俞氏則謂"坤復之間","無中含有象","無極而太極也"(同上)。以天道陰陽言之,坤復之交為冬至,為晦朔之間,為亥末子初;①以煉丹而言,坤復之交當靜極機發之際,或為始或為終或為終始交替之際矣。行功之始先調心神,虛心靜默。靜極而動,氣行周流,綿綿延延,勿令間斷,久之則神自凝,息自定,息定而氣聚,氣聚則丹成矣。起始之時與成丹之際,皆為陰陽混成之象,合於冬至、晦朔、亥末子初之天象。《契·鼎器歌》有"首尾武,中間文"之說,俞氏認為"首尾,晦朔也;中間,月望也。晦朔乃陰極陽生之時,故用武火;月望,乃陽極陰生之時,故用文火。然所謂晦朔月望,亦譬喻耳,卻不可祇就紙上推究也"(《發揮》卷下)。在先天圖,首尾即坤復之交,天根是也,天道人道之至妙之處也。

俞氏以先天圖闡發《參同契》煉丹之理,強調環中之太極與環周之六十四卦的深刻寓意,實際揭示的是在煉丹過程中調神的重要性和進火退符程序適時的意義。因此,他斷定得此"先天圖環中之秘","反而求之吾身,則康節邵子所謂太極,所謂天根月窟,所謂三十六宮,靡不備焉"(《別傳》序)。已知天根在下為坤復之交,則月

---

① 關於坤復之交,俞琰在《發揮》卷上有詳說,茲錄如下,以備查考:"陽氣潛萌於孟冬純陰之月而始坤卦之下,積成一畫之陽,然後變為復卦也。人固知十月為坤,至十一月則五陰之下變一畫而為復,殊不知十一月冬至無緣平白使生一畫之陽遽變為復,蓋十月小雪坤下爻已有陽生其中,但一日之內一月之間方得三十分之一,必積之一月,至十一月冬至始滿一畫為復。然此亦譬喻也,年以冬至為復,月以朔旦為復,日以子時為復,無非借以發明身中造化,殆不必泥於年月日時也。"

窟在上為乾姤之際。三十六宮者，"乾一、兌二、離三、震四、巽五、坎六、艮七、坤八 是也"（《別傳》）。以先天卦序邵數之和解邵氏三十六宮，此乃俞氏一家之說，亦有以六十四卦因相綜而實際祇有三十六象為解者，俞氏僅管解說與後者有別，但存意亦在於先天圖環上之六十四卦，在人則周身之陰陽循環也。他說："月窟在上，天根在下，往來乎月窟天根之間者，心也。"祇要心神專一，則陰陽周流有序，則"三十六宮都是春"也，亦即"和氣周流乎一身也"（引同上）。因此，"先天圖環中之秘"，秘在圖中之太極，秘在環上坤復之交的天根，對於煉丹術而言，成敗之關鍵在於調神，悟此者即把握了丹術入門之鎖鑰。

俞氏以先天圖說還丹之道，並非處處都能吻合，由此也就不可避免地造成了某些失誤。如《契》以乾坤奠天地之位，坎離二卦為乾坤二用，猶日月陰陽往來升降於天地之間。在橐籥宇宙模型中，坤內乾外，坎東離西，宋以前為丹道家之共識。而俞氏說："乾為天坤為地，吾身之鼎器也；離為日坎為月，吾身之藥物也。先天八卦，乾南坤北離東坎西，南北列天地配合之位，東西分日月出入之門，反而求之吾身，其致一也。"（《發揮》卷上）後世朱元育、劉一明等人注《契》皆沿此"離東坎西"先天之說，以訛傳訛，以至於今。換一種說法一無不可，如說俞氏之誤實為以先天圖對以往還丹模型的一種改造，祇是俞氏對此並未作出任何有關改造立必要性的交待，立說恐於意有未周之處。

三

魏伯陽著《參同契》，正當漢代象數易學盛行之際。他既然假借《周易》爻象以論作丹之意，漢代象數易學自然也在其採擷與選擇之列。再加上他自己的改造與創新，由此便奠定了道教易的基本面貌。① 因此,以後凡治道教易者,漢代象數易學都是不可迴避和不可逾越的課題。宋代圖書易,即使在宋代的學人,也不迴避其與道教易的傳承與授受關係,因而儘管宋代圖書易與漢代象數易,無論在主旨、立意或在外表結構形態上,都存在明顯的差異,兩者之間的內在聯結依然是有跡可尋的。俞氏對漢代象數易學持積極的審慎態度,儘管某些結論有失偏頗,但他却一直都在尋找兩者之間的連接點,而且在許多地方得到了超出前人的卓越之見。由此便形成他治道教易的第二個顯著特徵。這一特徵,也是他整個易學思想中不可分割的組成部分。

　　就既存資料考察,俞氏在這方面的努力主要表現在以下幾個方面:

　　其一,關於河洛數。否定將九宮數與天地之數稱為洛書河圖,俞琰是首開風氣者之一。他説:"河圖之數五十五、洛書之數四十五,聖人既不明言,則漢儒之説肛説耳,非聖人之本意也。"(《讀易舉要·河圖洛書之附會》)俞琰提出的問題是一個名稱之爭的問題,因為他認為河圖是與"天球"並列的"玉之有文者",洛書則是"石而自有文者"。有什麼證據能説明俞琰之玉文、石文合於"聖人之本意"? 玉耶石耶之"文"又是何形象? 這些問題俞氏無法作出進一步交代。而他的這一並不成熟的意見,却對後世產生過不小的影響。但如果由此得出俞琰排斥河洛之數,則不如説他所排斥的僅僅衹是河洛之名。因為《契》效法河圖建構了一個天人合一模型,書中言數之處甚多,若俞氏對此數取堅定的排斥態度,那麼《發揮》一書恐難寫成。

　　河圖之數圖,朱熹認為即《易·繫辭》所謂的天地之數。俞琰雖不取河圖之名,但却説:"《易》所謂'五位相得而各有合',

_____

① 詳見本期同時發表之拙作《周易參同契中的易學特徵》。

蓋合五行之生成數。"（《釋疑》）就成數而論，"六七八九即水火木金也，以卦言為坎離震兌，以方言為東西南北，以宿言為虛房星昴，以象言為龜蛇龍虎，以時言為春夏秋冬，以辰言為子午卯酉，皆是物也"（《發揮》卷中），解說的是《契》以天地之數建構的天人模型外圈的各種要素，舉其數當知上述要素儘含其中，因此這些數在模型中各自代表着一定的象，其中四象二十八宿（四象各舉一宿為例，故僅及虛房星昴四宿）為天體，四方四季為時空，四辰為陰陽升降在一定時空範圍之不同度量。由此可見，模型外圈的各種基本構件，反映的是天道的各種靜態要素。《契》云："九還七返，八歸六居。"說的是模型中的天道運作。俞氏說："夫九曰還、七曰返、八曰歸，同一旨意。而六獨曰居者，北方坎位，乃真鉛所居之本鄉也。真鉛居於此，則九金八木七火，三方之氣如輻之輳轂，如水之朝宗，皆聚於此也。"（《發揮》卷中）這個解說直接將天道運行引入人身修丹的運作，蓋以申天人合一之蘊也。

　　俞氏說："《易》曰'天一地二，天三地四，天五地六，天七地八，天九地十'，乃五行生成數也。……蓋五為土數，位居中央，合北方水一則成六，合南方火二則成七，合東方木三則成八，合西方金四則成九。九者，數之極也，天下之數至九而止。以九數言之，五居一二三四六七八九之中，實為中數也。數本無十，所謂土之成數十者，乃北方之一、南方之二、東方之三、西方之四，聚於中央，輳而成十也。故以中央之五，散於四方而成六、七、八、九，則水火木金皆賴土而成；若以四方之一、二、三、四，歸於中央而成十，則水火木金皆返本還源而會於土中也。"（《發揮》卷上）俞氏為此特繪製出一圖（見圖五），（圖載《發揮》卷上）對天地之數即五行生成數圖進行了改造和發揮。俞氏發揮此圖之要義在於中五土數，中五散於四方則成水火木金之生數，四方之生數聚於中央則成土之成數十。故五行之要在於土，水火木金皆依土而有伸縮進退。俞氏的五行生成數

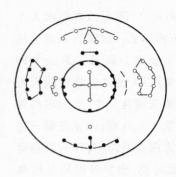

圖五　五行生成數圖

圖是一個動態模型圖,較之俞氏前後解《契》之說有着明顯的優勢。俞氏説:"夫五行生成之數,雖三尺童子亦能誦而知之,求其義實則幾人能知其落處也? 既不知其落處,又安能得其實用! 於此見道要玄微,天機深遠。達者惟簡惟易,而迷者愈繁愈難也。"(引同上)非自信得此天地之數之真義者,安得有如是之言。

　　模型内圈水一火二木三金四及中心五土,《契》用以模擬人體五臟之氣。俞氏説:"肝青肺白言金木也,心赤腎黑言水火也。金生水,木生火,故以肝肺為父母,心腎為子女。而金木二者又從土中生,故以脾為祖也。既腎為子矣,而以為五行之始,何也? 曰:腎屬水,水數一。一日之氣起於子,生於腎,然後傳及肝心脾肺也。"(《發揮》卷中)他認為,金生水,木生火,為五行之常道;而以丹法言之,木與火為侶而火反生木,金與水合處而水反生金,這就是《契》所説的"五行錯王,相據以生"。腎水數一,肺金數四,行氣由西方酉位肺金轉入子位,為"虎向水中生";繼從東方卯位轉於午位,為"龍從火裏出"。右轉東旋,一伏一起,"驅龍下呼於虎,虎乃吞吸龍精,一呼一吸,兩相飲食",於此則"水火相交,金木不間隔",人體臟氣"併合為一"矣(引同上)。《契》所描叙的"右轉""東旋","龍呼於虎,虎吸龍精",實際上講的是人們今天常説的小周天功法。經俞氏闡釋後,其中的隱言秘語彰顯無遺也。《契》在説到小周天功夫的結局時曾云:"三物一家,都歸戊己。"俞氏説:"肝心脾肺腎之五者,不名為五臟,而名為三物,又何也? 曰:金水合處,木火為侶,與中央戊己之土,合而成三也。"(引同上)脾主意,配十干為戊己,氣行周天,皆依意念所致,失此意念之主,則功法不行。所以

俞氏説："蓋四象五行全藉土,若無戊己不成丹。此其所以三物一家,都歸戊己也。"(引同上)

　　模型中的生數運作還蘊含着一種丹法,且較之小周天功法層次更深。《契》云:"子午數合三,戊己數稱五,三五既和諧,八石正綱紀。呼吸相含育,佇息為夫婦。""三五為一,天地至精。"俞氏認為這裏所説的"三五"與"三物"含義有別,他説:"子水一,午火二,子午之數合而成三。土數五,故中央戊己稱五,三與五併之則成八。……土為水火之媒,在其間調停配合,使水火結為夫婦,所以合諧也。"(《發揮》卷上)此法效天地陰陽升降,"於静定之中抱沖和之氣,出息微微,入息綿綿,上至泥丸,下至命門,周流不已,神氣無一刻之不相聚,及其内丹將成,則元氣兀然自住於丹田中",即所謂"佇息為夫婦"者也(引同上)。此功法今人或稱之為大周天,模型取數僅一二五這三個數字,取象水火土三者合一,行功彷效天地呼吸,即陽升陰降之義蘊。

　　《契》彷效河圖(或天地之數、五行生成數等)所製天人煉丹模型,取數祇用從一至九,而捨去其十。《契》謂"一九之數,終而復始,含元虚危,播精於子","含元虚危"者,天含蘊元氣在北方虚危二宿,以子午卯酉界之,適當子位,在模型為天一生水之時,故有"播精於子"之説。模型之至妙至玄者,在此一九轉換、天人相續之際,而俞氏恰於此處有一失誤。他不知《契》效河圖已捨其十,見"一九之數",便誤以為此"即戴九履一之數"(《發揮》卷中),致使他在最緊要處,反作節外生枝之解。

　　其二,關於月相納甲。《契》用納甲法喻丹,既取天人合一之意,又收生動形象之效,因而受到歷代丹家的注重。朱熹曾説:"《參同契》本不為明《易》,姑藉此納甲之法以寓其行持進退之候。……所云甲乙丙丁庚辛者,乃以月之昏旦出没言之,非以分六卦之方也。此雖非為明《易》而設,然《易》中無所不有。苟其言自成一家,可推而通,則亦無害於《易》。"（《考異》附言）不泥於經傳之言,對納甲之法給予肯定評價,朱熹已開風氣之先。俞氏循此繼進,作圖九幅之多,並詳加解說,對漢人納甲遺法發揮淋漓盡致。較之朱熹《考異》,俞氏不僅在納甲所寓之內丹功法上體悟更為深切,而且在解說上亦別有新意。

納甲法將一月分為六節,每五日為一節。以八卦配月相納天干,則初三月始明,其象為震☳,納庚;初八月上弦,其象為兌☱,納丁;十五月望,其象為乾☰,納甲納壬;十六月乍虧,其象為巽☴,納辛;二十三月下弦,其象為艮☶,納丙;三十為晦,其象為坤☷,納乙納癸。坎離象日月運轉,陰陽升降,坎納戊,離納己,不入月相。俞氏說:"今魏公謂'三日出為爽,震受庚西方','十六轉受統,巽辛見平明',蓋指二八月晝夜均平之時,姑以取象而已,非真以月出庚之時進火、月虧辛之時退符也。學者但觀丹體之盈虧,反而求之吾身,則身中一陽生即三日月生之震象也,二陽長即八日月弦之兌象也,三陽滿即十五日月圓之乾象也;一陰生即十六日月虧之巽象也,二陰長即二十三日月弦之艮象也,三陰足即三十日月沒之坤象也。"（《發揮》卷上）對於煉丹來說,納甲取象祇是掌握進火退符之火候的一種形象化的譬喻,並非一月之內祇能進退一次。《契》謂"晦至朔旦,震來受符。當斯之時,天地構其精,日月相撢持,渾沌相交接,權輿樹根基",亦是一種譬喻,"蓋丹法之生藥,與天地之生物相似,皆不過陰陽二氣一施一化而玄黃相交爾"（《發揮》卷上）。天地即吾身之乾坤,日月即吾身之坎離,晦朔即吾身之坎離渾淪相交,"非曰一月止有晦朔之間可以用功也"（引同上）。"古之至人,觀天之道,執天之行,遂借天符之進退陰陽之屈伸,設為火候法象以示人。蓋天地儼如一鼎器,日月乃藥物也,日月行乎天地間,往來出沒即火候也。人能即此反求諸身,自可默會火候進退之妙矣。"（引同上）俞氏提倡煉丹之人,應善於體天道而及乎人,不可刻板套用《契》之表面文句,非悟《契》旨真諦,難能及此。

俞氏認為納甲之法合於五行生成數方位。在闡釋《契》"七八數十五,九六亦相當,四者合三十,《易》象索滅藏"時,俞氏作四象圖一幅,六居北方子位,七居南方午位,八居東方卯位,九居西方酉位,與五行生成數圖外圈成數方位完全一致。俞氏説:"七,火數也;八,木數也,合之得十五;九,金數也,六,水數也,合之亦得十五。四者合之,共得三十,應一月三十日之數。三十數終,則日月合璧,《易》象索然而滅藏也。"(引同上)將納甲法最終歸結為河圖五行數模型,或許是魏公之本意,但以往言易數者祇知此四數有四象之表徵,而能知此四象表徵意出自五行數方位圖者,實為罕見。①因此,俞氏此解大大發揮了《契》在納甲法中列此四數之象的意義,説明《契》採用的煉丹模型是五行數方位圖,而納甲取象正是服務於這一模型的形象化表叙。

其三,關於十二辟卦。卦氣説以坎離震兑為四正卦,餘六十卦分值一年十二月。每月平均五卦,每卦約值六日八十分之七日,此即漢代易學中經常説到的六日七分,十二辟卦在十二個月的值月卦中每月分布一卦,排在每月五卦的末卦位上,其次序為䷗復、䷒臨、䷊泰、䷡大壯、䷪夬、䷀乾、䷫姤、䷠遯、䷋否、䷓觀、䷖剝、䷁坤。在卦氣説中,十二辟卦反映的是一年内陽升陰降、陰升陽降的一般規律,而每月中的其餘四卦,則是每月陰陽變化過程中升中有降、降中有升的象徵。《參同契》單獨援用

①　在俞氏之前,僅見南宋儲華谷氏《周易參同契注》有"七八九六,乃洛書五行之成數"之説。由於文辭過簡,未能表達出此四象之數正是《契》内丹模型的基本構件,以及納甲月象正是説明此模型的途徑之一等思想。儲氏在宋代九數圖與十數圖的河洛之爭上,取劉牧十數圖為洛書的主張。筆者個人對河圖洛書的見解,載於《周易研究》1995年第四期,題為《關於河圖洛書問題》。

十二辟卦，並配以十二律，假以十二辰，意在描叙煉丹過程中進火退符的火候把握，並非指必得一年進火退符纔能走完一個週期。所以俞氏説："魏公以十二辟卦論火候，又以律名辰名舖叙而言，皆譬喻也。"（《發揮》卷中）

俞氏在發揮《契》十二辟卦之旨趣時，着重强調了以下兩點：

第一、强調坤復之交是煉丹産藥之川源。俞氏説："亥子之間乃陰陽交界之時，當其六陰窮極，一陽未生，寂兮寥兮，猶如天地未判之初"。因此"一陽不生於復而生於坤，坤雖至陰，然陰裏生陽，實爲産藥之川源也"。亥月，爲純坤用事之時，"其時，萬物歸根，閉塞成冬。冬雖主藏，然一歲發育之功實胚胎於此，特閉藏無迹，人不得而見爾"。人身法天象地，人身陰陽二氣的感合與天地陰陽感合之理完全相同。因此，煉丹之人當此之時，應"塞兑垂簾，以神光下照於坎宫"，使"神入寥廓，與太虚一體，静定之"。"始者幽幽冥冥，儼如寒潭之浸月；次則神與氣合，隔閡潛通"；"久候至心花發現，則三宫氣滿，但覺恍恍惚惚，莫知其所以然也"（引同上）。這些説法，與他論先天圖環中之秘的思想是一致的。

第二、强調十二辟卦與五行生數的關係。十二辟卦的規則性陰陽升降，是乾坤二用周流六虚的漸次體現。乾陽用九，坤陰用六，俞氏認爲所謂用九用六，是《易》"參天兩地而倚數"的結果。俞氏説，所謂"參天兩地"者，"蓋取五行之生數天一、天三、天五，參天相倚而成九；地二、地四，兩地相倚而成六，此坤之所以用六而乾之所以用九也"（引同上）。十二辟卦，"陽數已訖，訖則復起"，一爻纔過，一爻又來，而不敢毫發髮差殊也"（引同上）。俞氏爲此製作了一幅"乾坤交變十二卦循環升降圖"（見圖六，圖載《别轉》）。此圖復爲乾之初九，臨爲乾之九二，泰爲乾之九三，大壯爲乾之九四，夬爲乾之九五，乾爲乾之上九，用九之極；姤爲坤之初六，遯爲坤之六二，否爲坤之六三，觀爲坤之六四，剥爲坤之六五，坤爲坤之上六，

用六之極。既然十二辟卦是乾坤
用九用六遞相交變的體現，而九
六之意又是從五行生數"參天兩
地"而來，那麼《易》天地之數亦即
五行數自然便是十二辟卦的取象
根基。將十二辟卦最終歸結到天
地之數上來，是俞氏治《易》的特徵
之一。這一特徵再次反映出俞氏
對五行生成數圖的重視。

圖六　乾坤交變十二卦
循環升降圖

　　從以上有關對漢代易學象數
方面的採擷與闡釋可以看出，俞氏試圖以五行生成數方位圖為線
索，探尋漢代象數易學的根底，但他的這一可貴嘗試似乎並未成
功，最後却不得不十分牽强地將漢易象數與先天圖接上關係。究
其原因，很大程度上是他所能把握到的漢代易學資料十分短缺，如
對漢代卦氣説的全貌並不瞭解，對爻辰説也不甚了了，對《易緯》中
討論《易》數的内容也似乎一無所知。這一現象在宋元時期是普遍
存在的，以朱熹之博學在這方面尚且所知甚少，由此可見，清代易
漢學的復興應是一件不可避免的文化現象。目前在易學象數研究
中有一種見解，認為漢易重象，而宋代圖書之學重數，這一見解作
為結論似乎為時尚早。就我個人的看法，俞琰的嘗試還有深入進
行的可能和必要。

四

　　煉丹術一向注重天道與人道的吻合，但多零散之論，或者語焉
不詳，未能形成理論系統。俞琰通過總結古代天文、醫術和煉丹術
的成就，並以易學的結構框架和自然哲學，實現了這一理論的系統

化建構。他説:"《參同契》之説,不過借易道以推明己意,其間引用《易》中之辭,未必皆取本文之義。蓋《易》與天地相似,人身亦與天地相似,是故魏伯陽假《易》以作《參同契》。"(《別傳》)因為《易》與天地相似,故體《易》之道可明天地之道;而人身又與天地相似,故執天地之道,可悟人身之道。《契》假《易》之辭,似言天地之道,而實則論人身之道。根據這個理解,俞氏將《易》分為身外之《易》與人身之《易》,視《易》為吻合天道與人道的手段和中介。

　　《説卦》謂"乾為天","坤為地",又謂"乾為首"、"坤為腹"。在俞氏看來,前者當為身外之《易》,而後者即是人身之《易》。"首居上而圓,諸陽之所會,乾天之象也,故《易》以乾為首;昆侖在西北乾位,故《黄庭經》以乾為昆侖。腹居下而中虛,八脈之所歸,坤地之象也,故《易》以坤為腹;天玄而地黄,故《太玄》以坤為黄宫"。(《別傳》)因此,善言身外之《易》者,應能知人身之《易》,如此方可語論還丹之道。然"天之道可以觀",而"天之行未易執也",那麼在什麼情況下才能執握天之行呢?"人能收視返聽,藏心於淵,馭呼吸之往來,周流不息,則與天道同運,而天行之機吾得而執之矣"(《別傳》)。為此,他在執握天行之機的意義上詳盡展開了還丹之道的論述。

　　從總體意義上説,"天形如彈丸,周匝運轉,晝夜不停。其南北兩端,一高一下,乃關楗也。人身亦然,上有天關,下有地軸,若能回天關,轉地軸,則上下往來,一息一周天也"(《別傳》),此意亦見於《發揮》卷下)。天形如彈丸,取渾天鷄子之象。依渾天説,就人能目及的有限宇宙而言,其形狀如同一粒彈丸,南北二極如同一支運轉軸,南極入地平面下三十六度,北極出地平面上三十六度,《契》謂"關楗有低昂",關楗即指此南北二極。渾天説尚不知地球是運動的,實際上所謂天體的南北極不過是地球自轉中軸的一種折射。俞氏講"天關"、"地軸",已隱約有地動説的思想藴意,若地不動何來"地軸"可言,可惜俞氏僅此一詞帶過而已。周天,謂日月運行之天區,二十八宿分佈其間。"修丹者誠能法天象地,反而求之吾身,則身中自有一壺天"(《發揮》卷下),而日月星辰即為人身之藥物或一息之火候矣。

"坎月也,離日也。日月行於黃道,晝夜往來,循環無窮,如匡郭之周遭也。轂,猶身也;軸,猶心也。"(《發揮》卷上)坎離者,人身之日月。對於修丹之人來說,吾身自有乾坤坎離。以吾身之乾坤為鼎器,以吾身之心軸運坎離之升降上下,則一息一周天矣。《黃庭經》以人身之呼吸為日月,俞氏贊同是說,並云:"日出則月沒,月出則日沒,晝夜遞昭,而出入更捲舒也。人之呼吸何異於是哉! 豈不見《黃庭經》云'出日入月呼吸存',蓋呼吸即日月也。"以呼吸為人身之日月,取日月往來之意,譬如修丹時進火退符之候。

《靈樞·五十營》云:"天周二十八宿,宿三十六分。人氣行一周,千八分,日行二十八宿。人經脈上下、左右、前後二十八脈,周身十六丈二尺,以應二十八宿。漏水下百刻,以分晝夜。故人一呼,脈再動,氣行三寸;一吸,脈亦再動,氣行三寸。呼吸定息,氣行六寸;十息,氣行六尺,日行二分。二百七十息,氣行十六丈二尺,氣行交通於中,一周於身,下水二刻,日行二十分有奇。五百四十息,氣行再於身,下水四刻,日行四十分。二千七百息,氣行十周於身,下水二十刻,日行五宿二十分。一萬三千五百息,氣行五十營於身,水下百刻,日行二十八宿,漏水皆盡,脈終矣。所謂交通者,並行一數也,故五十營備,得盡天地之壽矣。氣凡行八百一十丈也。"氣行,謂營氣在人體內之運行;日行,謂太陽在黃道二十八宿間的運行纏度。一呼一吸為一息,一息脈博四跳,氣行六寸。二十八脈,合手足三陰三陽正經脈為十二,分左右側而為二十四,加陰蹻、陽蹻、任脈、督脈各一,共二十八脈。一晝夜(即漏水下注百刻),營氣在全身運行五十週,太陽行經二十八宿。這是人體健康無病的正常狀況。又《靈樞·脈度》云："氣之不得無行也，如水之流，如日月之行不休，故陰脈榮其臟，陽脈榮其腑，如環之無端，莫知其紀，終而復始。"五臟屬陰，六腑為陽，二十八脈亦分陰陽，氣行陰脈而榮臟，氣行陽脈而榮腑。俞氏據上述中醫生理學知識，認為人身之日月，不僅限於一呼一吸之火候進退；其本身更是"吾身之藥物"(說見《發揮》卷上)。

　　從進火退符的意義上說，"天之一年一日僅如人之一息。是以一元之數十二萬九千六百年，在大化中為一年而已。今以丹道言之，一日有一萬三千五百呼一萬三千五百吸，一呼一吸為一息，則一息之間潛奪天運一萬三千五百年之數。一年三百六十日，四百八十六萬息，潛奪天運四百八十六萬年之數。於是換盡穢濁之軀，變成純陽之體。"(《發揮》卷下)可見一呼一吸之火候升降，同時亦是對人身穢濁之軀的洗滌與鍾煉。一呼一吸之火候進退之所以有除穢的作用，"蓋吾一身之中自有日出日入之早晚，其火候一一暗合天度"(《發揮》卷上)，"人受沖和之氣生於天地間"，心靜則"自然周流於上下，闢則氣出，闔則氣入。氣出則如地氣之上升，氣入則如天氣之下降"(引同上)，上下交通，故人身安泰。

　　一呼一吸之妙，在於水火之升降。修丹者"潛神內守而勿忘勿助，調勻鼻息而勿縱勿拘，自然一闔一闢一稟一受，與天地施化之道無異。若夫時至氣化機動籟鳴，則火從臍下發，水向頂中生，其妙自有不期而然者，初不在勞神用力而後得也"(《發揮》卷中)。為此，俞氏特製了一幅圖，命之曰"坎離交變十二卦循環升降圖"(見圖七，圖載《別傳》)。

　　此圖起於子位之坎，依由下至上逐爻漸次變化的原則，初爻變得節，初二爻變得屯，初二三爻變得既濟，初二三四爻變得革，初二三四五爻變得豐，六爻皆變得午位之離。離初爻變得旅，初二爻變得鼎，初二三爻變得未濟，初二三四爻變得蒙，初二三四五爻變得

渙,六爻皆變復歸於子位之坎。俞
氏說:"坎北離南,吾身之水火也。
既濟東未濟西,吾身水火之升降
也。屯居寅蒙居戌,吾身之火候
也。寅非平旦,寅乃身中之寅;戌
非黃昏,戌乃身中戌。"(《別傳》)《契》
中無此說,為俞氏假京房八宮坎離
二宮前五世卦為構架、援醫入丹道
而獨得心會之處。醫家以腎屬水,
心屬火,而丹家諱言心腎,謂心腎
非坎離,使坎離僅象呼吸一義。俞

圖七　坎離交變十二卦
　　　循環升降圖

氏認為:"呼吸乃坎離之用,心腎乃坎離之體。人之一身,心為之
主,故獨居中,腎為之基,故獨居下。丹家不言心腎而言身心,身即
腹也,腎在其中矣,豈可捨腎哉"(引同上)。強調心腎水火升降在丹
術中的意義,使丹術與醫學溝通,對丹術的基礎理論建構是一大貢
獻。

　　上述日月與呼吸僅就象徵意義而言。"丹法有內日月,有外日
月"。(《發揮》卷中)"天有黃道,為度三百六十五。其運轉也一日一
周,日月行乎其間,往來上下,迭為出入,此所以分晝夜而定寒暑
也。然天道密旋,本無度數,以日月經歷諸辰而為行度;日月往來
本無定居,以朝暮出入之地而所居。"(引同上)此即外日月也,所謂
納甲、十二辟卦、六十卦之張布等等,皆取此以為象,在丹法則皆火
候也。"夫人身中黃道,即陰符陽火所行之處也,即日魂月魄所居
之方也。有能觀天之道,執天之行,識陰陽之行度,知魂魄之所居,
則周天三百六十五度,循環乎一息之頃,而日月出入乎呼吸之微。
呼為陽,吸為陰,與天道同一妙用,不必求之他也"(引同上)。此言
內日月也。內日月的一呼一吸之用,假外日月運行之度數模擬進

火退符之候,這是内丹術的一種功法。行此功法,不必拘泥於外日月所示之春夏秋冬子午卯酉,蓋人身中自有春夏秋冬子午卯酉也。練此功法的目的在於疏通人體氣血的流通,使無壅滯阻塞。俞氏説:"人身氣血常常流通則安,一有壅滯則病。内煉之道,息息相繼,如水之洊至,而其流相續,則真氣上下灌注,亦如水之流通也。"(《别傳》)

上述取外日月之象擬内日月一呼一吸之火候,火候者其用也,其體則為藥物。體者,腎心分水火,呼吸有陰陽。陽者氣也,陰者精也,依神而調合之。故俞氏又説,"離為日,坎為月,吾身之藥物也"(《發揮》卷上)。日月為藥物,除内日月之外,還指外日月,這是更高層次的一種内丹法,通稱之為大還丹,或大周天。

俞氏説:"乃若八月十五月明之夜,深山之兔結胎,滄海之蚌結珠,抑何為感化相通如此其妙哉!人生天地間,為萬物之靈,反不能盜天地奪造化,曾兔蚌之不若?"(《發揮》卷中)那麼人如何能達此感化相通之境介呢?俞氏説:"修丹於月望則氣血滿而藥力全,望後則氣血減而藥力少","八月十五晝夜均,陰陽分,此時秋高氣清,金精正旺,不寒不暖,最宜修煉。古仙於此時結胎,所以盜天地之金精,感天地之清氣也"(《發揮》卷中)。八月十五入室採煉是最佳的時日,但並非一年之内祇有八月十五這一天纔能採藥,蓋以此强調選擇天時之重要而已。對冬至夜半子時和晦朔之間重要性的説明也屬此例。前已説及,不再贅叙。"人之所以能修煉而長生者,由其能盜天地之正氣也。人之所以能盜天地之正氣者,由其有呼吸也。呼至於根,吸至於蒂,是以能盜天地之正氣歸之於丹田也。"(《發揮》卷下)盜天地之正氣為藥物,然後迴光返照,通過内日月火候之温養,務必做到"功夫純粹,而藥材不至消耗,火候不至虧闕焉"(《發揮》卷中),如此"真積力久",則大丹可成。

五

傳統醫學以大宇宙為背景,以氣化論為基石,因而與內丹術人體生理學的基礎理論完全一致。但以往丹術諱言心腎,不講經絡,致使丹術流於虛玄,至俞氏始大量引入醫學基礎理論,且援《易》象建構了眾多的人體丹術模型,不僅使丹術有了堅實的理論基礎,同時也大大豐富了醫學研究的方法論。如俞氏在論丹法與造化同途時說:"其所以效日月之運用,與天地以同功,其要在乎任督二脈。蓋任督二脈為一身陰陽之海,五氣真元此為機會。任脈者,起於中極之下,以上毛際,循腹裏,上關元,至咽喉,屬陰脈之海。督脈者,起於下極之腧,並於脊裏,上至風府,入腦上巔,循額至鼻柱,屬陽脈之海。""人能通此二脈,則百脈皆通,自然周身流轉,無有停壅之患,而長生久視之道斷在此矣。"(《發揮》卷中)得此一說,丹術所行功法一一落到實處。任督二脈總領全身陰陽諸脈,通此二脈則人體上下腹背氣血週流貫通,五臟六腑皆受其滋養,故可以袪病延年。

俞氏還說:"內煉之道,至簡至易,唯欲降心火於丹田耳。"(《別傳》)將內煉之道歸結為"降心火於丹田",或"降心火入於氣海",抓住了內丹術實際所能達到的基本目標,揭示了內丹術在人體生命科學上的科學價值。現代科學已經開始注意到人體恆溫37℃左右,是一種偏高的數值,對人體壽命有一定影響,更何況由於氣候變化,飲食不當等原因而導致的虛火上揚的眾多病癥,對人體造成的種種傷害,更遠在人體現在的恆溫之上。而內煉之道以降心火於丹田為目標,首先可以抑制虛火上揚,久而久之,可以延緩新陳代謝進程,使人體恆溫有所下降。

內丹術是道教的神仙之學,其中故弄玄虛之處自然不少。如內煉時提倡陰陽交媾,而其追求之結果却要得到"純陽之體"等。

俞氏認為"凡屬有形者無非陰邪滓濁之物"(《發揮》卷中)，都應在袪除之列。果真如此，則無陰之陽何以獨存？可見俞氏亦難免有此等之説。

　　俞氏援醫入丹術之舉，引起了醫家對內丹術的注意。如明代著名醫家樓英、張介賓等人的著作，不僅援引道教"精、氣、神"或"元精、元氣、元神"之説，以豐富和完善中醫人體生理學，而且直援引用俞氏為講丹術所建構的《易》象模型。其中樓英還著有《周易參同契藥物火候圖説》，以乾坤為"人之形體"，坎離為"人之精氣"，以坎離之升降申叙把握火候之重要。張介賓則著有《醫易義》，對俞氏身外之《易》與"身中之《易》"和俞氏對"先天圖環中之秘"的申叙廣有採擷，其所受影響之深乃致於文句上亦多改頭換面的因襲。[①] 但張氏對俞氏的虛玄之論諸如"純陽之體"類，卻保持着一個醫學家的清醒頭腦，如他認為無陽不足以申陰，無陰不足以固陽，反對離開人之形體的"純陽之體"的孤立存在。

　　"科學"是一個歷史的範疇，不同的民族不同的時代，有着不同的科學觀。在歐洲實證科學尚未從自然哲學中分離出來的時候，蘊含在自然哲學中有關自然界的知識就是以往人們的科學觀。在中國，內丹術基本上以自然哲學為其存在形態，且帶有濃厚的宗教色彩，由於其主要依賴人們自身的內在體驗，且在現代技術條件下無法通過外在途徑表現出它的可重複性，因而常常被人們指斥為偽科學。這個詞語將"科學"與"真理"等同起來，而且將十六世紀以來的歐洲實證科學的特徵作為唯一的衡量尺度。須不知科學祇是認識真理的一種手段，因而科學需要不斷發展，真理則被不斷認

---

　　①　如俞氏《發揮》卷中云："有如萬斛之舟而惟用一尋之木，發千鈞之弩而惟用一寸之機。"而張氏《醫易義》云："《易》之變化出乎天，醫之運用由乎我。運一尋之木，轉萬斛之舟；撥一寸之機，發千鈞之弩。"語意相近若此，且並非僅此一見，足見張介賓受俞琰影響之深。

識。在科學不斷發展的過程中，其形態與特徵也會不斷發生改變，以某種僵化的科學觀衡量將來科學固然不可，衡量古代科學也是行不通的。我以此語為本文作結，並以之奉獻給反對"偽科學"的人們，希望對內丹術三思而後言。

李道純易學思想考論

詹石窗

内容提要 李道純是宋元時代頗有建樹的道教學者。他的論著中包含豐富的易學思想資料。本文首先從學術傳統上分析了李道純易學的淵源和文化背景,認為他的易學既與道教紫陽派的研《易》風氣相關,又與王重陽所創之全真道思想相匯通。其次,指出李道純易學的主要特色在於以"中和"思想作為基本原則,貫穿於諸多方面。復次,發掘李氏某些注疏之作中的易學意蘊,同時考析有關問答語錄中的易學思想以及內丹修煉理論與易學的關係。

研究道教在"易學"史上的貢獻問題,不可不論及宋元道教學者;而在評估宋元道教學者的易學之成就時倘若不探討李道純,則仍是一大缺憾。這是因為李道純不僅在易學上潛心地進行過一番認真的探索,而且提出了許多獨到的見解。他堪稱宋元以來道門中一位有影響的易學專家。不論從道教史或從易學發展史的角度看,李道純都可以説是一位産生了承先啟後作用的重要人物。然而,以往學術界對李道純之研究甚少,其易學成就更是幾乎無人問津。

數月前,陳鼓應教授在與筆者一次談話中言及如何對宋元道教學者的易學開展研究的問題。陳先生敏鋭的洞察力再次激起筆者對李道純的興趣。十多年前,筆者在撰寫碩士論文時曾涉獵李

氏之著述,對其修行法門及"老學"特點有所論析①;而今,重讀其
著述,另有一番感受,稍加梳理,以成此拙文,就教於方家及諸同
好者。

一

　　李道純,字元素,號清菴,別號瑩蟾子,湖南武岡人(一説儀真
人或盱眙人),宋末元初之道教學者。其著述頗豐,有《道德會元》、
《三天易髓》、《全真集玄秘要》、《中和集》、《清菴瑩蟾子語録》等十
餘種行世。他雖然並未撰寫專門性的解説《周易》經傳的著作,但
却在論述修行法門的著作中不時地闡發自己的易學見解。他的
"修道論"字裏行間閃爍着易理之輝光。

　　李氏道純曾於《道德會元·序》中説:"竊謂伏羲畫易,剖露先
天,老子著書,全彰道德。此二者,其諸經之祖乎? 今之學者,未造
其理,何哉? 蓋由不得其傳耳。予素不通書,因廣參遍訪,獲遇至
人,點開心易,得造義經之妙。於是罄其所得,撰成《三天易髓》,授
諸門人。"所謂"心易"係心法所傳之《易》。傳授李道純"心易"的
"至人"或又稱"異人",此君為誰? 李氏於序中並未明説,亦無從稽
考。不過,其簡短序文却也透露出一個信息:李道純之易學是有師
承的,並且學有心得。他的易學心得於《全真集玄秘要》中便時有
所見。李氏於是書第4頁中謂:"守中則黄裳元吉。"自注云:"守中
則無過不及也。退符之時,至坤六五,守中行下,則無過不及之患。
故曰:'黄裳元吉'。"② 李氏此番論述是以《易》之《坤》六五爻辭為

____

　　① 詳見拙著:《南宋金元的道教》第三章第四節,上海古籍出版社1989年12月
版。

　　② 見《正統道藏》第7册,臺灣藝文印書館精裝縮印本,第5294頁,1976年版,以
下凡引《正統道藏》均屬此版本,不再注明。

根基的。"坤卦"之象,上下皆坤☷,象徵地。上卦五爻居中,象徵中道。爻辭以"黃裳"為"元吉"。孔穎達《周易正義》稱"黃是中之色,裳是下之飾,坤是臣道,五居'君位',是臣之極貴者也。"按照古經學家之釋《易》條例,居中為正,正則吉,以示事物發展之良好結果,對於《周易》這種"中正"思想,李道純予以具體化了。他不是泛泛而論,而是結合大丹(內丹)之修煉,以明進退之"候"。文中所云"退符"即是指金丹修煉過程中的"退陰符候"。道教丹門功法以《易》之十二消息卦① 為火候行持之法象,復卦一陽生,象徵"進陽火";姤卦一陰生,象徵"退陰符",簡稱之則為"退符"。由此不難看出,李氏道純乃基於易道而論丹道,其丹道之說貫穿易道精義。像這樣的論述在李道純的著作中比比皆是。這就說明李道純是有深厚之易學素養的。

李道純雅好易學並且學有心得,這是有其學術傳統上的原因的。《玄教大公案·序》云:"……清菴李君得玉蟾白真人弟子王金蟾真人授受,為玄門宗匠,繼道統正傳,以襲真明,亦多典籍見行於世。"這裏所指"清菴李君"就是李道純。從此篇序文可知,李道純係白玉蟾之二傳弟子。而白玉蟾乃"紫陽派"之傳人。按該派之道法傳緒,門人尊張伯端為宗祖,因張氏號紫陽,故其派稱紫陽派。張氏伯端傳人石泰、薛道光、陳楠、白玉蟾被尊稱為五祖。玉蟾而下,枝分葉蔓,傳其學者紛紛然,儼然一大宗派。

考紫陽派之學術傳統,易學色彩頗濃。該派之中,多雅好易道之人,且不乏造詣精深者。開派先師張伯端便是一位佼佼者。他所作之《悟真篇》即深貫《周易》之理則。張氏於《悟真篇》之《序》中云:"僕既遇真筌,安敢隱默?罄所得成律詩九九八十一首,號曰《悟真篇》。內七言四韻一十六首,以表二八之數;絕句六十四首,

---

① 　按:十二消息卦指的是復、臨、泰、大壯、夬、乾;姤、遯、否、觀、剝、坤。

按《周易》諸卦；五言一首，以象太乙；續添《西江月》一十二首，以周歲律。其如鼎器、尊卑、藥物、斤兩、火候、進退、主客、後先、存亡、有無、吉凶、悔吝悉備其中矣。"① 六十四首絕句合於六十四卦，這顯然是根據《易》數原則來考慮的，而十六首七言詩為兩個八的倍數，不能排除其中包含着八卦概念，至於一首五言詩所取法的"太乙"也屬於易學的一個支派，還有歲律自漢代以來就一直是以易學為綱要的。因而，《悟真篇》這種結構安排明顯地表現了作者取法《周易》的指導思想。

由於《悟真篇》本身隱含精深之易理，後來紫陽派之門人在對該書進行注釋、解說時也注意發掘其中之易學底蘊。例如南宋時的翁葆光即是重要的一位。翁氏字淵明，號無名子，著有《紫陽真人悟真篇注疏》、《悟真篇注釋》、《紫陽真人悟真篇拾遺》、《紫陽真人悟真篇直指詳說三乘秘要》等書傳世。翁氏對《悟真篇》中的易學秘旨是有其獨到之領悟的，故其釋文每每據大《易》而闡發之。他在《紫陽真人悟真篇注疏》卷五中說："卦象者，火之筌蹄也。魏伯陽真人因讀《易》而悟金丹作用與《易》道一洞（通）。故作《參同契》，演大《易》卦象，以明丹旨，開示後人。故比喻乾坤為鼎器，像靈胎神室在我丹田中也。又以坎離喻為藥物，像鉛汞之在靈胎神室中也。夫乾坤為衆卦之父母，坎離為乾坤之真精。故以四卦居於中宮，猶靈胎鉛汞在丹田中也。處中以制外，故四卦不係運火之數。其於諸卦，並分在一月之中。搬運符火，始於屯、蒙，終於既（濟）未（濟），周而復始，如車之輪，運轉不已。"② 翁氏這段話結合《參同契》，以明《悟真篇》關於"卦中設法本儀刑，得象忘言意自明"的意旨。其用意所在乃是闡明丹道火候行持，但其言論則合於

---

① 《道藏要籍選刊》第 3 冊第 390 頁，上海古籍出版社 1989 年 6 月第 1 版。
② 《正統道藏》第 4 冊第 2774—2775 頁。

《易》之基本原則。翁氏葆光這種對於易道的關注代表了紫陽派的一大理論特色。其注疏不可避免地會對該道派的後起者産生影響,從而導致研《易》風氣的形成。李道純"繼道統正傳"[①]必定要弘揚這種學風。所以,他的著述貫穿《易》旨便有了學術傳統上的根據。

　　另一方面,李道純雅好易學,這與王重陽所傳一派全真道也有一定的關係。金代之初,王重陽於河北一帶創立全真道。經過多年的苦心經營,該道派亦大行於世。全真道之早期雖然較少進行玄理研究,但隨着組織的壯大,其中堅人物也開始注重《周易》的探討,並且將之應用於教理教義的創建之中。王重陽在思想上與呂洞賓有某種淵源關係。呂洞賓是《易》"圖書之學"的重要傳人,易學造詣甚深。王重陽對此是有所因襲的。他在度化大財主馬鈺時所用的"分梨十化"便暗合於大《易》天地五十五之數,他的許多詩文也多涉及易理,足見王重陽對易學的熟諳。王重陽的大弟子中精於易道者亦不乏其人。尤其是號稱"北七真"之一的赫大通更是一個潛心研《易》的傑出人物。赫大通自稱太古真人,號廣寧子,寧海人,嘗"夢神人示以《周易》秘義。由是洞曉陰陽律曆卜筮之術,厭紛華而樂淡薄,隱德於卜筮中。"[②]赫大通著有《太古集》,這是一部應用《易》道以闡述氣功養生之理的專書。他在自序中寫道:"予嘗研精於《周易》,删《正義》以為參同,畫兩儀、四象、三才、八卦、六律、九宮、七政、五行、星辰,張佈日月,度颸有無,混成以為圖象……。"赫大通並非自誇,其《太古集》的確是一部有特色的易學應用著作。由王重陽與赫大通等人開創的這種研《易》之風氣在金元以來的全真家中得到發揚。

---

①　《玄教大公案·序》。

②　《道藏要籍選刊》第 6 册第 335 頁,上海古籍出版社 1989 年 6 月版。

　　稽考史籍可知,全真道與紫陽派在元代中期以後逐步合流。
元代道士蕭廷芝在 1320 年序鄧錡《道德真經三解》中説:"一自三
陽(指華陽真人李亞、正陽真人鍾離權、純陽真人呂洞賓)唱道以
來,至於海蟾真人(劉操)傳之張紫陽、王重陽,紫陽傳之翠玄(石
泰),翠玄傳之紫賢(薛道光),紫賢傳之翠虛(陳楠),翠虛傳之海瓊
(白玉蟾)先生凡九傳;又王重陽真人之所傳凡七真……海瓊而後,
大道一脈歸之鶴林先生,為往聖繼絕學,為後世立法門。"此道法之
傳緒,推之極遠,附會之處,自當有之,但却也説明了紫陽派與全真
道的融合趨勢。李道純處於這種背景下,對於南北之學必然是各
有取資,而北方的全真道與南方的紫陽派既然都倡導易學,李道純
受到此等風氣的影響,這便是自然的事了。

二

　　正如道門中其他傑出的學者一樣,李道純之研《易》與用《易》
亦形成自己的特色。

1.以"中和"之論為大旨

　　在《中和集》裏,李道純確立了其研究目標,他稱之為"玄門宗
旨"。於其下首列太極圖,以為"動静無端,陰陽無始"之表徵;繼之
以中和圖,發"四正中直,發無不中"之精義。世人知之,太極之説
本出於大《易》,李道純據之以作宗旨,説明了他著述之根本即是易
道,所謂心俱太極,"萬物之理悉備於我矣"①。在他看來,太極圖
中本包含着"中和"精義,而明《易》的關鍵就在於能"中和",足見
"中和"乃是他論《易》立説的原旨。

―――――――――

　　①　《中和集》卷一,《正統道藏》第七册第 5225 頁。

李道純為什麼如此強調"中和"的原則呢？他有一段簡明扼要的解釋：

> 《禮記》云："喜怒哀樂未發謂之中。發而皆中節謂之和。"未發謂靜定中謹，其所存也。故曰中存而無體，故謂天下之大本。發而中節謂動時，其所發也。故曰和。發無不中，故謂天下之達道。誠能致中和於一身，則本然之體虛而靈，靜而覺，動而正。故能應天下無窮之變也。老君曰："人能常清靜，天地悉皆歸。"即子思所謂"致中和，天地位，萬物育"，同一意也。和也，感通之妙用也，應變之樞機也，《周易》生育、流行、一動一靜之全體也。予以所居之舍"中和"二字扁名，不亦宜乎哉！①

在這段作為全書總綱的論述裏，李道純引經據典。一方面，他以子思等儒學中人的言論作為立說的佐證；另一方面，他又引道典《清靜經》以示"中和"論之本源。最終，則歸根於《易》。顯而易見，他認為"中和"二字即已包括了《周易》思想的"全體"，因為易學雖然枝分葉蔓，但其大要則是"生育流行，一動一靜"。知乎此，則《易》之"全體"握之於手中。

"中和"之說本儒道兩家所共有。歷史上，以孔夫子為代表的儒家學派和以老子為代表的道家學派儘管在思想體系上頗有不同，甚至在一些具體問題上的主張還有相佐之處，但它們發端於共同的理論根基；所以在一些問題上又有共同的主張。譬如"中和"論便是。孔夫子提倡中庸之道，這是大家所熟悉的。"中庸"雖然不能等同於"中和"，但其理論立足點卻是一致的，其要義所在就是一個"中"字。"中"者，不偏不倚得正之謂也。清儒李光地《周易折中》卷首云："剛柔各有善不善。時當用剛，則以剛為善也；時當用柔，則以柔為善也。惟中與正，則無有不善者。然正猶不如中之

---

① 《正統道藏》第七冊第 5225 頁。

善。故程子曰:正未必中,中則無不正也。"李光地的話是儒家學派自孔夫子以來關於"中"的思想的理論總結。從李光地的闡述裏,我們不難尋找到李道純"中和"說與儒家學派的理論契合點。

在儒家學派將"中"的思想用於政治倫理之時,道家學派則將之用於解釋宇宙之演化及待人處事。《莊子·山木》中有一個著名的命題叫"處乎材與不材之間"。書中記載,有一天,莊子在山中行走,看見一棵大樹,枝葉繁茂,一位伐木工人停在樹邊却不去砍伐它。莊子問這位伐木工人何故不砍這棵樹?伐木工人說"没有用處"。莊子頗有感觸地說:"看來,這棵樹是因為不中用縄能夠享盡自然的壽命!"不久以後,莊子下山,來到一位老朋友家。老朋友很高興,準備殺一隻雁,好好地款待款待莊子。於是吩咐童僕去幹這件事。童僕接受了主人的任務後說:"家裏現在有兩隻雁,一隻會叫唤,另一隻不會叫唤,請問要殺哪一隻?"主人不假思索地回答:"就殺那隻不會叫的。"第二天,學生問莊子說:"昨天山上的樹木,因為'不材'所以没有挨上刀子,能夠享盡自然壽命;今日,主人的雁因為'不材'而被殺。請問先生該如何自處呢?"莊老夫子笑了笑,淡淡地說:我將"處乎材與不材之間"。這個寓言說明了莊子具有"持中"的思想。它直接源自老子的《道德經》。該書第四十二章云:"沖氣以為和。"沖通為中,沖氣即是中氣,中和之氣。再如《道德經》第五章亦涉及"中"的原則:"天地之間,其猶橐籥乎? 虚而不屈,動而欲出。多言數窮,不如守中。"這是尚中思想的明確表達。從道家的宇宙論、處事論裏,我們也可以找到李道純"中和"說的淵源。

然而,必須指出,李道純匯通儒道,並不是停留於原初的起點上。他從前賢論述中抽取"中和"概念,將之昇華,成為闡述《易》義的總綱。他圍繞着易學中的太極圖,說明"沖和化醇"的意義:

> 是知萬物本一形氣也。形氣本一神也。神本至虛,道本至無。《易》在其中矣。

天位乎上，地位乎下，人物居中，自融自化，氣在其中矣。

天地，物之最巨；人於物之最靈。天人一也。宇宙在乎手，萬化生乎身。變在其中矣。

人之極也，中天地而立命，稟虛靈以成性。立性立命，神在其中矣。

命係乎氣，性係乎神。潛神於心，聚氣於身。道在其中矣。①

這裏所引是李道純《太極圖頌》二十五章中的部分內容。大家知道，太極圖本是易道的一種表徵，它是以《易》"太極"說為依據。宋元以來，太極圖流行頗廣。從某種程度上看，太極圖甚至已經成為讀《易》的入門引導器。李道純頌揚太極圖雖有藉題發揮之處，但總的來講，仍是據易理而發。他在此涉及到天地人"三才"② 之關係以及"神"、"變"、"道"諸範疇，這些都是大《易》之學本具有的。李道純所說的"《易》在其中矣"就是說《易》在"太極圖"之中。他頌揚太極圖可以說就是頌揚大《易》之道；換言之，此乃以太極圖為表徵，推演引申易學要理。就在這種頌辭裏，李道純五言"其中"，足見"中"這個概念在李氏的探索裏是多麼重要。他不但數言"其中"，而且強調"和"。在他看來，易學所言"氣"、"變"、"神"、"道"都是太極"冲和化醇"的表現。

2.居中以觀易

李道純將自己居處之舍名字曰"中和"，這體現了他的基本主張。在易學上，他以"中和"為第一原則，它内存於"太極圖"中。心本一太極，居中以學易觀易，於是得"心易"之法。概而言之，分為

---

① 《中和集》卷一，《正統道藏》第 7 册第 5226 頁。
② 詳見《周易·説卦傳》。

十六項,即:易象、常變、體用、動靜、屈伸、消息、神機、智行、明時、正己、工夫、感應、三易、解惑、釋疑、聖功。

　　基於"中和"要則,李道純對易學範疇的探討體現了一定的辯證思考精神。他說:

　　　易可易,非常易。象可象,非大象。常易不易,大象無象。常易,未畫以前易也。變易,既畫以後易也。常易不易,太極之體也。可易變易,造化之元也。大象,動靜之始也。可象,形名之母也。歷劫寂爾者,常易也。亘古不息者,變易也。至虛無體者,大象也。隨事發見者,可象也。所謂常者,莫窮其始,莫測其終,歷千萬世,廓然而獨存者也。所謂大者,外包乾坤,內充宇宙,遍河沙界,湛然圓滿者也。常易不易,故能統攝天下無窮之變。大象無象,故能形容天下無窮之事。易也,象也,其道之原乎!①

這是李道純關於"易象"的看法。所謂"易象"本是指八卦的卦象。《繫辭下傳》云:"八卦成列,象在其中矣。"尚秉和先生《左傳國語易象釋》稱:"《易》之為書,以象為本。故《說卦》專言象以揭其綱,九家逸象、孟氏易象一再引其緒。"② 由此可知,易象在《周易》中的重要地位。李道純抓住易之本體展開其論述。從其行文可以看出,李道純論易象乃遵循着老子《道德經》"道可道,非常道,名可名,非常名"③ 的思維模式。與一般易學家不同,李道純着重在於說明"常易"與"大象"。他指出,發生變化的"易"就不是"常易";可用卦爻來表示的,就不是"大象"。換一句話說,常易是永恆不變的,而大象卻是無形無狀不可模擬的。從這種意義上看,李道純所

---

　　①　《中和集》卷一,《正統道藏》第 7 册第 5227 頁。
　　②　《周易尚氏學·附錄》,中華書局 1980 年出版。
　　③　見老子《道德經》第一章。

指的"常易"實際上就是老子所説的常道,而大象之説亦取之於老子《道德經》。該書第三十五章有云:"執大象,天下往。"① 王弼注云:"大象,天象之母也。不寒、不温、不涼,故能包統萬物,無所犯傷,主若執之則天下往也。"② 老子所謂的"大象"即是無形的。很顯然,李道純匯通《道德經》與《周易》思想;或者可以説,他用《道德經》的思想來解釋易象,這種做法與漢代的揚雄以及魏代王弼的注疏是有相似之處的。李道純雖然談了許多有關"變易"與"可易"問題,但其本旨却在於教人從"可象"及"變易"之中感悟"常易"與"大象"。

李道純還認為,學《易》者當明"知常"與"通變"之道。"常"與"變"是一種對立統一。他説:

　　常者,易之體;變者,易之用。古今不易,易之體;隨時變易,易之用。無思無為,易之體;有感有應,易之用。知其用,則能極其體;全其體,則能利其用。聖人仰觀俯察,遠求近取,得其體也;君子進德修業,作事製器,因其用也。至於窮理盡性,樂天知命,修齊治平,紀綱法度,未有外乎《易》者也。全其易體,足以知常;利其易用,足以通變。③

這無非是説,"易"有體有用,易之體恆常不變;易之用則在於能够根據客觀情實而作出變化的反應。祇有知道"易"之大用,纔能最終把握住"易"的本體;反過來説,祇有心中感悟到易之本體,那纔能够真正盡易之用。這是事物的矛盾,但又是主客觀相互感應的辯證法。這種辯證法不僅體現在求知窮理的認識領域,而且體現在治國修身的實踐活動中。李道純以"體用"這一對易學範疇為槓

---

① 老子書中尚有"大象無形"之語。
② 見《諸子集成》第三册第 21 頁,中華書局 1954 年 12 月第 1 版。
③ 《中和集》卷一,《正統道藏》第 7 册第 5227—5228 頁。

桿,展示了動靜、消息、屈伸的相互關聯。

　　李道純窮究《易》之體用,是為了成就"聖功"。他説:

　　　　聖人所以為聖者,用《易》而已矣。用《易》所以成功者,虛
　　静而已矣。虛則無所不容;静則無所不察。虛則能受物,静則
　　能應事。虛静久久則靈明。虛者,天之象也;静者,地之象也。
　　自强不息,天之虛也;厚德載物,地之静也。空闊無涯,天之虛
　　也;方廣無際,地之静也。天地之道,惟虛惟静。虛静在己,則
　　是天地在己也。道經云:人能常清静,天地悉皆歸。其斯之謂
　　歟? 清即虛也。虛静也者,其神德聖功乎?①

照此看來,聖人之所以能够建立大功,廣施恩德於天下人等就在於
懂得運用《易》道,而易道的應用,其要則就在"虛静"二字,這又合
於老子"致虛極,守静篤"的無為之旨。虛静是一種宏觀的煉氣法。
管理社會要掌握虛静的煉氣法,管理自身同樣也要掌握虛静的煉
氣法。這是因為人法天則地,天地虛静,人就必須虛静。心觀天
地,身合宇宙,聖功自成。這就是所謂天易、聖易、心易一以貫之。
人類社會、廣袤宇宙成為成就聖功的大熔爐。這種眼界無疑是開
闊的。

　　值得注意的是,李道純將成就聖功的法門歸結為"虛静"二字,
這實際上是"中和論"精神的集中表現。前引李道純關於"致中和"
論述中,他已明確言及"中和"能使本然之體"虛而靈,静而覺",可
知"虛静"與"中和"是互為其根的。這種觀念在李道純論"神機"時
有進一步的發揮。他指出:"存乎中者,神也;發而中者,機也。寂
然不動,神也;感而遂通,機也。"②　不動之神存於中,凝神静觀,發
而能中,這便是"和",静定感通,中正太和。這就是李道純"易論"

①　《中和集》卷一,《正統道藏》第 7 册第 5230 頁。
②　《中和集》卷一,《正統道藏》第 7 册第 5228 頁。

的思想旨趣。

三

　　李道純研究易學不僅形成了與道門之修行旨趣相合的指導思想，而且注意從前賢的論述之中發掘易道要義。他的《全真集玄秘要》正是此類有代表性的著述。書名明確標明"全真"，這反映了李道純的道派主張。由於入元以來，南方的紫陽派與北方的全真道匯合，一些學者索性將王重陽所傳一系稱全真道北宗，而張伯端所傳一系稱全真道南宗。李道純之書以"全真"冠其首，正是這種文化背景的表現。不過，應當指出的是，他這部著作並非是泛論全真教義，而是通過匯集前人言論，並對其言論加以疏解以顯露《易》之底蘊。全書包括兩大部分，前一部分為《注〈讀周易參同契〉》，後一部分為《太極圖解》。

　　《讀周易參同契》原文係張伯端所作，屬《悟真篇》中的一篇，今見於《修真十書》內；又象川無名子翁葆光等撰之《紫陽真人悟真篇注疏》亦可見此文，係用賦體寫成。本來，《周易參同契》乃是假借《周易》爻象以論作丹之意，張伯端讀之有悟，感而述之。就張伯端的《讀周易參同契》而言，用語頗晦澀，有關卦義的問題亦隱而不顯。李道純之注，廣採諸家，以剖露大《易》之義蘊。同時，李道純還着重從性命修行的角度對易道加以引申或發揮，例如他在注解"兩儀因一開根，四象不離二體"時說：

　　　　老子云："一生二。"一炁判而兩儀立焉。即人之立性立命故也。①

又曰：

---

①　《全真集玄秘要》，《正統道藏》第 7 册第 5293 頁。

　　邵子云:"二分為四。"《易》云:兩儀生四象。即人之(立)
性立命故也。①

在這兩段注文中,李道純既引用了老子之言,又引用了邵雍之論,
這體現了其"集玄"特色;緊接着,李氏又發掘出老子、邵雍言論的
易學蘊含。所謂"立性立命"本於《易·説卦傳》:"和順於道德而理
於義,窮理盡性以至於命。"李道純之注將《易》之言辭順手拈來,足
見其熟諳。

　　《全真集玄秘要》後一部分《太極圖解》是對周敦頤《太極圖説》
的注解,原文載《周元公集》。南宋朱熹曾親為之校定,遂廣流傳。
周氏《圖説》首論宇宙萬物之生化模式,次論人生當本太極精微之
理以為用。其中蘊含着易學"天人合一"的重要思想。對於《太極
圖説》的易學思想蘊含,李道純加以仔細的疏解,體現了他"依圖而
發義理"的思考。他説:

　　　　太極未判,動靜之理已存。二炁肇分。動靜之機始發。
　　太極動而生陽,太極變動也;動而復靜,陽變陰也。靜而生陰,
　　靜而復動,陰變陽也。互為其根者,陰錯陽而陽錯陰也。一動
　　一靜,分陰分陽,清升濁淪,二炁判矣。②

在這裏,李道純不僅疏通了周敦頤《太極圖説》中關於陰陽動靜的
文辭,而且點出了圖本身所包含的哲理義蘊。他所言"陰錯陽而陽
錯陰"揭示了宇宙演化過程中兩種動力的交互作用。陰陽之運化
必須協調有序,這依然體現了"中和"的理趣。所以,他進一步發揮
説:

　　　　°。°。°。者,兩儀之變也。兩者二也,不言二而言兩者,何也?
　　兩者配合之謂也。合則有感,感則變通也。陽變陰合,陰陽感

---

① 　《全真集玄秘要》,《正統道藏》第 7 冊第 5293 頁。
② 　《正統道藏》第 7 冊第 5296 頁。

合而生五行也。①

所謂"兩儀"指的就是"陰陽"。它們之所以能够化生五行，就在於
彼此的互相配合，和合感應，萬物由之變通。李道純看中《易·繫辭
傳》關於"兩儀"的提法。在他看來，《繫辭傳》之所以不言"二"而言
"兩"，是因為"兩"字表明了分中有合。"兩"字一竪居中，二人分立
左右，協調動作，這就是"中和"。

從"兩儀"的協調化生作用，李道純又聯繫到社會人生問題上
來：

> 聖人鈎深致遠，動必循理。理之在乎，天下莫能與之較。
> 故進德修業，必先窮理。窮理之要，必先以中正仁義為本。故
> 聖人定之以中正仁義，立極設教也。中正者，不性也。仁義
> 者，天性之發也。貫天充地幹運樞機，寂然不動，體物無違曰
> 中。坦平蕩直，柔順大方，安常主靜，應物無疆曰正。②

這段話是李道純對《太極圖說》中關於"聖人定之以中正仁義"一語
的解釋。其源蓋出於《易·說卦傳》："昔日聖人之作《易》也，將以順
性命之理。是以立天之道曰陰與陽，立地之道曰柔與剛，立人之道
曰仁與義，兼三才而兩之，故《易》六畫而成卦；分陰分陽，迭用柔
剛，故《易》六位而成章。"《說卦傳》作者從順應天地的立場出發，指
出人居天地之中，本須法陰陽柔剛，具厚愛之德，存堅毅之性。這
種觀念在北宋時期成為理學家們著書立說的思想基礎。李道純援
之以為"主靜"修道論之本。大家知道，關於道德倫理的修行，在早
期道教中已有論述，例如《太平經》中即可找出許多此類言論。隨
着三教思想的互相滲透，道教越來越强調倫理。因而，提倡"立極
設教"可以說是三教合流思想大勢之所致。不過，從其字裏行間，

---

① 《正統道藏》第 7 冊第 5296 頁。
② 《正統道藏》第 7 冊第 5299 頁。

我們也可以看出李道純之所謂"立極設教"又是貫穿"中和"之原
則的。

　　作為一位有影響的道教學者，李道純受到弟子們的尊崇。其
門人常常向他請教有關易學問題，他每每隨機應答，門人多有記
錄。今所見《中和集》卷三收有《問答語錄》，其中許多地方涉及易
學的具體內容。如《繫辭》所言"六畫而成卦"、"天地設位"、"聖人
以《易》洗心"、"先天《易》"、"後天《易》"等等。李道純對門人所提
問題的回答亦有新見。譬如：

　　　　問卦不重而有六十四卦，文王如何又重之？曰：卦不重而
　　　變六十四卦，乃羲皇心法。道統正傳，誘萬世之下，學者同入
　　　聖門。重卦而生六十四卦者，乃文王周孔立民極、正人倫，使
　　　世人趨吉避凶，立萬世君臣父子之綱耳。故性命之學，不敢輕
　　　明於言，亦不忍隱斯道。孔子微露於繫辭，濂溪發明於《太極
　　　通書》也。蓋欲來者熟咀之，而自得之。此學不泯其傳矣。①

向來以為《易》六十四卦，乃由經卦相重而成，但李道純却認為周文
王之前本有六十四卦。文王之前，伏羲所傳六十四卦是因變而立
的，所謂一卦變八卦，八卦變六十四卦。在李道純看來，這是"羲皇
心法"。其中深含"性命之理"。李道純這種解釋説明了他對先天
之學是頗重視的。

　　學《易》研《易》貴在應用。李道純是深明此理的。在《中和集》
卷二裏，李道純將大《易》象數之學應用到金丹理論的建構中。如
他對"內藥"的解釋：

　　　　內藥先天一點真陽是也。譬如乾卦☰中一畫交坤成☵坎
　　　水是也。中一畫本是乾金，異名水中金，總名至精也。至精固
　　　而復祖炁。祖炁者，乃先天虛無真一之元炁，非呼吸之炁。如

────────────
　①　《正統道藏》第 7 册第 5242 頁。

乾☰中一畫交坤成坎了卻,交坤中一陰入於乾而成離☲,離中一陰本是坤土。故異名曰砂中汞是也。[1]

有關"內藥"形成的根據本於《説卦傳》:"乾,天也,故稱乎父;坤,地也,故稱乎母;震一索而得男,故謂之長男;巽一索而得女,故謂之長女;坎再索而得男,故謂之中男;離再索而得女,故謂之中女;艮三索而得男,故謂之少男;兑三索而得女,故謂之少女。"八卦中之震坎艮巽離兑係乾坤交合之結果,所謂"乾坤生六子"。陽求陰得三男,陰求陽得三女。煉內丹以坎離為藥,坎離居中,乃乾坤中爻交變而成。李道純之論"內藥"正反映了這種乾坤交合思想。由此可知,李道純之研《易》最終也是為其修煉實踐活動服務的。這在《三天易髓》裏也有所體現。限於篇幅,本文就不再列舉了。

---

[1] 《正統道藏》第 7 册第 5233 頁。

雷思齊的河洛新説

——兼論宋代的河洛九、十之爭

張廣保

内容提要　本文分兩大部分展開論述。第一部分論述了宋代河洛之學的"圖、書九十"之爭。作者對陳摶、劉牧與朱熹、蔡元定的河洛學説分別作了考辨、論述，分析了兩派爭論的癥結所在，指出了河、洛圖式的思想淵源。第二部分主要論述雷思齊的河洛新説，將其學説概括為兩點：其一為洛書不得形之於圖，其二為河圖四十實數之説。此兩説表明雷思齊的河洛學説已衝破了兩宋之陳説，具有很大的創造性。

宋代的河洛之學大體有兩説：一為陳摶、劉牧等人的"河九洛十説"，此即以四十五數圖為河圖，以五十五數天地生成之數圖為洛書。這一派的主張為北宋信奉圖書學的諸儒所恪守。其二則為朱熹、蔡元定的"河十洛九説"，此説將陳摶、劉牧的河圖、洛書兩易其名，將其所謂的河圖名之為洛書，洛書則稱之為河圖。此説自朱、蔡提出之後，入元、明、清，為後世的大多數易學家所接受，幾成為河洛學之定説。然而，到了元代，道教易學家雷思齊却不墨守成説，創造性地提出了一種新的河洛學説。此説的基本內容可概括為兩點：一為河圖四十實數之説。二為洛書不得為圖之説。雷氏並依據其河洛新説，對河圖數理做了深入的探索，對陳摶、劉牧，朱熹、蔡元定的河洛主張提出批評，從而為河洛之學的發展做出了自己獨特的貢獻。

雷思齊，字齊賢，江西臨川人。宋元之交著名的易學家。宋亡之後，脱儒服，稱黃冠師，獨居空山之中，學者稱為空山先生，與當時名儒吳澄、袁桷、曾子良等均相友善。著有《易圖通變》、《易筮通變》、《老子本義》、《莊子旨義》等書，對易老之學均有獨特的研究。

一　宋代的河洛九、十之爭

易學發展至宋代，盛行一種新的解易傾向，即以圖象的形式來闡述《周易》所蘊含的各種理則，這就是宋代的圖書之學。圖書之學的基本特徵是以圖象結合數的變化來對易理作各種發揮。其中包括闡述八卦、六十四卦方位的各種排列，及天地之數、大衍之數、河洛之數錯綜複雜的關係等等。在這其中河圖、洛書是宋人解易運用較多的兩種基本圖式。

1. 河洛淵源

河圖、洛書的思想淵源流長，在我國古代，河圖、洛書通常是作為天人感通的吉祥象徵而出現的。有關河圖、洛書的記載在我國古典文獻中並不少見。就儒家十三經而言，《尚書·顧命》有云：“赤刀、大訓、弘璧、琬琰在西序，大玉、夷玉、天球、河圖在東序。”《論語·子罕》載有孔子：“鳳鳥不至，河不出圖，吾已矣夫”的感嘆。《周易·繫辭傳》云：“河出圖，洛出書，聖人則之。”《禮記·禮運》亦云：“故天不愛其道，地不愛其寶，人不愛其情。故天降膏露，地出醴泉，山出器車，河出馬圖。”在先秦文獻中，除儒家經典有此類記載外,在其它學派的文獻中也有一些記載,如《管子·小匡》、《墨子·非攻下》等篇均有載述。

綜合上述的各種載述,我們可以對河圖有一個大致的理解:所謂的河圖乃是一種圖式,這種圖式或是附載於他物之上(如馬圖、龜圖),或是一種單純的器物。這種東西在古人眼中是祥瑞的象徵。至於洛書雖與河圖並提,但其形象卻顯得很模糊。

漢人對圖、書有了較為詳細的論述,劉安,揚雄、劉歆、班固、鄭玄都分別對河圖、洛書有所言說。《淮南子·俶真訓》云:“洛出丹書,河出綠圖。”揚雄《核靈賦》云:“大易之始,河序龍馬,洛出龜書。”《漢書·五行志》引劉歆之語亦云:“伏羲氏繼天而王,受河圖則而畫之,八卦是也。禹治洪水,錫《洛書》而陳之,《洪範》是也。聖人行其道而寶其真,河圖、洛書相為經緯,八卦、九章相為表裏。”班固《五行志讚》則云:“河圖命庖,洛書賜禹,八卦成列,九疇由叙。”鄭玄《周易注》引《春秋緯》亦云:“河以通乾出天苞,洛以流坤吐地符。河龍圖發,龜成洛書;《河圖》有九篇,《洛書》有六篇。”

以上各家中劉歆、班固均以為河圖乃八卦的原型,洛書則為《尚書·洪範》,具體來說即《洪範》中的九疇。此即《洪範》中的:“天乃錫禹洪範九疇,彝倫攸叙。初一曰五行,次二曰敬用五事,次三曰農用八政,次四曰協用五紀,次五曰建用皇極,次六曰乂用三德,次七曰明用稽疑,次八曰念用庶徵,次九曰向用五福,威用六極。”一段文字。孔安國亦贊同此說,其云:“天與禹,洛出書,神龜負文而出,列於背,有數至九。禹遂因而第之,以成九類,常道之所以次叙。”(孔安國《尚書傳》)漢人對河圖、洛書的這種看法,被後人繼承下來了。如劉勰《文心雕龍·原道》即以河圖為伏羲畫卦之所本,洛書則是九疇所出之源。其云:“人文之元肇,自太極幽神明,《易》象惟先,庖犧畫其始,仲尼翼其終,而乾、坤兩位獨制文言,言之文也,天地之心哉! 若河圖孕乎八卦,洛書韞乎九疇。”左思《魏都賦》亦

有：“河洛開奥，符命用出；翩翩黄鳥，銜書來訊。人謀所尊，鬼謀所
秩。”至唐代，孔穎達也認為河圖為八卦之所本。他在為《尚書》所
作的疏中認為：“河圖、八卦是伏羲氏王天下，龍馬出河，則其文以
畫八卦，謂之河圖。當孔之時，必有書為此説也。《漢書·五行志》
劉歆以為伏羲氏繼天而王，受河圖則而畫之，八卦是也。劉歆亦如
孔説，是必有書明矣！”其論洛書亦贊成孔安國、劉歆的説法，以為
洛書即九疇。但對於到底是九疇的全部，還是一部分，則猶豫不
定：“初一以下至六極，傳言此禹所第序，不知洛書本有幾字？《五
行志》悉載此一章，乃云：凡此六十五字，皆《洛書》本文。計天言簡
要，必無次第之數，故孔以第是禹之所為。初一曰等二十七字，必
是禹加之也。其敬用農事等二十八字，大劉及顧氏以為龜背先有，
總三十八字。小劉以為敬用等亦禹所第叙，其龜文惟有二十字。
並無明據，未知孰是？故兩存焉。”此文中提及的顧氏即顧彪，大劉
即劉焯，小劉即劉炫，均為隋代易學家。由此可見，隋時易學家亦
承漢説，將《洛書》與九疇聯在一起。

　　從以上我們綜列的自漢至唐諸家對河圖、洛書的論述來看，諸
家均認為河圖與八卦，洛書與九疇之間存在着本源與衍生的關係。
然而對如何從河圖中推演出八卦，洛書中推演出九疇則未加説明。
也就是説，諸家均未説清楚河圖、洛書與八卦、九疇的内在關聯。
也正是因為這一原因，纔開啟了後世對《易》圖書之學的長達近九
百年的詰難與懷疑。此種詰難由北宋歐陽修首發其端，延及南宋、
元、明、清，每代均有傳人。

2.陳摶、劉牧的“河九洛十説”

　　那麼河圖、洛書與八卦、九疇在學理上究竟有沒有内在的聯
繫？抑或是像有些易學家所認為的僅僅具有一種象徵的意義，是
一種徒具文的空洞形式。對於這一問題，宋代興起的圖書之學做

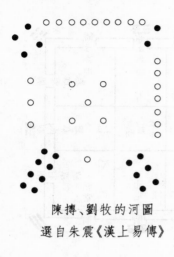

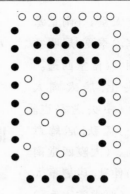

陳搏、劉牧的河圖　　　　　　　陳搏、劉牧的洛書
選自朱震《漢上易傳》　　　　　選自朱震《漢上易傳》

了專門的探討。宋代的圖書之學雖然遠有端緒,但是詳細地探討
河圖、洛書與《易經》八卦及《洪範》九疇的學理淵源,則不能不説是
宋人的創造。

　　宋代著名道教易學家陳搏首次將河圖、洛書的具體圖式圖畫
出來,並冠之以河圖、洛書之名稱。這就是以四十五數圖(亦稱九
宮圖)為河圖,由於此圖乃由一至九數組成,因此又稱為九數圖即
圖九。另外,陳搏又將天地生成之數圖即五十五數圖名之為洛書,
又稱十數圖或圖十。陳搏的這一思想後為北宋知名易學家劉牧所
接受,於是圖九洛十説在北宋便成為一種流行的見解。

　　陳搏、劉牧的河圖、洛書數目排列圖式與前人的思想有着密切
的繼承關係。我們先來討論陳搏、劉牧河圖圖式的思想淵源。

　　首先河圖與《禮記》中的《月令》、《明堂》等篇所闡述的思想有
着深刻的聯繫。《禮記·月令》云:“孟春,天子居青陽左個。(鄭注:
太寢東堂北偏也。)仲春,居青陽太廟(東堂當太室。)季春,居青陽
右個。(東堂南偏。)孟夏,居明堂左個。(太寢南堂東偏。)仲夏,居

明堂太室。（南堂當太室。）季夏，居明堂右個。（南堂西邊。）中央土，居太廟太室。（中央之室也。……）孟秋，居總章左個。（太寢西堂南偏。）仲秋，居總章太廟。（西堂當太室。）季秋，居總章右個。（西堂北偏。）孟冬，居玄堂左個。（太寢北堂西偏。）仲冬，居

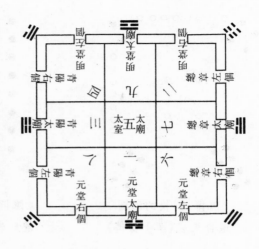

明堂九室圖　選自胡渭《易圖明辨》

玄堂太廟。（北堂當太室。）季冬，居玄堂右個。（北堂東偏。）”此即將明堂如井田之形式劃分為九室，按東、南、西、北、中分排，東南西北四方三分，中央不分。東面的中央為青陽太廟，東面的南方為青陽右個，東面的北方為青陽左個。南面的中央則是明堂太廟，南面的東方即東面的南方，為明堂左個，南面的西方亦即西面的南方，為明堂右個。西面的中央為總章太廟，西面的北方即南面的西方，為總章左個，西面的北方即北面的西方，為總章右個。北面的中央為玄堂太廟，北面的東方即東面的北方，為玄堂右個，北面的西方即西面的北方，為玄堂左個。四方的中央則為太廟太室。

　　此明堂九室之制自孟春的青陽左個至季冬的玄堂右個，雖有十三號，實際上不過是九室，其中青陽左個也就是玄堂右個，青陽右個即明堂左個，明堂右個即總章左個，總章右個即玄堂左個。但它們的開門方位則完全不同。這種排列的格局與陳摶的河圖可以溝通。但《月令》沒有指明九室的數字分配，而《大戴禮記·明堂》篇

則將這一點也挑明了。其云："明堂者,古有之也。凡九室,二、九、四、七、五、三、六、一、八。"這種對各室的數字分佈與陳摶的河圖數字佈局是完全一致的。因此,清代的許多學者都指出了二者之間的淵源關係。如清代學者胡渭在《易圖明辨》卷二中即明言:"陳摶之河圖造端於《禮記》的《明堂》、《月令》。"

其次《黃帝內經·靈樞》的《九宮八風》篇所述太一自冬至之日起輪流位居九宮的格局亦與河圖圖式不謀而合。其文云:"太一常以冬至之日,居葉蟄之宮四十六日,明日居天留四十六日,明日居倉門四十六日,明日居陰洛四十五日,明日居天宮四十六日,明日居玄委四十六日,明日居倉果四十六日,明日居新洛四十五日,明日復居葉蟄之宮,曰冬至矣。太一日遊,以冬至之日,居葉蟄之宮,數所在日,從一處至九日,復返於一。常如是無已,終而復始。"隋代的楊上善根據此太一下居九宮的思想繪製了一幅九宮八風圖,此圖與陳摶河圖的數字方位排列完全相同。

再次,《易緯·乾鑿度》及子華子所述的陰陽變合的數字格局也與河圖可以互證。《易·乾鑿度》曰:"陽起而進,陰動而退。故陽以七,陰以八為彖。易,一陰一陽,合而為十五之謂道。陽變七之九,陰變八之六,亦合於十五,則象變之數若一,陽動而進,變七之九,象其氣之息也;陰動而退,變八之六,象其氣之消也。故太一取其數,以行九宮,四正四維皆合於十五。五音六律七變,始由此作焉。"這段文字中論述的陽進陰退,陽數變七之九,陰數變八之六,九宮之數,四正四維相加,均合於十五的數字佈局,與河圖數的安置是相同的。至於《子華子》一書所說的:"二與四,抱九而上躋也;六與八,蹈一而下沉也。戴九履一,據三而持七,五居中宮,數之所由生。一從一橫,數之所由成。胃之實也,神氣之守也,故曰天地之數,莫中於五,莫過於五。"一至九數的排佈,簡直就可以看成河圖的藍本。

從上述舉證的三點來看，陳摶河圖思想的淵源是極為久遠的，但是這裏有一個問題必須提出來，那就是上述諸家，無論是《月令》、《明堂》，還是《黃帝內經》、《易·乾鑿度》、《子華子》等書，均沒有暗示其所載述的數字格局與河圖有何種關聯。正是因為這點，許多易學家都認為將九宮圖數確認為河

巽四	離九　官行周上反紫　陰根於午	坤二
震三	中五	兌七　央行半還息中　陽根於子
艮八	坎一	乾六

太一下行九宮圖　選自
胡渭《易圖明辨》

圖，乃是陳摶的獨創。[①] 其實以九宮數為河圖的看法至少在東漢就流行起來了。《後漢書·劉瑜傳》載其在桓帝延熹八年的上書，即有云："河圖授嗣，正在九房。"所謂九房即胡渭的看法，即是九室、九宮。可見在當時即已流傳九宮為河圖的看法。至於將九宮數合配八卦，更是在各種術數中屢見不鮮。如《唐會要》武宗會昌二年正月，左僕射王起等奏言，即稱："按《黃帝九宮經》及蕭吉《五行大義》，一宮，其神太一，星天蓬，卦坎，行水方白；二宮，其神攝提，星天內，卦坤，行土方黑；三宮，其神軒轅，星天沖，卦震，行木方碧；四宮，其神招搖，星天輔，卦巽，行木方綠；五宮，其神天符，星天禽，卦坤，行土方黃；六宮，其神青龍，星天心，卦乾，行金方白；七宮，其神咸池，星天柱，卦兌，行金方赤；八宮，其神太陰，星天任，卦艮，行土方白；九宮，其神太一，星天英，卦離，行火方紫。統八卦，運五行，

---

① 參閱黃宗羲《易學象數論》卷一及雷思齊《易圖通變》。

土飛於中，數轉於極。"此即以太一九宮的一宮，合配坎卦，五行為水，五色為白；二宮配坤卦，為土，色黑；三宮配震卦，為木，色碧；四宮配巽卦，為木，色綠；五宮配坤卦，為土，色黃；六宮配乾卦，為金，色白；七宮配兌卦，為金，色紅；八宮配艮卦，為土，色白；九宮配離卦，為火，色紫。其九宮與八卦的合配，正是四正卦一宮為坎，九宮為離，三宮為震，七宮為兌。四維卦，坤居二宮，巽居四宮，乾居六宮，艮居八宮。此正河圖配後天八卦之圖式。九宮數與八卦合配的思想在術數中於隋唐之前就很盛行，因為太乙九宮之類的經典起源甚早。《後漢書·張衡傳》引其上疏，即兩次提及九宮占術，認為："聖人明審律曆，重之以卜筮，雜之以九宮，經天驗道，本盡於此。""且律曆、卦候、九宮、風角，數有徵效，世莫肯學。"又《隋書·經籍志》亦列有《黃帝九宮經》一卷，《九宮行棋經》三卷，《九宮八卦式圖》一卷。另外，近年的考古發掘也證明，早在西漢初年太乙九宮占術即已合配八卦和五行進行占驗。如1977年在安徽阜陽雙古堆發掘西漢文帝年間的汝陰侯墓時，出土了一個太乙九宮占盤，就是一個極有說服力的證據："太乙九宮占盤的正面是按八卦位置和五行屬性(水火木金土)排列的。九宮的名稱和各宮節氣的日數與《靈樞經·九宮八風》篇首圖完全一致。小圓盤的刻劃則與河圖洛書完全符合。"(《文物》1978.8)

　　以上事實皆說明陳摶、劉牧的河圖與古人的思想尤其是漢代術數家的思想有着很深的血緣關係。其所謂的河圖實即術數家的九宮圖，其河圖九數與八卦方位的配置亦與九宮占術的合配完全一致。可見陳摶的河圖思想是在繼承太乙九宮占術的基礎創造出來的。

　　接着我們再來討論陳摶、劉牧的洛書與前人思想的淵源關係。

　　與河圖一樣，陳摶的洛書同樣也可以在先秦尤其是漢代文獻中發現其原型。清代著名經學家毛奇齡在其所著《河洛原舛編》中

曾指出,陳摶的洛書圖與鄭玄的《周易》大衍注有關。鄭玄此注云:
"天地之數,五十有五。天一生水,在北;地二生火,在南;天三生
木,在東;地四生金,在西;天五生土,在中。然而陽無耦,陰無妃,
未相成也。於是地六成水於北,與天一並;(一、六在北。)天七成火
於南,與地二並;(二、七在南。)地八成木於東,與天三並;(三、八在
東。)天九成金於西,與地四並;(四、九在西。)地十成土於中,與天
五並;(五、十在中。)而大衍之數成焉!"鄭玄在此將天地之數一至
十,分成生數與成數。從一至五為生數,自六至十為成數。生數與
成數相配,即能生出水、火、木、金、土五行。然後再將生成之數、五
行配以東、西、南、北、中五方位,此即該注對大衍之數的闡發。鄭
玄的這一注文,實際上已經完全可以繪製成圖式,但依據現存的資
料來看,鄭玄並無圖式傳世。倘若我們依此注製成一圖式,那就完
全與陳摶的洛書圖式吻合。關於這點,毛氏已經指明,其云:"則此
為注,非即摶之所為圖乎? 康成但有注而無圖,而摶竊之以為河
圖。(按:實際應為洛書)其根其柢,其曲其底,可謂極快。"(《河洛原舛編》)
毛氏在此認為陳摶的河圖(應為洛書)乃竊取康成之注的思想製作
而成,這一說法並不能使人信服。因為早在鄭玄之前,揚雄就已構
設了所謂的玄圖。其所著《太玄》一書專有《玄圖篇》。雖然今天我
們在《太玄》中已找不到玄圖,但既稱之為圖,有圖是必定無疑的。
揚雄在書中述其玄圖的格式為:"三八為木,為東方;四九為金,為
西方;二七為火,為南方;一六為水,為北方。""一與六共宗,二與七
為朋,三與八成友,四與九同道,五與十相守。"(《太玄·玄圖》)圖示如
下頁:揚雄在此以一六合水,配北方;二七合火,配南方;三八合木,
配東方; 四九合金, 配西方。剩下五與十, 則安置在中位。此東
南西北中五方位之數加在一起, 正好五十五數,與陳摶洛書總數
及配置格局是相同的。可見早在西漢,五十五數的配置格式就已
固定,並且還有圖式出現。但對此圖式,漢人並沒有稱為洛書或者

河圖。

　　清代學者胡渭又進一步追索五十五數圖的產生根源，發現在《禮記·月令》中就已有此圖的模型。《禮記·月令》云："孟春之月，其日甲乙，其數八；立春，盛德在木，迎春於東郊。孟夏之月，其日丙丁，

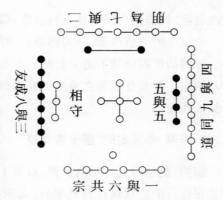

其數七；立夏，盛德在火，迎夏於南郊。季夏之月，中央土，其日戊己，其數五。孟秋之月，其日庚辛，其數九；立秋，盛德在金，迎秋於西郊。孟冬之月，其日壬癸，其數六；立冬，盛德在水，迎冬於北郊。"《禮記》此段以六七八九四數分配水火木金及北南東西四方，以五配土行，配中央，其合配格式中未見一二三四之數。此種現象據胡謂的解釋是：此段以六七八九配水火木金乃是舉成數而言，而以五配木，則是獨舉生數。為什麼土行獨舉生數呢？據說目的在於通過舉五為例，來顯示六七八九之數尚有一二三四之生數。再者六七八九四數之中實際上已蘊藏着一二三四："且一乘五即為六，二乘五即為七，三乘五即為八，四乘五即為九。五者，六七八九之所由成也。六除五即為一，七除五即為二，八除五即為三，九除五即為四。六七八九者，又一二三四之所藏也。五乘五即為十，十除五即為五，其數互相備，雖不言十，而十在其中矣！"(《易圖明辨》卷二)依胡渭的這一分析，在《禮記·月令》這一段中就已經包含着五十五數圖的合配格局，祗不過沒有現成的圖式罷了。

　　其實關於五行與五數合配的思想，在我國古代起源很早。在《尚書·洪範》篇中論及九疇時，其第一疇即是五行。其文曰："一五行：一曰水，二曰火，三曰木，四曰金，五曰土。"這裏的五行與五生

數的合配,與前述《禮記·月令》、揚雄、鄭玄等的思想都是一致的。

　　由以上的分析可知,陳摶的洛書圖同樣也是遠有端緒,源遠流長。陳摶的所謂創造不過是將此五十五數圖(揚雄名之為玄圖)定名為洛書。至於在陳摶之前是否有人這樣稱呼過,限於材料,目前尚無法斷定。

3.朱熹、蔡元定的"圖十洛九說"

　　陳摶、劉牧以九宮圖為河圖,以五十五數圖為洛書的觀點在北宋是很流行的。就現存資料來看,北宋及兩宋之際的易學家如李覯、張行成、朱震、王湜等都執守此說。然而,到了南宋時期,朱熹、蔡元定却獨張異說,提出以五十五數圖為河圖,以九宮圖為洛書的新見解,此即所謂的"圖十洛九說"。由此便開啟了圖書學派內部的河洛九、十之爭。由於程朱理學在元、明、清的顯赫地位,入明之後,學者們便普遍尊奉朱熹的河洛新說,而陳摶、劉牧的圖書之學除在道教學者中還仍有人信守外,儒家學者都早已將其遺忘了。

　　那麼朱熹、蔡元定依據什麼理由開立新說呢?據黃宗羲總結,朱、蔡的理由有三條:其一是以邵雍主此說。《易學啟蒙》曾引邵雍之語來證明其河洛新說:"邵子曰:圓者,星也,曆紀之數,其肇於此乎! 方者,土也,畫州井地之法,其仿於此乎! 蓋圓者,河圖之數,方者,洛書之文。故羲、文因之而造《易》,禹、箕叙之而作《範》也。"其實這條理由並不充足,對此魏鶴山、劉靜修皆已指出。劉氏曰:"邵子但言方圓之象,不指九、十之數。若以象觀之,則九又圓於十矣。且其所謂方圓,而前後乎此者,不過指陰陽、剛柔、奇偶而已。在此則星少陽,而土少柔。其偶者固當為方而為陰,奇者固宜為圓而為陽矣!"(《河圖洛書辨》)此是說邵雍祇是以方圓之象來區分河圖與洛書,以圓形的為星,為河圖,以方形為地,為洛書,並没有指明十數為河圖,九數為洛書。其實從二圖的形象來分析,九數為奇,為陽為圓；十數為偶，為陰為方。依此推論，邵雍此說反而有助於陳摶、劉牧。其實這也並不奇怪，因為邵子之學也是源於陳摶，不應在河洛之說上有異見。

其二援引關朗易說為據。關朗，字子明，為北魏著名易學家。其《易傳》云："河圖之文，七前六後，八左九右，聖人觀之以畫卦。……洛書之文，九前一後，三左七右，四前左，二前右，八後左，六後右。"此是明顯以十數為河圖，以九數為洛書，似乎此可以為據。蔡元定即云："關子明、邵康節皆以十為河圖，九為洛書。"（《易學啟蒙》）然而，關朗的這一《易傳》乃是北宋人阮逸所撰的偽書，託名於關朗。關於這點，《後山叢談》有載，其云："世傳王氏《元經》、《薛氏傳》、關子明《易傳》、《李衛公問對》皆阮逸所著。逸以草示蘇明允，而子瞻言之。"其實對此朱熹自己也是清清楚楚的。《朱子語類・六十七》說得分明："浩問：李壽翁最好《麻衣易》，與關子明易如何？先生笑曰：偶然兩書皆是偽書。關子明易是阮逸作，《陳無己集》中說得分明，《麻衣易》乃是南康戴主簿作。"

不僅如此，據胡渭考證，阮逸以七前六後，八左九右之數為河圖，實際上是因襲了劉牧之師范諤昌《大易源流》的有關思想。胡氏辨之曰："范諤昌《大易源流》，言龍馬負圖出河，羲皇窮天人之際，重定五行生成之數，地上八卦之體。天一正北，地二正南，天三正東，地四正西，天五正中央。地六配子，天七配午，地八配卯，天九配酉，地十配中，寄於末，乃天地之數五十有五矣。雷氏云：正今圖所傳有四方而無四維者也。關子明之河圖，實本諸此。"（《易圖明辨》卷二）胡渭認為阮逸依據范諤昌《大易源流》的數目佈局，以七前六後，八左九右之數為河圖，從而將河圖、洛書兩易其名，目的在於排斥劉牧的河洛之學，而朱、蔡不察，反而執此大張新說。

其三以《大戴禮記》鄭玄注為據，作為創立新說的理由。朱熹說："讀《大戴禮書》又得一證，甚明。其《明堂篇》有二九

四、七五三，六一八之語，鄭注謂法龜也。然則漢人固以九為洛書矣！"（轉引自《天原發微》）關於這點黃宗羲也作了反駁，認為鄭玄並未注《大戴禮記》，現今所傳鄭注《大戴禮》實為後人所偽託。何況鄭玄以河圖為九篇，洛書為六篇，其心目中的河圖、洛書並不是數字圖式，而是真正的圖書。

以上三說為朱、蔡的主要理由，另外蔡元定力主"圖十洛九說"，還有一種理由，這就是認為九數圖排列的形狀似龜背之形，故以此為龜所負之洛書。蔡元定云："而九宮之數，戴九履一，左三右七，二四為肩，六八為足，正龜背之象也。"（《易學啟蒙》）其實這一條也是想當然的牽合，並無可靠的根據。漢人即用九數圖為明堂之制，漢代的太乙九宮占盤亦將九數圖排成圓形。可見九數圖的形狀並無一定的格式，不可做想當然的比附。

綜上所述，可知朱熹、蔡元定兩易河洛圖式，創立新說，並無充足的依據，然其影響却極其廣泛，其直接的影響便是使得在北宋風行一時的劉牧學派的易學主張隱而不顯。劉牧學派的著述像范諤昌的《大易源流》、《易證墜簡》、《易源流圖》，劉牧的《周易新解》、吳秘的《通神》、黃黎獻的《略例隱訣》、徐庸的《易因》等一批珍貴的周易文獻，今天都沒有傳下來，都與朱、蔡的這一無據新論有很大關係。其實到底"圖九洛十"還是"圖十洛九"實際上只不過是朝三暮四而已，因為河圖、洛書究竟是個什麼樣子，誰也不清楚。但是這兩種圖式所蘊含的內在理數及其與《易》的關係却值得我們認真研究。由此而言朱、蔡的"河十洛九"新說不過是"床上架床，屋上疊屋"，實在是多此一舉。

二　雷思齊的河洛新說

宋代的圖書之學，自朱熹、蔡元定提出"圖十洛九"新說之後，遂歧而為二。自宋以降，學者或宗陳、劉之説，或奉朱、蔡之論。大抵北宋及兩宋之際的學者，均執守"圖九洛十"説，如儒家學派的張行成，朱震，道教一支的郝太古等人即是。而自元之後，尤其是到明、清，儒家學者大多以朱、蔡之説為正統，而將陳、劉之説全然遺忘。這不能不説是道統論傳佈的結果。然而就是在這種學術背景之下，仍有一人不囿於兩派的紛爭，獨闢蹊徑，創造性地提出了一種新的河洛學説，這就是元初的道教易學家雷思齊。

1. 論洛書不得有圖

　　雷思齊的河洛思想最有創造性的一點就是獨守河圖説，而認為洛書即是《洪範》的九疇。河圖為伏羲畫卦之所本，有圖有數，而洛書雖為禹之所叙，然而實難顯之於圖象。

　　自漢及唐，學者在論及河圖、洛書時，均認為河圖為八卦所本，洛書則為《洪範》九疇所本。漢儒孔安國在為《尚書》作傳時，於"河圖東序"一句之下，注云："伏羲王天下，龍馬負圖出河，遂則其文，謂之河圖。"於"天乃錫禹《洪範》九疇"一句之下，則注云："天錫禹洛書，神龜負文而出，列於背，有數從一至九，禹因而第之，以成九類。"鄭玄亦以河圖為八卦，洛書為九疇。然而自北宋之初，陳摶首創龍圖離合變通之圖二十餘幅。這其中便包括河圖圖式與洛書圖式。"及終其書，再出兩圖，其一形九宮者，元無改異，標為河圖。其一不過盡置《大傳》五十有五之數於四方及中，而自標異，謂為洛書。並無傳例言説，特移二七於南，四九於西。莫可知其何所祖法而作，而標以此名。"（《易圖通變》卷四）其實陳摶的洛書圖如我們前文所述，並不是其獨創，揚雄的玄圖、《禮記·月令》，鄭玄的大衍之注都是其圖式的藍本。可見，洛書圖式的思想根源是頗為古遠的。但雷思齊經過對洛書圖式反覆考究，發現此圖的結構有着内在的不協調性。

首先洛書圖共計五十五數,其數的排列是一二三四四位生數居於四方之內,六七八九四位成數居於四方之外,十與五則居於中央。雷思齊認為此種排列陣式從其內外結構分析,固然有生成配合之妙,但却難以循序迴環、流轉不窮。其云:"今五十五數之圖,以一二三四置於四方之內,而以六七八九隨置其外者,按其方而數之則可也,不知將何以循序迴環,以運行之乎? 況不知五與十者,特有數寄於四方之位,而虛用之也。"(《易圖通變》卷四)此種數的排列,表面上看起來,似乎巧奪天工,實際上乃是一僵死的蠢物,實在是外工而內拙。

其次洛書圖式將五與十列居於四方之中,也不符合五行家、醫家有關土行分王於四季的成説。五行家、醫家皆將土分為辰土、戌土、丑土、未土,將此四土配以四季。土數總為七十二日,分為四份,每份十八日,附於四季之末。可見土數不應有固定的方位。今洛書圖式以五、十列居於中央,乃是不合土數虛用之例。雷氏云:"且五與十雖謂土數,五行家於土必以分王於四方,辰戌丑未之位。醫家謂土為脾,以五氣之運,每運七十二日,總三百六十,為期之例。特以土之七十二日,四分之各十八日,於四時之附末,謂為脾之主事。醫於人至為切己,以土之日四分,而試之以為常驗,亦豈專以土之五總之而特設五於四方之外,與四方分位,而別立之五以為中土哉!"(《易圖通變》卷四)土居於中,益在其虛中以為作用,今洛書乃以十、五之數實於中央,實難見其虛用之妙。雷思齊又以筮法為例,進一步論證中位不可充實。其云:"況筮法四管而成易,以十有八變而成卦,每變四管,總卦之成,凡七十有二管,亦與易説吻合。今圖乃分五離立,而特設異五於中位,指以為中,則此為中者,又將孰適於用乎!"(《易圖通變》卷四)

以上兩點是從洛書數理的角度否定其圖式的合理性。不僅如此,雷氏還從洛書與九疇的關係中,反覆論述九疇之數與洛書之數存在着内在的不和諧性。最終得出九疇不可圖之於形,因而作為九疇之表現形式的洛書圖式,自然亦不能成立。

　　雷思齊首先分析了《洪範》九疇之數,按《洪範》九疇,依次為:初一曰五行,次二曰敬用五事,次三曰農用八政,次四曰協用五紀,次五曰建用皇極,次六曰乂用三德,次七曰明用稽疑,次八曰念用庶徵,次九曰向用五福,威用六極。此九疇之中,可計以數的有第一疇五行,第二疇五事,第三疇八政,第四疇五紀,第六疇三德,第九疇則有兩數,一為五福,二為六極。至於其它各疇,均無數可計。總計九疇所載之數,共為三十七,若再加上皇極,亦不過為三十八。此與洛書之書,渺不相干。據此,雷思齊認為:“疇自一至九,界界然各存本有之數,不知何自而可以合於五十有五之數? 強其合者,蓋其人之妄也。”(《易圖通變》卷四)順便説一句,此九疇之數也與河圖四十五數不合。(倒是將九疇之序數一至九累加,總數恰為四十五。此即以 $1+2+3+4+5+6+7+8+9$,其和為四十五。但這樣勢必將九疇空洞化為一至九數的外殼,而與九疇的内容全不相干。)如若像有的學者那樣,強以九疇之數比附洛書五十五數(或者河圖四十五數),那就祇能發生計數的混亂。因為這樣做勢必要在九疇三十八數之外,再增加數目。於是有的學者便將第九疇之序數也計算在内,再做各種附會牽強的解釋。這樣便明顯產生前後的不一致,對此,雷思齊亦指明:“《書》之九疇,各疇自有成數。如一五行,二五事,猶或得以五行五用之數,從而強推引之。至於五皇極,則已不可指實之為何物何事,而甚則九五福而附以六極,則將計九乎? 計五福而兼計六極乎? 皇極謂大中,而六極者,其極又可謂中乎? 皇極本非物事,故可指之為中,今徒實以五點,而五點者,乃遂得為中乎?”(《易圖通變》卷四)此是説九疇之數,只有五行、五事、五紀之類的五數可以勉強牽附,其餘各疇則很難合理計數。至於以皇極為大中,以解釋洛書中位之五點,更是毫無道理,因為如

將皇極之極訓為中,那麼六極之極,也應為中。可見《洪範》九疇之
數與洛書圖式之數根本沒有什麼關係。陳摶、劉牧的洛書圖是經
不起推敲的。

　　針對朱熹、蔡元定以陳摶的河圖為洛書,進而以此合配九疇的
做法,雷思齊也做了深入的考辨。認為此種做法,同樣不能顯示出
九疇內在的有序性,尤其是打亂了九疇的次序,使其陷入雜亂無章
的境地:"又云洛書之九疇本河圖自然之數,虛皇極於中,而以八疇
分佈四正四維。五行置於坎一,五事置於坤二,五紀置於巽四,五
福置於離九。一以九疇之次序,陳列於河圖之卦次。夫九疇謂禹
次第之者,直自初一次二次三四而以次用之也,今隨河圖十五縱橫
而置之。則成亂次矣! 未暇一一辨詰,且以初一之五行言之,既謂
五行,自當分配五方,何得以五者限萃一方,不以推行,惡得謂五行
哉!"(《易圖通變》卷五)此是指朱熹、蔡元定以九疇合配陳摶四十五數
之河圖,其將第五疇之皇極置於中央,將第九疇的五福置於離南之
位,將第一疇五行安於坎北之位,五事五紀則依次為坤二(西南)、
巽四(東南),第六疇、第七疇則為震三(東)、兌七(西),第六、第八
兩疇則為乾六(西北)、艮八(東北)。此種配合表面上看起來與後
天八卦方位一致,再者九疇與九宮同為一至九數,似乎可以相通。
實際上這祇是形式上的會通,因為九疇是有嚴格的次序的,自一疇
至九疇,存在着先後的次序,如果配以河圖九位,其次序就完全打
亂了。更何況此種做法勢必將一疇附設於一卦,若如此,則五行勢
必局拘於一方。這樣顯然窒礙不通,雜亂無序。依據上述理由,雷
思齊認為《洪範》九疇與河圖、洛書圖式均難以協調。九疇不能圖
之於形,祇能依次而序。因此在雷思齊看來,陳摶、劉牧的洛書圖
式,朱熹、蔡元定的河圖圖式均沒有存在的合理性,《洪範》九疇是
不可圖之於形的。雷思齊的這一結論,真可謂石破天驚,為古代易
學圖書之學的一大創造。

　　居於上述對圖、書之學的研究，雷思齊既批評了陳摶、劉牧、李
覯等人的圖書學觀點，又對朱熹、蔡元定的河洛新説及依據此説對
陳、劉之説的指斥做了分辯。

　　雷氏對陳摶、劉牧河洛學説的批評，主要不是針對其所主張的
"河九洛十"説，而是不同意他們將洛書圖之於形，認為根本没有什
麽洛書圖式，實際上河圖、洛書可以統一於一圖，此即雷思齊四十
數新河圖。關於這點，我們將在下文進一步論述。雷思齊的四十
數新河圖與陳摶、劉牧的四十五數河圖的基本格局是近似的，而與
朱、蔡以五十五數為河圖的看法完全不同。因此，在雷思齊看來，
陳、劉一派與朱、蔡一派的河洛學説雖然都有紕漏，但其程度却有
輕重的不同。對於這點，我們必須分辨清楚。

　　首先雷思齊批評了陳摶獨創新説，將五十五數圖標為洛書，並
與河圖圖式並列的舉動。認為陳摶這一舉動是"不得於義、文之
心"，開啓了後世的圖、書紛爭。他説："考圖南之為龍圖，雖自謂得
於孔子三陳九卦之旨而作，然其序曰：龍圖者，天散而示之，羲合而
用之，孔默而形之。且明稱始圖之未合，惟五十五數。則是謂《大
傳》天數二十有五，地數三十合而言之。不知何以於是末，改標之
以為洛書，殆其始誤也。"(《易圖通變》卷五)又云："然寔有不得於義、
文之心者，於本圖之外，就以五十有五之數，別出一圖，自標之以為
形洛書者，已是其初之失也。"(《易圖通變》卷五)此兩條皆是對陳摶將
五十五數圖獨立出來，標為洛書的舉動有所微詞。依雷思齊之意，
羲、文本之以畫卦立易者，實在祇有河圖而已。河圖之數雖然祇有
四十實數，但加上其虛用無位之十五，亦能與五十五數相合，實在
不必再將五十五數獨立出來，標為洛書。因為洛書與易渺不相涉，
乃是大禹叙疇之所本，與河圖實在是兩種物事。

　　自陳摶將五十五數圖獨標為洛書之後，北宋易學家劉牧、李覯
等人均繼承了這一思想。劉牧又對陳摶的思想作了進一步發揮，

以為洛書並非出於大禹之時,乃是與河圖一道並出於羲皇之代,同
為羲皇畫卦之所本。這一見解又打破了洛書為九疇所本的古説,
對洛書的時代及其意義均作了擴充。"及長民輩始破洛書古説,謂
非只是《洪範》,必別有書出於羲之上世,羲乃得而並則之,以作易
也。"(《易圖通變》卷五)劉牧在《易數鈎隱圖》卷下中對此亦有論述。
其云:"夫《龍圖》呈卦,非聖人不能畫之;卦含萬象,非聖人不能明
之。以此而觀,則洛出書,非出大禹之時也。"又云:"則知河圖、洛
書出於犧皇之世矣!"雷思齊認為劉牧這一創見,實在是背離了陳
摶創立洛書圖式的本意,有違師傳。因為陳摶的所謂洛書仍是指
《洪範》,其之所以立洛書,乃是藉洛書之用十,以助河圖萬物之生
成,其中並無否定洛書為《洪範》的意思。雷氏云:"且不惟漢儒引
《洪範》以為洛書,雖圖南之初,謂形洛書者,亦不過謂十為用十為
成形。故《洪範》陳五形之用也者,是明指洛書為《洪範》矣! 不知
長民輩不本其初,故倍其師傳,而謂洛書非出於禹之時,益使後之
人迷亂而失其據依。"(《易圖通變》卷五)劉牧的這一創見,並沒有張揚
師説,而是擴大了陳摶洛書説的謬誤。此後的易學家如李覯等人
雖然批評了劉牧《易數鈎隱圖》泛出五十五圖的繁瑣,但仍然接受
了其中三幅骨幹圖式。此即河圖、洛書及八卦方位圖。這樣就形
成了北宋時期流行的河圖、洛書並列的基本格局。同時在其中也
蘊藏着後世河圖、洛書紛爭的隱患。究其原因,主要是因為他們都
沒有理清河圖、洛書,八卦、九疇之間的關係;沒有明確地意識到河
圖與八卦,洛書與九疇乃是兩支完全相異的文化系統,是不能互相
結合在一起的。

　　那麼陳摶又是居於何種考慮而將洛書與河圖並列起來,並將
其納入八卦系統的呢? 對此雷思齊亦做了深刻的剖析。按照雷思
齊的解釋,陳摶之所以將洛書圖納入解易系統,乃是因為看到了
《洪範》、《太玄》所述的五行方位與數的配置和河圖的五行方位及

數的配置存在着不相容性。如我們前文敘述的,《洪範》九疇的第
一疇為五行,其五行的排列次序是一為水,二為火,三為木,四為
金,五為土。而揚雄的《太玄》又進一步將五行、五數(包括生數與
成數)與五方做了配置(當然其中思想並非揚雄首創)。如此便可
分成一六、水、北一組,二七、火、南一組,三八、木、東一組,四九、
金、西一組,五十、土、中一組,共為五組。此五組排列起來,便是陳
摶的洛書圖。此圖式的五行方位與河圖(九宮圖)相比較,很不相
同,其中兩處出入較大。這就是洛書圖式中,二為火為南,四為金
為西,而河圖二位於西南,四位於東南。河圖的南位為九為離卦,
西位為金配兌卦。雷思齊以為陳摶看到了這兩大系統的這種矛
盾,但又不敢輕易篡改河圖,因而就創立洛書五十五數圖式,以解
釋《洪範》五行的數位配置。雷氏云:"原其初意,蓋由漢儒襲傳《洪
範》初一之五行,其二曰火,四曰金。《太玄》準易,實本之,亦以二
為火,為南;四為金為西。今河圖乃置二於西南,置四於東南,是火
金改次矣。既不敢遂改河圖,乃別以其五十五數析為洛書,而以
《洪範》二火次於南,四金次於西。且以七隨二,九隨四,而易置其
南西焉。"(《易圖通變》卷四)雷思齊認為陳摶這種彌合的舉動是不明
智的。其理由有二:一是打亂了《洪範》本身的次序。因為《洪範》
五行祇有一二三四五五位數,並沒有六七八九十之數。另外如果
一定要將二七、四九合配,那麼《洪範》的七稽疑就應合配二五事,
九五福則應合配四五紀。這樣《洪範》九疇的內在結構就完全被破
壞了。其二是有違天地自然參伍以變的數理系統。雷氏論之云:
"夫離之數九,居正南為火,兌之數七,居正西為金,乃天地自然參
五以變之數,斷斷無以易之。豈容以漢儒任意比校《洪範》火金之
二四得而改易之乎!"(《易圖通變》卷四)又云:"二七、四九,徒論其數,
無形象無方位可定,指空移易之則可。離兌之有方所,火金之有體
用,豈天地造化,亦遂肯依附人之作為,亦為之變易乎!"(《易圖通變》

卷四)雷氏的這一見解是極有見地的。因為《尚書·洪範》的五行之
數與河圖九宮之數本是隸屬於兩種不同的術數系統,二者具有內
在的不相容性。陳摶依據《易傳》"河出圖、洛出書"一句之語,將這
兩種不同的術數體系牽扯在一起,引入解易系統,的確難以調適妥
貼。但以洛書圖式為陳摶個人的創造則未免過於自信,由中也可
以看出雷氏對陳摶河洛之學的學理根源缺乏研究,這不能不說是
一大憾事。

此外,雷思齊對朱熹、蔡元定的河洛新説也做了批評。根據我
們上面的分析,雷氏對朱、蔡的批評應該是順理成章的事。因為他
既然不贊成將洛書圖之於形,與河圖並列,而獨守河圖為羲皇畫卦
之本,那麼朱、蔡以洛書為河圖的學説,與陳摶、劉牧的河洛學相
比,更是妄中之妄,距離真理又更遠了。因此,雷思齊對朱、蔡的批
評,口氣更為嚴厲。其在《易圖通變》卷五云:"其易置圖書,並無明
驗,其朱、蔡之指斥又如此。而直以圖南始標誤之洛書為河圖,而
以其初正指河圖反以為洛書。則朱、蔡實自誤而反罪長民之先誤,
專其自是,張其辨説,不克自反,一至於此。"其同書卷之四亦云:
"至其甚者,以五十五數之圖,反妄謂之河圖,而以圖南所傳之河
圖,反謂之洛書,顛倒迷繆,靡所底止。"

2.四十數之河圖及其數理

雷思齊在河洛學説中的創見首先表現在區分河圖與洛書,認
為二者屬於兩種不同的思想系統。河圖為八卦解易系統,而洛書
則屬於《洪範》九疇系統;河圖有圖有數,洛書則難以圖之於形。那
麼雷思齊對河圖(即陳摶、劉牧四十五數圖)又是如何看待的呢?
同樣他對河圖也作了深入的研究,創造性地提出了自己的河圖新
説,這就是他的四十實數圓形河圖。

在《易圖通變》卷首,雷思齊便列出了他主張的河圖:此圖大略

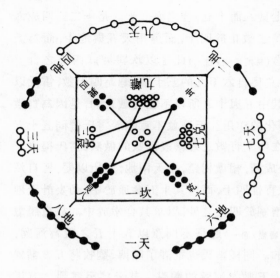

與四十五數圖相近，然亦有不同之處。其不同處有二：其一從圖的外形上看，陳摶、劉牧的河圖為方形，而雷思齊此圖作圓形。其二此圖四正四維相加之數為四十，與四十五數圖相比，無中五之數。不過該圖在配卦方面則與四十五數圖相同，均以坎離震兌居四正位，以坤巽乾艮居四維之位。其

雷思齊的四十實數河圖
選自《易圖通變》

八卦的配數亦與四十五數圖相同，即坎一、離九、震三、兌七、坤二、巽四、乾六、艮八。雷思齊論其圖曰："河圖本數兼四方四維，共四十，圓佈為體，以天五、地十虛用，以行其四十，故合天地之數五十有五。"（《易圖通變》卷首）

　　據雷思齊介紹，其河圖四十實數可以區分為四組十數。此即坎一離九之十，坤二艮八之十，震三兌七之十，巽四乾六之十。他又將此四組之十分為陰十與陽十，這就是東西、南北四正方的奇數合成之十，為陽十，四維之耦數合成之十為陰十。雷思齊又認為此四十實數之河圖實可以天地五十五數相合，因為在此四十數之中其實就蘊含着五十五之數。四十實數是體，而體中蘊藏着用，其用之數即十即五。因此從這個角度來看，河圖四十數便包具了五十五數。其云："坎一巽四而五，故乾六離九而十五也，合之而二十；

坤二震三而五,故兑七艮八而十五,合之亦二十。是一二三四成六七八九之三十,故河圖之數止於四十,而虚用天五與地十,而為天地之數五十有五也。"(《易圖通變》卷一)此是以坎巽坤震四卦之自一至四的十數加上乾離兑艮自六至九的三十數,總為四十數,雷氏以為此即河圖之實數,其中五與十之所以不在實數之列,是因為實數依賴虚數才能發揮變化的作用。但這並不意味着雷氏贊同五十五數河圖説,針對各種在四十實數之外增設餘數的做法,雷氏提出了批評:"圖之數以八卦成列,相盪相錯,參天兩地,參伍以變,皆自然而然。後世不本其數實惟四十,而以其十五會通於中,乃妄計天地之數五十有五,以意增制於四十之外,以求其合幸於中。故愈説愈迷,紛紛訖今。"(《易圖通變》卷一)此是不同意以五十五之數為河圖,乃是針對朱、蔡而言的。同樣雷氏也批評了陳摶、劉牧將五虚點置於河圖之中位,以四十五數為河圖的觀點。其云:"至河圖之有天五,乃兼地十以為十五,其五乃四分於成數之内,而合於十。豈嘗有五虚點而實置於圖之中位哉!"(《易圖通變》卷五)此是以五數已四分於六七八九四之數之内,因為生數一二三四各自加五,則為六七八九四成數,可見五數已四散入六七八九之中,不應再置於中位。

推究雷氏四十河圖之格局,我們可以發現,其最顯著的創發在於其虚十數與五數。其十數與五數在圖式中雖有作用,但却没有固定的方位。雷氏的這一主張,有何依據呢? 他認為理由有兩點:其一是從八卦的數理體系來看,四象無五數,八卦無十數:"四方者,各以其陽奇居於正;四維者,各以其陰耦附於偏。然天數之有五,地數之有十,均合於陰陽之奇耦而同謂之生成,乃獨無所見於四方之位,何也? 四象無五,八卦無十故也。然《易》之所以範圍不過,曲成不遺者,正由假此天五、地十之虚數以行其實用於四象八卦而成河圖者。"(《易圖通變》卷一)此是説在《周易》八卦産生過程中,從太極至陰陽,再至四象、八卦,其中四象中没有五數,八卦中亦無十數。然而十與五雖無其位,却有其用。《易》之妙用,皆賴此十、五之虛數以成其用。其次他又從一至十數的結構來分析,認為自一至十,有三個數是關鍵之數,此即一、五、十。凡數均始於一,中於五,終於十。而一又因其為一切數之始基,其全體乃呈現一種既無餘又無不足的圓滿狀態,因此一數難以致用。這樣十數中的用數便只有五與十,這也是五、十有用無位的原因:"數始於十而中於五,而終於十。中於五者,分其四之偏,終於十者,合其八之正。蓋一之始,其全體無餘不足,不可得而用,而獨得於中。既以其一寄生於五,遂以其一寄成於十以終之。故四象有五,八卦有十,皆有數而無所定其位。以五生其偏,以十成其正,而所謂一者,遂莫知所尋,獨見於五,見於十之為中者,以止齊焉耳。故河圖之十五,大衍之五十,皆虛有其十與五之數以為之用,而實無其位之體也。"（《易圖通變》卷三）

　　雷思齊五、十兩數有用無位的思想,並不是他的首創。兩宋之交的易學家朱震即已對此有所論述。朱震在討論大衍之數五十而策數祇六七八九時,便認為五、十之數均為中數,中數居中,主乎變化,然而自身却需退藏於密。其云:"大衍之數五十而策數六七八九,何也? 曰: 六者一五也,七者二五也,八者三五也,九者四五也。舉六七八九則一二三四五具,所謂五與十者,未始離也。五與十,中也,中不可離也。考之於曆,四時迭王,而土王四季,凡七十有五日,與金木水火等。此河圖十五隱於一九、三七、二四、六八之意。劉牧曰天五居中,主乎變化,三才既備,退藏於密是也。"（《漢上易傳》卷七）朱震在此以河圖數理結構四正四維相加均合於十五,從而得出十五隱於該結構之中。然而朱震的這一思想沒有得到完全的闡發,觀其執守四十五數之河圖,仍以五居中位,則其五數之隱,並未失位。

　　金代的道教易學家郝太古在論述河圖之數四十五時,認為五

數列於龜背,象徵五行,十數列於其腹,没有顯露,因此河圖之數應
為四十五。此雖守四十五數為河圖之説,但亦認為四十五數與五
十五數相通。其十數因列於龍腹,因而不顯。此亦為十數伏藏之
一説。[1]

　　雷思齊認為其四十數之河圖,並不是一幅徒具形式的空洞圖
式,在其中實蘊藏着無窮變化的妙用。此圖之中,各數的排列佈
局,從其橫斜旁正視之,均包含着相生相成,進退贏縮之化機。從
其奇耦分合觀之,則又有闔闢窮通,虚實相成的妙用。總之,此圖
有着造化神明莫窮之蘊,真乃天機之自然,非人力所可佈排。

　　詳而述之,雷氏以為此圖式中,一三七九四位奇數雖有生
數、成數的區分,然而皆居於四正之位,奇數為陽。相應地,二
四六八四位耦數雖亦有生數、成數的區分,然亦皆分居於四維之
偏位,耦數為陰。從正與偏的角度來看,存在着正生偏,偏成正
的妙合。此即:"一與三為奇,為陽之生數,而必待於六與八之
陰數以為成;二與四為耦,為陰之生數,亦必賴於七與九之陽數
以為成也。"(《易圖通變》卷一)再看,從其方位來看,此圖亦蘊含着陰
陽生成進退之玄機。我們自北向東觀之,其陽數自一變為三,此即
陽生之進數,而在其中實際上又蘊藏着逆行之陰數,這就是自東而
北,陰數由八變為六。如此陰陽之數交互配合,逆順相成,顯發無
窮之化機。再由西至南觀之,其二、四陰生之進數,與自南至西九、
七陽成之退數,亦有類似的配合關係。《易圖通變》卷一論之:"自
北而東,一而三,乃陽生之進數,而其自八而六,東而北,陰成之退
數者,固已寓乎其中;自西而南,二而四,乃陰生之進數,而其自九
而七,南而西,陽成之退數者,亦兼具乎其中矣!"

　　再從四十圓圖之圓周來分析,其數的分佈同樣也體現了陰陽

_____

　　① 參《太古集》卷二。

奇耦相互配合之巧妙。合觀其圓周,内中包含着四組陰陽配合關係。此即第一組的天一與地六之合,亦即坎與乾合,此為先陽後陰。第二組地二與天七之合,亦即坤與兑合,此為先陰後陽。第三組地四與天九之合,即巽與離合,亦為先陰後陽。第四組為天三與地八合,亦即震與艮合,亦為先陽後陰。四組之數均顯現為陰陽奇耦的相互配合關係,其中兩組為先陰後陽,兩組為先陽後陰。合其四組之數,則組成河圖四十之圓形。

最後雷思齊分析了虛用之中五之數,認為中數五雖無固定的方位,然而實際上起着軸心的作用。四十數正是因為有五數,纔能運轉起來,由死數化為活數。這是因為陽數得五,可以變為陰數,陰數得五,亦可以變為陽數,奇數加五為耦數,耦數加五為奇數,河圖數的變化,均依賴五而成。其云:“坎以一始於正北,而一五為乾六於西北;坤以二分於西南,而二五為兑七於西;震以三出於東,而三五為艮八於東北;巽以四附於東南,而四五為離九於正南。故陽得五而陰,耦得五而奇,陰得五而陽,奇得五而耦。是生數之所以成,成數之所以生者也。”(《易圖通變》卷一)至於十數,雷思齊認為它的作用祗是配合五數完成參伍之用,用他的話來說就是“五為立中之體而生,十為成中之用而成”。

雷思齊還以為其河圖四十之數亦可以通之於易之大衍之數。其《易圖通變》卷一云:“一且九,二且八,三且七,四且六之各十,與本數虛用之十,以之伍其什,什其五,斯則大衍之數五十矣!而其兆始於一,寄中於五,藏其用於無形之天,則又出乎五十、十五之外,大衍所不得而用也。”此即是説,河圖四正四維之數共為四十,加其虛用之本數十則為五十,合於大衍五十之數。而其五因其在十之内,故不得再計。另外一數亦因其寄中退藏,故不為大衍所用。因此大衍之數五十,其用只為四十九。

總之,雷思齊認為其河圖四十之數錯綜交合,均有玄理藏之於中,實乃天創其成,非人智所能窮盡!

　　對於河圖與《周易》的關係,雷思齊也做了較深的探索。他通過對《易傳》的詳細研究,認為《易》中存有河圖模式,因此河圖確實是伏羲畫卦之所本。關於此點的論證,他不僅從《易·繫辭傳》"河出圖、洛出書"一句找根據,而且還通過對《說卦》"帝出乎震"一章的仔細分析,認為此章八卦的排列次序即與河圖的八卦循環佈排若合符契,因此此章實為河圖之大講明:"且帝出乎震一章,尤河圖之大講明也。特截自震起於春中,環週而迄於艮,寓夏正之歲更爾!故曰:終萬物,始萬物者,莫盛乎艮。曰:艮,東北之卦,萬物之所成終而所成始,意蓋謂又始於震者也。"(《易圖通變》卷五)按《說卦》"帝出乎震"章云:"帝出乎震,齊乎巽,相見乎離,致役乎坤,說言乎兌,戰乎乾,勞乎坎,成言乎艮。"其自震至坎之排列,循環一週,即與河圖八卦排列次序相一致。雷思齊認為《說卦》這一段若以一年一日的作用言之,實際上體現了一年一日的自然循環週期。其一年的自然循環週期,乃是以震為春,為循環之始,以艮為冬,為循環的終點。自震至艮,體現了大自然一年循環的大週期。再以一日的作用而言,此排列亦體現一日之消息感通:"請以日用常行變而通之,則出乎震者,人之始作於旦也,古謂震旦,所以驗也。齊乎巽者,動而相與之交也。相見乎離,則交際之極也。致役乎坤,則初極徐靜也。說言乎兌,休且入也。自震至兌,此畫之體用,人所同見。至於戰乎乾,卒取終參之制,其數之九則存兌餘之三,向晦入息於乾六以終也。陰陽相薄,閉塞不用之時也。然終則有始,至於勞乎坎,則夜分之氣復動,準於七日之復則同也。成言乎艮,則遠接兌餘之三,說言乎兌,山澤通氣,感而相與,雖止於其所,而時行則行,斯人事之又興始者也。"(《易圖通變》卷五)此即以自震至兌為畫之體用,為循環運行的前段,以乾至艮為循環的後段。前後相繼,無有終止。由此可見,河圖的八卦排列亦與天道、人事有着內在的通合關係。

　　總之，雷思齊的河洛之學提出了一系列的創見，這些見解極大地豐富了圖書學的内容，值得我們進一步深入研究。

　　作者簡介　張廣保，1964 年生，1992 年獲北京大學哲學博士學位。現為中國社會科學院歷史所副研究員，兼任《中國哲學》執行編委。主要從事道教思想史研究，著有《金元全真道内丹心性學》(三聯書店 1995 年版)及論文多篇。

道教科儀和易理

陳耀庭

　　道教科儀是道教徒祭祀神鬼、祈求國泰民安和早登仙界的宗教行為。道教的宗教行為既是中國傳統儀禮的直接繼承和衍化，又是道教教義思想的形象體現，當然它同時又包含着豐富的社會思想內容。可以這樣說，中國社會思想的每一發展都在道教科儀中留下了或深或淺、或多或少的印記。

　　易理及對其的研究，是中國傳統思想發展潮流中的一支。在有的朝代，這一支流還相當洶湧。歷代研究易理的學人也很多，並且出現了許多學派，諸如兩漢時期的象數學派、義理學派，魏晉南北朝時期的玄學義理派，宋代義理派易學以及清代的樸學易等等。這些學派對於易學的研究，歸根到底都是為了以易理來回答天地變化、社會變化和人的變化等問題。而對於這些問題的各種回答，既是中國社會思想發展的表現，又影響着道教教義思想的發展，也先後對中國的傳統儀禮乃至於道教儀禮發生了各種各樣的影響。

易理對早期道教科儀的影響有限

　　早期道教兩派太平道和五斗米道，從現存主要經典《太平經》和《老子想爾注》經文分析，也受到過易理的影響。不過，這一影響主要表現於吸收卦象變化的理論作為其表示教義思想的一種手段。例如:《太平經》卷七十二《齋戒思想救死訣》稱"八卦乾坤,天地之體也,尚有休囚廢絕少氣之時,何況人乎?"意思是八卦乾坤的卦象變化,體現了天地之體的變化。這個變化主要表現為氣的生死、壯老和興衰。卷一百十七有《天咎四人辱道誡》稱"天者名生稱父,地者名養稱母,因六甲十二子八卦之氣以為紀,更相生轉相使,故天道得常在不毀敗,是常行施化之功也",也將八卦看作是天地"更相生轉"變化之紀。卷一百十九還有《三者為一家陽火數五訣》,稱甲子是天正,乙丑是地正,丙寅是人正,"此三者,俱天地人初生之始,物之根本也。初生屬陽,陽者本天地人元氣。故乾坎艮震,在東北之面,其中和在坎艮之間,陰陽合生於中央"。① 這裏採用孟喜的"卦氣說"解釋天地人的初生及其變化的痕跡是顯而易見的。《老子想爾注》中雖然並無八卦、太極之類的詞語,但也仍有五行相生相克的思想,例如,"挫其銳,解其忿"之注有句稱"五藏所以傷者,皆金木水火土氣不和也。和則相生,戰則相克,隨怒事情,輒有所發"。② 五行之說出於《尚書·洪範》。卦氣和五行都在象數學範疇之內。因此,早期道教的經典中易理的影響,主要是漢易象數學派的影響。

　　早期道教的儀禮,是中國古代祭祀禮儀的繼承。中國古代的祭禮大致包含三個主要部分,即供獻、禮拜和祝詞。祭祀人的祈求願望通過祝詞用說的方式表達出來。據史料記載,早期道教的儀禮也有如此三個部份。《三國志·張魯傳》引《典略》稱,"角為太平道,脩為五斗米道。太平道者,師持九節杖為符祝,教病人叩頭思過,因以符水飲之,得病或日淺而瘉者,則云此人信道,其或不瘉,則為不信道。脩法略與角同,如施靜室,使病者

---

① 《太平經合校》,第294、658、676頁,中華書局,1960年。
② 《老子想爾注校證》,第7頁,上海古籍出版社,1991年。

處其中思過。又使為姦令祭酒，祭酒主以《老子》五千文，使都習，號為姦令，為鬼吏，主為病者請禱。請禱之法，書病人姓名，說服罪之意。作三通，其一上之天，著山上；其一埋之地；其一沉之水，謂之三官手書。"①

《典略》中說到的書寫病人姓名和服罪之意的請禱文書，類於古代祭祀的祝詞。道教徒的叩頭跪拜，類於禮拜。《太平經》中更有"稽首再拜"、"純稽首戰慄再拜"等詞句，其拜禮與中國傳統祭祀的拜禮相似。元代道士韓混成在《道門通教必用集·序》中稱，"天師因經立教，而易祭祀為齋醮之科。法天象地，備物表誠，行道誦經，飛章達款，亦將有以舉洪儀、修清祀也。"② 這段話正確指出了道教科儀和古代祭祀之間的繼承和變化關係，但是早期道教的科儀是初創的，因而是很不完備的。其中，祭天、祭地和祭水，可能與易理卦氣說有某種聯繫，但是在儀式中，人們還無法推測或說明易理的顯著影響。

南北朝時期易理對科儀的影響

魏晉南北朝時期，道教處在組織整頓、教理完善和儀式規範系統化之中。同時，在易理研究中，以王弼為代表的玄學義理派逐漸佔據了易學研究主流的地位，以老莊思想闡述易理成了時尚，儘管不時有人對此表示不滿。就道教教理而言，東晉的葛洪在《抱朴子內篇》中認為"道者涵乾括坤，其本無名"，意思是乾坤兩卦都包含在道之中。同時，他又不滿易理的研究，稱"今問善《易》者，周天之

---

① 《三國志》，第 1 冊，第 264 頁，中華書局，1959 年。
② 《道藏要籍選刊》（以下簡稱《選》）第 8 冊，第 323 頁，上海古籍出版社，1989年。

度數,四海之廣狹,宇宙之相去,凡為幾里?上何所極,下何所據,及其推動,誰所推引"。① 由此可知,東晉葛洪的道教思想並沒有以易理來代替道。兩晉的道教教義思想中,八卦的卦象始終只是用來作為闡述道的變化的象徵。

　　南北朝時期,以黃老思想解易的玄學義理派的思想逐漸普及,它滲透到了普通文人士大夫的思想和生活之中,於是道教教理思想中《易》的影響逐漸明顯。例如,南朝茅山上清派和北朝道教類書《無上秘要》中都出現了大量"太極"字樣。太極一詞見於《易傳·繫辭上》:"易有太極,是生兩儀,兩儀生四象,四象生八卦"。② 義理學派歷來將此段文字作創世說的解釋。早期道教的文獻中有"無極"之說,稱"無極之天"、"無極之地"、"無極之國"、"無極之境"等等,並無"太極"的說法。但是,齊梁道士陶弘景在《真誥》中多處採用"太極"一詞,《甄命授》稱"道者混然是生元氣,元氣成然後有太極,太極則天地之父母,道之奧也。"③ 意思是由道生元氣,由元氣生太極,由太極生天地。太極的概念引入道教的創世說,而這一太極觀來源於漢儒,也同王弼的易理思想相一致。王弼云"太極者,無稱之稱,不可得而名,取有之所極,況之太極者也"。④ 這種"無稱之稱,不可得而名",與《道德經》第二十五章"吾不知其名,字之曰道"相類似,也就是說在萬物起源的意義上,太極和道相當。

　　早期道教對道家思想的吸收的一個結果,就是"道"的神化。易理的玄學義理派對道教教理的滲透,首先也是"太極"的神化。在南北朝時期的道教神系變化中,以太極命名的神仙和太極仙境出現了。《真誥·協昌期》稱"大方諸宮,青君常治處也。其上人,皆

① 《抱朴子內篇校釋》,第 155、141 頁,中華書局,1980 年。
② 《十三經注疏》,第 82 頁,中華書局,1980 年。
③ 《選》,第 4 冊,592 頁。
④ 《王弼集校釋》,第 553 頁,中華書局,1980 年。

天真高仙、太極公卿、諸司命所在也"。《真誥·稽神樞》稱"張激子
當為太極仙侯","受行《玉佩金鐺經》,自然致太極真人",太極真人
就是"太上之弟子也,年七歲而知長生之要"。[1] 北朝道教類書《無
上秘要》卷八十三至八十四更有神鬼官階之名,其中"得太極道人
名品"者有九十三名,均係太極真仙。另外,還有太極真人、太極左
仙公之稱。[2] 在南北朝的道教文獻中,太極也成了神仙所居之處。
《真誥·甄命授》稱"尸解之仙,不得御華蓋,乘飛龍,登太極"。《無
上秘要》卷九十一有"升太極宮品"稱,"身登太極,位加上卿","致
八景之輿,飛升太極宮"。[3]

　　在道教神仙體系接受易理影響的同時,南北朝的道教科儀,也
出現了易理象數學派的顯著影響。它不僅表現在科儀壇場設置
上,而且表現在科儀的神學構思上。《無上秘要》卷五十二"三元齋
品"有"壇圖",注稱"以紅泥為壇,三層",上有青几案五隻,每隻上
放香爐一座。根據壇圖,第三層上繪有八幅卦圖,按後天八卦圖方
位排列,並在西北向乾卦旁注有"天門",在東南向巽卦旁注有"地
戶"字樣。三元齋是南北朝時期道教的大型齋會的一種,"以三元
大慶吉日,清齋燒香,首謝前身及得今日積行,所犯天所不原、地所
不赦、神所不哀、鬼所不放億罪兆過。"[4] 三元齋儀的核心是"禮謝
十方"。禮謝十方在中國祭祀儀式發展史上具有重要的意義。中
國古禮有"祭四方",《禮記·曲禮》稱"天子祭天地,祭四方,祭山川,
祭五祀,歲徧。諸侯方祀,祭山川,祭五祀,歲徧"。[5] 也就是說,在
先秦,祭祀四方山川百物是天子的專有權利,諸侯祇能祭祀一方。

① 《選》,第 4 册,第 620、639、684 頁。
② 《選》,第 10 册,第 246 頁。
③ 《選》,第 4 册,第 597 頁。第 10 册,第 256、257 頁。
④ 《選》,第 10 册,191、192 頁。
⑤ 《十三經注疏》,第 1268 頁,中華書局,1980 年。

道教科儀有禮謝十方神靈一節,正是古代天子祭禮的繼續和發展。從某種意義上說,道教的禮十方儀也是對帝王祭祀特權的對抗。除了三元齋外,《無上秘要》的《授度齋辭宿啟儀品》、《授洞玄真文儀品》等節中,也都有禮謝十方的內容。從科儀文辭看,禮謝十方似乎同八卦易理無關。但是,壇場的八方以八卦表示,則已有了象數學易理影響的痕跡。宋代成書的《靈寶玉鑒》中,易理就和十方儀體現的思想結合起來表述了。該書第十四卷"壇儀法式門"稱,"夫建壇立幕,列職分司,崇德報功,慎終追遠,實孝子仁人義夫節婦之盛意也。是故法天象地,列斗環星,八卦九宮,十方三界,玉京金闕,悉備於斯"。[①] 在同卷的"總星壇圖式"中,有"八門之炁"稱,"正東,卯地,震宮,洞青之炁;東南,巽上,巽宮,梵行之炁;正南,午地,離宮,洞陽之炁;西南,坤上,坤宮,梵陽之炁;正西,酉地,兌宮,少陰之炁;西北,乾上,乾宮,梵通之炁;正北,子地,坎宮,洞陰之炁;東北,艮上,艮宮,梵元之炁"。[②] 這裏的八門方位及其卦象,先天之炁,明顯地來自於孟喜、京房和虞翻的卦氣說,即:坎主冬,在正北,屬"洞陰之炁";震主春,在正東,屬"洞青之炁";離主夏,在正南,屬"洞陽之炁";兌主秋,在正西,屬"少陰之炁"。另外,同書卷十"神虎追攝門",有神虎堂八門召魂壇的"八門壇式",八門按後天八卦方位排列,在卦形旁注有門名,即:坤,生門;艮,死門;兌,傷門;震,驚門;乾,杜門;巽,開門;坎,景門;離,休門。神虎堂的八門的卦名和門名,既包含着象數學卦氣說的內容,也同道教教義的結構要素:天、地、人、鬼及其相互對立統一的關係相一致。[③]

　　另外,《抱朴子內篇》的《遐覽》篇,著錄有"《八卦符》"一種,並

---

① 《選》,第 8 冊,第 652 頁。
② 《選》,第 8 冊,第 656 頁。
③ 參見拙著《論道教教義思想的結構》,《學術月刊》(滬),1992 年,第 4 期,第 8 頁。

稱其為"大符也"。① 兩晉時八卦符的符形以及如何使用,現在已不得而知。但是,八卦已經進入道教的法術,並且成為道教科儀的一部份是無可懷疑的。

燈儀中的易理內容

燈儀是道教齋醮中一種常見科儀,大約在唐末即已形成。宋代道教科儀中出現了九幽燈儀。地獄之説來自佛教,但是九幽地獄來自於道教吸取佛教地獄説,更與易理相結合的創造。據《靈寶玉鑒》卷三十"開明幽暗門"的"九幽地獄燈"稱,"夫九幽者,八卦中宮,按九州分野,各係社令主守,在天為九霄,在地於九宮,化形為九幽獄。其名又九,皆一炁所化,一念所感"。② 意思是九幽的衍生和八卦中宮有密切關係。天地之間為一炁,一炁所化在天為九霄,在地為八卦中宮,在地下則為九獄。其中,東曰幽冥,風雷獄;南曰幽陰,火翳獄;西曰幽夜,金剛獄;北曰幽鄲,溟冷獄;東北曰幽都,鑊湯獄;東南曰幽治,銅柱獄;西南曰幽關,屠割獄;西北曰幽府,火車獄;中央曰幽獄,普掠獄。關於方位、卦名和獄名的關係,明周思德《上清靈寶濟度大成金書》卷二十四"明九幽地獄"有較為完整的敘述。"幽冥獄者,乃屬震卦,九炁所化,凡木數發生蠢動,莫不待風雷之所振驚,故曰風雷獄;幽陰者,乃屬離卦,三炁所化,凡火數至午,陽極陰生之道,故曰火翳獄;幽夜者,屬兑卦,七炁所化,凡金數日沒為酉金方,殺伐至剛之道,故曰金剛獄;幽鄲者,屬坎卦,五炁所化,凡水數至子,陰極陽生之道,故曰溟冷獄;幽都者,乃屬艮卦,梵炁所化,凡炁候至

---

①　《抱朴子內篇校釋》,第307頁,中華書局,1980年。

②　《選》,第8冊,第758頁。

於寅艮，為溫柔發施之理，木數之所生，故曰鑊湯獄；幽治者，
乃屬巽卦，梵炁所化，凡火炁於巳地至旺之鄉，莫不爍金熔銅之
熾，故曰銅柱獄；幽關者，乃屬坤卦，梵炁所化，凡金炁為西方
肅殺之候，故至人門之鄉多生貪殺之心，故曰屠割獄；幽府者，
乃屬乾卦，梵炁所化，為天輪運轉之象，故曰火車獄；幽獄者，乃
一炁所化，是中宮土皇所掌總制之法，故曰普掠獄也"。① 這段説
明儘管引自明人著作，但反映的正是宋《靈寶玉鑒》九幽地獄衍
生的根據，而且和宋代易學象數學派的發展相一致。宋代以陳
摶、周敦頤和邵雍等為代表的象數易學，力圖將天地萬物都納入
易卦的範圍之中，而在道教中的衍變，則將地獄的構想、構成乃
至於道教徒破獄升仙的神學構思都用易理來説明。

　　九幽燈儀的壇場，"按法天象地，方圓為式"，"以砂土作壇九
方，闊二寸，九壇一同總方六尺，以法地之陰極二六之象。每壇四
角三曲，如獄之形。每獄明燈三炬，九獄共二十七炬。九獄之心，
隨方立牌，牌之上書破地獄符，背寫獄名，上懸九幡。至破九獄，燒
九幡了却"。② 據《靈寶玉鑒》，破獄之法就是"師澄心存一，炁透玄
關，上升泥丸，為元始天尊，頂出寶光，流佈符篆，照破幽獄，拔度苦
魂"。③ 法師隨方化身，以左手指掐中指中，存想自身為元始天尊。
然後在"東方則丁罡九步，南方則丁罡三步，西方則丁罡七步，北方
則丁罡五步，四維則丁罡並五步，中央則丁罡一十二步。"④ 其罡
步數量與各方炁數相等，例如東方震卦九炁，則丁罡九步；南離、西
兑、北坎為三、七、五炁則各罡步三、七、五不等。步罡以後，"以策

　　① 《藏外道書》，第17冊，第58頁，巴蜀書社，1994年。
　　② 《選》，第8冊，第758頁。
　　③ 《選》，第8冊，第759頁。
　　④ 《道藏》，第3冊，第895頁，文物出版社、上海書店、天津古籍出版社聯合出版，
1988年。

杖提起,上接慈光,垂下其光,一綫入獄,照破幽暗,擊地三下,虛書
敕字,劃開獄形",“次法師隨手將策杖調整,以符旛垂下,想金光萬
道,三運旛轉,引領幽魂,隨旛出獄。放策杖後,執水盂,灑水念咒,
獄吏冥官,擎拳歡喜。幽魂一時解脱,皆得甘露沾濡,盡生天堂,獄
獄光明,皆如平地"。[①] 在破獄燈儀之中,按儀式構想,行儀道士以
念誦、禮拜、燈火、步罡、符法和策杖,調動自身之炁,與天地之間的
炁相貫通,破除由八卦中宮之炁化形於地下之九幽地獄。因此,可
以認爲破獄燈儀是易理象數學的“卦氣説"在道教科儀中的具體體
現。

　　在明代燈儀中,還有一種“預修八卦護身燈儀"。八卦護身燈
儀的科儀文本,今已不存。但是,從《上清靈寶濟度大成金書》卷十
二的“預修八卦護身燈儀",人們可以知道科儀的大概。“預修"一
詞當是指該科儀爲生人醮主而行。生人醮主預先修建黃籙類度亡
道場,以便能“預有護身,已開原罪,願得平安"。該預修儀焚香供
養三清、南極長生大帝、東極青華大帝、八卦護身天尊等神靈,按
坤、艮、巽、震、離、坎、兑、乾等後天八卦順序依次禮神、祈願。例
如:“坤卦,西南之方,屠割地獄屬焉",其祈詞稱“伏以人門爲始,詎
忘出入之鄉。臣道有終,宜取直方之義。今有丁未、丁巳、丁卯、丁
丑、丁亥、丁酉、庚申、庚戌、庚子生人繫之,速悟三乘之上諦,亟超
九獄之陰司。福禄增崇,年齡彌遠,雖曰屠割,即滅縱由"。[②] 再
如:“乾卦,西北之方,火車地獄屬焉",其祈詞稱:“伏以人心有斷,
無爲自惑之謀。大道好生,將示所歸之路。今有己未、己酉、己亥、
己丑、己卯、己巳生人繫之,發心勇猛,慕道精勤,懺萬咎以歸空,保
百年而綿永。火車殞滅,金篆光華"。全儀通過“八宮垂祝,既壽而

　　① 《藏外道書》,第 17 册,第 27 頁。
　　② 《藏外道書》,第 16 册,第 467 頁。

昌,四體常寧,無災與難,罪籍已消於黑府,生名更上於丹臺"。①
由此可見, 八卦護身燈儀大致相當於生人醮主為自己亡後早登仙
界而 "預修" 的 "九幽燈儀"。因為這兩種燈儀的神哲學思想是
相同的, 也就是通過祈禱或者符罡等道術, 使人魂免進九幽地獄
或者拔度出九幽地獄。同時, 這兩個燈儀的思想也都和易理象數
學有密切關係, 以一定的卦名和獄名相聯繫, "有卦有情, 乃取
形容之義。且曰離虛坎滿, 地分火翳、溟冷; 至如坤六乾三, 位
屬天門人道。風雷出乎震卦, 金剛隸如兌宮。艮具鑊湯, 巽存銅
柱。"只是一是生前 "預修", 一是亡後超薦, 以 "密圖設卦之
由, 速證修身之旨"。②

安鎮科儀中的易理内容

在明代《上清靈寶濟度大成金書》卷十四 "讚祝燈儀門" 的 "祈
禳燈科品" 中, 還收有 "九宮八卦安鎮神燈科" 一種。安鎮神燈科是
一種祈禳科儀。齋主大興土木, 在宅第建成入居之時, "慮掘鑿或
犯於天星, 而填塞有傷於地煞, 匪由禳謝, 遏迓康寧。爰修安宅之
齋, 肆演燃燈之式, 肅消陰沴, 恪迓陽禧"。③ 科儀程式主要是依次
祈願坎宮一白土壘皇君, 坤宮二黑土壘皇君, 震宮三綠土壘皇君,
巽宮四碧土壘皇君, 中央五黃土壘皇君, 乾宮六白土壘皇君, 兌宮
七赤土壘皇君, 艮宮八白土壘皇君, 離宮九紫土壘皇君等神靈, 稱
"今醮主近因修葺, 革故鼎新, 恐冒神靈, 用伸告謝, 備列香花, 志心
皈命"。④ 安鎮神燈科儀的神學思想就是 "乾坤定位, 昭經緯以裁

---

① 《藏外道書》,第 16 册, 第 468 頁。
② 《藏外道書》, 第 16 册, 第 467 頁。
③ 《藏外道書》,第 16 册, 第 515 頁。
④ 《藏外道書》,第 16 册, 第 515 頁。

成;離坎辨方,運陰陽而化育。上幹天綱於次舍,下提地紀於方隅,包羅八卦之常,囊括九宮之變。孰主張是,皆統御於仙靈;有司存焉,悉範圍於真聖。主刑主德,致異致祥,凡瀆犯之潛加,必眚災之隨至"。①意思是八卦裁成地域經緯,地域經緯又由陰陽化育而成。地域的九宮八卦都由仙靈真聖統御。如果褻瀆地域,冒犯神靈,就會帶來災禍。祇有通過香花供養,禮謝八卦九宮神靈,才能"身臻吉慶,家用平安。金絕七神,合尊卑於泰定;火燭五鬼,融內外於咸安。三符無臨犯之虞,衆煞免鬥衝之咎。一區翼翼,震凌之風雨無侵;三逕熙熙,隱逸之煙霞自適。遐邇均慶,動靜咸寧"。②同書卷二十五有"九宮八卦土燈圖",卷二十九有"九宮八卦神燈符"一宗共九道。其行儀時,可能也是圍繞燈壇,隨方祈願和焚符唸咒。九宮八卦安鎮神燈科收於《上清靈寶濟度大成金書》中,當是道教正一派科儀。

　　道教全真派也有類似的科儀。現藏於四川青城山古常道觀的《廣成儀制》中就有《陽醮謝土安鎮九宮全集》。全真派謝土安鎮九宮儀也是祈禳類科儀,由於醮主"營室以構堂",因此行儀以"安龍而奠土"。科儀程式也是依次祈願坎宮主者一白神君,艮宮主者八白神君,震宮主者三碧神君,巽宮主者四綠神君,離宮主者九紫神君,坤宮主者二黑神君,兌宮主者七赤神君,乾宮主者六白神君,中宮主者五黃神君等神靈,稱"信人某於家設壇,爰投坤造,安鎮謝地,納款舒虔,致陳牲禮,醮奉威靈"。謝土安鎮九宮儀的神學思想,就是"乾旋坤轉,大本貫通;艮止坎流,玄機運用。惟地道簡能,盡萬邦而形廣;輿圖建極,列九宮而分疆。丘陵川澤,合高下於一攝之統承;震兌坎離,經四維於五行之主宰。各有攸存,同為鎮

①　《藏外道書》,第16冊,第515頁。
②　《藏外道書》,第16冊,第515—516頁。

守”，意思是，乾坤艮坎，震兑坎離，八卦九宮都由一攝統承，這個一攝就是土皇九壘其司千二百神，“若人興修卜築，一或犯之，即至病患，以迄喪亡。纔誦此經，則萬神皆起，天無忌，地無忌，陰陽無忌，百無禁忌”。① 高功法師在行儀時，要“持燈薰香”，唸燈光咒，然後依次行至各宮，上香行禮，祈願詞後，“宣符，焚化”。其儀式結構與正一派“九宮八卦安鎮神燈科”類同，衹是科儀文字已經簡化和通俗化。《廣成儀制陽醮謝土安鎮九宮全集》由成都二仙菴刊板於中華民國癸丑年，即民國二年（1913年），是儀當流行於清末。與謝土安鎮九宮儀相似的全真派安土科儀（包括鎮墳科儀），在《廣成儀制》中還有《陰醮招安啟請全集》、《陰醮宣經全集》、《陰醮投狀全集》、《陰醮明燈全集》、《陰醮標山全集》、《陰醮祭靈全集》和《祀地正朝全集》、《陽醮五方明燈全集》等等。

　　道教科儀中有如此多的安土鎮墳的祈禳類科儀並不是偶然的。因為，在這個世界上，無論古今，人時刻都離不開土地，所以，人稱大地是人的母親。中國的先秦時代就有土圭法、土會法和土宜法，這些都是先人們在生活和生產中辨別方位、辨別土地和考察地形的方法。到了漢代，易理象數學派的説法貫徹到了土地的方位、地形學説中間，並且出現了方位禁忌、太歲禁忌等等。成書於道教創立之前的《論衡》已有論及。張衡在《論衡》卷二十五“解除篇”中稱，“世間繕治宅舍，鑿地掘土，功成作畢，解謝土神，名曰解土。為土偶人，以像鬼形，令巫祝延以解土神”。② 張衡的叙述正是中國古代巫祝“解土”儀的簡單記載。不過，早期道教的科儀中並無“解土”類科儀。

　　《太上洞淵神咒經》卷十七有“召諸天神龍安鎮墓宅品”，大

① 《藏外道書》，第14冊，第847至854頁。
② 《論衡》，第386頁，上海人民出版社，1974年。

約是今《道藏》中有關安鎮墓宅科儀的最早的儀文。經前有唐末
五代道士杜光庭的序，稱《太上洞淵神咒經》是西晉末金壇道士
王纂所作。不過據海外學者的研究，該經並非一人一時之作。全
經二十卷中的後十卷約成書於中唐至唐末。因此，可以認為在中
唐時，道教就已經出現了安墓鎮宅類科儀。經稱醮主"居家累年
轗軻，竟歲凶喪，破財散穀，非橫連綿。縣官牢獄，繫閉經年，
畜養不孳，田蠶失力，所運乖錯，所謀失宜"，其原因除了前生
自種等等以外，還有"或言人多宅狹，或嫌廳堂低小，不避身殺
命災，不識財衰祿絕，率意修換，干犯二黑五黃，營運九空四
廢。或乃葬埋眷屬，祇畏呼婦殺兒，不取亡人利益年月。營墓之
所，又是死人五鬼三災，致令生人受生殃禍，使其人丁凶暴"。
意思也是因為驚動地煞土神給生人帶來各種災禍。其科儀程式，
據經文稱"道士依如靈寶自然典式，或一日兩夜，行香升壇關
奏，三時行道轉經，呼召天神地祇、龍王聖衆，解釋前辜後過，
懺謝已往罪行，乞赦所觸深尤"。[①] 由此可知，唐代的安鎮墓宅
儀沿用的是南北朝的自然齋儀的程式，其核心仍是"禮謝十方"，
祇是禮謝的是"諸天神龍"，即東方守墓鎮宅青帝神龍王、南方
守墓鎮宅赤帝神龍王等等。

　　元明以後，道教科儀中有了獨立的安鎮墓宅的科儀，《道藏》就
收有《正一醮宅儀》、《正一醮墓儀》、《土司燈儀》、《太上秘法鎮宅靈
符》等多種。其中《土司燈儀》約成文於元明之間。儀文稱人所居
處的四序八方均由"太歲尊神，土司禁忌，總權禍福，經制方隅"，醮
主"爰於住舍，造作不時。動土役工，實有悞幹於禁忌；培基闢址，
寧無冒犯於天星。謹擇良辰，恭修净供。經開云篆，祈積孽以潛
消；科演琅函，迎衆真之來格。伏望為祥為瑞，集百福於門闌；無害

① 《選》，第 3 册，第 715 至 716 頁。

無災,殄千殃於眷屬"。① 其科儀程式也是按後天八卦方位依次禮
謝各方神靈,即:東方震宮大聖三綠星君,東南方巽宮四碧星君,南
方離宮九紫星君,西南方坤宮二黑星君,西方兌宮大聖七赤星君,
西北方乾宮大聖六白星君,北方坎宮大聖一白星君,東北方艮宮大
聖八白星君,中宮大聖五黃星君等。在各方祈詞中,都以易理卦氣
說的思想貫串。例如,禮謝東方之詞稱,"伏聞震乃三陽之首,位居
四序之端。在八卦以為先,處六甲而為長。能甲能柝,令庶物之蕃
鮮;以懼以兢,使兆民而修省。資興造化,垂象發生,凡有修營,慮
多觸犯"。② 《太上秘法鎮宅靈符》列有《璇璣八卦之圖》和鎮宅符
七十二道。末後還有供養和忌食之類。《土司燈儀》和《太上秘法
鎮宅靈符》等科儀的神學構思,仍然是《論衡》中所批評的所謂驚動
"太歲"星君,九宮八卦祇是人之所居方位的表示,還沒有像《上清
靈寶濟度大成金書》和《廣成儀制》中所示,八卦已神化為八卦護身
天尊。需要附帶指出的是,中國的堪輿術早在先秦時就已出現。
在漫長的發展史上,它和陰陽五行、九宮八卦乃至於道教符籙科儀
關係非常密切。《太上秘法鎮宅靈符》的七十二道符當然是道教的
符法。但是,符的名稱如《厭除炁運陰陽不和》、《厭煞星》等又是堪
輿術中厭勝解克思想的反映。明清時期,堪輿術不僅在理論上已
經完全成熟,而且其實踐已經深入到普通百姓的生活之中。道教
衆多的安鎮墓宅科儀也是道教的宗教生活和堪輿術的廣泛流行相
結合的產物。《陰醮招安啟請全集》是道教全真派的安墓科儀,行
儀目的是在建墓以後,奠安土府。儀文稱"玄靈葉應,由宗祖而蔭
子孫;人事式憑,辨吉凶而稽風水。蓋緣一脈相傳,災祥是繫。百
神所主,禍福悠關。然點穴尋龍,雖從術學;而凌空化鶴,罕遇仙

① 《道藏》,第 3 册,第 578 頁。
② 《道藏》,第 3 册,第 578 頁。

踪。妥先靈而卜吉,本希慶衍千秋"。① 由此可知,清代的安鎮科儀都是在風水先生"辨吉凶而稽風水"以後,為"點穴尋龍"、厭勝解克而舉行的。而且,在清代道士看來,祖先崇拜、神仙崇拜和堪輿相術,都是"一脈相傳"的。

祭煉科儀中的易理

道教的祭煉科儀,也稱煉度科儀,是一種產生於北宋末年、流行於南宋,並且一直傳承演習至今的科儀,在道教科儀的歷史和現況中均佔有重要的地位。"祭煉"一詞,據元代張遜《太極祭煉內法·序》,"所謂祭者,設飲食以破其饑渴也;所謂煉者,以精神而開其幽暗也。至使淪滯之徒,釋然如冰消凍解以復其本真"。② 祭煉科儀或煉度科儀,就是以真水和真火交煉亡者的靈魂,行儀的道士以內煉的身神,度化亡魂早登仙界。祭煉之法,據說傳自葛玄,屬於靈寶齋法。魏晉南北朝時期成書的《靈寶無量度人上品妙經》云,"制魔保舉,度品南宮。死魂受煉,仙化成人。"唐薛幽棲注稱"死魂舉度於南宮,則以流火之膏,煉其鬼質,從茲改化,便得仙也。"③ 可知死魂受煉仙化成人之說早已有之,但是南北朝和唐代均無祭煉科儀。

宋末元初的鄭所南《太極祭煉內法》稱,"煉度是煉自己造化,以度幽魂。未能煉神,安能度鬼。全仗真心內事,其符其咒乃寓我之造化耳",因此,煉度儀對行儀道士有特別的要求,王契真稱為"高功第一事"(《上清靈寶大法》)。鄭所南的要求就是高功"心火下

① 《藏外道書》,第 14 冊,第 803 頁。
② 《道藏》,第 10 冊,第 440 頁。
③ 《選》,第 4 冊,第 478 頁。

降，則腎水上升。口中真水上升，滿口甘潤香美者，即腎中真水也”，“火降水升，真祭煉之要論”，“凡坎離交遘、水火既濟之後，造化皆上朝泥丸。幽魂得此造化，亦不容於不生天。頒行寶籙之後，運我一點靈光，化為火鈴，上透泥丸，現前幽魂皆隨我一念而生天，正是祭煉幽魂要緊處”。① 但是，科儀是一種外現的行為，要讓道教徒參與其中，而高功法師的“真心内事”是看不到的。因此，煉度儀的壇場佈置了水池、火沼。王契真《上清靈寶大法》卷五十九稱“火沼用圓爐盛真火，水池用方器盛真水”。②《靈寶玉鑒》卷一“水火煉度說”稱，“所設之有形之水火者，假天之象、地之形、日精月華之真炁。又假諸符籙，以神其變化，使死魂復得真精，合凝之妙而仙化成人也”。③ 因此，在宋代的道教科儀文獻中，交煉的水火炁是天地和人的陰陽之炁的代表。

　　到了明代，對於水火煉度的解釋，開始採用易理卦氣說的説法。明代第四十三代天師張宇初在《太極祭煉内法·序》中云，“《易》曰：一陰一陽之謂道。天地之大，萬匯之衆，凡囿於形炁、窒於道器者，莫非陰陽二炁流行而有焉。”“蓋以陽煉陰，即以流行之炁，煉不昧之神也。則已散之炁必聚，已昧之神必覺。”“水火之秘，符籙之真，内煉升度之神”就能“合夫三五體用之妙”，“能造乎五行陰陽，復歸太極也”。④ 張宇初這一段對於煉度儀的神學構思的闡發，完全取自易理思想。但是，明代煉度科儀的經文大致上仍保持着原有的面貌，衹是關於高功法師“煉自己造化”的説明已經滲透進了易理卦氣説的内容。《太極仙翁積功超祖神煉玄科》是明嘉靖壬子年(1552年)採一真人恭誠伯撰修的法科，丁巳年(1557年)因

① 《道藏》，第10册，第449頁。
② 《道藏》，第31册，第252頁。
③ 《選》，第8册，第555頁。
④ 《道藏》，第10册，第439至440頁。

真人退隱林下而流傳於世。因此,可以認為這是由明代道士修撰的煉度科儀。《太極仙翁積功超祖神煉玄科》在唸誦真火咒和真水咒以後,法師煉神不再沿用宋人"火降水升"的説法,而稱"行周天火候一度,煅煉鬼神真性,返本還元。"所謂"周天火候"就是"子進陽火三十六,自子至巳為六陽之數,即進也。訣云:乾九,陽數也。坤六,陰數也。乾九之陽,起於坤之初六。乾之策三十有六,總伸二百一十有六爻","午退陰符二十四,自午至亥為六陰之數也。復坤之初六,起於乾之初九。坤之策二十有四,共計一百四十四爻"。以呼吸計算,"一呼一吸為一息,如環無端。三十六息呼吸為一小周天。"一小周天得神水一口。進得八口,"名曰陽鉛八兩";退得八口,"名曰陰汞半斤"。"一十六口,此乃合為陰陽平均一斤之數。前升後降,共得周天三百六十度火候"。這一稱為"周天息數"的"乃真人口口相傳之訣"。通過高功"周天息數"的内煉,"所煉寶珠,愈煉愈明,忽然寶珠迸開,化一嬰兒,乘五色祥雲,從十二重樓升至顖門"。[①] 按煉度科儀的神學思想,嬰兒就是經過水火煅煉而完形全真的亡魂。這一高功法師以"周天息數"煅煉鬼魂的過程明顯地採用了唐末五代《靈寶畢法》的内丹煉養的内容。《靈寶畢法》的"肘後飛金晶"中稱,"以月言之,六律六呂,以六起數,數盡六位,六六三十六,陰之成數也;以日言之,五日一候,七十二候,八九之數至重九,以九起數,數盡六位,六九五十四,陽之成數也。一六一九合而十五,十五氣之數。二十四氣,當八節之用而見陰陽升降之宜。一六一九,以四為用,變為陽數二百一十六,陰數一百四十四,計三百六十之數而足滿周天"。[②] 以易理象數學的説法來解釋内丹修煉的周天息數,當是明代道教内丹修煉術的發展,這一發展也

---

① 《藏外道書》,第 17 册,第 708 頁。
② 《道藏》,第 28 册,第 355 頁。

在煉度科儀中得到了反映。不過,《太極仙翁積功超祖神煉玄科》的壇場佈置,仍用"或燈或燭香一爐,水一盂,以象水火交煉"。①行儀之中,焚符、唸咒、施食種種,一如舊式。

清代的煉度科儀,受到易理的進一步影響,以致於最後以易理來代替水火交煉。《廣成儀制》有《九天煉度全集》和《鐵罐斛食全集》等多種。據《青玄濟煉鐵罐施食全集》卷末抄寫人在光緒庚子年(1900年)附記,此儀係"二仙菴碧洞堂第一代方丈八十老人親到京地白云觀甘苦求請領受全真演教全堂大法,迎回四川省西道成都府成都縣西門外離城五里(福地)二仙菴"。② 因此,《廣成儀制》所收的都是清代京蜀兩地共同流行的全真派科儀。其中,《九天煉度全集》稱"河洛圖書,直露乾坤本義;坎離發用,乃昭水火神功。煉法效靈,取九轉還丹之妙;玄文葉奧,涵一中復本之機。利及幽原,溥蒙法界",升壇行道,祇是"供養左右真人、煉府羣真,伏願大展威神,廣施惠力,歸流幽界,開度亡人。"③ 因此,清代的煉度科儀,已經失去了行儀高功先煉自己、以己度人的本義。作為象徵的水池、火沼以及存想咒訣的水火交煉也不再是科儀的主要內容,而代之以符命解冤、施食餓鬼等等。流行於閩臺地區的《靈寶煉度宗旨全集》收有"九宮八卦煉度儀"的經本。該儀也是成立於清代。九宮八卦煉度已經沒有水池、火沼的說法,而是以坎離二卦指代水火,在行儀中"佈列朱陵九宮八卦",以煉化亡魂,稱"灌煉以坎水離火,灌溉以烏精兔華,必使三景八部整具形神,六府九宮了無塞礙"。經本中也沒有攝召真炁和神魂煉化的詞句,稱"按卦氣而分佈,煉魂魄以成形,集三元而道化,使九炁以為神"。④ 全儀以

① 《藏外道書》,第17冊,第703頁。
② 《藏外道書》,第14冊,636頁。
③ 《藏外道書》,第14冊,555頁。
④ 《莊林續道藏》,第16冊,第4457頁,臺北成文出版社,1974年。

誦唸和唱讚為主，同元明時期的煉度儀程式相比較已經大為簡化。
如果説，在道教齋醮儀式史上，隨着易理象數學的發展和影響的普
及深入，道教科儀或是壇場設置或是神學構思等等也都逐漸受到
易理的影響，那麼九宮八卦煉度儀的形成就標誌着易理象數學的
思想完全同道教的神學思想事融合在一起了，並且成了作為道教
宗教行為的齋醮科儀的神學構思的基礎內容。易理變成了神理。
易學變成了神學。九宮、八卦和太極變成了神仙、仙境、法器、法術
乃至於鬼神活動的依據。

結尾的説明

本文粗綫條地探討了易理和道教科儀的關係。

當今的人們在觀賞道教科儀時，常常會看到道士身上穿着綴
有太極八卦紋樣的道衣、法衣，手上拿着或繪或雕的有八卦圖形的
法器，地上鋪着繪有八卦圖形的罡單，桌上壘着簇有八卦圖形的符
書。因此，人們自然而然地想到易理和道教科儀有着密切的關係。

不過，在探討這一關係時，人們會發現這一問題遠比我們想像
的複雜得多。因為，道教是一種宗教，道教科儀是一種有道教徒和
信徒群眾共同參與其中的宗教行為。道教科儀祇有在其思想內容
能為道教徒接受而其表現形式能為道教徒喜聞樂見時纔能形成、
流傳和傳承下來。從上述初步的探索，人們不難看到，易理在進入
道教科儀時出現了三種趨向：

第一，易理的神化。不論易是什麼樣的起源，易理總是中國人
的一種思辨哲學。思辨哲學要成為一種宗教行為的思想內容，首
先必須神化為一種神哲學。南北朝時期，太極成為神仙，後來八卦
又成為護身天尊，就是易理神化過程的體現。

其次，易理的通俗化。《易》被視作衆經之首。當易理研究祇

是少數經生的事,易理研究祇是為王朝服務時,易理也不可能進入道教教義思想的結構體,為普通道教徒所接受。宋代以後,道士和儒生力圖以易理象數學理論作為解釋宇宙、社會乃至於神鬼的工具,並且通過各種途徑,包括書塾、堪輿、內修等等宣傳民眾,逐漸為民眾熟悉和接受。宋代以後,九幽燈儀和各種安鎮科儀的形成和流行,正是易理通俗化並為民眾接受的過程的體現。

第三,易理的形象化。道教科儀是一種綜合言語、環境和動作等等的行為結構體。對於道教圈外的人來說,道教的一個個科儀猶如可供觀賞的戲曲折子戲。道教科儀中,道士誦唱的經文講易理,壇場佈置上使用八卦,衣服、法器、符書上繪八卦,這些都是易理形象化過程的體現。

從上述初步探索中,人們還不難感覺到,於道教科儀和易理關係的研究,牽涉到易學史、道教教義思想史、道教內丹史、道教科儀史以及堪輿史、民俗史等各個方面。研究這一大問題,實在需要"通才"。筆者不是通才,因此,在啃這塊骨頭時,雖經廣泛搜集資料,累月反覆思考,縱橫比較研察,三易其稿,艱苦異常,纔草成此稿,其中謬誤疏漏之處,懇請方家指正。

作者簡介　陳耀庭,1939 年生,上海人。現為上海社會科學院宗教研究所研究員。近著有合著《人·社會·宗教》等。

道藏之易說初探

張善文

內容提要　中國的道家文化源遠流長,而道教形成之後又將
"道"學引向更廣博龐大的境地,以致歷朝所編各種道藏典籍之豐
多繁富,包羅萬有,實可稱為我國文化史上的一大奇觀。

　　道家思想與《周易》哲學的理趣密相溝聯,不少道教著述往往
以《易》為其思想根基,這是人所共知的現象。然而,欲深究這一現
象之所以然,對道藏中的易說作一番認真考察是頗為重要的。本
文針對這一課題,以現存道藏資料為依據,先論述《易》學與道家思
想的接軌,然後分別探索道藏中易說的分佈狀況、基本特色、及研
究方法與前景展望。

一　《易》學與道家思想接軌的早期背景

　　公元三、四世紀間中國的魏晉時期,士大夫以《易》、《老》、《莊》
合稱"三玄",已經十分明顯地展示了《易》學與道家思想密不可分
的特殊關係。但若追尋其源,這一關係形成的歷史則至為久遠。
　　司馬遷於《史記·太史公自序》中敘其父司馬談曾"學天官於唐
都,受《易》於楊何,習道論於黃子",又曾撰《六家要指》,於陰陽、
儒、墨、名、法、道諸家之中獨對道家褒揚有加,謂"道家使人精神專

一,動合無形,贍足萬物。其為術也,因陰陽之大順,採儒、墨之善,撮名、法之要,與時遷移,應物變化,立俗施事,無所不宜,指約而易操,事少而功多。"又謂"其術以虛無為本,以因循為用","不為物先,不為物後","有度無度,因物與合"云云。從這些資料可知,司馬談的學術體系,本於學天官、學《易》、學道,而他對道家的認識,一方面認為是綜合了其它各家的精華,另一方面又認為道家思想深合於《易》學的"應物變化"之道。事實上,司馬談的思想特色,正是《易》與道相融合的典型模式。這一思想典型,上可以追源於先秦早期的"黄老"之術,下又足以影響司馬遷、班固以後的歷代史學家、思想家。

　　《史記》所載老子傳略,曾記錄一節孔子與老子交往的事蹟:

　　　　孔子適周,將問禮於老子。老子曰:"子所言者,其人與骨皆已朽矣,獨其言在耳。且君子得其時則駕,不得其時則蓬累而行。吾聞之,良賈深藏若虛,君子盛德,容貌若愚。去子之驕氣與多慾,態色與淫志,是皆無益於子之身。吾所以告子,若是而已。"孔子去,謂弟子曰:"鳥,吾知其能飛;魚,吾知其能游;獸,吾知其能走。走者可以為罔,游者可以為綸,飛者可以為矰。至於龍,吾不能知,其乘風云而上天。吾今日見老子,其猶龍邪!"

這段記載描繪了孔子對老子的景仰之情,而老子一席話中的辯證意味之濃厚,與《周易》的變化之道是全然切合的。至班固撰《漢書·藝文志》,謂道家者流"秉要執本,清虛以自守,卑弱以自持",更直接稱其"合於堯之克攘,《易》之嗛嗛,一謙而四益"(按,一謙四益,即指《謙》卦《象傳》所謂:"天道虧盈而益謙,地道變盈而流謙,鬼神害盈而福謙,人道惡盈而好謙"。)這裏顯然把道家的謙冲思想與《周易》的《謙》卦之旨貫為一體,甚至連上古堯舜的揖讓之德亦不能外此。

　　若細推道家思想與《易》學內涵密切接軌的早期背景,似乎還應當從二者在哲理上的相互默契不悖進行分析。黃老學說所強調的無為而無不為、謙沖守靜、適時變化等宗旨,本質上與《周易》太極陰陽、中正協和、變動不居的思想相協。尤其是道家的無為之"道",與《周易》的陰陽之"道",在某種角度上有十分明顯的旁通性。《隋書·經籍志》於道家類書目後序指出:

　　　　道者,蓋為萬物之奧,聖人之至賾也。《易》曰:"一陰一陽之謂道。"又曰:"仁者見之謂之仁,智者見之謂之智,百姓日用而不知。"夫陰陽者,天地之謂也。天地變化,萬物蠢生,則有經營之迹。至於道者,精微淳粹而莫知其體,處陽與陰為一,在陽與陽不二。仁者資道以成仁,道非仁之謂也;智者資道以為智,道非智之謂也;百姓資道而日用,而不知其用也。聖人體道成性,清虛自守,為而不恃,長而不宰,故能不勞聰明而人自化,不假修營而功自成。……然自黃帝以下,聖哲之士所言道者,傳之其人,世無師說。漢時曹參始薦蓋公,能言黃老,文帝宗之,自是相傳道學眾矣。下士為之,不推其本,苟以異俗為高,狂狷為尚,迂誕譎怪而失其真。

此段講述,指明"道"的理念特徵,認為漢文帝以後講述黃老之術的"道學"始盛行於世,但諸多"下士"欲以狂狷異俗而亂道,已非"道"之本真。值得注意的是,其中對黃老之"道"這一理念的闡述,正是立足於仁者見仁、智者見智、百姓日用不知的《易》學中的"一陰一陽"之道。不難看出《周易》的陰陽之道,與道家的清虛無為之道,在這裏已經交融互通而無二致了。

　　追尋其本,《周易》哲學在於言天道以明人事,道家思想在於法自然以守無為,這兩者的理緒本是在同一軌跡上伸延,故其學說的"接軌"實是順理成章的。且《易》創始於伏羲,道家推本於黃帝,在中華文化史上也無可非議地展示出一脈相承的情實。於是，魏王弼引《易》解《老》，又以《老》注《易》，被稱為"天才卓出"(《三國志》注引何劭《王弼傳》)、"妙得虛無之旨"(陸德明《經典釋文序錄》)。明此二者"接軌"之本源，則後世道家者説常援《易》以抒論，乃至歷代道藏中編入衆多的《易》籍、引入不可勝數的《易》説，便不足為奇了。今人蕭天石於《新編道藏精華自序》中稱："夫道家學術，其來甚古。自伏羲畫卦，開文化之先河；黄帝建國，立華夏之天威。凡有所立，即一本於道。"所謂"伏羲畫卦"，乃《周易》創作之始；所謂"黄帝建國"，則道家文化因之而權輿。伏羲、黄帝凡有所立皆"一本於道"，正一語説破《易》與道家於誕生之初便相為接軌的早期背景，其論允為中肯。

二　道藏中《易》説的分佈狀態

世界上任何事物的產生與發展，均有其内在原因和整體規律。當明確了《易》學與道家思想接軌的早期背景之後，我們則須進一步考察後世所編道藏中含藏的諸多易説之分佈狀態及其規律。

中國道家經籍之編纂，歷二千餘年而不衰。自班固《漢書·藝文志》著錄道家之書始，隨著道教的創立發展，道藏的編修歷代不絶，唐、宋、元、明、清之間，雖世亂焚燬舊藏道書之劫時有發生，但亦有屢焚屢續修之盛舉。現存明代編定的《正統道藏》、《萬曆續道藏》(合稱《道藏》)，所收道書即達1473種5485卷之多。清嘉慶間蔣元庭初刻，光緒間賀龍驤、彭翰然等續刻的《重刊道藏輯要》，收道書287種，其中114種為明《道藏》所未收。近人蕭天石主編的《道藏精華》(臺灣自由出版社出版)亦收道書一千餘種，有不少為明《道藏》所不曾收入。

今據現存道藏書籍，考核其中有關《易》説資料的分佈狀況，似可從如下三端加以分析：

其一，道藏中的《易》學要籍。

屬於歷代《易》學要籍而被收入道藏的，其量不少，如：宋佚名《周易圖》三卷，宋楊甲《大象易數鈎深圖》三卷，宋劉牧《易數鈎隱圖》三卷、《易數鈎隱圖遺論九事》一卷，元張理《易象圖説内外篇》六卷(以上《正統道藏·洞真部》)，元俞琰《易外别傳》一卷，元雷思齊《易筮通變》三卷、《空山先生易圖通變》五卷，宋邵雍《皇極經世》十二卷，晉顔幼明、南朝宋何承天注《靈棋本章正經》二卷(以上《正統道藏·太玄部》)，元鮑雲龍《天原發微》十八卷，宋司馬光《太玄經集注》(以上《正統道藏太清部》)，明李贄《李氏易因》六卷，明梅鷟《古易考原》三卷，漢焦延壽《易林》十卷(以上《萬曆續道藏》)，題唐吕巖《易説》不分卷，宋周敦頤撰朱熹注《周子太極圖説》一卷、《周子通書》一卷(以上《重刊道藏輯要》)，題北魏關朗《關氏易傳》一卷，題五代末宋初麻衣道者《正易心法》一卷，宋程迥《周易古占法》一卷，清劉一明《周易闡真》七卷(以上《道藏精華》)。

凡此二十二種《易》籍，皆先後被採入道藏之中。其中頗有被儒家典籍書目列為子部術數類之書者，然無不於《易》學關係重大，故仍不妨視為《易》類著述。

其二，道藏中的《周易參同契》類書籍。

東漢魏伯陽所撰《周易參同契》一書，被譽為道家丹經之祖，歷代注解闡説者甚衆，故道藏亦十分重視收録此類舊籍。如：題東漢陰長生注《周易參同契》三卷，題無名氏《周易參同契注》三卷，宋朱熹注《周易參同契》三卷，後蜀彭曉《周易參同契分章通真義》三卷，無名氏《周易參同契注》二卷，宋俞琰《周易參同契發揮》九卷、《周易參同契釋疑》一卷，宋陳顯微《周易參同契解》三卷，宋儲華谷《周易參同契注》三卷(以上《正統道藏·太玄部》)，金郝大通《太古集》(即《周易參同契簡要釋義》)一卷，元陳致虛(上陽子)《周易參同契註》三篇，清朱元育《周易參同契闡幽》二卷(以上《重刊道藏輯要》)，清董德寧

《周易參同契正義》三卷,清陶素耜《周易參同契脉望》一卷(以上《道藏精華》)。

　　此處所舉《參同契》類著述凡十四種。《周易參同契》雖為丹經之典籍,然其自始至終皆借《易》理以展示道家作丹之術,並與漢代《易》師的象數學頗有關聯,且三國虞翻所創《易》學條例尤與《參同契》有很深的學術淵源。因此,在考察道藏中的《易》説之際,對各種《參同契》著述應予以足够的重視。

　　其三,道藏中含有不少雖不以《易》為名却貫穿着《易》學思想的各類著作。

　　道藏中以《周易》或《周易參同契》為題的著作可以舉出的大略如上。但那些不曾以《易》為題却貫穿着《易》學思想或觀點的著作,其數量則更為衆多。如《正統道藏·正一部》收玄和子(生平不詳)《十二月卦金訣》一卷,全書以漢《易》十二消息卦之説為本,用十二節詩文闡述煉丹的時間、火候、丹象等。又如《正統道藏·洞真部》中《修真十書》收蕭廷芝《金丹大成集》五卷,其書論無極圖、天心圖、既濟圖、六十四卦火候圖、大衍數圖及許多論道詩詞等,雖言道家内丹之學,但書中所體現的《易》學思想是十分濃厚的。又如《重刊道藏輯要》收入清蔣日綸(梅芳老人)《心傳述證録》一卷,通篇論無極圖、太極圖、三才圖、易有太極、四象五行、八卦六虚、伏羲文王卦位、六十四卦圖、陰陽消息之機等,儘管其書不無關於道家之學,但與《易》理却息息相通。從内容實質言之,此類書若將之視為《易》學著述似亦未嘗不可。

　　至若各種書中或多或少地參入《周易》學説者,如《太平經》之泛論陰陽五行、《抱朴子》"明本篇"之論聖人之道、《天隱子》"易簡"、"漸門"兩篇之論乾坤易簡及《漸》卦之理、《伊川擊壤集》的衆多論《易》詩,乃至諸類金丹妙説、行氣導引、存想修心、醫卜道法之書,衍論《易》理者比比皆是,可謂遍及道藏之三洞四輔十二類典籍,而不煩一一列舉矣。

據上所述,現存道藏典籍中《易》說的分佈狀態,可分為《易》學要籍、《參同契》解說要籍以及不以《易》名而貫穿或参入《易》理之書等三類。這三類道書,前二類數量略少而《易》學成分至為集中;後一類所含《易》說雖多寡不等,但其書的數量却十分衆多。就其分佈規律言之,前二類多存於靈圖、術數、丹書這三部份道書中,而後一類則廣泛散見於道經、道論、道法、諸子、詩文集等各種道書之中。因此,總結歸納道藏中的《易》說資料,是一項科學性很强的嚴謹而又艱苦細緻的工作。

三　道藏中《易》說的内容特色

道教中的《易》說含量既是如此衆多,我們不難想見《周易》一書對道家文化的深刻影響。在研究這一問題的同時,人們或許會問:道藏中所存的衆多《易》說,其内容有哪些重要特色呢? 曰:略歸結之,約有三項。

一是,道藏中的《易》說,往往把《易》理與"道"義互為融貫,體現著獨具一格的"玄學"思辨色彩。

這方面的特點,使《易》學理論在道家或道教文化的領域中獲得進一步的衍擴,使玄理"《易》化",或《易》理"玄化"。如上舉題呂巖《易說》中論《繫辭上傳》"聖人有以見天下之賾"章曰:

> 天下之事,雖隱微難測,即而象之,莫不有陰陽之道存焉,會通之理伏焉。故物之詭怪闔闢,實有至一之理,苟引而伸之,莫非道也。苟達乎道,則牛鬼蛇神、蛟人龍伯非怪也。不明乎道,則指之屈伸、拇之運動無非怪也。

此中論及"聖人"所以洞明物理,在於知"陰陽之道",道之所存,事理必明,故反覆强調"至一之理"、"達道"。細辨其旨,則《周易》的

陰陽之道與道家的自然至一之道已經密合無間了。又如晉葛洪
《抱朴子內篇‧明本》指出：

> 夫所謂道者，其唯養生之事而已乎？《易》曰：「立天之道
> 曰陰與陽，立地之道曰柔與剛，立人之道曰仁與義」，又曰：
> 「《易》有聖人之道四焉」、「苟非其人，道不虛行」。又於治世隆
> 平，則謂之有道；危國亂主，則謂之無道。又坐而論道，謂之三
> 公；國之有道，貧賤者耻焉。凡言道者，上自二儀，下逮萬物，
> 莫不由之。但黃老執其本，儒墨治其末耳。今世之舉有道者，
> 蓋博通乎古今，能仰觀俯察，歷變涉微，達興亡之運，明治亂之
> 體，心無所惑，問無不對者，何必修長生之法，慕松、喬之武者
> 哉？而管窺諸生，臆斷瞽說，聞有居山林之間，宗伯陽之業者，
> 則毀而笑之曰：彼小道耳，不足算也。嗟呼！所謂抱螢燭於環
> 堵之內者，不見天光之焜爛；侶鮒鰕於跡水之中者，不識四海
> 之浩汗，重江河之深，而不知吐之者崑崙也；珍黍稷之收，而不
> 覺秀之者豐壤也。

葛洪在此所論之“道”，亦以《易》學為理論基礎，闡明聖人之道的根
本內涵，並主張欲深明大道之本，乃在於提高修養，開拓境界，而追
求“黃老”之所執。於是，在反覆伸延的推證論說過程中，《易》之道
又與“黃老”之道交合而同趨於一本。再如宋末元初李道純《中和
集》論“易”與“象”，則尤見玄學理趣：

> 易可易，非常易；象可象，非大象。常易不易，大象無象。
> 常象，未畫以前易也；變易，既畫以後易也。常易不易，太極之
> 體也；可易變易，造化之元也。大象，動靜之始也；可象，形名
> 之母也。歷劫寂爾者，常易也；亘古不息者，變易也。至虛無
> 體者，大象也；隨事發見者，可象也。所謂常者，莫窮其始，莫
> 測其終，歷千萬世，廓然而獨存者也。所謂大者，外包乾坤，內
> 充宇宙，遍河沙界，湛然圓滿者也。常易不易，故能統攝天下

> 無窮之變;大象無象,故能形容天下無窮之事。易也,象也,其
> 道之原乎!

《周易》理論體系中,"易"與"象"是十分關鍵的哲學命題。漢儒有
"易一名而含三義"之説(謂變易、不易、易簡),《繫辭傳》不斷論述
"象"旨(謂觀物取象、觀象設卦等)。然李道純之言"易"、"象"之内
涵,則全然脱出前代《易》家的窠臼,完全沿循道家的思維理緒以抒
論,甚至直接採取《老子》"道可道,非常道"的語勢闡發"易"、"象"
的觀點。他所印證的最終結論,是"常易不易"、"大象無象",事實
上是把《周易》的變化之道和象徵之旨,綜歸於廓然清虚、自然無為
的道家境界,且與王弼的"得意忘象"、"得象忘言"之《易》學玄説有
異曲同工之妙。

二是,道藏中的《易》説,時時體現著道家修身、養性、煉丹、醫
卜等各方面特定的實用性。

《易》之為書,原即切近於"百姓日用",縱然是抽象的哲理也無
不有益於人生,故宋儒張載有"《易》為君子謀"之説。至於道藏中
的種種《易》説,則更是體現出道家立身處世的實用意義。唐代無
名氏《天隱子》第三篇《漸門》云:

> 《易》有《漸》卦,道有漸門。人之修真達性,不能頓悟,必
> 須漸而進之,安而行之,故設漸門。觀我所入,則道可見矣。
> 漸有五門:一曰齋戒,二曰安處,三曰存想,四曰坐忘,五曰神
> 解。何謂齋戒?曰澡身虚心。何謂安處?曰深居靜室。何謂
> 存想?曰收心復性。何謂坐忘?曰遺形忘我。何謂神解?曰
> 萬法通神。是故習此五漸之門者,了一則漸次至二,了二則漸
> 次至三,了三則漸次至四,了四則漸次至五,神仙成矣。

《周易》的《漸》卦,擬取山上有木而漸漸高大之象,六爻則以鴻鳥飛
行由低漸高、由近漸遠設喻,全卦闡明事物發展過程中循序漸進的
道理。《天隱子》這番論述,全以《漸》卦的思想為説,指明道家"修

真達性”的五個程序, 欲人明了此理, 依次而修行, 乃可至於無所拘礙的“神仙”之境。其説對於道家所提倡的身心修養顯然有著至為簡明精切的實用意義。

解説《周易參同契》的各種道籍, 也是道藏《易》説中針對性極強的經典, 歷來為修内外丹者所重視。如彭曉《周易參同契分章通真義》闡述《參同契》首章“乾坤者,《易》之門户, 衆之父母”數句之旨曰:

> 魏公(即魏伯陽)謂修金液還丹與造化同塗, 因託《易》象而論之, 莫不首採天地真一混沌之氣而為根基, 繼取乾坤精粹潛運之蹤而為法象, 循坎離否泰之數而立刑德, 盜陰陽變化之機而成冬夏。陰生午後, 陽發子初, 動則起於陽九, 静則循於陰六, 為修丹之大旨也。故以乾坤為鼎器, 以坎離為匡郭, 以水火為夫妻, 以陰陽為龍虎, 以五行為緯而含真精, 以三才為經而聚純粹。寒來暑往, 運行於三百八十四爻; 兔起鳥沈, 升降於三百八十四爻, 此皆始於乾坤二卦之體而成變化者也。

《參同契》的主旨是以《周易》的陰陽之道, 參合黃老的自然之理, 論述修丹之事。學術界或謂之論内丹, 或謂之論外丹, 或謂兼論内外丹, 迄今未有定説。彭曉此處解説, 似偏主於内丹之功。其説圍繞著乾坤、陰陽、動静等《易》學理論, 揭示“修丹之大旨”, 對道教丹家的指導意義是不言而喻的。

道藏中《易》説的實用性是多方面的, 在醫藥、占卜、星相、堪輿、命術等各種民間文化及方技領域, 往往都有《易》學的影子在產生着某種程度的作用。這方面的特性, 似乎與道藏本身所涉及的領域之廣不無關係。

三是, 道藏中的《易》説, 有不少具備了較顯著的文學性。

或許那些能夠兼通《易》學與玄學的道家文士, 都具有較深厚的文學素養、較開闊的創作心胸, 因而在他們筆下, 不僅玄理性的

文章寫得洋洋灑灑，文采橫生，甚至還常常以詩詞歌賦的形式來論
《易》闡道，或藉此以抒發性靈。

西漢焦延壽的《易林》為四千多首四言詩，東漢魏伯陽的《周易
參同契》為通篇韻文，這即使在漢代文學史上也不能不給予應有的
評價。當我們讀到邵雍的《伊川擊壤集》時，又情不自禁地受到那
些寓理精深又明白曉暢的論《易》詩的極大感染。如《觀易吟》云：

> 一物其來有一身，一身還有一乾坤。
> 能知萬物備於我，肯把三才別立根？
> 天向一中分體用，人於心上起經綸。
> 天人焉有兩般義，道不虛行祇在人。

這首詩玄意醇厚，《易》旨精深，把《周易》哲學中的天地人"三才"之
道融注於中，將人類與大自然內在溝通的奧理生動透徹地抒發於
字裏行間。邵雍詩學白居易，平白如話，讀之有不食人間烟火而超
然物外之感，遂能深刻地打動讀者的心靈。

道藏中的《易》說，有些是頗為枯燥的內容，但由於作者運用文
學性的語言進行創作，故能將這些文字表達得生動活潑。如玄和
子《十二月卦金訣》首段《復》卦下附七言詩一首曰：

> 復卦初爻起一陽，子時符節轉天罡。
> 高奇妙手修金鼎，清淨齋心奉玉皇。
> 白虎未能全制伏，青龍從此漸翱翔。
> 神仙自古皆同秘，誰道還丹別有方？

用流暢別致的七言詩來講述修丹之道，且運用了不少生動的比喻，
無疑大大增強了其書的可讀性。

像銘、頌、賦、詞、曲、散文等各種體裁的作品，在道藏《易》說中
也頻頻出現。這些作品與為數衆多的五言、七言詩歌共同匯成一
股文學大流，充分展示了道藏中的《易》說至為突出的文學色彩。
大概道家的始祖老子在撰寫《道德經》時便是運用詩歌的形式來表

現,故後世道家人物之撰述,多注重文采,這可能是或多或少地接受了老子文風的影響吧?

以上簡述的道藏中《易》説的三大特色,實屬粗線條的歸納,儻細加考索,當還有所增益。但必須指出的是,道藏中《易》説之實用性與文學性,事實上又是整個道藏典籍的總體特色,祇不過在《易》説著述中有着同樣突出的反映罷了。

四　關於道藏《易》説的研究方法及前景展望

對道藏中《易》説的研究,是一項頗有意義的課題。此課題最顯著的價值在於,既可以加深中國道家思想、道教文化的全面研究,又可以拓展《易》學史研究的新領域,從而總結出富有歷史意義與現實意義的學術規律。

但是,在着手研究之際,如何把握正確的研究方法以及如何進行資料性的清理工作是至為重要的。這裏提出筆者的幾點一己之見,以備學術界同道商榷評正。

第一,必須注意對道藏中《易》説的時代背景、作者的考證。尤其是一些無名氏的作品,須通過對作品内容的認真探討,結合其它相關資料,以考索出作者生活的大致背景與年代範圍,庶可進一步評價作品的學術意義。

第二,必須對道藏中《易》説的真偽性作出認真的考察。光緒間《重刊道藏輯要‧凡例》曾云:"道書之傳,真偽參半",又云:"道典非世俗文字,古今流傳。各書有備載年月詳明可稽者,亦有遞相沿述,無時可考。但其中真贋雜陳,精粗各判。"這類情況,務必慎重對待,一一清理,真者斷之為真,偽者判之為偽,實事求是,各還其書以本來面目。

第三,應當對道藏中的《易》説内容進行分類彙編。屬專著者

依類編排，屬零星散論者則按類編輯，然後總彙為一部專題性的
《道藏易說彙編》。這一資料性工作的展開，十分有利於該課題研
究的深入進行，而在清理彙編資料的過程中，也將可能會有某些新
的有價值的學術發現。

第四，在前項資料彙編的基礎上，對道藏中《易》學的全部內容
進行細緻的分析，再提取出兩漢以來傳世《易》家舊說中所未見的
資料，編成《道藏中之周易佚說輯存》，以裨益於中國《易》學史的研
究。道藏之書，其流傳往往別有途徑，與世傳儒家典籍的授受渠道
並非盡同，故間或保存着一些世所罕見的珍本秘籍，尤其是唐以前
的舊典，丹書、靈圖、醫卜等術數著作，其中零散之說或有至可寶貴
者，特須重視。我國漢魏時代之《周易》象數說保存至今者甚稀，各
種《易》圖的產生與發展亦頗有疑案，在研討道藏《易》說之際可能
將有某些可資印證的材料於意外之中發現。因此，這項工作的意
義實未可低估。

第五，於時期成熟之時，應編纂一部《道藏易說辭典》，把道藏
中《易》說的各方面典籍、人物、名詞、概念、流派等作一番有系統的
詮釋，則亦有補於道教與《易》學的全面研究。

道藏中《易》說的研究前景，據筆者之見，將是十分可觀的，袛
要把握正確的方向，假以一定的時日，必將會出現一批令人矚目的
成果。這一展望的理由有三：首先，目前無論在道家文化研究還是
在《易》學研究方面，海內外均已形成了較好的學術局面，不少優秀
成果迭連問世。在這種學術氛圍中，開展道藏《易》說專題研究，正
是十分有利的時期。其次，經過歷代學者，尤其是當代學者的長期
努力，道藏典籍的整理編纂刊行已經形成較為完備的規模，在這種
資料基礎上展開道藏《易》說研究，無疑為研究者提供了極大的方
便。再次，道家思想與《周易》哲學的一個共同點是——探討宇宙、
大自然以及人類生命的奧秘，在新世紀來臨之際，當代哲學的一個

重要使命即是回答人與大自然如何協調生存的敏感問題,而道藏
中《易》學研究的方向,在某種角度上正與這一問題相互合拍。順
應時代哲學的要求,擁有完備的原始資料,處在有利的學術時期,
這正是我們對道藏《易》説研究的前景充滿希望的原因所在。

　　筆者相信,在海内外學術界同道的共同努力下,道藏中《易》説
的研究將會引起學人的更大注意。本文所述,不過是拋向道家文
化研究領域的一塊引玉之磚,隨之而來的將是衆多富有建樹的學
術新成果的不斷湧現。

　　作者簡介　張善文,男,1949 年生於福建省長樂縣。現為福
建師範大學易學研究所所長、中文系教授,又任中國周易學會副會
長、東方易學研究院學術委員、福建中華易學研究中心理事長、臺
灣易經學會學術顧問等職。著有《周易譯注》(合撰)、《周易辭典》、
《象數與義理》、《易經初階》等書。

《道藏》《續道藏》《藏外道書》
中易學著作提要

劉韶軍

　　道教書籍,現存的資料基本上集中在明代正統年間編成的《道藏》、明代萬曆年間編成的《續道藏》及近年由四川巴蜀書社彙編出版的《藏外道書》中。在這些道教著作中,包含四十一種與易學有關的著作,本文即是對這些易學著作的簡要介紹。我所依據的《道藏》、《續道藏》,是文物出版社影印本和臺灣藝文印書館影印本,《藏外道書》則是巴蜀書社的影印本。①

　　這些易學著作,基本可以分為兩類,一是直接與《周易》有關的著作,共有十七種。這一類著作,其基本特點是利用《周易》進行發揮,與儒家人士的《周易》注解著作有明顯區別。除了李贄的《易因》之外,都帶有明顯的道家色彩,着重講象數、占筮、圖式。

　　第二類是為《周易參同契》作注的著作,共有二十四種。《周易參同契》是從《周易》中衍生出來的一個變種,它與《周易》有關,但又不是講六十四卦卦爻及其意義,而是運用《周易》的一些理念探討有關金丹之道的問題,這也是道家人士最為關心的問題所在。

　　上海古籍出版社 1990 年 6 月版《周易參同契古注集成》,收有《四庫全書》中《周易參同契》古注六種。該書《出版説明》稱:《周易參同契》"歷代注釋者達四十餘家"。這裏所謂的"四十餘家",並非

全部現存於世,而是據各種古籍著錄統計出來的,其中必有亡佚者。反觀《道藏》(包括萬曆續《道藏》和《藏外道書》),其中《周易參同契》類著作就有二十四種,已經佔了"四十餘家"的一半,可見道書在保存古籍方面確有不可忽視的作用。

《道藏》中易學著作原不止上述四十一種,文物版《道藏》第34冊內有《道藏闕經目錄》上下二卷,原注云:"於舊目錄內抄出",所謂"舊目錄",即舊有的《道藏》目錄。其卷上有:《周易圖說》五卷,《讀易叢說上經》二卷,《讀易叢說下經》二卷,《希夷先生直解周易》四卷三種,其卷下有:《周易證墜簡》二卷,《參同契心鑑》,《陰陽統略參同契》三卷,《參同契金鼎大還丹火記口訣》四種。可知原初收入《道藏》者,其後亦有亡佚。

上述41種以及已經亡佚的著作,都是專門性著作,比較容易搜尋。但此外還有不少與《周易》有關的資料,散佈於《道藏》《續道藏》及《藏外道書》中的其他著作中。這一類資料,雖然十分分散,但若集中起來,其數量質量都很可觀,可以說是一批很有價值的文獻資料。

比如,洞真部方法類夜字號的《會真集》,超然子王吉昌撰,其卷一有《太極圖》、《四象生八卦圖》、《八卦還元圖》、《旋樞七政八卦圖》等有關《周易》的圖式及相應的解說文字。其卷二則以"詞"論《周易》之理,如《坤卦老陰之象·木蘭花慢》一首、《乾卦老陽之象·木蘭花慢》一首,《乾坤卦象明道·蘇幕遮》一首,《風入松詞》十首論乾坤之義,《牆頭花》十首論復、臨、泰、大壯、姤、乾、夬、觀、剝、坤諸卦之義,等等。

又如洞真部方法類光字號有李道純撰《中和集》一書,其卷之一有《太極圖》、《太極圖二十五頌》、《畫前秘義》之《易象第一》、《常變第二》、《體用第三》、《三易第十三》等專篇論及《周易》的內容。其卷之三《問答語錄》中也有多段文字是就《周易》中的問題進行問答,如論《繫辭》所謂六畫成卦之義、論重卦問題、論一陰一陽之謂道等等。其卷之四又有《卦象論》等文。

再如洞真部方法類有《修真十書》一種,其卷九中有《無極圖說》、《既濟鼎圖》、《六十卦火候圖》、《大衍數圖》及其相應的解説文字。

諸如此類的資料,散見於《道藏》等書之中,尤其是在個人的文集中相對而言比較多見。要完整了解道書中的《周易》資料,對此類資料應該進一步收集整理,本文限於篇幅,祇對四十一種專門性的《周易》著作有所介紹,至於此外的散見資料,則需另一篇專文進行介紹。

以下先按年代順序列出現存四十一種易學著作的名目(成書時代不明者排在最後),以清眉目,然後逐一簡介其內容及相關問題。

1)《易林》十卷,西漢焦贛撰,續《道藏》正一部,千字號、兵字號兩函,文物版《道藏》第 36 冊,臺灣版《道藏》第 59 冊。

2)《周易參同契》三卷,託名長生陰真人注,《道藏》太玄部映字號函,文物版《道藏》第 20 冊,臺灣版《道藏》第 33 冊。

3)《周易參同契分章通真義》三卷。

4)《周易參同契鼎器歌明鏡圖》一卷,五代彭曉注,《道藏》太玄部容字號函,文物版《道藏》第 20 冊,臺灣版《道藏》第 33 冊,巴蜀版《藏外道書》第 9 冊。

5)《易數鈎隱圖》三卷,北宋劉牧撰。

6)《易數鈎隱圖遺論九事》一卷,《道藏》洞真部靈圖類,雲字號函,文物版《道藏》第 3 冊,臺灣版《道藏》第 4 冊。

7)《正易心法》不分卷,託名麻衣道者(宋崇寧三年序)撰,巴蜀版《藏外道書》第 5 冊。

8)《周易參同契》三卷,南宋朱熹考異,黃瑞節附錄,《道藏》太玄部容字號函，文物版《道藏》第 20 冊，臺灣版《道藏》第 33 冊。

9)《周易參同契解》三卷，南宋陳顯微撰，《道藏》太玄部若字號函，文物版《道藏》第 20 冊，臺灣版《道藏》第 33 冊，巴蜀版《藏外道書》第 9 冊。

10)《周易參同契發揮》九卷。

11)《周易參同契釋疑》一卷，南宋俞琰撰，《道藏》太玄部止字號函，文物版《道藏》第 20 冊，臺灣版《道藏》第 33 冊。

12)《易外別傳》一卷，南宋俞琰撰，《道藏》太玄部若字號函，文物版《道藏》第 20 冊，臺灣版《道藏》第 34 冊。

13)《易筮通變》三卷。

14)《易圖通變》五卷，元雷思齊撰，《道藏》太玄部若字號函，文物版《道藏》第 20 冊，臺灣版《道藏》第 34 冊。

15)《周易尚占》二卷，元李道純撰，巴蜀版《藏外道書》第 5 冊。

16)《三天易髓》一卷。

17)《全真集玄秘要》一卷，元李道純撰，《道藏》洞真部方法類光字號函，文物版《道藏》第 4 冊，臺灣版《道藏》第 5 冊。

18)《大易象數鈎深圖》三卷。

19)《易象圖説內篇》三卷。

20)《易象圖説外篇》三卷，元張理撰，《道藏》洞真部靈圖類，陽字號函，文物版《道藏》第 3 冊，臺灣版《道藏》第 4 冊。

21)《周易參同契分章注》三篇，元陳致虛撰，巴蜀版《藏外道書》第 9 冊。

22)《古易考原》三卷，明梅鷟撰，續《道藏》正一部給字號函，文物版《道藏》第 36 冊，臺灣版《道藏》第 59 冊。

23)《周易參同契測疏》三篇。

24)《周易參同契口義》三篇，明陸西星撰，巴蜀版《藏外道書》第 5、6 冊。

25)《周易參同契疏》一卷,明王文禄撰,巴蜀版《藏外道書》第 9 册。

26)《易因》六卷,明李贄撰,續《道藏》正一部家字號函,文物版《道藏》第 36 册,臺灣版《道藏》第 59 册。

27)《古文參同契玄解》三篇。

28)《古文參同契箋注》三篇。

29)《古文參同契三相類》,明彭好古撰,巴蜀版《藏外道書》第 6 册。

30)《周易參同契闡幽》三篇,清朱元育撰,巴蜀版《藏外道書》第 6 册。

31)《參同契脈望》三卷,清陶素耜撰,巴蜀版《藏外道書》第 10 册。

32)《周易闡真》四卷。

33)《孔易闡真》二卷。

34)《參同契經文直指》三篇。

35)《參同契直指箋注》三篇。

36)《參同契直指三相類》二篇,清劉一明撰, 巴蜀版 《藏外道書》第 8 册。

37)《頂批上陽子原注參同契》三卷,清傅金銓批,巴蜀版《藏外道書》第 11 册。

38)《周易參同契》三卷,儲華谷注,《道藏》太玄部若字號函,文物版《道藏》第 20 册,臺灣版《道藏》第 34 册。

39)《周易圖》三卷,不題撰人,《道藏》洞真部靈圖類,陽字號函,文物版《道藏》第 3 册,臺灣版《道藏》第 4 册。

40)《周易參同契注》三卷,無名氏撰,《道藏》太玄部映字號函,文物版《道藏》第 20 册,臺灣版《道藏》第 33 册。

41)《周易參同契注》二卷,無名氏撰,《道藏》太玄部容字號函,文物版《道藏》第 20 册,臺灣版《道藏》第 33 册。

　　以下對上述各書做一簡單介紹,着重説明各種書籍的注者、時代、内容主旨及相關問題。

　　1)《易林》上下二經,各五卷,共十卷,收於續《道藏》正一部千字號和兵字號兩函内,文物版《道藏》第 36 册内,臺灣版《道藏》第 59 册内。

　　此書卷首不題撰人名,而《續道藏經目録》則題為"焦氏易林",即漢人焦贛所著《易林》。其上經為乾之第一到離之三十,下經為咸之三十一到未濟第六十四,皆只有正文而無注解。

　　此本卷末有題識四種:"淳祐辛丑五月上浣直齋題《易林》後"、"成化癸巳夏四月二十六日後學安城彭華識"、"嘉靖四年春二月廣安姜恩書刊焦氏《易林》説"、"嘉靖甲午仲夏之十日長安馬驎書"[1]。直齋即南宋著名藏書家兼目録家陳振孫之號,撰有《直齋書録解題》,此"書題《易林》後"當即其中解題之一。《解題》將所藏圖書分五十三類,分述其内容及學術源流,但其原書已佚,今傳本僅為二十二卷,故此本《易林》解題值得録出,以供校勘:

　　"舊見沙隨程氏所紀紹興初諸公以《易林》筮時事奇驗,求之歷年,寶慶丁亥始得其書於莆田,[2] 録而藏之。皆韵語古雅,頗類左氏所載繇辭。間嘗筮之亦驗。獨恨多脱誤,無他本是正。嘉熙庚子自吳門歸雪川,[3] 偶為鄉守王寺丞侑道之,因以家藏本見假,雖復多脱誤,而因兩本參互校,十頗得八九。於是兩家所藏皆成全書。其間亦多重複,或數爻共一繇,莫可稽究。校畢歸其書王氏,而志其校正本末於篇後云。淳祐辛丑五月上浣直齋書題《易林》

────────────

　　① 此四者的公元年份分別為:淳祐辛丑,1241 年;成化癸巳,1473 年;嘉靖四年,1525 年;嘉靖甲午,1534 年。

　　② 寶慶丁亥,即公元 1227 年。

　　③ 嘉熙庚子,即公元 1240 年。

後。"

　　2)《周易參同契》長生陰真人注,上中下三卷,不分章,收於《道藏》太玄部映字號,文物版《道藏》20 冊,臺灣版《道藏》33 冊。

　　長生陰真人,據晉葛洪《神仙傳》卷五《陰長生傳》,為東漢時人,師事馬鳴生二十餘年以求仙道,後於平都山白日昇天成仙,故其人在道家人士心目中是一位神仙人物,此書題陰長生注,顯然是偽託其名。這一點已由陳國符先生考證論定,見其著《道藏經中外丹黃白法經訣出世朝代考》。[①]他的依據是此書卷上引用《金海》,而《金海》是歷經梁、北周、隋三朝的蕭吉所著,此書卷上還引用了初唐李淳風所著《乙巳占》。這都表明其書不可能是東漢時的陰長生所撰,而是唐代人所撰,最早是在李淳風在世時,或更晚於李淳風時。

　　另外,從葛洪的《神仙傳》也可看出陰長生不曾著此《參同契注》。其書卷五《陰長生傳》稱陰長生昇天臨去之時著書九篇,此外還著書三篇,這九篇及三篇的序都錄於卷中,然對照此本《參同契注》的序,則全然不同。再者,《神仙傳》卷二《魏伯陽傳》稱魏氏著《參同契五行相類》三卷,但並未言有人為之作注,更不用說陰長生的注了。由此看來,葛洪作《神仙傳》時既然對陰長生和魏伯陽的著作情況都有所記載,則陰長生真的曾為《參同契》作注,葛洪不可能在其書中對此事一字不提,這就可以反證此本《參同契》注托名之偽。

　　此書雖偽託陰長生之名,但因其成於唐代,故仍為現存《周易參同契》注本中之時代最早者。此書前有一序,既未署名,也無時間,從序文中看,知是此書作者所作,因為其中說:"余今所注,頗異諸家"。此書注解,自稱"忽遇真人明旦而受之,親蒙口訣,兼夢神

────────

　　① 載《中國科技史探索》1982 年。

授,握筆記之"。此種說法,是道家人士的常用伎倆,通過神秘其書的來源,來抬高其書的地位,故託名長生陰真人也可理解。

此書講外丹術,他說成丹之要:"日月互用,水火合成,龍虎相須,陰陽制伏,而成大丹。"具體則:"日者太陽之火精,則朱汞為龍是也,月者太陰之水精,即鉛銀為虎是也。此之二寶,天地之至靈,七十二石之尊,莫過於鉛汞也。感於二十四氣,通於二十四名,變化為丹,服者長生。"這種丹,明顯是外丹。他還區分出八種丹,認為最尊者有三品:"其大丹有八,而三品最尊。上品有神符白雪九轉金液大還丹,神水化之,五符蒙覆,人食者當白日衝天,八石五金,被化為寶,次中品有金花黃芽所製,養汞而成,紫金丹砂,或有日月倍添,名曰正養之道。下品有雄黃,屬土得位中宮將軍之號,能偃於水,曾青屬木,明目養神,變化水銀,成砂洞耀,名紫金丹。"這種大丹的作用非常神奇:"鳥食成鳳,蛇餌為龍,人服長生,天地同壽,收人魂魄,返老還童,呼風喚雨,玉女來侍,此實還丹之功也。"

3)《周易參同契通真義》,4)《周易參同契鼎器歌明鏡圖》　二書收於《道藏》太玄部容字號函,文物版《道藏》第20冊,臺灣版《道藏》第33冊,以及巴蜀版《藏外道書》第9冊《金丹正理大全》內,《大全》為紫霞山人涵蟾子所編。《通真義》大題下署名為"朝散郎守尚書祠部員外郎賜紫金魚袋昌利化飛鶴山真一子彭曉注",由此可知其當時的身份地位。《四庫全書總目》子部道家類《周易參同契通真義》"提要"稱彭曉為五代後蜀時人,字秀川,永康人,自號真一子。[①] 除此之外其具體事蹟不詳。

《通真義》分上中下三卷,共90章,其中上卷40章,中卷38章,下卷12章。正文之前有彭曉"序",《通真義》之後為《周易參

---

① 　見《四庫全書總目》卷146。

同契鼎器歌明鏡圖》一卷,題名與《通真義》同。內容有"鼎器歌"、
"讚序"、"明鏡圖"及"訣詩"、"日象火氣魂圖"、"月象金氣魄圖"、
"分八環例"及彭曉後序和南宋鮑仲祺序。《四庫全書》子部道家
類亦收此書,其書後也有"鼎器歌"、"明鏡圖訣""日象火氣魂圖"
"月象金氣魄圖""明鏡之圖"等,但無彭氏後序和鮑序。故《道藏》
中此二篇"序",值得注意。《四庫提要》說"曉自作前後序,闡發其
義甚詳"(同上),然檢視《四庫全書》本,並無後序和鮑序。

　　據彭曉後序的署名 "時孟蜀廣政十年歲次丁未九月八日昌
利化飛鶴山真一子彭曉序", 可知其成書時間在公元947年。任
繼愈主編《中國道教史》附錄 "中國道教史年表" 把《通真義》
成書時間繫於後漢高祖天福十二年, 公元947年, 與此相
符。(參見該書第764頁)

　　彭曉的注,按通行的看法,是現存最早的《周易參同契》注
本①,實際上應晚於託名陰長生的唐人注本,但他的注影響最大,
自宋至清的注家以及近代以來的研究者,都不能擺脫彭注的影響,
不管是贊成彭注者還是反對彭注者,都要對彭曉的注解有所表示。
所以可以說,彭曉的注本,一直是研究《周易參同契》的基本依據和
出發點,值得注意的是彭曉對《周易參同契》原文的分卷分章,《周
易參同契》本不分卷分章,至彭曉始為之分卷分章,這也是其後注
家分卷分章的基礎。

　　彭曉界定《周易參同契》的基本內容,"謂修丹與天地造化同
途,故託易象而論之",② 這種託論說,並非他的創論,而是沿襲晉
代葛洪的說法。葛洪《神仙傳》卷二《魏伯陽傳》中稱:"伯陽作《參

---

　　① 託名陰長生的注本,任繼愈稱其為唐代著作,此一點尚待證實,按通行的看法,
彭曉的注本是現存最早的《周易參同契》注本。

　　② 見《通真義》彭曉前序。

同契五行相類》,凡三卷,其説似解《周易》,其實假借爻象以論作丹之意,而儒者不知神仙之事,反作陰陽注之,殊失其大旨也。"自彭曉在其注中再倡此説後,就基本成爲一種定論,如朱熹亦承此説。

彭曉對《參同契》所言的内丹原理和步驟歸納爲:"凡修金液還丹,先尋天地混元之根,次究陰陽分孹之象",然後則要"循動静"、"知其數"、"依刻漏"、"明進退"、"分龍虎",達到"南北之界定矣,金木之形合矣,大丹之道成矣"的境地。[1]

5)《易數鈎隱圖》,6)《易數鈎隱圖遺論九事》　前者上中下三卷,題"三衢劉牧撰",後者一卷,亦劉牧撰。收於《道藏》洞真部靈圖類云字號函,文物版《道藏》第 3 册,臺灣版《道藏》第 4 册。

《四庫全書》亦收此書,其書"提要"中介紹劉牧其人,字長民,彭城(今江蘇徐州)人,官至太常博士,著有《周易注》十一卷及此《鈎隱圖》。《宋史·藝文志》載此書僅一卷,而晁公武《郡齋讀書志》則記爲三卷。[2] 其書此後都爲三卷,此恐人爲的分卷之異,並非原有一卷與三卷之差别。易學在古代分爲象數、義理、圖書三派,漢代主象數,魏晉之後主義理,宋代則出現圖書一派,《四庫提要》認爲宋代易學走向圖書派,就以劉牧爲首倡者。其實圖書也是象數的方法,因爲圖即來自數,祇不過圖書派把象數的範圍更加拓寬,内容更加龐雜而已,而其性質則與象數没有根本區别。

此本正文前有《序》一篇,説明了他的易學觀點。劉牧認爲"夫易者陰陽氣交之謂也。若夫陰陽未交,則四象未立,八卦未分,則萬物安從而生哉! 是故兩儀變易而生四象,四象變易而生八卦,重卦六十四卦,於是乎天下之能事畢矣。"這是説陰陽二氣的交通、變化是萬物發生、變化的根源,易就是説明陰陽交變之理的學説。他

---

①　此段引文,除特别注明者外,均見《通真義》彭曉後序。

②　參見《四庫全書總目》卷二。

強調易卦對象數的重視，而數更為根本，象亦由數決定，由此更可見圖書派易學與象數派易學的內在關係，他說："夫卦者，聖人設之觀於象也。象者形上之應，原其本則形由象生，象由數設。捨其數，則無以觀四象所由之宗矣。是故仲尼之讚《易》也，必舉天地之極數，以明成變化而行鬼神之道，則知《易》之為書，必極數以知其本也。"

　　重視象與數，這就是象數派與圖書派的共通之處。若僅從表面上看，可以分之為二派，但若從實質上看，兩派豈非一家？其書名稱作《易數鈎隱圖》，就是要用圖的方式來闡明數的義蘊。所以圖還是服從於數的，數才是最根本的。劉牧甚至把孔子也拉來作為自己一派的代表，以證明用象數或圖書來説明易理的權威根據。他所以要著《易數鈎隱圖》，則是因為衆多注釋家對易理的解釋衹注重於"分經析義，妙盡精研"，而對"解釋天地錯綜之數，則語惟簡略，與《繫辭》不偶"。簡略已經不對，更何況還不符合夫子的原意，這對理解易理，都是極為嚴重的錯誤，此即其著書之起因。

　　其圖的依據是"天地奇偶之數"，其敘述的順序及方法則是"自太極生兩儀而下，至於復卦，凡五十五位，點之成圖，於逐圖下各釋其義"。[①] 而其書各圖的名稱則從"太極第一"、"太極生兩儀第二"、"天五第三"，以下直至"十日生五行並相生第五十五"。在此五十五圖之後又有"龍圖龜書論"一篇，此皆《易數鈎隱圖》之內容。他似乎覺得還沒有充分説明，於是又有《易數鈎隱圖遺論九事》之作，從"太皋氏授龍馬負圖第一"論至"陽下生陰陰上生陽第九"，仍然是先列圖後論説，論述了諸如河圖洛書的來歷、大衍之數的意義、重六十四卦、變六十四卦的方法，由易之數見天地之心的原理、蓍數揲卦的過程、分辨陰陽及陰陽相生的道理、卦所以終於未濟的

---

①　見《易數鈎隱圖》劉牧序。

用意等等問題。此《遺論九事》，可看做《鈎隱圖》的補充，也是其書不可分割的一個部份。

　　7)《正易心法》一卷，收於巴蜀版《藏外道書》第 5 冊內，據其版心則為"汲古閣本"，前有"主簿程准"抄錄的"崇寧三年(1104 年)廬峰隱者李潛几道之序"，但非全文，僅有一頁，從序文首句"麻衣道者，羲皇氏正易心法"到"源流天造，前無古人"處，其後尚脫一頁，即從"後無來者"至終句"得其人當與共之"一節文字，以及序作者李潛的署名。但在其卷末則有此序的全文，及"乾道元年玉溪戴師愈孔文撰"之序。

　　此書相傳為麻衣道者所作，此本大題即作"麻衣道者正易心法"，其小題則云"希夷先生受並消息"，李序稱此書得之於"廬山一異人"，並對懷疑此書非真本者作了解釋，認為即便不是麻衣道者本人的作品。也出自麻衣之徒之手。他的依據是看此書中的"文辭議論"，即可肯定它是"物外真仙之書"，並可由此書而"知易道之大"。[①] 但朱熹則認為不然，他對人說："一如《麻衣易》，只是戴氏自做自解，文字自可認。"[②] 戴氏就是於乾道元年為此書撰序的玉溪戴師愈。朱子此說也成定論，後來的姚際恆作《古今偽書考》及《四庫全書總目提要》均執此說。

　　此本仍有內容可觀，不可因是偽作而忽略之，自可看做宋代易學中的一家之言。其正文之前有"正易卦畫"，列出"上經三十卦共得十八"和"下經三十四卦共得十八"兩個卦陣圖。其正文為四言之句，四句為一段，即注所說的"每章四句者"。其下又有注語，此注語即小題所指"希夷先生"的"消息"。其注語云："'正易'者，正謂卦畫，若今經書正文也，若周孔辭傳，亦是注腳。每章四句者，心

----

①　參見該書卷末李潛几序。

②　見《正易心法》卷首題注。

法也。訓於其下,消息也。"①可知所謂"正易"是指《周易》的卦畫,
"心法"即此書之正文,每章四言四句,這與周孔辭傳相類,都是所
謂"正易"的注脚。"消息"即是所謂陳希夷先生對"心法"作的注。
由此可知本書的體例。

　　《正易心法》強調對《周易》"卦畫實義"的理解及在此基礎上的
"實用",如謂:"羲皇易道,包括萬象,須知落處,方有實用。""消息"
對此的解釋是:"落處謂卦畫實義所在,不盲誦古人語也。"②所謂
的"卦畫",此書認為出自伏羲之手,卦畫的實義即所謂"羲皇易
道"。而周孔的辭傳,則使本來使用卦畫表達的羲皇易道含混模糊
了:"易道不傳,乃有周孔,周孔孤行,易道復晦。"③卦畫本身不是
文字,用辭傳之類的文字解釋它,反而使人不易理解,所以説:"卦
象示人,本無文字。"④"六十四卦,無窮妙義,盡在畫中。"⑤"天地萬
物,理有未明,觀於卦脈,理則昭然。"⑥"消息卦畫,無止於辭,辭外
見意,方審易道。"⑦所以此書的重點不是它的文字,而是其卷首的
卦圖,即其對六十四卦的排列次序。

　　8)《周易參同契》,上中下三卷,即上中下三篇,不分章。收於
《道藏》太玄部容字號函,文物版《道藏》第20册,臺灣版《道藏》第
33册。

　　此本實即朱熹的《周易參同契考異》,但在收入《道藏》之時却
削去了朱子之名。該書注下有黄瑞節的"附録",黄瑞節在卷首的
朱熹序文之下附有一序,末署名"廬陵後學黄瑞節附録"。此一"附

---

① 　(《易經心法》一章)
② 　(《易經心法》四章)
③ 　(《易經心法》三章)
④ 　(《易經心法》五章)
⑤ 　(《易經心法》七章)
⑥⑦ 　(《易經心法》六章)

録序”，在《四庫全書》本中，則有序而無署名。但《四庫全書總目》
的《周易參同契考異》的“提要”中則提到了“黃瑞節附録”。對照
《道藏》本，更可證明《四庫全書》本朱熹《周易參同契考異》中的附
録即黃瑞節之附録。

　　黃氏的“附録序”云：“《參同契》注本凡一十九部，三十一卷，其
目載夾漈鄭氏《藝文略》。彭曉本最傳，然分三卷為九十章，以應陽
九之數，歌鼎銘一篇，以應水一之數，其傅會類如此。蓋效河上公
分《老子》為上經下經八十一章，而其實非也。鮑氏云：‘彭本為近
世淺學妄更，秘館所藏，民間所録，差衍誤脫，莫知適從。’朱子考辨
正文，引證依據，其本始定，今不敢又贅附諸説云。”知他以朱熹的
考辨為準，故引用朱子之説附録於此注本之中，而所謂“鮑氏”，即
為彭曉《周易參同契通真義》卷末作跋的鮑仲祺。

　　黃氏“附録”謂《參同契》注本一十九部”至“以應水一之數”一
節，與《四庫全書總目》的説法頗為相近，《四庫全書總目》卷146子
部道家類《周易參同契通真義》“提要”謂“至鄭樵《通志·藝文略》始
別立《參同契》一門，載注本一十九部，三十一卷，今亦多佚亡，獨彭
曉此本尚傳，共分九十章，以應陽九之數。又以歌鼎器一篇字句零
碎，難以分章，獨存於後，以應水一之數”。黃瑞節附録，在《四庫全
書總目》內已見稱引，其卷146子部道家類《周易參同契考異》“提
要”中説：“故黃瑞節附録謂其師弟子有脫屣世外之意，深得其情”，
可知《四庫》的“提要”論彭曉的分章之説是據黃説立論。不過這一
説法實來源於彭曉本人，如其《鼎器歌》注云：“曉所分《參同契》並
《補塞遺脫》四篇為九十章，以應陽九之數，外餘《歌鼎器》一篇，本
在《補遺》之前，謂其辭理鈎連，字句零碎，獨存於此，以應水一之
數。”

　　朱熹認為“《參同契》本不為明《易》，姑藉此納甲之法以寓其行
持進退之候”，然而“此雖非為明《易》而設，然《易》中無所不有，苟

其言自成一家,可推而通,則亦無害於易。"① 這表明了朱熹對《周易參同契》的基本看法。他的注解,亦理解《周易參同契》為内丹法,如謂"此言人心能統陰陽,運轂軸以成丹也。'銜轡'謂所以使陰陽者,'繩墨'謂火候軌轍,指其升降之所由。"② 他對《參同契》一書的主旨也有所論説:"此書之法,以一月為六節,分屬六卦:震一、兑二、乾三、巽四、艮五、坤六,每五日為一節,故言'朔旦則震始用事',而為日月陰陽交感之初,於是加修煉之功,……此實一篇之要言也。"③

9)《周易參同契解》,收於《道藏》太玄部若字號函,文物版《道藏》第 20 册,臺灣版《道藏》第 33 册,及巴蜀版《藏外道書》第 9 册之《金丹正理大全》中。

此書不分章,而分上中下三卷,南宋陳顯微撰。此本卷前有二序,一為金華洞元天璧壺道人鄭伯謙序,一為抱一子陳顯微序,均作於宋端平改元之年(1234 年)。書後附有"法象圖""寅申陰陽出入圖""五行相得而各有合圖""鼎器歌""《參同契》摘微"及希微子王夷後序等。

據《四庫全書總目》卷 146《周易參同契解》之"提要",陳顯微,字宗道,淮陽人,自號抱一子,南宋嘉定端平年間的臨安佑皇觀道士。其《參同契解》,正文悉依彭曉之本,分卷而不分章,則是依據葛洪《神仙傳》的説法,但個別之處有所移動,如"象彼仲冬節"以下 70 字,彭曉本在"枝莖葉"之下,而陳顯微則移到"太陽流珠"一節内,這是陳顯微根據書中"别序四象"的説法而作的調整。

陳顯微解《參同契》,是要説明道、一、金丹的關係。他認為

---

① 　見文物版《道藏》第 20 册,《周易參同契》朱熹考異本卷首黄瑞節"附朱子曰"。
② 　見文物版《道藏》第 20 册,《周易參同契》上篇"覆冒陰陽之道"注。
③ 　見文物版《道藏》第 20 册,《周易參同契》上篇"晦至朔旦震來受符"注。

“道”之本體難以求知，所謂“不可以心思，不可以言議，不可以智知，不可以識識”，然而“道”要“生一”，然後則“道可得而神明矣”。這個“一”是“天地之母，造化之本，萬物之祖也。”更具體地說，“一”就是“金丹”：“一者，金丹也。”而“金丹者，返本還元、歸根復命之妙道也。”① 金丹是“妙道”，所謂“妙道”就是“返本還元、歸根復命”的絕妙途徑，而“返本還元、歸根復命”，則是人與本源之道的同一。在此基礎上，陳顯微斷定《參同契》所言是內丹而非外丹：“世人不當認為外藥耳！苟妄認為外藥，則武都雄黃、四神八石之類，去道遠矣。”②

此本卷下後附“《參同契》摘微”一篇，非陳顯微注，因為其中注文說：“彭真一、陳抱一、儲華谷三家議論不同，中間寧無穿鑿，其說皆失經意”。此篇為五言長詩，詩中有注，所言亦成丹之法，既非彭、陳、儲三家注，故值得注意。其大意謂：“以金為堤防，水入乃優游。金計有十五，水數亦如之。臨爐定銖兩，五分水有餘。二者以為真，金重如本初。其三遂不入，火二與之俱。三物既合受，變化狀若神。下有太陽氣，伏蒸須臾間。先液而後凝，號曰黃輿焉。”

10)《周易參同契發揮》，11)《周易參同契釋疑》，12)《易外別傳》，三書皆俞琰著，收於《道藏》太玄部止字號、若字號函，文物版《道藏》第 20 冊、臺灣版《道藏》第 33、34 冊。

俞琰(1258—1314)，字玉吾，號全陽子、林屋山人、石澗道人，宋末元初的道教學者，吳郡(今江蘇吳州)人，著作此外還有《周易集說》、《易圖纂要》、《陰符經注》、《呂純陽真人沁園春丹詞注解》、《林屋山人集》、《書齋夜話》、《月下偶談》、《席上腐談》等。

《周易參同契發揮》，此本為九卷，《四庫全書》本則為三卷，雖

① 以上引文均見陳顯微《周易參同契解》自序。
② 見《周易參同契解》卷下。

有三九之異名,實則内容無不同。三卷本是把《周易參同契》的上中下三篇各分為一卷,而九卷本則把此三篇又加分割。即以上篇第一為卷之一,上篇第二為卷之二,上篇第三為卷之三,上篇第四為卷之四,中篇第一為卷之五,中篇第二為卷之六,中篇第三為卷之七,下篇第一為卷之八,下篇第二為卷之九。所以如此分,可能是因為《發揮》一書的篇幅較大。

《道藏》本《周易參同契發揮》卷首有阮登炳序,至大三年(1310年)張與材天師之題辭及俞琰的自序,此皆《四庫全書》本所無。尤其是俞琰的自序,落款為"至元甲申(1284年)四月十四日林屋山人全陽子俞琰玉吾自序",由此即可定其成書時間,而張與材題辭的時間則晚了三十多年。《四庫全書總目》卷146《周易參同契發揮》"提要"謂此書"乃至大三年嗣天師張與封所刊",① 由此可知其書刊刻時間。其書由朝廷任命的天師來負責,可見當時人們對它的重視。

俞琰自序對金丹之道有簡要説明:"神仙還丹之道,至簡至易,如此〇而已。此〇者何? 易之太極是也。"而《參同契》即與此"太極"的參、同、契:"東漢魏伯陽假之以論作丹之意,而號其書為《周易參同契》也。'參'也者,參乎此〇也。'同'也者,同乎此〇也。'契'也者,契乎此〇也。是為正道,反是則為泛泛無稽之言,臆度不根之學,旁門小法而已。"

至於《周易參同契》書中的各種用語,俞琰認為都不過是"寓言""譬喻",表面看來有各種不同的說法,但歸根結底"不過一陽一陰而已,合陰陽而言之,不過一太極而已。"② 各種寓

---

① 按"封"當為"材"字之誤,張與材為正一道第三十八代天師,在元成宗大德八年(1304年)曾被封為"正一教主",地位十分顯赫。

② 以上引文均見俞琰的《自序》。

言性的用語都是用來說明太極的，所謂"參同契"也就是要參透這個太極之理，並讓自己的思想行動完全符合這個太極之理，達到默契無違的境地。這就是俞琰所理解的金丹之道和參同契之義。

《周易參同契釋疑》一卷，《四庫全書總目》卷 146 本書"提要"稱其"考核異同，較朱子本尤詳備明白"。後出者轉精，此亦當然之理。俞琰在《釋疑》卷首有一篇跋，說明了有關《周易參同契》校勘考釋的情況："其辭錯亂，本不可以分章也。(彭曉)分章解義，誠可謂佐佑真經矣。然承誤注釋，或取斷章。大義雖明，而古文闕裂。……合諸本參訂之，雖皆出於先正數君子讎校，而其間更有大段舛誤。"其所謂"舛誤"，如誤以《補塞遺脫》為淳于叔通作，俞琰以為《補塞遺脫》"即魏公自序也"，"此章為魏公自序明矣"；他還認為《補塞》一章本在《鼎器歌》後，彭曉移於《鼎器歌》之前，"此倒置之失，實自彭公始也"；他還辨明《三相類》不是《五相類》並闡明《三相類》之原意："五相類即非五相類，乃三相類也。三相類者，大易、黃老、爐火，三者之陰陽造化，互相似也。"① 由此可見俞琰的《釋疑》確有獨到之見。

《易外別傳》一卷，題"古吳石澗道人俞琰述"，卷首有序，署"至元甲申(1284 年)八月望日古吳石澗道人俞琰書"，則此書與《發揮》一書同年完成。此序說明所謂"易外別傳"之意："易外別傳者，先天圖環中之秘，漢儒魏伯陽《參同契》之學也。"他說《參同契》之學"大要不出先天一圖"。之所以能明白這一點，是由於"忽遇隱者授以讀《易》之法，乃盡得環中之秘。"看來他的"易外別傳"即他心目中的《易》之真義秘傳。他說由這種別傳之義可知人"身中之易"："反而求之吾身，則康節邵子所謂'太極'、所謂'天根月窟'、所

① 此段引文皆見俞琰《釋疑》卷首跋。

謂'三十六宮'，靡不備焉，是謂身中之易。"① 其《易外別傳》一書
就是用圖式的方法具體說明這種別傳之義及身中之易的。在對這
些圖式的說明中，他主要引用先儒之説，如邵康節、胡安定、程伊
川、彭真一、張橫渠、項平庵、徐進齋等人及《太玄經》、《陰符經》、
《靈樞經》、《皇極經世書》等書，然後再述己見。其圖式有《太極
圖》、《先天圖》、《先天六十四卦圖》、《周易參同契金丹鼎器藥物火
候萬殊一本圖》等共十五種圖式，總之，此書把《參同契》之學説成
易外別傳的先天之秘，故仍可看作俞琰《參同契》研究的組成部分。

　　《易外別傳》後附有《玄牝之門賦》一篇，其篇末有跋，補充説明
其述《易外別傳》之意："右《易外別傳》一卷，為之圖、為之説，披闡
先天圖環中之極玄，證以《參同契》《陰符》諸書，參以伊川、橫渠諸
儒之至論，所以發朱子之所未發，以推廣邵子言外之意。……嘗慨
夫世傳丹家之書，廋辭隱語，使覽者無隙縫可入，往往目眩心醉，而
掩卷長嘆。如蔡季通、袁機仲嘗與朱子共訂正《參同契》矣，雖能考
其字義，然不得其的傳，未免臆度而已。余今既得所傳，又何忍緘
默以自私，乃述是書附於《周易集説》之後，而名之曰《易外別傳》，
蓋謂丹家之説雖出於《易》，不過依仿而託之者，初非《易》之本義
也。丹道之大綱要領，予於是書言之悉矣。丹道之口訣細微，則具
載於《參同契發揮》三篇。"② 可知《易外別傳》一書，乃其《周易集
説》《周易參同契發揮》二書的歸納總結，詳義在彼二書，大旨則在
此一篇。三者必須合看。

　　13)《易筮通變》，14)《易圖通變》，二書皆臨川道士雷思齊著，
收於《道藏》太玄部若字號函，文物版《道藏》第 20 册，臺灣版《道
藏》第 34 册。

---

① 　此段引文皆見俞琰《易外別傳》卷首自序。
② 　見俞琰《玄牝之門賦》後跋。

　　雷思齊,字齊賢,宋元之際的著名學者。《易圖通變》卷首有張宗演序、揭傒斯序、吳全節序及雷思齊自序。張宗演為元代正一道第三十六代天師,至元十三年(1276年)受到元世祖忽必烈的召見,命他主領江南諸路道教事務。而此書張宗演序則作於至元丙戌年,即至元二十三年(1286年),正是正一道大為盛行之時,雷思齊自序署為"大元大德庚子(1300年)九月臨川道士雷思齊齊賢序",時間晚於張宗演作序時,則張序為其成書之時,而雷序為其刊刻之時。

　　揭傒斯序稱:"雷先生思齊,字齊賢者,臨川之高士也。遭宋亡,獨居空山之中,著《易圖、筮通變義》、《老子本義》、《莊子旨義》,凡數十卷,《和陶詩》三卷。去儒服稱黃冠師,與故淳安令曾公子良、今翰林學士吳公澄相友善。四方名士慕其人,往往以書疏自通。或聞其講學,莫不爽然自失。"吳全節序稱:"先生諱思齊,字齊賢,學者尊之曰空山先生。"又說:"昔世祖既定江南,首召三十六代天師入朝,未幾天師奉旨掌道教,還山遂禮請先生為玄學講師,以訓迪後人。"吳序作於至順三年(1332年),其中稱"先生之歿迨三十年矣",是張宗演為其作序之時,雷思齊尚在世,而他在正一道中也享有很高地位。

　　《易筮通變》上中下三卷,為五篇論說,卷上為《卜筮》、《之卦》二篇,中卷為《九六》一篇,下卷為《衍數》、《命蓍》二篇,主要內容都是關於周易占筮的原理與方法。

　　其《卜筮》篇謂卜與筮之別:"卜者未嘗引易之筮,筮者未嘗引龜之卜也。"他根據《左傳》中的有關記載,如"有專卜而不筮者"、"有兼用卜筮而卜有辭筮亦有辭者"、"有先卜後筮者"、"有先筮後卜者"等等情況,"因論卜筮之不可概同"之意。

　　其《之卦》篇論之卦之義,認為"是足以溯明《易大傳》之辭也者,各指其所之者,非為它設也,為之卦設也。"《易》之之卦就是根據易卦的變動以"見天下之動而觀其會通,以行其典禮,斷其吉凶"。其《九六》篇論易卦爻之變者惟九六之爻,而七八之爻爲不變者,所以易占用九用六而不用七用八,如謂"乾曰用九,坤曰用六,何謂也?曰:釋七八不用也。……六十四卦皆然,特於乾坤見之,則余可知爾。"並引《乾鑿度》、晁説之、歐陽修、朱熹之説以證之。

其《衍數》篇論天地之數合爲五十五,而大衍之數祇用五十的原因。認爲五十五數之中有"五太"之數,此"五太"之數祇能虚而不用。所謂"五太",即《列子》《乾鑿度》中所謂的"太易"、"太初"、"太始""太素"再加上"太極"而爲"五太"。

其《命著》篇論"著豈徒生,數豈虚倚,卦豈苟立,而爻豈謾爲哉?"而是"因爻畫卦,因卦兆數,因數用筮,以極天下之賾,以鼓天下之動"。

《易圖通變》,五卷,是雷思齊關於河圖的論著。大意謂河圖本爲圓圖,其數祇有四十,而世傳之河圖則誤爲方圖,並誤加天五地十之數於其中,故著此一篇以辨明之。其書自序云:"河圖,八卦是也。圖之出,聖人則之。……始因之畫八卦以作《易》也。孔子謂其'則之',豈欺我哉?圖之數以八卦成列,相蕩相錯,參天兩地,參伍以變,皆自然而然。後世不本其數實惟四十,而以其十五會通於中,乃妄計天地之數五十有五,以意增删於四十之外,以求其合。幸其中,故愈説愈迷,紛紛至今。余因潛心有年,備討衆説,獨識先聖之指歸,遂作《通變》,傳以四方千載學《易》者,同究於真是焉。兼筮法亦乖素旨,附見後篇。"可知其《易筮通變》用《易圖通變》之補充。

15)《周易尚占》,上中下三卷,收於《藏外道書》第5册內,不題撰人姓氏。《四庫全書總目》子部術數類存目二有此書,其"提要"謂"不著撰人名氏",但"前有丁未大德(1307年)寶巴序"。《藏外道書》本無寶巴序,由此可知成書時間在元代大德年間。《四庫全書總目》"提要"謂寶巴序"稱為瑩蟾子李清菴作。"然後案曰:"元李之純,號清菴,又號瑩蟾子,有《中和集》,別著錄,則此書乃之純撰也。"① 此處謂"李之純",有誤。查《四庫全書總目》卷147子部道家類存目,有《中和集》三卷,其"提要"云:"元李道純撰。道純字元素,號清菴,都梁人,又自號瑩蟾子。"《道藏》洞真部方法類光字號函也有《中和集》一書,題"都梁清菴瑩蟾子李道純元素撰"。據此可知所謂"李之純"乃"李道純"之誤。

　　此書三卷分十八部,上卷四部,中卷五部,下卷九部。其内容都是運用周易進行占筮的原理及方法。如《圖局部第一》圖示由無極至八卦的生成過程,又有八卦方位圖、乾坤生六子圖、天干納甲圖、支干納音圖、五子歸元圖等,這是説明利用周易進行占筮的基本原理。《旁通用第二》的内容則為"六位例""月建六神例""八卦取象例""八卦休旺例""逐月吉凶神殺例""逐日吉凶神殺例"等,此類的"例"即占筮家對周易八卦的具體應用之格式。此書之占法僅用八卦,不用六十四卦,而所用八卦,實即京房易之八宫卦法,又用八卦六位之例,也是京房易占法,此外則加上了後代的吉凶神殺(煞)内容,由此構成本書占法之特色。

　　16)《三天易髓》,17)《全真集玄秘要》,各為一卷,皆瑩蟾子李清菴著,收於《道藏》洞真部方法類光字號函,文物版《道藏》第4册,臺灣版《道藏》第5册。

　　《三天易髓》的主旨是要"引儒釋之理證道,使學者知三教本一,不生二見。"② 其書在形式上分為《儒曰太極》、《道曰金丹》、《釋曰圓覺》三個部分,説明三家的名目雖異,而本旨並無二致。其《儒曰太極》部分為一篇歌頌之文,正文為:"乾坤鼎器,潛龍勿用,

　　① 見《四庫全書總目》卷111。
　　② 見《三天易髓》卷首注語。

見龍在田，終日乾乾，或躍在淵，飛龍在天，亢龍有悔，履霜至冰，直方大，含章可貞，括囊無咎，黃裳元吉，龍戰於野，溫養靈胎，玄珠成象"，而每句之下則賦一首歌訣，闡明其意。如"乾坤鼎器"句下訣云："上柱天，下柱地，祇這人，是鼎器，（咦）既知下手，工夫簡易。""玄珠成象"句下訣云："掀倒鼎，踢翻爐，功備也，產玄珠，歸根復命，抱本還虛"，顯然這都是元曲的調子。

其《道曰金丹》部分，分為《金丹頌》、《金丹了然圖》二篇文字。《金丹了然圖》實際無圖而祇有九首絕句，一曰下手，二曰安爐，三曰採藥，四曰行功，五曰持盈，六曰溫養，七曰調神，八曰脫胎，九曰了當。其《釋曰圓覺》部分，為一篇論文，名曰《心經直指》，論述了佛教追求的所謂"圓覺"與道家的金丹本質一致性。

《全真集玄秘要》，由《注讀〈周易參同契〉》和《太極圖解》二篇文章組成。前一篇是要"推明火候之大本"(同上)，其根本思想是主張"五行順兮常道有生有滅，五行逆兮丹體長存長靈"，[1] 並注釋說："五行顛倒，……真常之道也，真常之道，常存不壞也。五行順行，……五常之道也，五常之道屬生滅法也。"其後一篇是要說明無極為根極之始，而太極、陰陽、五行皆出自無極，因此金丹之道就是要人"原始返終，知生死之說"，而易之根本目的也就在此而已："大哉易也，斯其至矣"。[2]

18)《大易象數鈎深圖》，上中下三卷，不題撰人，也是列圖並加文字說明，收於《道藏》洞真部靈圖類陽字號函，文物版《道藏》第3冊，臺灣版《道藏》第4冊。《四庫全書》經部易類收有此書，其書"提要"稱此書為元代張理撰，理"字仲純，清江人，延祐中(元仁宗年號，1314—1320年)官福建儒學提舉"，"其書初少傳本，《通志堂

---

① 見《注讀〈周易參同契〉》篇正文。
② 見《太極圖解》篇正文。

經解》刻本與劉牧之書均從《道藏》中録出。諸家著録，卷帙亦復不同。"① 此書在《道藏》内並未題明撰人姓名，不知《四庫全書總目》根據什麽説它是張理的著作，此事有待進一步考證。

　　此書卷上有《太極貫一之圖》、《太極函三自然奇偶之圖》、《德事相因皆本奇偶之圖》、《説卦八方之圖》、《河圖始數益洛書成數圖》、《河圖八卦圖》、《渾天六位圖》、《方圓相生圖》、《六爻三極圖》、《五位相合圖》、《蓍卦之德圖》、《序上下經圖》等；卷中有《三變大成圖》、《重易六爻圖》、《六十四卦天地數圖》、《六十四卦萬物數圖》、《卦爻律吕圖》、《陽卦順生陰卦逆生圖》、《八卦生六十四卦圖》、《八卦變六十四卦圖》、《六十四卦反對變圖》等，此外則多為六十四卦各卦之圖，與《周易圖》卷中卷下的圖式相同；卷下則有《六十四卦卦氣圖》、《日月運行一寒一暑卦氣圖》、《河圖百六圖》、《八卦司化圖》、《陽中陰陰中陽圖》、《(揚雄)〈太玄〉準易卦氣圖》、《温公〈潛虚〉擬玄圖》、《〈潛虚〉性圖》、《古今易學傳授圖》等。其《古今易學傳授圖》所列的易學傳授系統至宋代的二程、張載、吴秘、黄黎獻、牛師德、牛思純止，此一點值得注意。

　　19)《易象圖説内篇》，20)《易象圖説外篇》，二書各三卷，皆元代張理撰，收於《道藏》洞真部靈圖類雲字號函，文物版《道藏》第3册，臺灣版《道藏》第4册。《内篇》卷首有至正丁酉(1357年)紫云山人黄鎮成序及至正二十四年(1365年)張理自序。二序間隔有七年之久，可能一在成書之時，一在刻書之時。

　　《四庫全書》子部術數類亦收此書。《四庫全書總目》該書"提要"謂此書將"一切推本於圖書，蓋與張行成《易通變》相類，皆《皇極經世》之支流也。"並斷定圖書之學源自道家。②

---

　　①　見《四庫全書總目》卷4。
　　②　見《四庫全書總目》卷108。

　　張理的自序説明了《易》與河圖、洛書的關係:"(河)圖、(洛)書者,天地陰陽之象也,《易》者聖人以寫天地陰陽之神也。……圖之天〇者一(按:即陽爻)也,圖之地‥者――(按:即陰爻)也",《易》的一、――兩種爻畫即代表陰陽,再通過陰陽的"奇偶生生,動靜互變,四象上下,左右相交",而形成了《易》之八卦之卦畫。八卦之卦畫各代表天、地、水、火、澤、山等不同事物之象,這就叫"卦以表象"。僅有象還是不夠的,所以要"象以命名,名以顯義,義以正辭",於是"《易》書作矣"。這樣形成的《易》書,其作用是使人"順性命之理,究禮樂之原,成變化而行鬼神",但其本原則"不出乎圖、書之象與數也"。由此亦可見圖、書與象數的關係,所以我們説《易》學史的圖書派與象數派在本質上統一的,這在推崇圖書和象數的易學家那裏本來就是十分明確的。

　　《易象圖説》分内篇和外篇,各有三卷。皆畫圖而設論,用具體的圖説明圖書和象數所蘊含的意義,其内篇之圖有《龍圖天地未合之數圖》、《龍圖天地已合之位圖》、《龍圖天地生成之數圖》、《洛書天地交午之數圖》、《洛書縱橫十五之象圖》、《先天八卦對待圖》、《後天八卦流行圖》、《先後八卦德合圖》、《六十四卦循環圖》、《六十四卦因重圖》、《六十四卦變通圖》、《六十四卦致用圖》等,此外又有《明蓍策》、《考變占》二文;外篇之圖有《太極圖》、《三才圖》、《五氣之圖》、《七始之圖》、《九宮之圖》、《河洛十五生成之象圖》、《四象八卦六位之圖》、《四象八卦六節之圖》、《四象八卦六體之圖》、《四象八卦六脈之圖》、《四象八卦六經之圖》、《四象八卦六律之圖》、《四象八卦六典之圖》、《四象八卦六師之圖》、《地方萬里卦達之圖》等。這些圖中多有其他易圖中所未見者,如内篇的《六十四卦》諸圖及外篇的《四象八卦》諸圖,都是值得注意的圖式。

　　21)《周易參同契分章注》,元代廣陵上陽子注,收於《藏外道書》第9册之《金丹正理大全》内,上陽子,即陳致虛,字觀吾,元代人，另著有《悟真篇三註》、《上陽子金丹大要》等書。

他從 40 歲時始從人學道，對《參同契》深有研究，《四庫全書總
目提要》稱其注解"皆明白顯暢"（同上，卷 146）。《分章注》上中下三
篇分為三卷，上篇 15 章，中篇 15 章，下篇 5 章，章名與章數均與彭
曉不同。分章所以不同，也有其依據："分上篇十五章，以應上弦得
丹之義，中篇十五章，以應下弦丹成之義，下篇為五章，以應五行之
成數。"① 他所以另行分章，是因為對彭曉的注有所不滿："真一子
彭曉雖知藥火而欠次第，乃章章指為藥物火候，篇篇指為丹鼎工
夫。……豈知仙翁述此一書，無重複語。上篇叙造化煉成大丹之
旨，中篇又細議還返溫養防虞之用，下篇乃擬法象備露成丹之
詳"。②

他對《參同契》的理解與彭曉不同，這也是他重新分章的依據。
他極為推崇《參同契》一書的價值，說："留此書於世者，聖心道眼
也，天梯河筏也，修行人仰賴也。世無此書，則皆趨旁門邪徑，……
世無此書，則天地之間無修行之旨，對聖人之道也。"③ 如此重要
的道書，然而宋儒卻不能正確理解："宋儒未達，不肯明周易之道，
總看為卜筮之書，暗藏卻羲、文、周、孔神聖之心，黯卻乾坤順逆造
化之道，枉屈伯陽踵制玄言之諦。"④ 所以他有發明《參同契》本旨
的責任："今若不曉露此孔竅，則四聖人之心萬世莫伸，大易之道萬
世莫明。"⑤

在《參同契》的注釋史上，上陽子與彭曉各成一派，形成不同的
注釋系統。如清代的濟一子即非常推崇上陽子的注，《四庫提要》
稱《漢魏叢書》所載朱長春注本除第一章不立章句外其餘分為 34
章，全與陳致虛本相同，即抄陳致虛本而成。可見陳致虛注本的影

---

① ②　見陳致虛《分章注》上篇《大易總叙章》。
③ ④ ⑤　陳致虛《分章注》之《水火情性章》。

響甚大。而宋代的陳顯微、俞琰則贊成彭曉的注說,朱熹作《參同契考異》,明代《永樂大典》所載《參同契》,也都採用彭曉的章次。大致說來,彭曉的注時代較早,故宋元人多以他的注為依據。陳致虛的注成於元代,故明清時期的人多信奉他的注。這也是一種發展的現象。

22)《古易考原》,三卷,明梅鷟撰,收於續《道藏》正一部家字號函內,文物版《道藏》第36冊,臺灣版《道藏》第59冊。其書卷末有"明萬曆三十五年歲次丁未上元吉旦正一嗣教凝誠志道闡玄弘教大真人掌天下道教事張國祥奉旨校梓"字樣,是正一教第五十代天師張國祥奉明神宗之命彙編《續道藏》時所刊刻者。《四庫全書》經部易類存目中亦有此書,其《提要》云:"鷟,旌德人,正德癸酉(1513年)舉人,官南京國子監助教,終鹽課司提舉。是書謂伏羲之易已有文字,畫卦在前,河圖後出,伏羲但則之以揲蓍。大衍之數當為九十有九,以五十數為體,以四十九為用,無有中五乘十置一不用之理。論殊創闢,終於古無所授受,皆臆撰也。"①

其書卷一卷二論伏羲卦畫、蓍數之義,卷三論夏易、商易、周易之別。他認為:"易有伏羲卦畫之易,有伏羲蓍數之易"兩種不同之易,前者"藏天地萬物已往之理於其中,夫然後著策之易可得而用也"②。夏、商、周"三代之易皆發明伏羲著策之易以為尚占之用,未有及於卦畫之易也。及於卦畫之易者,夫子一人而已。"所以其書"首之以伏羲畫卦之易,蓋述夫子之意也。"③然著策之易亦非無用:"惟其有圓神之著數,而求天地萬物之理於藏往之卦畫,夫然後未來之吉凶悔吝可得而知也。"④

①　見《四庫全書總目》卷7。

②③　見《古易考原》卷1。

④　見《古易考原》卷2。

23)《周易參同契測疏》,24)《周易參同契口義初稿》,二書皆陸西星著,兩見於《藏外道書》第 5、6 兩冊。陸西星(1520—1601年),字長庚,號潛虛子,又號方壺外史,明嘉靖,萬曆時人。本是儒生,但却屢試不第,故離家而入棲霞山隱居著述,著有《老子元覽》、《陰符經測疏》、《參同契測疏》、《金丹就正篇》、《紫陽四百字測疏》、《方壺外史》、《南華副墨》等書。他對道教內丹術多有發揮,雖未正式入教,却自成流派,世稱內丹之"東派"。

《測疏》上中下三篇,分為三卷,卷前有陸西星自序,稱"沈潛是書二十年許矣,晚承師旨,一旦豁然"。對他家之注,則稱許上陽子注,得夫丹經立言之旨。但上陽子注不易為初學者理解,所以陸西星作《測疏》,以求"會文釋義,以義從文,翦去枝蔓,直見本根",以便讀解。他明言"其宗旨則上陽也,其文則已也,名之《測疏》",可知陸疏即上陽注之疏。陸序寫於"隆慶三年(1569 年)"[1],以此知其成書時間。

既為上陽注作疏,故其分章亦同上陽,但篇目之中略有更動。書末附《紫陽真人讀〈周易參同契〉》一文,陸西星加以注釋,闡明了他對金丹之道的理解,大意謂金丹之道即陰陽變化之道,由陰陽變化而生五行,"五行順兮常道有生有死,五行逆兮丹體常靈常存",所以人求金丹"其要不過識陰陽互藏之精,盜其機而逆用之耳"。所謂"逆用",就是"舉水以滅火,以金而伐木,每以逆克而成妙用"。這種逆用的理論,即上陽一派的特色所在。至於易,只不過是金丹家用來説明陰陽消息之理的"託象"之器。

《周易參同契口義初稿》上中下三篇,分為三卷,亦陸西星著。陸氏二書,《測疏》作於隆慶三年而在前,《口義初稿》成於萬曆元年(1573 年)而在後。《測疏》雖云"翦去枝蔓,直見本根",[2] 但陸氏

---

① 　此段引文均見陸西星《測疏》自序。

② 　見陸西星《測疏》自序。

仍覺“大義雖明，而微言未晰”，故作《口義》，以“紛解義意，補塞遺漏”。《測疏》是為上陽子注作疏而得名，《口義》則因“信手成句”“不復潤色辭藻”，① 故名《口義初稿》。

《口義》對金丹之道的說明較《測疏》更為淺顯，如謂“丹道之與天道、易道無不相準，……吾身之五行各得其序，而丹道可望其成矣。”② 《口義》下篇之後還附有《月節氣候卦斗律火總記》《斗建子午將指天罡》《九宮八卦》《含元播精三五歸一》等圖。《測疏》《口義》二書，收在《藏外道書》中，皆有兩種，一種在《藏外道書》之第五冊內，一種在其第六冊內。第五冊內者為單行本，在第六冊內者，則為《道統大成》本。此引文均據第五冊之單行本。

25)《周易參同契疏》，海鹽沂陽王文祿疏，一卷，收於《藏外道書》第9冊內。王文祿，又名世廉，明嘉靖時人，海鹽縣人，著有《陰符經疏略》、《胎息經疏略》、《參同契疏略》、《竹下寱言》、《藝草》、《衛志》、《邑文獻志》、《海沂子》等，又編有《百陵學山》叢書，光緒年間編成的《海鹽縣志》中有傳。此書卷末王跋落款云“萬曆壬午孟秋幾望武原沂陽生王文祿世廉”，是其書成於明萬曆壬午年（1582年）。

王文祿的《參同契》注，如他自己所說，“通篇中貫也，發老子養生一端。”③ 而其養生的根本方法就是《參同契》所謂的“兩孔穴法”。王文祿理解兩孔穴法的具體意思是：“夫兩孔穴者，嬰兒孕母胎，拳曲一團，神藏中心。心中懸，前臍後腎，臍帶連胞母，呼吸氣通，心腎交，純陽日長，下一孔穴也。氣足出胎，臍斷吃乳，滿腸抬

① 以上引文見陸西星《口義》自序。
② 見陸西星《口義》上篇《周易參同契章第一》注。
③ 見王文祿《周易參同契疏》“乾坤者易”注。

心,漸高在胸,心腎不交,純陽日散,上一孔穴也。守中,守下孔穴,使上孔穴心神復歸下孔穴竅,故曰兩孔穴法也。"[1] 他認為兩孔穴法的理論根據即來自河圖洛書兩個中圈〇,他在卷首《序》中説:"《參同契》冠《周易》,擬伏羲畫卦也。畫卦則河圖洛書中二中圈。〇,太極也,故曰易有太極,乾元則河圖中圈〇,坤元則洛書中圈〇。兩孔穴,取此通篇一中也。"對這一點,王文禄説其他人的"注多謬",而自己則"幸悟"。不管他的"悟"是否正確,但這確是王注的特色所在。

26)《易因》,上經三卷,下經三卷,共六卷,無撰人名,收於續《道藏》正一部家字號函内,文物版《道藏》第 36 册,臺灣版《道藏》版第 59 册。臺灣版《道藏》目録題為"李氏《易因》上下經六卷",《四庫全書總目》卷七"經部易類存目一"有《九正易因》無卷數,題"明李贄撰"。王重民《中國善本書提要》"經部易類"有"《易因二卷》二册,明萬曆間刻本",其提要云:"《存目》有李贄《九正易因》,蓋據《經義考》所載原序内述馬經綸之言而題書名也。此本無序跋。余觀卷内屢引汪本鈳、方明化之言,而知即李贄《易因》也。按《李温陵外紀》卷一引汪本鈳《哭李卓吾先師告文》云:'明年春(萬曆二十六年),弱侯焦先生迎師抵白下,為精舍以居。時方先生伯雨絜家往就學焉。師因於讀《易》其間,每至夜分始徹。鈳不過從旁作記載人,而《易因》梓矣'。"[2] 如此則其書名撰者均可確定無疑。

此書體例,先録《周易》正文如卦名、卦辭、爻辭、象傳、彖傳等,其下出注,注後則附録衆家之説,所引甚衆,如《子夏易傳》、揚子云、班固、鄭康成、王弼、李鼎祚、魏玄成、司馬君實、陳圖南、邵堯

---

① 見王文禄《周易參同契疏》,"上德無為"注。

② 見王重民《中國善本書提要》第 4 頁,上海古籍出版社 1983 年版。

夫、周茂叔、丘仲深、羅彝正、王畿、石守道、蘇東坡、蘇子瞻、蔡子木、朱仲晦、程正叔、金汝白、鄭窒甫、劉濟伯、胡仲虎、游定夫、劉長民、王德卿、晁以道、呂仲木、鄧伯羔、王伯安、楊敬仲、熊過、方時化、趙汝楳、汪本鈳、楊簡、馮奇之、姜廷善、焦弱侯、吳幼清、薛君采、劉用相等等。

27)《古文參同契玄解》,28)《古文參同契箋注》,29)《古文參同契三相類》,此三種均為明代彭好古注,收於《藏外道書》第 6 冊內。《古文參同契玄解》上中下三篇,合為一卷。《古文參同契箋注》上中下三篇,合為一卷。《古文參同契三相類》上下二篇,合為一卷。此三書原由彭好古合編於《道言內外秘訣全書》中,此《全書》則收於《藏外道書》第 6 冊內。

《古文參同契玄解》前有彭好古自序,序前大題為"古文參同契玄解,楚黃西陵一蟄居士彭好古撰"。正文大題則為"古文參同契,東漢會稽真人魏伯陽著,明西陵一蟄居士彭好古解"。其自序中說:"輒不自揣,僭為注說,命之曰《玄解》"。可知其書之名應為《古文參同契玄解》。此序落款為"明萬曆己亥季夏望前一日書",此序之外又有一篇《古文參同契題辭》,言作解原由,而落款時間為"戊戌孟夏廿六日",則成書時間當在明萬曆二十六年至二十七年間(1598—1599 年)。

《古文參同契箋注》,大題為"東漢青州從事徐景休著,明西陵一蟄居士彭好古解",箋注前有徐景休的《箋注序》,大意謂《參同契》"辭寡而道大,言微而旨深",難以理解,"故為立注,以傳後賢",以便使後之求道者能夠"曉大象","得長生"。

《古文參同契三相類》,大題"東漢會稽淳于叔通補遺,明西陵一蟄居士彭好古解",正文前淳于叔通所著之"序",大意謂此作是為魏伯陽《參同契》"補塞遺脫,潤色幽深",書目即"命《三相類》"。用意在於使人相信"爐火之事,真有所據"。

　　彭好古通過為《參同契》作注而歸納出道家修煉長生術者不出清静、陰陽、服食三家。前二家都以修煉精氣為着眼點，即添精補氣，保持精氣的充足旺盛，以達長生的目的。但"精終有竭時，氣終有散時，精竭氣散，神將焉附?"所以他說:"此二者謂之非道不可，謂之仙道不可。"他認為仙道的目的是求為神仙，達到"出有入無，變化莫測""超然常存於宇宙之間"的境界，這是清静、陰陽二家的方法所無法達到的。因此他相信服食的方法，即所謂"煉金丹以為服食"，通過"金丹點化"，而"以天地之母氣伏吾身之子氣，以天地之金精伏吾身之真精"，最終達到"形神俱妙，與天地同壽"的境界。這種金丹之道與《易》有什麽關係? 他認為:"自伏羲畫卦，以及文王周公，無非此道，其説在《易》，炳炳可觀。"這種以金丹點化而與天地同壽的學説，他又稱之為"性命之理"，而"伏羲之卦象，文王之卦辭，周公之爻辭，何者非性命之理?"他認為《參同契》則是繼承這一學説傳統的著作:"《參同契》準《易》而作，捨人事而歸性命，直接羲皇以來相傳之統。"[1] 祗不過《參同契》比《易》之卦畫經傳講得更為具體明確而已。所以彭好古認為《參同契》的内容"以服食為主,[2]魏伯陽的經文上篇言"羲文大易之理"，中篇"言養内丹以外丹"，下篇"言煉神丹以為服食，神仙飛升之事也"。[3]

　　彭好古根據楊慎菴所得古文本把《參同契》分為魏、徐、淳于三人之作，即《古文參同契》三篇(從"乾剛坤柔配合相包"到"智者審思，用意參焉"，皆四言句)、徐景休《箋注》三篇(從"乾坤者易之門户，衆卦之父母"到"至要言甚露，昭昭不我欺"，皆五言句)、淳于叔通《補遺》二篇(從"法象莫大乎天地兮玄溝數萬里"到最後的"鼎器

---

①　以上引言均見彭好古《玄解》自序。
②　見彭好古《玄解·凡例》
③　見彭好古《玄解·篇首註》

歌”），所以他的注也隨之分為三種，而統稱之為《古文參同契》。他認為三者之合一，是“五代時為蜀彭真一所亂”，[1] 而把三者分開，則是根據楊慎莾所叙古文本。楊氏古文本，在一些比較嚴謹的學者看來，是不大可靠的，尤其是《箋注》的序和《三相類》的序，都是其他各本所不見者，所以不少學者都懷疑其真實性，如《四庫全書總目》就不相信這種古本。[2] 但彭好古、悟元子這種道家信徒，不會從儒家學者式的立場來看問題，所以他們相信這種來歷不明的古文本。我們今天所要注意的是這種注本中的內容，而將《參同契》分而為三還是合而為一以用具體作者是誰等等問題，則並非根本性問題。

30)《周易參同契闡幽》，七卷，收於《藏外道書》第 6 册内，云陽道人朱元育著。朱元育，清康熙時人，著有《參同契闡幽》、《悟真篇闡幽》等。此書上中下三篇，分為七卷。篇中又分章，不從彭曉的分章法，而是三篇共分三十六章，與上陽子的三十五章相似，但篇名不同。此書上中二篇“篇中分御政、養性、伏食三家”，[3] 故上中二篇各分為三卷。加上下篇一卷，共為七卷。

卷首有朱氏題辭，説明他所理解的《參同契》之旨：《參同契》“蓋以易道明丹道也。易道之要，不外一陰一陽。丹道之道，亦不外一陰一陽。一陰一陽合而成易，大道在其中矣。”他認為《參同契》分御政、養性、伏食三家，此三家所言即“大易性情、黃老養性、爐火之事”，雖分為三家，但必須“合同為一，方與盡性知命之大道相絜”[4] 他在正文之注中也説，“（上）卷專言御政，而養性，伏食已寓其中”（上篇上卷卷首注），“（中）專卷言養性，而御政伏食已寓其

①　見彭好古《玄解·自序》。
②　見《四庫全書總目提要》卷 146，《周易參同契通真義》“提要”。
③　見《闡幽》卷首朱元育序。
④　見《闡幽》卷首“朱氏題辭”。

中"(同上),"(下)卷專言伏食,而御政、養性已寓其中(同上)"。這叫
"舉一端而三者全具其中"①

　　他不贊同把《參同契》分為經、箋注、三相類三部分,批評"近代
諸家有分上篇為經,此篇(指中篇)為注者,又有分四言為經,五言
為注者,不知徹首徹尾貫通三篇始成一部。《參同契》千載之下,孰
從定其為經為註而徒破碎章句乎? 俱係臆説,概所不取。"② 朱元
育這種態度,倒比彭好古、劉一明之人顯得慎重。但他對上中下三
篇之義,仍有區分。謂"上卷(按:即上篇)十五章,分御政、養性、伏
食三卷,應藥物、爐鼎、火候三要,金丹大道,已無餘蘊。然但舉其
體統該括處,尚有細微作用,未及悉究。……故此篇(按:指中篇)
仍分三卷,將差別處逐段剖析,與上篇處處表裏相應。"③"上篇中
篇各分御政、養性、伏食三段,條貫雖具,猶似散而無統,此篇(按:
即指下篇)特為通其條貫,使三者類而為一"。④ 這實際也是在説
明三篇相互關聯,不可分割,正因為此所以他不贊同分《參同契》為
三人之作。

　　31)《參同契脈望》,三卷,清代陶素耜著,收於《藏外道書》第
10 册内。陶素耜,號存存子,又號清浄心居士,浙江會稽人。《脈
望》一書,作於康熙庚辰年(1700 年),其内容為雜義二十條,上篇
二十段,中篇十六段,下篇四段。書首有仇兆鰲序,作於康熙四十
年(1701 年);陶素耜序,作於康熙庚辰年。書後附有《河圖作丹圖
説》《洛書作丹圖説》《先天八卦圖説》《後天八卦圖説》等十種圖説。

　　仇兆鰲序謂陶素耜"得孫教鸞真人嫡派,遂注《參同》《悟真》。
……凡藥物、火候、結丹、脱胎,口所不能盡吐者,皆隱躍逗露於行

---

　　① 　見《闡幽》卷首"朱氏題辭"。
　　②③ 　見朱元齊《參同絜闡幽》中篇卷首論。
　　④ 　見陶素耜《參同悟真注》自序。

墨之間。"陶素耜稱"柱史之《道德》、漆園之《南華》,金丹之祖也。"① 然而老子、莊子的原意却不能為世人所瞭解,所以"東漢魏伯陽祖述《周易》,作《參同契》三篇,鼎器、藥物、火候,悉取卦象為證,發明妙徼重玄、緣督守中之秘,而《道德》《南華》之旨乃大顯於世。"所以他説"《參同》《悟真》者,《道德》之微言,《南華》之諦義,性命之極致,三教之真詮也。"具體來説,"《參》《悟》二書,固即老莊食母守母、有情有信之旨也。"甚至説"有情有信二語,足以盡《參》《悟》之蘊矣。"而所謂的情與信,在他看來,"情者,静之動也。信者,動之符也。信之一字,千聖萬真,同此一訣。"②

陶素耜的《雜義》二十條中有不少見解值得重視,如論《參同契》用語是"隱語""喻言",對不同的事物則使用不同的詞彙,而本旨却無不同;認為《參同契》出自河圖洛書,與先天後天卦圖及文王大圓圖都有關係;評價清代以前的《參同契》舊注,以上陽子和陸西星二家為最好,推崇為"暗室之巨燈,迷津之寶筏";指出魏伯陽作《參同契》的目的,就是"藉易卦以發明丹道",但"若執易象以求丹,則丹道反晦"。關於金丹之道的具體方法,《雜義》中也有獨特的説法,如謂金水有先天後天之分,火候有鉛中之火、汞中之火、二七之火等區別,人身中的玄關也有數處;論修真成道法門大致有四種,即天元之道、地元之道、人元之道、霹靂符籙之法。尤其值得注意的是,陶素耜還在《雜義》中論述了佛教中的"智者大師"也能掌握與《參同》相同之理,因此説"仙佛二宗"是相通的。③

32)《周易闡真》,33)《孔易闡真》,34)《參同契經文直指》,35)《參同契直指箋注》,36)《參同契直指三相類》,此五種皆素樸散人

---

①   見陶素耜《參同悟真注》自序。
②   見陶素耜《參同同悟真論》自序
③   此段引文均見陶素耜《參同契派望》"雜義"。

悟元子著,收於《藏外道書》第 8 册之《道書十二種》内,《道書十二種》為悟元子著作的匯集,除以上三書外,還有《象言破疑》《悟真直指》《陰符經注》《悟道録》等等。悟元子即劉一明(1734—1821),[①]在世,號悟元子,又號素樸散人、被褐散人,山西平陽府曲沃縣(山西省聞喜縣東北)人,其後半生在今蘭州榆中縣棲雲山、興隆山修道,著書立説,是清乾嘉時期晉、陝、寧、甘、青一帶全真道龍門派第十一代主要代表人物。此人著作繁多,有《西遊原旨注解》、《易理闡真》、《會心集》、《修真辨難》、《象言破疑》、《道德經全要》、《心經解藴》、《陰符經注》、《參同直指》、《悟真直指》、《悟道録》、《黄庭經解》、《金丹四百字解》、《棲雲筆記》、《金丹口訣》以及醫書《經驗雜方》、《經驗奇方》、《眼科啟蒙》、《雜疫症治》等。其著作匯集,嘉慶時有《指南針》十二卷,《指南三書》六卷,民國初年,其著作匯刻本稱《道書十二種》。其《道書十二種》今已收於《藏外道書》内。

　　《周易闡真》卷首有楊芳燦作於嘉慶庚申年(1800 年)的序,稱"悟元道人者,金城棲云山之肥遁士也"。後有悟元子的自序,末署"嘉慶三年(1798 年)素樸散人悟元子劉一明自序於自在窩中",由此可知其人姓字名號及作書時間。

　　《周易闡真》,是對《周易》經文六十四卦的解説,全書共分 4 卷。書前有《圖卦》上下二篇,共收有各種有關《周易》和煉丹的圖式 31 種,如《古河圖》《先天陽五行圖》《後天陰五行圖》《金丹圖》《鼎爐藥物火候六十四卦全圖》《陽火陰符六陽六陰全圖》《先天陰陽混成圖》等。《孔易闡真》,上下二卷,此書内容是對《周易》傳文"大象傳"和"雜卦傳"的解釋,顯然是《周易闡真》的續篇,以完成對

---

　　①　此據劉國梁説,見其著《道教精萃》第 231 頁,吉林文史出版社,1991 年版。任繼愈主編《中國道教史》則以劉一明卒於 1815 年,即嘉慶二十年。見該書第 795 頁,上海人民出版社,1990 年版。

《周易》全部經傳的注釋。

　　悟元子對《周易》和《周易參同契》的看法如下,認為"《易》廣矣大矣,……無所不包,無所不該,詎可就一事而論哉? 然其歸根處,總以窮理盡性至命為學。"魏伯陽作《參同契》,目的就是"以明性命源流、陰陽真假、修持法則、工夫次序也。"所以他認為"修持性命之理,《參同》一出,詳明且備,大露天機矣。"這就是他對《周易》及《參同契》的基本理解。他以《闡真》命名其書,正是要"闡其窮理之真、盡性之真、至命之真。"在此基礎上形成他對內丹術的藥物火候的獨到解釋:"以性命陰陽剛柔謂之藥物,以修持工夫次序謂之火候,以修持工夫不缺謂之鍛煉,以勇猛精進謂之武火,以從容漸入謂之文火,以陰陽剛柔中正謂之結丹,以陰陽混成剛柔悉化謂之丹熟,以無聲無臭神化不測謂之脫丹。"①

　　《參同直指》,由三種書組成,即《參同契經文直指》《參同契直指箋注》《參同契直指三相類》,均由悟元子劉一明注,作於清嘉慶四年(《參同契真指》序)。其中《經文直指》分上中下三篇,是悟元子對《參同契》的解釋。《直指箋注》分上中下三篇,《參同契直指三相類》則分為上下兩篇。這種分法與明代彭好古相同,以為《周易參同契》應該分為經文、箋注、三相類三部分,經文則魏伯陽作、箋注由青州從事徐景休作,三相類由淳于叔通作。所以要區分三者,是因為"此書流世已久,次序紊亂,……或以經文與注語相混,或將序文與正文夾雜,不但文意不貫,次序大錯,且不分何者是經,何者是注,何者屬於魏,何者屬於徐,何者屬於淳于,竟似魏真人一人之書"。而其區分的依據是"無名氏翁真人注,上陽子陳真人注",認為此二人之注,"經注各分一類,節序前後相貫,經自經,注自注,補塞自補塞,文自文,序自序,米鹽分判,皂白顯然。"②

---

　　①② 此段引文均見劉一明《周易闡真》自序。

　　其叙《參同契》之作，是由於魏伯陽"得長生陰真人之傳"，對所謂"七返九還金液大還丹之道""會悟圓通，了却大事"，然後"準易道作《參同契》，分上中下三篇"。此三篇"首叙御政之道，中叙養性之理，末叙伏食之方"。雖然"羅列三條"，但却"貫通一理"，"其中藥物火候，無一不備"。而悟元子的注則以上陽子陳真人注本為據，但於正文次序略有更移。其注釋方法則破除"一切比象喻言"，"與大衆細看直指，何者是爐鼎，何者是藥物，何者是陰陽，何者是五行，何者是先天，何者是後天，何者是火候，何者是烹煉，何者是内外，何者是始終"。他希望通過"直指"式的注説，使《參同契》的"核實盡露，肯綮全現"①，從而破除人們對於此書的各種誤解。

　　37)《頂批上陽子原注參同契》，是濟一子傅金銓在上陽子的《參同契分章注》中做的頂批，收於《藏外道書》第11册内。濟一子傅金銓，又稱濟一道人，浙江金溪人，清道光時人，著有《濟一子道書》十二種、《證道秘書》八種、《悟真四注篇》三種等。另著有《杯溪録》一書，由廣豐縣知事阿應麟作序，可知他曾在廣豐縣活動。上陽子，即元代的陳致虚。《頂批》前有純陽子俞慕純序和潛陽子朱仲棠序，均作於清道光二十一年(1841年)，可知濟一子之頂批即成書於此時。《頂批》為叢書《濟一子道書十二種》之一，此叢書全部收入《藏外道書》第11册内。

　　俞慕純的序中介紹濟一子時，突出他的"煉心為至難"思想："修仙有程，而煉己無限。至於匹配陰陽，交合水火，求鉛制汞，如不難也，煉心為至難耳"②。從濟一子的頂批之文中可以看出他對陰陽的特殊理解。他説："舉世不能聞陰陽同道之

---

①　此段引文均見劉一明《周易闡真》自序
②　見《頂批》俞慕純序。

道。"① 又説:"易字上是日,下勿字是月,故曰日月為易,易即陰陽,陰陽即易。"②

他認為魏伯陽的《參同契》"借《易》以明丹道,此為《周易》真解"。而世上儒家對於《周易》的衆多注釋,都不過是"掠笑談理,牽無實證"。濟一子十分推崇上陽子,説:"大易性情,千古無人發出,天生上陽子,乃露其端。"此即所謂"聖人非聖人不知,神機非神人不解也。③"又説:"《易》自夫子《繫辭》之後,直瞞至今,天生上陽子特為指出。宋儒講理,彼豈知乾坤順逆實事?"④

濟一子又鼓吹傳道的神秘性,認為求道不能自悟,非經師傳不可:"不經師傳,斷無成就。自太上至今,一脈貫通,一氣相承,自悟自行,亘古不聞有人也。"⑤對照古今,"古人刻志求師,何等真切,今人偏要自悟,實是愚迷。"⑥

38)《周易參同契》,上中下三卷,不分章,儲華谷註,收於《道藏》太玄部若字號函,文物版《道藏》第 20 册,臺灣版《道藏》第 34 册。儲氏事蹟不詳。此書無序,但在卷下之後有《讚》一首,其中言丹法,由此可見其注説之大旨,《讚》云:"乾為離宅,坤為坎郭。真陰離處,真陽坎居。離納己婦,坎納戊夫。日月合璧,戊己為樞。賓浮主沉,制有以無。藥之與物,二八河圖。五賊運火,皇極洛書。法象羲易,按爻摘符。……上下三十世,火候惟口傳。信受奉行者,永為瑤池仙。"

39)《周易圖》,上中下三卷,不題撰姓氏,收在《道藏》洞真部靈

---

① 見《頂批》卷上《大易總叙章》。

② 同上書《乾坤設位章》

③ 見濟一子《悟真篇序》"爻變功用章"

④ 同上,《水火情性章》

⑤ 見《頂批》《金丹刀圭章》

⑥ 見濟一子《悟真篇序》之頂批。

圖類陽字號函，文物版《道藏》第 3 冊，臺灣版《道藏》第 4 冊。此書全為有關周易的各種圖式，絕大部分都有文字説明。文字説明亦不似一人之作，而是引用的衆家之論，如周茂叔、洪邁、朱漢上、耿南仲、韓康伯、邵康節、陳希夷、范昌諤、王大寶、郭京、聶麟、鄭少枚、鄭厚，其他則僅題姓而不著名字者，如楊氏、劉氏、鄭氏等。

　　此書所收易圖十分豐富，值得注意。如卷上有《太極圖》、《周氏太極圖》、《鄭氏太極貫一圖》、《河圖之數圖》、《洛書數圖》、《天地自然十五數圖》、《日月為易圖》、《六位三極圖》、《先後中天總圖》、《先天數圖》、《先天象圖》、《六十四卦陰陽倍乘之圖》、《李氏六卦生六十四卦圖》、《八卦推六十四卦圖》、《六十四卦大象圖》等近三十種圖。中卷至下卷主要是六十四卦各卦之圖，如《乾坤易簡之圖》、《屯象圖》、《蒙養正圖》、《需須圖》、《訟象圖》、《師比御衆之圖》、《大小畜吉凶圖》、《否泰往來圖》、《同人圖》等，都是對六十四卦的具體卦象進行解説的圖式。此外還有《序卦圖》、《雜卦圖》、《十三卦取象圖》、《陳氏三陳九卦圖》、《邵氏〈皇極經世〉之圖》、《〈皇極經世〉全數圖》、《揚雄〈太玄〉準易圖》、《關子明擬玄洞極經圖》等，範圍已經廣涉至《周易》的變種之圖，可見其内容之豐富。

　　40)《周易參同契注》，無名氏注，上中下三卷，分 90 章，收於《道藏》太玄部映字號函，文物版《道藏》第 20 冊，臺灣版《道藏》第 33 冊。此書前後均無序跋，卷上為第一至第四十章，卷中為第四十一章至第七十八章，卷下為第七十二章至第九十章，九十章之外則附以《鼎器歌》，不似他注以《鼎器歌》單獨為一章者。

　　看其注知為内丹説。如其卷下第七十九章注云："聖賢服煉九鼎，含精養神，與三光合其德，故能津液充於腠理之間，使筋骨堅致，正氣常存，而為仙矣。"其注述成丹原理謂："肺屬金，白也。脾屬土，黄也。蓋肺液自沖廬而下，脾液自黄野而升，此二者常相會合。赤，心氣也。黑，腎氣也。此二者常相為表裏。四者俱會於泥丸宮,故為第一鼎。及其成丹,則一日大如黍米,以入丹田之内,非妄語也,實天地自然之道耳。"(第 83 章注)他主張内丹,故反對服用藥石:"使修煉之十果能知此,則武都八石何用哉?"(第 89 章注)

　　41)《周易參同契注》,無名氏注,上下二卷,不分章,收於《道藏》太玄部容字號函,文物版《道藏》第 20 册,臺灣版《道藏》第 33 册,此本非全本,僅至"至要言甚露,昭昭不我欺",按彭曉的分章法,則僅全書之上卷而已。此本文字也多與他本異,試與俞琰本相校,其中異文就有不少,如:

無名氏注本	俞琰注本
天地者,乾坤也	天地者,乾坤之象也
幽潛淪匿,斗化於中("斗"字有注)	幽潛淪匿,變化於中
以無制有,氣用者空("氣"字有注)	以無制有,器用者空
引驗見效,授度神明	引驗見效,校度神明
並由中官所禀戊己之功	皆禀中官戊己之功
爻據謫符	據爻摘符
蟾蜍與兔焕,日月兩氣雙	蟾蜍與兔魄,日月無雙明
此兩孔穴法,吟氣亦相須	此兩孔穴法,有無亦相須
鉛為表衛,帛裹貞居	煉為表衛,白裹貞居
經營三載,輕舉遠遊	服食三載,輕舉遠遊
呼吸相貪欲,佇思為夫婦	呼吸相含育,佇息為夫婦
雄陽播玄施,雌陰化黃包	雄陽播玄施,雌陰統黃化

　　如此之類,尚有許多,此不一一列舉。

　　其書卷首有序,謂《周易》本身就有丹術之義:"易者乃常道也,易者變改之義。言造大還丹運火,皆用一周天,故曰周。易者,汞為日,南方,離,火,屬巳,太陽之精,為青龍;鉛為月,北方,坎,水,屬戊,太陰之精,為白虎,亦為丹砂。為日汞,為月,故日月為易字。"其釋《參同契》之義則謂"參者雜也,雜其水土金三物也,同為一家,如符若契,契其一體,故曰參同契。"其書原亦為三卷,並述各卷大意:"第一卷以論金汞成形、日月升降,第二卷論增減十月脱胎,第三卷淳于君撰,重解上下二卷。"[①]

　　作者簡介　劉韶軍,1955 年 3 月生,山東披縣人,華中師範大學歷史文化學院教授。著有《太玄大戴禮研究》、《中國老學史》(合著)等。

---

①　此段引文均見該書卷首序。